KB054844

남북한 유엔 가입

홍보 및 언론 보도 1

남북한 유엔 가입

홍보 및 언론 보도 1

한국학술정보

| 머리말

유엔 가입은 대한민국 정부 수립 이후 중요한 숙제 중 하나였다. 한국은 1949년을 시작으로 여러 차례 유엔 가입을 시도했으나, 상임이사국인 소련의 거부권 행사에 번번이 부결되고 말았다. 북한도 마찬가지로, 1949년부터 유엔 가입을 시도했으나 상임이사국들의 반대에 매번 가로막혔다. 서로가 한반도의 유일한 합법 정부라 주장하는 당시 남북한은 어디까지나 상대측을 배제하고 단독으로 유엔에 가입하려 했으며, 이는 국제적인 냉전 체제와 맞물려 어느 쪽도 원하는 바를 성취하지 못하게 만들었다. 하지만 1980년대를 지나며 냉전 체제가 이완되면서 변화가 생긴다. 한국은 북방 정책을 통해 국제적 여건을 조성하고, 남북한 고위급 회담 등에서 남북한 유엔 동시 가입 등을 강력히 설득한다. 이런 외교적 노력이 1991년 열매를 맺어, 제46차 유엔총회를 통해 한국과 북한은 유엔 회원국이 될 수 있었다.

본 총서는 외교부에서 작성하여 30여 년간 유지한 남북한 유엔 가입 관련 자료를 담고 있다. 한국의 유엔 가입 촉구를 위한 총회결의한 추진 검토, 세계 각국을 대상으로 한 지지 교섭 과정, 국내외 실무 절차 진행, 채택 과정 및 향후 대응, 관련 홍보 및 언론 보도까지 총 16권으로 구성되었다. 전체 분량은 약 8천 쪽에 이른다.

2024년 3월

한국학술정보(주)

| 일러두기

· 본 총서에 실린 자료는 2022년 4월과 2023년 4월에 각각 공개한 외교문서 4,827권, 76만 여 쪽 가운데 일부를 발췌한 것이다.

· 각 권의 제목과 순서는 공개된 원본을 최대한 반영하였으나, 주제에 따라 일부는 적절히 변경하였다.

· 원본 자료는 A4 판형에 맞게 축소하거나 원본 비율을 유지한 채 A4 페이지 안에 삽입하였다. 또한 현재 시점에선 공개되지 않아 '공란'이란 표기만 있는 페이지 역시 그대로 실었다.

· 외교부가 공개한 문서 각 권의 첫 페이지에는 '정리 보존 문서 목록'이란 이름으로 기록물 종류, 일자, 명칭, 간단한 내용 등의 정보가 수록되어 있으며, 이를 기준으로 0001번부터 번호가 매겨져 있다. 이는 삭제하지 않고 총서에 그대로 수록하였다.

· 보고서 내용에 관한 더 자세한 정보가 필요하다면, 외교부가 온라인상에 제공하는 『대한민국 외교사료요약집』 1991년과 1992년 자료를 참조할 수 있다.

| 차례

머리말 4

일러두기 5

남북한 유엔가입관련 홍보 및 언론보도, 1990-91. 전5권 (V.1 대국민 홍보자료 발간) 7

남북한 유엔가입관련 홍보 및 언론보도, 1990-91. 전5권 (V.2 대언론 홍보 및 기자회견 자료) 215

정 리 보 존 문 서 목 록

기록물종류	일반공문서철	등록번호	2020080016	등록일자	2020-08-19
분류번호	731.12	국가코드		보존기간	영구
명 칭	남북한 유엔가입관련 홍보 및 언론보도, 1990-91. 전5권				
생 산 과	국제연합1과	생산년도	1990~1991	담당그룹	
권 차 명	V.1 대국민 홍보자료 발간				
내용목차					

0001

기안용지

분류기호 문서번호	국연 2031 -	(전화:)	시 행 상 특별취급	
보존기간	영구·준영구. 10. 5. 3. 1	차 관	장 관	
수 신 처 보존기간			91.1.7. 구두보고필	
시행일자	1990. 11.30.			

보조기관			협조기관		문서통제
	국 장			제1차관보	
	과 장			기획관리실장	
				정보문화국장	
기안책임자	김성진			홍 보 과 장	발 송 인

경 유 수 신 참 조	건 의	발신명의		
제 목	대국민 홍보책자 발간			

1. 최근 유엔가입문제는 남북대화에서 거론되고 언론에 자주 보도되는 등 국민 각계의 주요 관심사항의 하나로 대두되고 있는 바, 동 문제에 대한 대국민홍보 활동이 긴요하다고 사료됩니다.

2. 이에따라, 유엔가입문제에 대한 국민들의 이해를 증진시키고 정부의 유엔가입정책에 대한 국내지지 여론을 확산시키기 위해서 별첨 계획과 같이 홍보책자를 발간하여 정부,

0002 //계속..

국회, 언론계, 학계등 주요인사 약 2,300명에게 배포코저

건의하오니 재가하여 주시기 바랍니다.

첨 부 : 홍보책자 발간 계획(안) 1부. 끝.

0003

(첨 부)

홍보책자 발간계획(안)

1. 책 자 명 : 「우리는 왜 유엔에 가입하려 하는가」

2. 발간시기 : 91.1.18(금)경

3. 배포대상 : 총 2,355부

가. 부문별 배포 계획

구분	정 부	국 회	언 론	학 계	주 요 민간단체	해외 교포	계
대상 (부)	348	358	457	772	300	120	2,355

나. 세부배포 계획

o 정기배포 대상자(DM망, 홍보과 주관) : 733명

- 정부국내홍보위원 150, 국제정치학 교수 122, 국제경제학 교수 77, 국제법 교수 38, 외교정책자문위원 23, 주요언론인 156, 외교협회 임원 15, 외무부 설립허가법인 32, 해외교포 120

o 국 회 : 558부

- 의원 299, 상임위(17개) 54, 사무처 5
- 출입기자단 200

o 정부부처 : 102부

- 청와대 : 25 (비서실 18, 기타 7)
- 총리실 : 15 (비서실 6, 행정조정실 6, 기타 3)
- 국방부 10, 공보처 10, 안기부 5
- 기타부처(각 1부) : 37

0004

o 본　　부 : 128부

- 본　　부 : 70 (실국장 10, 각과 60)
- 연 구 원 : 35 (연구위원 14, 교수 16, 기타 5)
- 출입기자단 : 23

o 재외공관(각 1부) : 141부

o 관련부처 출입기자단 : 78부

- 청와대 20, 총리실 35, 통일원 23

o 민간단체 : 615부

- 유엔한국협회(이사) : 80
- 대학(107개, 각 5부) : 535

4. 인쇄 계획 :

- 부　　수 : 2,500부 (예비 145부 포함)
- 규격 및 양식 : 아트지 25절지, 양면인쇄 (별첨 샘플 참조)
- 소요예산 : 90만원(정보문화활동, 수용비). 끝.

0005

(Sample)

우리는 왜 유인에 가입하려 하는가

외 무 부

0006

회송
(인쇄물)
1.8

우리는 왜 유엔에 加入하려 하는가

1991. 1.

外　務　部

0007

P1

目 次

1. 새로운 國際秩序와 유엔

2. 유엔加入은 왜 더이상 늦출 수 없나

3. 北韓은 왜 유엔加入에 反對하나

o 北韓側 立場

o 單一議席案의 問題点

4. 北韓이 反對하는데 왜 우리는 유엔에 加入해야 하나

5. 우리의 유엔加入 推進 政策

o 우리의 基本姿勢

o 우리의 先加入問題

0008

머 릿 말

和合과 協力을 追求하는 새로운 時代를 맞아 유엔의 位相은 나날이 고양되고 있으며 유엔의 役割에 대한 國際社會의 期待도 높아가고 있다. 이러한 가운데 昨年 第 45次 유엔總會에서 우리의 유엔加入을 支持하는 많은 會員國들의 發言으로 우리의 유엔加入이 더이상 늦추어져서는 안된다는 國際社會의 認識이 고조되었다는 事實은 우리에게 特別한 意味를 가져다 주었다.

昨年 9月이래 南.北韓 高位級會談 및 實務代表 接觸等을 통하여 우리는 北韓側에게 우리와 함께 하루속히 유엔에 加入하는 것이 바람직함을 說得하였으나 유감스럽게도 北韓側은 非合理的인 主張을 거듭하였다.

우리로서는 北韓이 하루빨리 現實을 올바르게 認識하고, 非現實的인 態度를 바꾸어 우리와 함께 유엔에 加入하여 7,000萬 한民族의 自尊과 矜持를 全世界에 드높이고, 國際社會에서 合當한 役割을 해 나가면서 유엔의 目的과 憲章 精神속에서 南北間에 交流와 協力을 增進시킴으로써 祖國의 平和的 統一을 하루라도 앞당기는데 同參할 것을 바라고 있다.

0003

P.3

유엔의 役割에 대한 期待가 그 어느때 보다 上昇되고 있는 現 時點에서 南北韓의 유엔加入問題와 關聯하여 國民여러분께 說明을 드리는 것은 여러모로 意義가 있다고 생각한다.

우리의 유엔加入 政策은 政府만의 努力으로는 所期의 成果를 거둘 수 없으며 우리國民 모두의 理解와 支持를 바탕으로 推進해야만 그 實現의 날을 더욱 앞당길 수 있을 것으로 믿는다. 아무쪼록 이 조그만 說明書가 유엔加入問題에 대한 國民여러분의 理解에 도움이 되기를 바란다.

1991年 1月

0010

pc

1. 새로운 國際秩序와 유엔

第 2次 世界大戰이 끝난후 지난 40여년동안 國際社會에는 冷戰論理가 支配하면서 美國과 蘇聯을 兩主軸으로 하는 東.西 陣營間의 理念的 鬪爭, 政治的 葛藤과 軍備競爭이 尖銳化되었고 獨逸의 分斷과 韓半島의 分斷에서 象徵的으로 나타난 바와 같은 兩大陣營間 對決狀況은 그간 世界到處에서 많은 地域紛爭을 誘發시킴으로써 世界史에 對立과 分裂의 깊은 골을 남겨놓은 바 있다.

이와 같은 冷戰體制는 新思考 政策을 標榜하는 蘇聯 고르바쵸프 大統領의 登場과 함께 東歐圈 國家들의 改革과 開放으로 급격히 瓦解되기 시작하였고, 東.西 對決의 代表的인 象徵物이었던 베르린 障壁의 崩壞와 分斷 獨逸의 統一로 이제는 過去 歷史의 片鱗과도 같이 느껴질 정도이다. 오늘날 美國과 蘇聯間 和合과 協調의 雰圍氣는 國際秩序의 새로운 方向을 提示하고 있고, 世界歷史는 새로운 協力의 章을 열어 가고 있다.

그동안 유엔이 冷戰體制의 그늘밑에서 東.西 陣營間의 對立과 反目 ~~유엔~~으로 유엔 創設者들이 當初 상정했던 世界平和와 人類福祉의 增進이라는 本然의 任務를 제대로 遂行하지 못해 왔던 것은 사실이다. 그러나 最近 國際社會의 本質的인 變化趨勢와 國家間, 나아가 地域그룹간 增進되고 있는 和解와 協力의 雰圍氣는

p6

유엔의 權能에 대한 信賴를 增大시킴과 동시에 그 役割의 效用性을 새로운 角度에서 照明하게끔 하고 있다.

「유엔은 世界平和와 人類福祉를 具現해 나가는 유일한 汎世界的 機構」로서 現在 全世界 모든 國家를 거의 망라한 159個國을 會員國으로 갖고 있고, 政治, 經濟, 社會等 諸般 分野別로 34個의 直屬機構와 16個의 專門機構라는 방대한 傘下組織을 움직이고 있다. 오늘도 각기 다른 利害와 立場을 가진 個別國家, 國家그룹, 地域別 代表들이 유엔을 중심으로 한자리에 모여 軍縮, 國際平和維持와 紛爭解決, 國際經濟發展, 人權伸張, 環境保護等 諸般分野에서 人類의 共同繁榮을 圖謀할 수 있는 方案을 진지하게 論議하고 있다. 이와 관련 유엔憲章上의 重要任務인 國際紛爭의 平和的 解決을 위하여 유엔安全保障理事會가 昨年 8月에 發生한 페르시아灣 事態와 關聯하여 取한 일련의 迅速하고 効果的인 對應措置는 유엔의 權能과 役割에 대한 信賴와 期待를 그 어느때 보다도 높히게 하는 實例라고 할 수 있다.

「유엔은 새로운 國際秩序속에서 앞으로도 世界平和와 安全의 維持 機能을 繼續 遂行해 나가는 동시에 全 人類의 共同繁榮을 위하여 政治, 經濟, 社會, 文化, 人權等 諸般分野에서 實質的인 國際協力을 더욱 增進시켜 나가는 유일한 普遍的 國際機構로서의 役割을 다해 나갈 것이다.」

P7

2. 유엔加入은 왜 더이상 늦출수 없나

世界 平和維持와 人類福祉 具現을 위한 유엔의 중심적 役割이 더한층 強化되고 있는 오늘날「우리나라는 충분한 資格과 分明한 加入希望 意思를 갖고 있음에도 不拘하고 유엔에 加入하지 못하고 있는 唯一한 國家이다.」

유엔은 汎世界的 機構로서 普遍性 原則에 따라 加入을 希望하는 平和愛好國家는 유엔憲章을 준수할 能力과 意思를 가지고 있는限 모두 加入할 수 있다. 그럼에도 우리가 아직도 會員國이 되지 못하고 있는 것은 對立과 反目이 支配해 왔던 冷戰時代의 遺物로서 지극히 非正常的인 것이다. 따라서, 오늘날 和合과 協力의 새로운 國際秩序下에서 普遍性 原則에 따라 우리가 하루빨리 유엔에 加入할 수 있어야 함은 너무나 當然한 것이다.

「우리가 유엔에 加入하고자 하는 것은 무엇보다도 大韓民國이 國際社會의 責任있는 一員으로서 유엔體制下에서 國際協力과 諸般 重要 國際問題에 관한 意思 決定에 있어 主權國家로서의 당연하고 正當한 몫을 다하고자 하기 때문이다.」

우리나라는 4천만이 넘는 人口, 世界 15位의 GNP 規模와 世界 10위권의 交易量을 가진 國家이며, 歷代 16個 올림픽 主催國의 하나로서 人口, 經濟力, 國際的 位相等 우리의 加入資格에 관하여 異議를 提起할 나라는 없으며, 實際로 壓倒的인 數의 國家들이 우리나라가 유엔에 加入하여 유엔의 目的에 積極的으로 寄與하기를 希望하고 있다.

오늘날 國際社會가 유엔을 중심으로 安保, 經濟.社會 分野에서의 國際協力을 더욱 強化하고 있는 점에 비추어 볼때, 우리의 유엔加入은 더욱 切實히 必要하다. 最近 國際的인 主要 關心事項으로 擡頭되고 있는 環境保護, 新經濟秩序 構築과 軍縮協商等에 있어서 各 個別國家 및 國家 그룹들이 自身들의 利益을 最大한 確保하기 위하여 많은 努力을 기울이고 있는 것은 널리 알려진 事實이다. 反面에 우리는 지난 40餘年동안 유엔에 加入하지 못함으로써 國際社會의 諸般 主要問題에 대한 決定에 있어서 우리의 國力과 國際的 比重에 합당한 役割을 하는데 적지 않은 制約을 감수해야만 했다.

앞으로 우리는 多極化 되고 있는 國際社會의 變化趨勢에 能動的으로 對應하고, 우리의 國際的 位相을 再定立시켜 나가야 할 것이며, 우리에게 賦課된 役割과 寄與를 다하여야 한다. 따라서 우리의 유엔加入은 하루빨리 實現되어야 할 課題로서 우리의 對外指向的인 經濟構造, 南北分斷의 特殊한 安保狀況과 增大된 國際的 寄與 義務等 諸般側面에서 우리의 國益을 한 次元 높게 增進시켜 줄 것이고, 우리가 다가오는 21世紀에 中心國家의 하나로 發展하는데도 튼튼한 기틀을 마련해 줄 것이다.

p9

특히 오늘날 過去 兩極體制와는 달리 強大國의 影響力이 減少됨에 따라 오히려 地域的 紛爭과 緊張이 相對的으로 增大될 수 있다는 점도 考慮할때, 우리의 安保를 더욱 強化하고 또한 周邊國들과의 새로운 關係를 定立해 나가는 과정에서 우리의 國益守護를 위해서도 유엔加入은 하루빨리 實現되어야 한다.

p10

3. 北韓은 왜 유엔加入에 反對하나

(北韓側 立場)

北韓은 過去 우리의 유엔加入을 沮止하고 우리와 함께 同時에 유엔會員國이 되려던 立場을 1973年부터 突變하여, 南北韓의 유엔 同時加入을 反對 하면서 南北韓이 高麗聯邦制下에 統一後 單一國家로 유엔에 加入하여야 한다고 主張해 왔다.

그러나 昨年 5月 最高人民會議 第 9次 會議時 金日成은 統一後 單一國家로 유엔에 加入하여야 한다는 旣存立場을 거듭 主張한 後 " 만일 朝鮮의 統一이 實現되기 전에 유엔에 들어가는 경우에는 두개의 議席으로 제각기 유엔에 들어갈 것이 아니라 統一偉業에 이롭게 하나의 議席을 가지고 共同으로 들어가야 할것 " 이라고 主張하므로써 소위 "單一議席下 加入案 "을 公式 提議한 바 있다.

먼저 北韓이 主張해온 유엔加入 反對 論理에 관하여 살펴보고자 한다.

그간 北韓은 南北韓의 유엔加入이 韓半島 分斷을 固着化, 合法化 한다고 主張하며 이에 反對하여 왔으나 北韓 자신도 過去 수차례 유엔加入을 申請하였으며, 現在 우리가 加入하고 있는 많은 國際機構와 條約에 別個의 會員國으로 加入, 參與하고 있는 事實만 보아도 北韓側의 主張은 論理的으로 矛盾이다. 또한 昨年의 南.北예멘의 統一 그리고 東.西獨의 統一을 보면, 分斷國의 別途 유엔 加入은

p11

그 分斷國의 統一에 아무런 障碍를 招來하지 않았을 뿐만 아니라, 오히려 유엔에 加入하지 않고 있는 우리나라보다 앞서서 統一을 可能케 하였다는 事實을 쉽게 알 수 있다.

또한 北韓은 우리의 유엔加入 努力이 韓半島의 平和와 安全을 위태롭게 한다고 主張하고 있으나, 유엔의 目的과 役割을 생각해 볼때 우리가 유엔會員國이 되려는 優先的 目的이 유엔體制 參與를 통한 平和와 安全의 增進에 있음은 自明하다. 특히 유엔會員國에게는 憲章上 紛爭의 平和的 解決 義務가 賦課되므로, 南北韓은 유엔에 加入함으로써 相互間의 武力衝突을 防止하는데도 도움을 얻을 수 있을 것이다. 그럼에도 불구하고, 北韓이 南北韓의 유엔加入을 繼續 反對하고 있는 것은, 그들이 아직도 對南 革命統一路線을 버리지 않았기 때문이 아닌가 의심하지 않을 수 없다.

北韓은 유엔加入이 南北韓間에 解決되어야 하는 民族內部의 問題라고 主張하고, 이를 南北韓이 協議하고 있는 이상 南北韓間 合意가 있기전에 어느 일방도 加入해서는 안된다고 主張하고 있다. 그러나 北韓은 第 3國과의 修交나 유엔傘下 많은 다른 國際機構에의 加入問題는 우리와 協議없이 一方的으로 處理해 왔으면서, 어떠한 理由로 유엔加入만은 "民族內部"의 問題가 되는지 說明하지 못하고 있다. 우리의 유엔加入 推進은 大韓民國 政府樹立後 一貫되게 견지해온 對유엔 政策이며, 主權行使에 속하는 問題임은 두말할 나위가 없다.

(單一議席 加入案의 問題点)

北韓側이 主張하고 있는 소위 "單一議席 유엔加入案"은 우선 會員國 資格에 관한 「유엔憲章의 規定에 違背」될 뿐만 아니라 代表團 構成에 관한 「유엔 總會 議事規則에도 抵觸」되는등 중대한 法的問題를 안고 있는 實現 不可能한 提案이다.

北側案은 다음과 같은 「法的, 現實的인 問題点」을 가지고 있다.

「첫째」, 南.北韓이 現在의 體制를 維持하면서 單一議席下에 유엔에 加入하고자 하는 것은 獨立主權國家만이 加入할 수 있는 유엔憲章의 規定에 違背되는 것이다.

「둘째」, 南.北韓은 世界 88個國과 同時에 外交關係를 維持하고 있고 12個 유엔 直屬機構 및 專門機構에 別個의 會員國으로 加入해 있는데, 유독 유엔에만 單一議席으로 加入하여야 한다는 것은 自家撞着이며, 이 경우 南.北韓과 유엔 直屬機構 및 專門機構와의 關係, 그리고 88個 同時修交國과의 關係를 어떻게 調整할 것인가 하는 問題를 야기할 것이다.

「셋째」, 南北韓間 對內外政策 路線에 관한 基本的 合意가 이루어지지 않은 狀況下에서 南.北韓이 交代로 議席을 가지는 것은 유엔會員國의 權利行使와 義務 履行의 一貫性이라는 側面에서 克服할 수 없는 問題点을 야기하게 된다.

P13

分斷 45年間의 수많은 努力에도 不拘하고 아직까지 전화 한통화, 우편엽서 하나 보내는 問題도 合意하지 못한 南.北韓 關係의 現實에 비추어 볼때 유엔의 各機構에서 提起되는 수많은 政治, 經濟, 社會的 問題에 대하여 南.北韓이 統一된 立場을 취한다는 것은 거의 不可能하다는 점은 쉽게 豫見할 수 있는 것이다.

유엔事務局은 물론 安保理 理事國을 包含한 大多數의 유엔會員國들이 北韓의 單一議席 加入案이 諸般 法的 問題点을 갖고 있을 뿐만 아니라, 一般的으로 確立된 國際法과 慣例에도 어긋나고 유엔내 先例도 없는 매우 非現實的인 提案이라고 評價하고 있는데, 이러한 國際社會의 評價는 昨年 가을 第 45次 유엔總會의 各國 基調演說에서 北韓의 主張에 대해 關心을 표시하거나 支持 立場을 밝힌 國家가 하나도 없었다는 事實에서도 입증되고 있다.

한편, 北韓 스스로도 昨年 10.2字 유엔安全保障理事會에 提出한 文書에서 單一議席 加入案이 絶對的 方案이 아니라고 밝히고 있는 것은 同 方案이 諸般 法的, 現實的 問題를 內包하고 있는 非現實的인 提案이라는 批判을 意識한 行動이라고 볼 수 있다.

P/C

4. 北韓이 反對하는데 왜 우리는 유엔에 加入해야 하나

南北韓 유엔加入을 反對하는 北韓의 主張과 論理가 合理的이고 妥當한 경우에는 우리가 이를 檢討하고 受容할 수 있을 것이나, 北韓이 지금까지 主張하고 있는 反對 理由가 아무런 妥當性도, 또한 說得力도 갖고 있지 않으므로 이를 우리가 받아들이지 못하는 것은 너무나 당연하다. 나아가 「本質的으로 유엔加入 問題는 加入申請 國家와 유엔間의 問題로서 우리의 對外主權 行使 事項임을 認識하여야 한다.」

우리가 그동안 40餘年間이나 유엔에 들어가지 않았는데, 왜 北韓이 反對하는 현시점에서 굳이 加入하려고 하느냐는 이야기도 있을 수 있겠으나, 「우리가 그동안 유엔에 들어갈 수 있었는데 안들어 간것이 아니고, 들어가려고 繼續 努力해 왔으나 일부 安保理 常任理事國의 否定的 態度로 못들어 간것임」을 우선 알아야 할 것이다.

北韓이 유엔加入을 反對해온 代表的인 理由는 南北韓의 유엔加入이 分斷을 固着化하고 統一을 沮害한다는 것이다. 그러나 이미 앞에서 說明한 바 있듯이 南.北예멘이나 東.西獨은 오랫동안 유엔에 別途로 加入해 있었지만 이로 인해 分斷固着化가 招來되거나 統一이 沮害되기는 커녕 오히려 統一을 達成하여 각각

p15

한나라로 유엔會員國이 됨으로 해서 北韓側의 主張이 妥當치 않음을 證明해준 바 있다. 「우리는 南北韓이 유엔에 加入함으로써 오히려 統一을 위해서 함께 努力할 수 있는 安定的 與件이 造成되고, 韓半島의 緊張緩和와 平和定着을 위한 制度的 裝置가 마련됨으로써 窮極的으로 南.北韓間의 平和的 統一이 앞당겨 질 수 있을 것으로 믿는다.」

最近 北韓은 그간의 反對 論理가 國際的으로 받아들여지지 않고, 특히 우리의 早速한 유엔加入을 支持하고 있는 國際的 雰圍氣가 澎湃되고 있음을 意識하여 從前의 統一以前 유엔加入 反對立場을 다소 수정하여 統一前이라도 유엔에 加入할 경우 南北韓이 單一議席下에 加入할 것을 主張하고, 또한 유엔 加入問題가 民族內部의 問題이므로 南.北韓間에 合意가 있기전에는 南.北韓 어느 一方도 유엔에 먼저 加入해서는 안된다고 主張하고 있다.

北韓의 소위 '單一議席下 加入案'은 한마디로 諸般 法的, 現實的 問題点을 가진 實現不可能한 提案이며, 國際社會에서 認定을 못받고 있다는 것은 이미 살펴본 바와 같다. 또한 南.北韓間의 合意없이 어느쪽도 유엔에 먼저 加入하지 못한다는 北韓側의 主張은 結果的으로 「北韓側이 우리의 유엔加入에 대한 事實上의 決定權을 行使하려는 것이고, 또한 우리의 正當한 對外主權行使에 대한 간섭이므로 우리는 이를 容納할 수 없다.」

p16

이와 같이 北韓側의 反對 理由가 妥當치 않고, '單一議席 加入案' 自體도 非現實的이며, 또한 南北韓 合意를 前提로한 그들의 유엔加入 主張이 非合理的임에도 불구하고 단순히 北韓側이 反對한다고 우리가 유엔加入 努力을 中斷한다는 것은 原則에 관한 問題로서 受容할 수 없는 것이다.

그동안 우리의 持續的인 外交努力과 國際情勢의 變化에 따라 우리의 유엔加入을 가로막아온 障壁은 하나둘 除去되고 있다. 昨年 9月에 이루어진 蘇聯과의 修交와 10月에 合意된 中國과의 貿易代表部 相互交換으로 우리의 유엔加入 實現을 위한 國際的 與件은 그 어느때 보다도 有利한 方向으로 造成되고 있다고 할 수 있다.

「우리는 國際社會의 祝福속에서 南.北韓이 유엔에 加入하여 國際社會에 있어 合當한 寄與와 役割을 다하기를 希望하는 基本立場下에 北韓側을 說得하는 努力을 繼續해 왔다.」 ✓

그러나 우리의 이러한 努力에도 不拘하고, 北韓側이 繼續 非合理的인 主張을 내세워 우리의 加入을 지연시키려 한다면,「우리로서는 國際社會의 責任있는 成員으로서 유엔體制下의 國際協力과 諸般 重要 國際問題에 관한 意思決定에 있어 정당한 몫을 다하기 위해 우리의 유엔加入에 必要한 具體的 措置를 취할 수 밖에 없을 것이다.」 ✓

- 12 -

0022

5. 우리의 유엔加入 推進政策

(우리의 基本姿勢)

오늘의 國際社會는 우리에게 國際社會의 責任있는 成員으로서 應當한 役割과 寄與를 해 줄 것을 期待하고 있으며, 우리 또한 이러한 任務를 다할 用意와 準備가 되어 있다.

우리는 國際社會의 變化에 對應하고 國際社會의 諸般 重要問題와 關聯된 意思決定에 있어서 우리의 정당한 몫을 다하기 위하여 하루빨리 유엔에 加入하고자 하며, 北韓도 우리와 함께 유엔에 加入하여 國際社會에서 合當한 役割을 다해 나가는 것이 바람직하다고 믿는다.

南北韓이 다함께 유엔에 加入하게 되면, 南北韓 關係는 새로운 次元으로 發展하게 될 것이다. 즉, 南.北韓은 統一을 이룩할때까지 過渡的인 措置로서 相互 實體를 尊重하는 가운데 유엔의 테두리내에서 協力關係를 蓄積시킬 수 있고, 이를 바탕으로 南.北韓間의 實質的인 信賴構築 및 緊張緩和가 이루어지는 同伴者的 關係를 發展시켜 나가게 될 것이며, 이러한 雰圍氣는 韓半島의 平和的 統一을 促進시키는데 유리한 與件으로 作用할 것이다.

「南北韓이 각각 유엔에 加入할 경우, 雙方은 유엔테두리내에서 다루어지고 있는 諸般 國際問題에 관하여 緊密히 協議하고 意見을 調整할 수 있을 것이다.」 즉, 南北韓은 유엔内에서 이루어지는 諸般活動 가운데 祖國의 統一과 民族의 共同利益에 關聯된 問題에 대하여 相互 協議와 意見調整을 통하여 共同步調를 취하도록 努力할 수 있을 것이며, 또한 相對方의 利益에 直接的인 影響을 미칠 수 있는 問題에 대해서는 사전에 協議함으로써 一方의 利益에 반하는 活動을 止揚할 수 있을 것이며, 그밖의 一般 事案에 있어서도 可能한 한 兩側의 立場을 協議하여 活動할 수 있을 것이다. 이와 같이 南北韓間은 유엔内 諸般活動에 관한 緊密한 協力을 通하여 일정한 協議體制를 發展시켜 나갈 수 있을 것이며, 이러한 協議體制는 南北韓間의 問題를 解決하고 統一을 成就하는데에도 도움이 될 것으로 確信한다.

그럼에도 불구하고 北韓이 아직까지 유엔에 加入할 意思가 없거나 準備가 되어 있지 않다면, 유엔會員國 資格을 充分히 갖추고 유엔加入을 希望하는 우리나라가 우선 유엔會員國이 되는 것이 마땅하며, 우리의 유엔加入이 實現되는 경우, 北韓으로서도 諸般 國内外的인 與件을 考慮하여 우리의 뒤를 따라 유엔에 加入하게 될 것으로 豫想된다.

p19

그동안 우리는 北韓側과의 각각 3차례의 高位級會談과 實務代表 接觸을 통하여 北韓側의 非現實的이고 不合理한 主張을 指摘하고, 北韓側에게 現段階에서는 南北韓이 각각 유엔에 함께 加入하는 것이 가장 바람직하다는 우리의 立場을 說得해 왔으나 아직까지 北韓側 立場에는 變化가 없다. 이러한 狀況下에 「우리는 우리의 유엔加入을 南北對話에 무한정 매어둘 수도 없다.」 왜냐하면 유엔加入 問題는 순전히 우리가 決定해야 할 對外主權 行使와 關聯된 事案이기 때문이다.

앞으로 政府는 우리의 유엔加入을 早速히 實現시키기 위하여 昨年 유엔總會에서 고양된 國際社會의 支持雰圍氣를 積極 活用하고, 北韓을 說得하는 한편, 中國의 呼應態度를 誘導하기 위한 多角的인 外交努力을 傾注할 것이다.

「우리의 유엔加入은 政府의 努力과 國民여러분들의 아낌없는 支持와 聲援이 합쳐질때 그 實現의 날을 더욱 앞당길 수 있을 것으로 確信한다.」

(우리의 先 유엔加入問題)

言論報道를 통하여 우리의 單獨 유엔加入問題가 종종 擧論되고 있는데, 이는 마치 政府에서 北韓의 유엔加入을 排除하고 우리만의 유엔加入을 推進하고 있는 듯한 誤解를 불러이르키고 있는 듯하다.

p20

「우리政府의 基本立場은 南.北韓이 統一이 될때까지의 暫定的 措置로서 함께 유엔에 加入하는 것이 바람직하지만, 만약 北韓이 加入을 원하지 않거나 準備가 되어있지 않았다면, 우리가 먼저 유엔會員國이 될 수 밖에 없다는 것이다.」

北韓의 유엔加入 與否는 우리가 北韓을 대신하여 加入申請을 해줄 수 없는 만큼 전적으로 北韓 스스로가 決定해야 할 事項이며, 우리가 왜 먼저라도 유엔에 加入하고자 하는가 하는 理由는 이미 살펴본 바 있다. 다만 우리가 먼저 유엔에 加入하는 경우 北韓도 諸般 國內外的 狀況을 考慮하여 뒤따라 加入하게 될 것으로 期待된다. 이러한 견지에서 우리의 유엔加入 政策에 대한 우리 모두의 깊은 이해가 要求되고 있다.

분석관

분류기호 문서번호	정홍20501- 17	협조문용지 (720-2339)	결재	담 당	과 장	국 장
시행일자	1991. 1. 25					
수 신	수신처참조	발 신	정보문화국장 (서명)			
제 목	직접개별우송체제 (Direct Mail) 운영 강화 계획					

1\. 정부시책에 대한 국민 공감대 형성을 위하여 DM 망을 활용키로 한 정부 방침에 의거, 당국은 DM 망을 자체 개발하여 외교정책 관련 국내여론 선도층 인사를 대상으로 당부의 외교실적에 관한 홍보자료를 11회 발송한 바 있읍니다. (90년 실적 별첨)

2\. 외교정책의 대국민 홍보활동은 대통령께서 누차 강조하신 사항이며 장관님의 지시에 의거, 당국이 작성, 재가를 획득한 DM 망 운영 강화 계획을 별첨과 같이 통보하오니 귀 원.실.국은 소관 업무중 대국민 홍보의 필요성이 있다고 판단되는 사항을 선정, DM 용 자료를 작성하여 당국으로 송부하여 주시기 바랍니다.

첨 부 : 1. DM 망 운영 강화 계획 1부.

2\. 90년도 DM 망 활용 대국민 홍보실적 1부.

3\. DM 용 자료 작성방법. 끝.

수신처 : 외교안보연구원장, 각 실.국(과)장, 정특반장, 감사관, 비상계획관

0027

직접개별우송체제 (DM 망) 운영 강화계획

1. DM 망 운영목적

   o 외교문제 관련 여론 선도층 인사에 대한 주요외교정책 설명자료 적기 제공 (직접개별우송)

   o 설득력있는 홍보실시로 외교정책 수행에 대한 국민의 이해와 지지유도

2. DM 망 운영강화 계획

   가. DM 주제 선정 및 자료내용의 충실화

   o 각실국이 대국민 홍보 필요성이 있는 주제를 선정, 대언론 및 국회 대책을 고려, DM 자료를 충실히 작성

   o 정상외교, 유엔가입, 한미 통상관계 등을 주제로 선정, 홍보예정

   o 연 20회로 확대 (90년도 11회)

   나. DM 자료 제작의 세련화

   o '외교문제 해설' 제하 팜플렛으로 인쇄, 제작 (90년도 DM 자료는 유인물 복사 사용)

   o 필요시 소책자 발간

   다. DM 대상자 확대

   o 현 800명을 5,000명으로 확대

   o 정치학교수 1,200명, 경제학교수 1,300명 (지방대학 포함), 중앙.지방 일간지.방송사 부장급 및 정치.경제.국제부기자 850명, 전경련 산하 주요 대기업 이사급 이상 900여명, 국회의원 299명, 교육단체 117명, 정부홍보위원 150명, 외무부 설립허가 법인대표 44명, 외무부 등록사회단체 42명, 외교협회회원 등

   라. DM 전문회사와 용역계약 체결

   o 대상자 확대로 DM 전문회사에서 Mailing List 관리 및 자료발송

0028

90년도 DM 자료 송부 실적

주 제	날 짜	DM 대상자
1. '해외여행 안전대책반' 운영 안내	80.4.15	o 외교정책 자문위원 o 한국외교협회 회원 o 국회외무통일위원 o 언론사 논설위원, 정치.경제.국제부장 o 외무부 등록단체 및 허가법인 대표 o 정치학 교수 o 경제학 교수 등 약 800명
2. 노태우 대통령의 방일 의의 및 필요성	90.5.16	
3. 노태우 대통령의 일본 방문 의의 및 성과와 주한 소련영사처 사증 발급 업무 개시	90.6.2	
4. 우리나라의 국제 인권 규약 가입	90.7.16	
5. 외교.통일.안보 분야 대통령 선거공약 실천 상황	90.8.7	
6. 페르시아만 사태관련 경비분담에 관한 발표문 및 해설자료	90.9.26	
7. 한.소 수교의 의의 및 향후 추진 계획	90.10.24	
8. 외무부장관의 "새로운 시각에서 본 한국과 유엔 관계" 제하 유엔의 날 기념연설문	90.11.2	
9. 우루과이 라운드 브랏셀 각료회의 결과 및 향후 대책	90.12.26	
10. 대통령의 소련방문 결과	"	
11. 제11차 한.미 무역실무 회의 결과	"	

0023

DM용 자료 작성 방법

o A4 용지 반페이지 분량의 개요 기술

o 내용은 외교문제를 해설식.서술식으로 기술

o 결론부분에 평가 및 의의를 기술

o 국한문 혼용 (주요단어만 한자로 기재)

o 전체분량은 A4 용지 8페이지 이하

0030

우리는 왜 유엔에 가입하려 하는가

외 무 부

0031

머 릿 말

和合과 協力을 追求하는 새로운 時代를 맞아 유엔의 位相은 나날이 고양되고 있으며 유엔의 役割에 대한 國際社會의 期待도 높아가고 있다. 이러한 가운데 昨年 第45次 유엔總會에서 우리의 유엔加入을 支持하는 많은 會員國들의 發言으로 우리의 유엔加入이 더 이상 늦추어져서는 안된다는 國際社會의 認識이 고조되었다는 事實은 우리에게 特別한 意味를 가져다 주었다.

昨年 9月이래 南·北韓 高位級會談 및 實務代表 接觸 等을 통하여 우리는 北韓側에게 우리와 함께 하루속히 유엔에 加入하는 것이 바람직함을 說得하였으나 유감스럽게도 北韓側은 非合理的인 主張을 거듭하였다.

우리로서는 北韓이 하루빨리 現實을 올바르게 認識하고, 非現實的인 態度를 바꾸어 우리와 함께 유엔에 加入하여 7,000萬 한民族의 自尊과 矜持를 全世界에 드높이고, 國際社會에서 合當한 役割을 해 나가면서 유엔의 目的과 憲章精神속에서 南北間에 交流와 協力을 增進시킴으로써 祖國의 平和的 統一을 하루라도 앞당기는데 同參할 것을 바라고 있다.

유엔의 役割에 대한 期待가 그 어느때 보다 上昇되고 있는 現 時點에서 南北韓의 유엔加入問題와 關聯하여 國民여러분께 說明을 드리는 것은 여러모로 意義가 있다고 생각한다.

0032

우리의 유엔加入 政策은 政府만의 努力으로는 所期의 成果를 거둘 수 없으며 우리國民 모두의 理解와 支持를 바탕으로 推進해야만 그 實現의 날을 앞당길 수 있을 것으로 믿는다. 아무쪼록 이 조그만 說明書가 유엔加入問題에 대한 國民여러분의 理解에 도움이 되기를 바란다.

1991年 1月

0033

목　차

1. 새로운 國際秩序와 유엔 /7
2. 유엔加入은 왜 더이상 늦출 수 없나 /9
3. 북한은 왜 유엔加入에 反對하나 /11
   ○ 北韓側 立場 /11
   ○ 單一議席案의 問題點 /13
4. 北韓이 反對하는 데 왜 우리는 유엔에 加入해야 하나 /15
5. 우리의 유엔加入 推進政策 /18
   ○ 우리의 基本姿勢 /18
   ○ 우리의 先 유엔加入問題 /20

0034

1. 새로운 國際秩序와 유엔

第2次世界大戰이 끝난 후 지난 40여년동안 國際社會에는 冷戰論理가 支配하면서 美國과 蘇聯을 兩主軸으로 하는 東·西 陣營間의 理念的 鬪爭, 政治的 葛藤과 軍備競爭이 尖銳化되었고 獨逸의 分斷과 韓半島의 分斷에서 象徵的으로 나타난 바와 같은 兩大陣營間 對決狀況은 그간 世界到處에서 많은 地域紛爭을 誘發시킴으로써 世界史에 對立과 分裂의 깊은 골을 남겨놓은 바 있다.

이와 같은 冷戰體制는 新思考 政策을 標榜하는 蘇聯 고르바쵸프大統領의 登場과 함께 東歐圈 國家들의 改革과 開放으로 급격히 瓦解되기 시작하였고, 東·西 對決의 代表的인 象徵物이었던 베를린 障壁의 崩壞와 分斷 獨逸의 統一로 이제는 歷史의 片鱗과도 같이 느껴질 정도이다. 오늘날 美國과 蘇聯間 和合과 協調의 雰圍氣는 國際秩序의 새로운 方向을 提示하고 있고, 世界歷史는 새로운 協力의 章을 열어 가고 있다.

그동안 유엔이 冷戰體制의 그늘밑에서 東·西 陣營間의 對立과 反目으로 유엔創設者들이 當初 상정했던 世界平和와 人類福祉의 增進이라는 本然의 任務를 제대로 遂行하지 못해 왔던 것은 사실이다. 그러나 最近 國際社會의 本質的인 變化趨勢와 國家間, 나아가 地域그룹간 增進되고 있는 和解와 協力의 雰圍氣는 유엔의 權能에 대한 信賴를 增大시키고 그 役割의 效用性을 새로운 角度에서 照明하게끔 하고 있다.

0035

유엔은 世界平和와 人類福祉를 具現해 나가는 유일한 汎世界的 機構로서 現在 全世界 거의 모든 國家를 망라한 159個國을 會員國으로 갖고 있고, 政治, 經濟, 社會 等 諸般分野에서 34個의 直屬機構와 16個의 專門機構라는 방대한 傘下組織을 움직이고 있다. 오늘도 각기 다른 利害와 立場을 가진 個別國家, 國家그룹, 地域別 代表들이 유엔을 중심으로 한자리에 모여 國際平和維持와 紛爭解決, 軍縮, 國際經濟發展, 人權伸張, 環境保護 等 여러分野에서 人類의 共同繁榮을 圖謀할 수 있는 方案을 진지하게 論議하고 있다. 이와 관련 유엔憲章上의 重要任務인 國際紛爭의 平和的 解決을 위하여 유엔安全保障理事會가 昨年 8月에 發生한 걸프 事態와 關聯하여 取한 일련의 迅速한 對應措置는 유엔의 權能과 役割에 대한 信賴와 期待를 그 어느때 보다도 높게 하는 實例라고 할 수 있다.

유엔은 새로운 國際秩序속에서 앞으로도 世界平和와 安全의 維持 機能을 繼續 遂行해 나가는 동시에 全 人類의 共同繁榮을 위하여 政治, 經濟, 社會, 文化, 人權等 諸分野에서 實質的인 國際協力을 더욱 增進시켜 나가는 유일한 普遍的 國際機構로서의 役割을 다해 나갈 것이다.

0036

2. 유엔加入은 왜 더이상 늦출 수 없나

世界平和 維持와 人類福祉 具現을 위한 유엔의 중심적 役割이 더한층 強化되고 있는 오늘날 우리나라는 충분한 資格과 分明한 加入希望 意思를 갖고 있음에도 不拘하고 유엔에 加入하지 못하고 있는 唯一한 國家이다.

유엔은 汎世界的 機構로서 普遍性 原則에 따라 加入을 希望하는 平和愛好國家는 유엔憲章을 준수할 能力과 意思를 가지고 있는限 모두 加入할 수 있다. 그럼에도 우리가 아직도 會員國이 되지 못하고 있는 것은 對立과 反目이 支配해 왔던 冷戰時代의 遺物로서 지극히 非正常的인 것이다. 따라서, 오늘날 和合과 協力의 새로운 國際秩序下에서 普遍性 原則에 따라 우리가 하루 빨리 유엔에 加入할 수 있어야 함은 너무나 當然한 것이다.

우리가 유엔에 加入하고자 하는 것은 무엇보다도 大韓民國이 國際社會의 責任있는 一員으로서 유엔體制下에서 國際協力과 重要 國際問題에 관한 意思決定에 있어 主權國家로서의 당연하고 正當한 몫을 다하고자 하기 때문이다.

우리나라는 4천만이 넘는 人口, 世界 15位의 GNP規模와 世界 10위권의 交易量을 가진 國家이며, 歷代 16個 올림픽 主催國의 하나로서 人口, 經濟力, 國際的 位相等 우리의 加入資格에 관하여 異議를 提起할 나라는 없으며, 實際로 많은 國家들이 우리나라가 유엔에 加入하여 유엔의 目的에 積極的으로 寄與하기를 希望하고 있다.

0037

오늘날 國際社會가 유엔을 중심으로 安保, 經濟, 社會 分野에서의 國際協力을 더욱 強化하고 있는 점에 비추어 볼 때, 우리의 유엔加入은 切實히 必要하다. 最近 國際的인 主要 關心事項으로 擡頭되고 있는 環境保護, 新經濟秩序 構築과 軍縮協商等에 있어서 個別國家 및 國家그룹들이 自身들의 利益을 最大한 確保하기 위하여 많은 努力을 기울이고 있는 것은 널리 알려진 事實이다. 反面에 우리는 지난 40餘年동안 유엔에 加入하지 못함으로써 國際社會의 諸般 主要問題에 대한 決定에 있어서 우리의 國力과 國際的 比重에 합당한 役割을 하는데 적지 않은 制約을 감수해야만 했다.

앞으로 우리는 多極化되고 있는 國際社會의 變化趨勢에 能動的으로 對應하고, 우리의 國際的 位相을 再定立시켜 나가야 할 것이며, 우리에게 賦課된 役割과 寄與를 다하여야 한다. 따라서 우리의 유엔加入은 하루빨리 實現되어야 할 課題로서 우리의 對外指向的인 經濟構造, 南北分斷의 特殊한 安保狀況과 增大된 國際的 寄與 義務等 諸般側面에서 우리의 國益을 한 次元 높게 增進시켜 나가는데 도움이 될 것이고, 우리가 다가오는 21世紀에 中心國家의 하나로 發展하는데도 튼튼한 기틀을 마련해 줄 것이다.

특히 오늘날 過去 兩極體制와는 달리 強大國의 影響力이 減少됨에 따라 오히려 地域的 紛爭과 緊張이 相對的으로 增大될 수 있다는 점도 考慮할때, 우리의 安保를 더욱 強化하고 또한 周邊國들과의 새로운 關係를 定立해 나가는 과정에서 우리의 國益守護를 위해서도 유엔加入은 하루빨리 實現되어야 한다.

0038

3. 北韓은 왜 유엔加入에 反對하나

(北韓側 立場)

北韓은 過去 우리와 함께 同時에 유엔會員國이 되려던 立場을 1973年부터 突變하여, 南・北韓의 유엔 同時加入을 反對하면서 南・北韓이 高麗聯邦制下에 統一後 單一國家로 유엔에 加入하여야 한다고 主張해 왔다.

그러나 昨年 5月 最高人民會議 第9次會議時 金日成은 統一後 單一國家로 유엔에 加入하여야 한다는 既存立場을 거듭 主張한 後 "만일 朝鮮의 統一이 實現되기 전에 유엔에 들어가는 경우에는 두개의 議席으로 제각기 유엔에 들어갈 것이 아니라 統一偉業에 이롭게 하나의 議席을 가지고 共同으로 들어가야 할 것"이라고 主張하므로써 소위 "單一議席 加入案"을 公式 提議한 바 있다.

먼저 北韓이 主張해온 유엔加入 反對 論理에 관하여 살펴보고자 한다.

그간 北韓은 南・北韓의 유엔加入이 韓半島 分斷을 固着化, 合法化 한다고 主張하며 이에 反對하여 왔으나, 北韓자신도 過去 수차례 유엔加入을 申請하였으며, 現在 우리가 加入하고 있는 많은 國際機構와 條約에 別個의 會員國으로 加入, 參與하고 있는 事實만 보아도 北韓側의 主張은 論理的으로 矛盾이다. 또한 昨年의 南・北예멘의 統一 그리고 東・西獨의 統一을 보면, 分斷國의 別途 유엔加入은 그 分斷國의 統一에 아무런 障碍를 招來하지 않았을 뿐만 아니

0039

라, 오히려 유엔에 加入하지 않고 있는 우리나라보다 앞서서 統一을 可能케 하였다는 事實을 쉽게 알 수 있다.

또한 北韓은 우리의 유엔加入 努力이 韓半島의 平和와 安全을 위태롭게 한다고 主張하고 있으나, 유엔의 目的과 役割을 생각해 볼때 우리가 유엔會員國이 되려는 優先的 目的이 유엔 體制 參與를 통한 平和와 安全의 增進에 있음은 自明하다. 특히 유엔會員國에게는 憲章上 紛爭의 平和的 解決 義務가 賦課되므로, 南·北韓은 유엔에 加入함으로써 相互間의 武力衝突을 防止하는데도 도움을 얻을 수 있을 것이다.

北韓은 유엔加入이 南·北韓間에 解決되어야 하는 民族內部의 問題라고 主張하고, 이를 南·北韓이 協議하고 있는 이상 南·北韓間 合意가 있기전에 어느 일방도 加入해서는 안된다고 主張하고 있다. 그러나 北韓은 第3國과의 修交나 유엔傘下 많은 다른 國際機構에의 加入問題는 우리와 協議 없이 一方的으로 處理해 왔으면서, 어떠한 理由로 유엔加入만은 "民族內部"의 問題가 되는지 說明하지 못하고 있다. 우리의 유엔加入 推進은 大韓民國 政府樹立後 一貫되게 견지해온 對유엔 政策이며, 主權行使에 속하는 問題임은 두말할 나위가 없다.

0040

(單一議席 加入案의 問題点)

北韓側이 主張하고 있는 소위 "單一議席 유엔加入案"은 우선 會員國 資格에 관한 유엔憲章의 規定에 違背될 뿐만 아니라 代表團 構成에 관한 유엔總會 議事規則에도 抵觸되는 등 중대한 法的問題를 안고 있는 實現 不可能한 提案이다.

北側案은 다음과 같은 法的, 現實的인 問題点을 가지고 있다.

첫째, 南·北韓이 現在의 體制를 維持하면서 單一議席下에 유엔에 加入하고자 하는 것은 獨立主權國家만이 加入할 수 있는 유엔憲章의 規定에 違背되는 것이다.

둘째, 南·北韓은 世界 89個國과 同時에 外交關係를 維持하고 있고 12個 유엔 直屬機構 및 專門機構에 別個의 會員國으로 加入해 있는데, 유독 유엔에만 單一議席으로 加入하여야 한다는 것은 自家撞着이며, 이 경우 南·北韓과 유엔 直屬機構및 專門機構와의 關係, 그리고 89個 同時修交國과의 關係를 어떻게 調整할 것인가 하는 問題를 야기할 것이다.

셋째, 南·北韓間 對內外政策 路線에 관한 基本的 合意가 이루어지지 않은 狀況下에서 南·北韓이 交代로 議席을 가지는 것은 유엔會員國의 權利 行使와 義務 履行의 一貫性이라는 側面에서 克服할 수 없는 問題点을 야기하게 된다. 分斷 45年間의 수많은 努力에도 不拘하고 아직까지 전화

0041

한통화, 우편엽서 하나 주고 받는 問題도 合意하지 못한 南·北韓 關係의 現實에 비추어 볼때 유엔의 各機構에서 提起되는 수많은 政治, 經濟, 社會的 問題에 대하여 南·北韓이 統一된 立場을 취한다는 것은 거의 不可能하다는 점은 쉽게 豫見할 수 있는 것이다.

유엔事務局은 물론 安保理 理事國을 包含한 大多數의 유엔會員國들이 北韓의 單一議席 加入案이 諸般 法的 問題点을 갖고 있을 뿐만 아니라, 一般的으로 確立된 國際法과 慣例에도 어긋나고 유엔내 先例도 없는 매우 非現實的인 提案이라고 評價하고 있는데, 이러한 國際社會의 評價는 昨年 가을 第 45次 유엔總會의 各國 基調演說에서 北韓의 主張에 대해 關心을 표시하거나 支持立場을 밝힌 國家가 하나도 없었다는 事實에서도 입증되고 있다.

한편, 北韓 스스로도 昨年 10. 2字 유엔安全保障理事會에 提出한 文書에서 單一議席 加入案이 絶對的 方案이 아니라고 밝히고 있는 것은 同 方案이 諸般 法的, 現實的 問題를 內包하고 있는 非現實的인 提案이라는 批判을 意識한 行動이라고 볼 수 있다.

0042

4. 北韓이 反對하는 데 왜 우리는 유엔에 加入해야 하나

南.·北韓의 유엔加入을 反對하는 北韓의 主張과 論理가 合理的이고 妥當한 경우에는 우리가 이를 受容할 수 있을 것이나, 北韓이 지금까지 主張하고 있는 反對 理由가 아무런 妥當性도, 또한 說得力도 갖고 있지 않으므로 이를 우리가 받아 들이지 못하는 것은 너무나 당연하다. **本質的으로 유엔加入 問題는 加入申請 國家와 유엔間의 問題로서 우리의 對外主權 行使에 속하는 事項이다.**

우리가 그동안 40餘年間이나 유엔에 들어가지 않았는데, 왜 北韓이 反對하는 현시점에 굳이 加入하려고 하느냐는 이야기도 있을 수 있겠으나, **우리가 그동안 유엔에 들어 갈 수 있었는데 안들어 간것이 아니고, 들어가려고 繼續 努力해 왔으나 일부 安保理 常任理事國의 否定的 態度로 못들어 간 것임을 알아야 할 것이다.**

北韓이 유엔加入을 反對해 온 代表的인 理由는 南·北韓의 유엔加入이 分斷을 固着化하고 統一을 沮害한다는 것이다. 그러나 이미 앞에서 說明한 바 있듯이 南·北예멘이나 東·西獨은 오랫동안 유엔에 別途로 加入해 있었지만 이로 인해 分斷固着化가 招來되거나 統一이 沮害되기는 커녕 오히려 각각 統一을 達成하여 한나라로 유엔會員國이 됨으로 해서 北韓側의 主張이 妥當치 않음을 證明해준 바 있다. **우리는 南·北韓이 유엔에 加入함으로써 오히려 統一을 위해서 함께 努力할 수 있는 安定的 與件이 造成되고, 韓半島의**

0043

緊張緩和와 平和定着을 위한 制度的 裝置가 마련됨으로써 窮極的으로 南·北韓間의 平和的 統一이 앞당겨 질 수 있을 것으로 믿는다.

最近 北韓은 그간의 反對 論理가 國際的으로 받아 들여지지 않고, 특히 우리의 早速한 유엔加入을 支持하고 있는 國際的 雰圍氣가 澎湃하고 있음을 意識하여 從前의 統一以前 유엔加入 反對立場을 다소 수정하여 統一前이라도 유엔에 加入할 경우 南·北韓이 單一議席下에 加入할 것을 主張하고, 또한 유엔加入問題가 民族內部의 問題이므로 南·北韓間에 合意가 있기전에는 南·北韓 어느 一方도 유엔에 먼저 加入해서는 안된다고 主張하고 있다.

北韓의 소위 '單一議席 加入案'은 한마디로 諸般 法的, 現實的 問題点을 가진 實現不可能한 提案이며, 國際社會에서 認定을 못받고 있다는 것은 이미 살펴본 바와 같다. 또한 南·北韓間의 合意없이는 어느쪽도 유엔에 먼저 加入하지 못한다는 北韓側의 主張은 結果的으로 北韓側이 우리의 유엔加入에 대한 事實上의 決定權을 行使하려는 것이고, 또한 우리의 正當한 對外主權 行使에 대한 간섭이므로 우리는 이를 容納할 수 없다.

이와 같이 北韓側의 反對 理由가 妥當치 않고, '單一議席 加入案' 自體도 非現實的이며, 또한 南·北韓間 合意를 前提로 한 그들의 유엔加入 主張이 非合理的임에도 不拘하고, 단순히 北韓側이 反對한다고 우리가 유엔加入 努力을 中斷한다는 것은 原則에 관한 問題로서 受容할 수 없는 것이다.

0044

그동안 우리의 持續的인 外交努力과 國際情勢의 變化에 따라 우리의 유엔加入을 가로막아 온 障壁은 하나 둘 除去되고 있다. 昨年 9月에 이루어진 蘇聯과의 修交와 10月에 合意된 中國과의 貿易代表部 相互交換으로 우리의 유엔加入 實現을 위한 國際的 與件은 有利한 方向으로 造成되고 있다고 할 수 있다.

우리는 國際社會의 祝福속에서 南·北韓이 유엔에 加入하여 國際社會에 있어 合當한 寄與와 役割을 다하기를 希望하는 基本立場下에 北韓側을 說得하는 努力을 繼續해 왔다.

우리는 남북한이 國際社會의 責任있는 成員으로서 유엔 體制下의 國際協力과 諸般 重要 國際問題에 관한 意思決定에 있어 정당한 몫을 다하기 위해 하루속히 유엔加入에 必要한 具體的 措置를 취할 수 있기를 희망한다.

0045

5. 우리의 유엔加入 推進政策

(우리의 基本姿勢)

오늘의 國際社會는 우리에게 國際社會의 責任있는 成員으로서 應當한 役割과 寄與를 해 줄 것을 期待하고 있으며, 우리 또한 이러한 任務를 다할 用意와 準備가 되어 있다.

우리는 國際社會의 變化에 對應하고 國際社會의 諸般 重要問題와 關聯된 意思決定에 있어서 우리의 정당한 몫을 다하기 위하여 하루빨리 유엔에 加入하고자 하며, 北韓도 우리와 함께 유엔에 加入하여 國際社會에서 合當한 役割을 다해 나가는 것이 바람직하다고 믿는다.

南·北韓이 다함께 유엔에 加入하게 되면, 南·北韓 關係는 새로운 次元으로 發展하게 될 것이다. 즉, 南.北韓은 統一을 이룩할 때까지 過渡的인 措置로서 相互 實體를 尊重하는 가운데 유엔의 테두리내에 協力關係를 蓄積시킬 수 있고, 이를 바탕으로 南·北韓間의 實質的인 信賴構築 및 緊張緩和가 이루어지는 同伴者的 關係를 發展시켜 나가게 될 것이며, 이러한 雰圍氣는 韓半島의 平和的 統一을 促進시키는데 유리한 與件으로 作用할 것이다.

南·北韓이 각각 유엔에 加入할 경우, 雙方은 유엔 테두리 내에서 다루어지고 있는 諸般 國際問題에 관하여 緊密히 協議하고 意見을 調整할 수 있을 것이다. 즉, 南·北韓은 유엔內에서 이루어지는 諸般活動 가운데 祖國의 統一과 民族의 共同利益에 關聯된 問題에 대하여 相互 協議와 意

0046

見調整을 통하여 共同步調를 취하도록 努力할 수 있을 것이며, 또한 相對方의 利益에 直接的인 影響을 미칠 수 있는 問題에 대해서는 事前에 協議함으로써 一方의 利益에 반하는 活動을 止揚할 수 있을 것이며, 그밖의 一般 事案에 있어서도 可能한 한 兩側의 立場을 協議하여 活動할 수 있을 것이다. 이와 같이 南·北韓은 유엔內 諸般活動에 관한 緊密한 協力을 通하여 일정한 協議體制를 發展시켜 나갈 수 있을 것이며, 이러한 協議體制는 南·北韓間의 問題를 解決하고 統一을 成就하는 데에도 도움이 될 것으로 確信한다.

그럼에도 불구하고 北韓이 아직까지 유엔에 加入할 意思가 없거나 準備가 되어 있지 않다면, 유엔會員國 資格을 充分히 갖추고 유엔加入을 希望하는 우리나라가 우선 유엔會員國이 되는 것이 마땅하며, 우리의 유엔加入이 實現되는 경우, 北韓으로서도 諸般 國內外的 與件을 考慮하여 우리의 뒤를 따라 유엔에 加入하게 될 것으로 豫想된다.

그동안 우리는 北韓側과의 각각 3차례의 高位級會談과 實務代表 接觸을 통하여 北韓側의 非現實的이고 不合理한 主張을 指摘하고, 北韓側에게 現段階에서는 南·北韓이 각각 유엔에 함께 加入하는 것이 가장 바람직하다는 우리의 立場을 說得해 왔으나 아직까지 北韓側 立場에는 變化가 없다. 이러한 狀況下에 우리는 우리의 유엔加入을 南北對話에 무한정 매어둘 수도 없다. 왜냐하면 유엔加入 問題는 순전히 우리가 決定해야 할 對外主權 行使와 關聯된 事案이기 때문이다.

0047

앞으로 政府는 우리의 유엔加入을 早速히 實現시키기 위하여 昨年 유엔總會에서 고양된 國際社會의 支持 雰圍氣를 토대로 多角的인 外交努力을 傾注할 것이다.

우리의 유엔加入은 政府의 努力과 國民 여러분들의 아낌없는 支持와 聲援이 합쳐 질때 그 實現의 날을 앞당길 수 있을 것으로 確信한다.

(우리의 先 유엔加入問題)

우리의 단독 유엔加入問題가 종종 擧論되는데, 이는 마치 政府에서 北韓의 유엔加入을 排除하고 우리만의 유엔加入을 推進하고 있는 듯한 誤解를 불러 일으킬 수 있다고 본다.

우리政府의 基本立場은 南.北韓이 統一이 될때까지의 暫定的 措置로서 함께 유엔에 加入하는 것이 바람직하지만, 만약 北韓이 加入을 원하지 않거나 準備가 되어 있지 않다면, 우리가 먼저 유엔會員國이 될 수 밖에 없다는 것이다.

北韓의 유엔加入 與否는 우리가 北韓을 대신하여 加入申請을 해줄 수 없는 만큼 전적으로 北韓 스스로가 決定해야 할 事項이며, 우리가 왜 먼저라도 유엔에 加入하고자 하는가 하는 理由는 이미 살펴본 바 있다. 다만 우리가 먼저 유엔에 加入하는 경우 北韓도 諸般 國內外的 狀況을 考慮하여 뒤따라 加入하게 될 것으로 期待된다. 이러한 견지에서 우리의 유엔가입 政策에 대한 우리 모두의 깊은 이해가 要求되고 있다.

0048

5302

기 안 용 지

분류기호 문서번호	국연 2031-	(전화 :)	시 행 상 특별취급	
보존기간	영구·준영구. 10. 5. 3. 1.	장 관		
수 신 처 보존기간				
시행일자	1991. 2. 5.			

보조기관	국 장	전 결	협조기관		문서통제
	과 장				검열 1991. 2. 7
기안책임자	김성진				발 송 인

경 유 수 신 참 조	국회사무총장	발신명의		
제 목	유엔가입문제 설명책자 송부			

당부에서 제작한 유엔가입문제 설명책자를 별첨 송부하오니

아래와 같이 배포, 활용하여 주시기 바랍니다.

- 아 래 -

1. 총 부 수 : 513 부

2. 배포내역

- 국회의원 299부

- 상임위원회 54부 (외무통일위 6부, 여타 위원회 3부)

/ 계속 /

0049

1505-25(2-1) 일(1)갑
85. 9. 9. 승인

190mm×268mm 인쇄용지 2급 60g/m²
가 40-41 1986. 7. 4.

- 국회출입기자단 150부

- 사무처 및 도서관 10부

첨 부 : 표제책자 ~~513~~ 513부. 끝.

0050

1505-25(2-2) 일(1)을 "내가아낀 종이 한장 늘어나는 나라살림" 190㎜×268㎜ 인쇄용지 2급 60g/㎡
85. 9. 9. 승인 가 40-41 1990. 5. 28

5303

기 안 용 지

분류기호 문서번호	국연 2031-	(전화 :)	시 행 상 특별취급	
보존기간	영구·준영구. 10. 5. 3. 1.	장	관	
수 신 처 보존기간				
시행일자	1991. 2. 5.			
보조기관	국 장 / 전 결	협조기관		문 서 통 제
	과 장			검열 1991. 2. 7
기안책임자	김성진			발 송 인
경 유 수 신 참 조	국제연합한국협회장	발신명의		1991. 2. 7
제 목	유엔가입문제 설명책자 송부			

당부에서 제작한 유엔가입문제 설명책자를 별첨 송부하오니

귀협회에서 적의 활용하여 주시기 바랍니다.

첨 부 : 표제 책자 80부(입원용). 끝.

0051

1505-25(2-1) 일(1)갑 190mm×268mm 인쇄용지 2급 60g/㎡
85. 9. 9. 승인 가 40-41 1986. 7. 4.

분류기호 문서번호	국연 2031-29	협조문용지 ( )	결재	담당	과장	국장
				김성철	(서명)	(서명)
시행일자	1991. 2. 5.					
수 신	외교안보연구원장, 각실.국(관)장		국제기구조약국장 (서명)			
제 목	유엔가입문제 설명책자 송부					

당국에서 제작한 유엔가입문제 설명 책자를 별첨 송부하오니

업무에 참고하시기 바랍니다.

첨 부 : 표제 책자 부. 끝.

0052

1505 - 8 일 (1)
85. 9. 9 승인 "내가아낀 종이 한장 늘어나는 나라살림"

190㎜×268㎜(인쇄용지 2급 60g/㎡)
가 40-41 1989. 11. 14

(140부)

배포리스트

(본　부)

부 서	수 량	부 서	수 량
기획관리실	8	영사교민국	7
아 주 국	6	의전장실	4
미 주 국	6	총 무 과	3
구 주 국	6	감사관실	2
중동아프리카국	6	공보관실	5
국제경제국	6	정 특 반	2
통 상 국	5	외교안보연구원	35
정보문화국	9		

※ 장·차관실, 차관보실은 별도배포

0053

책 자 배 포 선

(연 구 원)

연 구 원 장 : 1부

연 구 위 원 : 14부

교 수 부 : 16부

교 학 과 : 2부

기 획 조 사 과 : 2부

총 무 과 : 1부

(계 : 36부)

0054

<table>
<tr><td>분류기호
문서번호</td><td>국연 2031-
29</td><td colspan="2"># 협 조 문 용 지
(　　　　　　)</td><td rowspan="2">결
재</td><td>담당</td><td>과장</td><td>국장</td></tr>
<tr><td>시행일자</td><td colspan="3">1991. 2. 5.</td><td></td><td></td><td></td></tr>
<tr><td>수　신</td><td colspan="3">외교안보연구원장, 각실.국(관)장</td><td colspan="4">국제기구조약국장 (서명)</td></tr>
<tr><td>제　목</td><td colspan="7">유엔가입문제 설명책자 송부</td></tr>
</table>

당국에서 제작한 유엔가입문제 설명 책자를 별첨 송부하오니 업무에 참고하시기 바랍니다.

첨 부 : 표제 책자 1 부. 끝.

0055

1505 - 8 일 (1)
85. 9. 9 승인 "내가아낀 종이 한장 늘어나는 나라살림"

190㎜×268㎜(인쇄용지 2급 60g/㎡)
가 40-41 1989. 11. 14

1

국내 DM 대상자 명단 개요

(613명)

- ㅇ 정부 홍보위원 (공보처 선정) 150명
- ㅇ 국제정치담당교수 122명
- ㅇ 국제경제(무역)담당 교수 ~~119명~~ 77명 (-77)
- ㅇ 국제법 담당 교수 38명
- ㅇ ~~외교정책 자문위원 23명~~
- ㅇ 국내 언론사 정치.외교.경제담당 논설위원 및 주요간부 156명
- ㅇ 한국외교협회 임원 15명
- ㅇ 외무부 설립 허가법인 32명

총 ~~655명중~~ 613명

0056

5304

기 안 용 지

분류기호 문서번호	국연 2031-	(전화 :)	시 행 상 특별취급	
보존기간	영구·준영구. 10. 5. 3. 1.	장 관		
수 신 처 보존기간				
시행일자	1991. 2. 5.			

보조기관			협조기관		문서통제
	국 장	전 결			1991. 2. 7
	과 장				발 송 인
기안책임자	김성진				1991. 2. 7

경유 수신 참조	수신처 참조	발신명의	
제 목	유엔가입문제 설명책자 송부		

당부에서 제작한 유엔가입문제 설명책자를 별첨 송부하오니

귀부(처) 업무에 활용하시기 바랍니다.

첨 부 : 표제책자 부. 끝.

0057

1505-25(2-1) 일(1)갑
85. 9. 9. 승인 "내가아낀 종이 한장 늘어나는 나라살림"

190㎜×268㎜ 인쇄용지 2급 60g/㎡
가 40-41 1990. 5. 28

수신처 : 청와대, 국무총리실, 경제기획원, 내무부, 상공부,

교육부, 체육청소년부, 국방부, 공보처, 통일원, 재무부,

법무부, 농림수산부, 건설부, 동력자원부, 보건사회부,

노동부, 과학기술처, 총무처, 문화부, 교통부, 체신부,

환경처, 정무 제 1, 제 2 장관, 국가안전기획부장,

법제처장, 감사원장, 국가보훈처장, 조달청장, 국세청장,

병무청장, 농촌진흥청장, 특허청장, 관세청장, 산림청장,

수산청장, 공업진흥청장, 철도청장, 해운항만청장,

민주평화통일자문회의사무총장 (총 41개 부처)

0058

1505-25(2-2) 일(1)을 85. 9. 9. 승인 "내가아낀 종이 한장 늘어나는 나라살림" 190㎜×268㎜ 인쇄용지 2급 60g/㎡ 가 40-41 1990. 5. 28

배 포 처

(청 와 대)

수 신 처	부 수
비서실장	2
경호실장	2
정무수석비서관	2
경제수석비서관	2
의전수석비서관	2
외교안보담당비서관	3
정치담당 특보	2
행정수석비서관	2
민정수석비서관	2
사회담당수석비서관	2
공보수석비서관	2 (기자단 20부 포함)
경제담당특보	2
기획조정실 [illegible]	5

0059

(50부)

배 포 처

(국무총리실)

수 신 처	부 수
비서실장	2
의전비서실	1
정무비서실	1
총무비서실	1
공보비서실	5 (기자단 35부)
행정조정실장	1
1조정실	2
2조정실	1
3조정실	1

0060

(183부)

배포 리스트

1. 청 와 대　　　　45부 (배포처 별첨)

2. 국무총리실　　　50부 (　　"　　)

3. 경제기획원등 35개 부처 : 각 1부

4. 국방부등 4개부처 배포내역 (53부)
   - 국방부 10부, 공보처 10부, 국가안전기획부 5부,
     국토통일원 28부 (출입기자단 23부 포함)

0061

대 한 민 국
외 무 부

국연 2031- 5304 (720-2334) 1991. 2. 6.

수신 수신처 참조

제목 유엔가입문제 설명책자 송부

당부에서 제작한 유엔가입문제 설명책자를 별첨 송부하오니 귀부(처) 업무에 활용하시기 바랍니다.

첨 부 : 표제책자 부.

외 무 부 장 관

국제기구조약국장 전결

수신처 : 청와대, 국무총리실, 경제기획원, 내무부, 상공부, 교육부, 체육청소년부, 국방부, 공보처, 통일원, 재무부, 법무부, 농림수산부, 건설부, 동력자원부, 보건사회부, 노동부, 과학기술처, 총무처, 문화부, 교통부, 체신부 장관, 환경처처장, 정무 제 1, 제 2 장관, 국가안전기획부장, 법제처장, 감사원장, 국가보훈처장, 조달청장, 국세청장, 병무청장, 농촌진흥청장, 특허청장, 관세청장, 산림청장, 수산청장, 공업진흥청장, 철도청장, 해운항만청장, 민주평화통일자문회의사무총장 (총 41개 부처)

0062

홍보책자 배포현황

90. 2. 8.

1. 정기배포 대상자 : 613부
   - 정부홍보위원 150, 국제정치학교수 123, 국제경제학교수 77, 국제법교수 38, 외교정책자문의원 23, 주요 언론인 156, 외교협회 임원 15, 외무부설립 허가법인 32

2. 국 회 : 513부
   - 국회의원 299, 상임위 54, 출입기자단 150, 사무처 및 도서관 10

3. 정부부처 (41개부처) : ~~183~~ 188부
   - 청와대 ~~45~~ 50(기자단 20부 포함), 총리실 50, (기자단 35부 포함), 통일원외 3개부처 53 (통일원 출입기자단 23부 포함), 여타부처 각 1부

4. 재외공관 : 337부
   - 공관 161, 교민 118, 특파원(4개지역) 58

5. 민간단체 : 510부
   - 유엔한국협회 80, 각대학(70개) : 430부

6. 본 부 : 140부
   - 각실·국 (과)장 각 1부, 연구원 35, 공보관실 35(기자단 30부 포함)]

7. 주한멍에(혼)영사 : 62부

8. 추가(장관지시) : 국회의장, 부의장(2), 민자당 대표위원(3), 평민당 총재, 부총재(5), 외통위원장(1) (11명) +67

(총계 : 2296부)

2363부
2374

공람	91년 2월 5일	담 당	과 장	국 장
		김성헌 (서명)	(서명)	(서명)

0063

大學 政治學科 科長님 貴下,

제번하옵고,

우리의 유엔加入問題는 昨年 南北韓 高位級會談등 南北對話 次元에서 擧論된 것을 契機로 그간 新聞.放送等 言論 媒體를 통하여 이에 대한 많은 意見들이 開陳되고 있습니다.

教授님께서도 잘 알고 계시리라 믿습니다만 우리의 유엔加入은 1948年 政府樹立이래 主要 外交目標의 하나로 꾸준히 推進되어 왔습니다. 또한 政府로서는 이 問題와 關聯하여 基本的으로 南北韓이 하루빨리 유엔에 함께 加入하여 南北韓間에 和合과 協力의 새로운 關係를 發展시키고, 나아가 祖國의 平和的 統一을 促進할 수 있게 되기를 바라고 있습니다.

~~그럼에도 不拘하고, 일부 識者들마저도 政府의 유엔加入問題에 대한 基本立場과 推進方向에 대하여 다소 잘못된 認識을 가지고 있는 境遇도 있는것 같습니다.~~

이러한 견지에서 저희 外務部에서는 이번에 '우리는 왜 유엔에 加入하려 하는가' 라는 題目下에 유엔加入問題에 관한 政府의 立場을 ~~간략히~~ 정리한 ~~책자~~를 發刊하게 되었습니다. 아무쪼록 이 책자를 통하여 유엔加入問題에 대한 正確한 理解의 폭이 넓혀질 수 있게 되길 바랍니다.

教授님의 健安하심과 大學의 무궁한 發展을 祈願합니다.

양 고 재	년 월 일	담 당	과 장	국 장

1991년 2월 8일

外務部 國際機構條約局長

文 東 錫 드림

0064

공군사관학교

大學 政治學科 科長님 貴下,

제번하옵고,

우리의 유엔加入問題는 昨年 南北韓 高位級會談등 南北對話 次元에서 擧論된 것을 契機로 그간 新聞·放送等 言論 媒體를 통하여 이에 대한 많은 意見들이 開陳되고 있습니다.

教授님께서도 잘 알고 계시리라 믿습니다만 우리의 유엔加入은 1948年 政府樹立이래 主要 外交目標의 하나로 꾸준히 推進되어 왔습니다. 또한 政府로서는 이 問題와 關聯하여 基本的으로 南北韓이 하루빨리 유엔에 함께 加入하여 南北韓間에 和合과 協力의 새로운 關係를 發展시키고, 나아가 祖國의 平和的 統一을 促進할 수 있게 되기를 바라고 있습니다.

이러한 견지에서 저희 外務部에서는 이번에 '우리는 왜 유엔에 加入하려 하는가' 라는 題目下에 유엔加入問題에 관한 政府의 立場을 정리한 說明資料를 發刊하게 되었습니다. 아무쪼록 이 책자를 통하여 유엔加入問題에 대한 正確한 理解의 폭이 넓혀질 수 있게 되길 바랍니다.

教授님의 健安하심과 大學의 무궁한 發展을 祈願합니다.

1991년 2월 8일

外務部 國際機構條約局長

文 東 錫 드림 문동석

0065

(430부)

배 포 처(대학)

건국대
가톨릭대학
강릉대
국민대
경성대
경상대학
광운대학
경원대
경희대
경기대
경남대
경북대
계명대
※고려대 (10)
국제대학
단국대
대구대
덕성여대
동국대
동아대
동의대
명지대
목원대
목포대
부산대

원광대
※이화여대 (10)
인천대
인하대
전남대
전북대
전주대
제주대
조선대
중앙대
창원대
청주대
충남대
충북대
한국항공대학
한림대
홍익대
※한국외국어대 (10)
한국해양대학
한성대
효성여대
한남대
한양대
※정신문화연구원 (10)

※ 대학별 5부, 주요대학 10부

0066

부산외대

효성여대

상명여대

서강대

※ 서울대 (10)

서울시립대

서울여자대

※ 성균관대 (10)

성신여대

세종대

※ 숙명여대 (10)

수원대

숭실대

안동대

※ 연세대 (10)

영남대

울산대

※ 국방대학원 (10)

※ 공군사관학교 (10)

※ 육군사관학교 (10)

※ 해군사관학교 (10)

(70)

0067

기 안 용 지

분류기호 문서번호	국연 2031- 4815 (전화 :)	시 행 상 특별취급	
보존기간	영구·준영구. 10. 5. 3. 1.	장 관	
수 신 처 보존기간			
시행일자	1991. 2. 5.		
보조기관 국 장	전결	협조기관	문 서 통 제
과 장			검열 1991. 2. 7
기안책임자	김 성 진		발 송 인
경 유 수 신 참 조	전재외공관장	발신명의	1991. 2. 7
제 목	유엔가입문제 설명책자 송부		

1. 본부에서 제작한 유엔가입문제 관련 설명책자를 별첨 송부하오니 귀관 업무에 참고하시고, 또한 귀관할 주요 고민들에 대한 배포 또는 홍보활동은 귀관 판단하에 적의 사행하시기 바랍니다.

(2. 별첨 책자 00 부는 귀지주재 국내언론 특파원들에게 배포하여 주시기 바랍니다. (주일, 미, 홍콩, 유엔대표부 4개공관 해당))

첨 부 : 표제 책자 부. 끝.

0068

1505-25(2-1) 일(1)갑
85. 9. 9. 승인 "내가아낀 종이 한장 늘어나는 나라살림"

190㎜×268㎜ 인쇄용지 2급 60g/㎡
가 40-41 1990. 5. 28

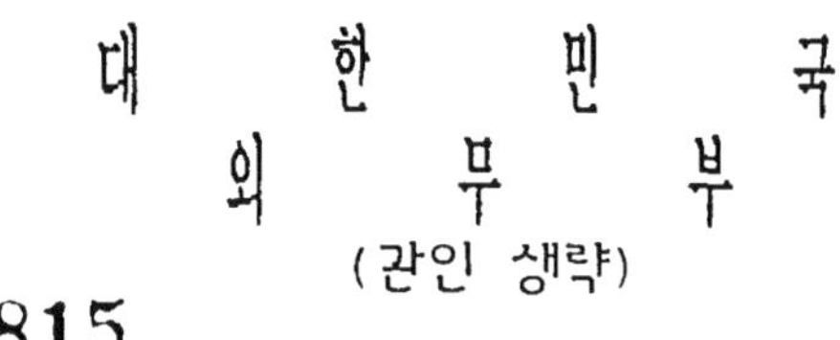

대 한 민 국
외 무 부
(관인 생략)

국연 2031- 4815 (720-2334) 1991. 2. 6.

수신 전재외공관장

제목 유엔가입문제 설명책자 송부

본부에서 제작한 유엔가입문제 관련 설명책자를 별첨 송부하오니 귀관 업무에 참고하시고, 또한 귀관할 주요고민단체에 대한 배포 또는 홍보활동은 귀관 판단하에 적의 조치하시기 바랍니다.

첨 부 : 표제책자 1 부.

외 무 부 장 관

| 국제기구조약국장 전결 |

0069

- 공관 : 161부 (전공관)
- 교민 : 118부 (48개지역)
- 특파원 : 58부 (4개지역)

(계 : 337부)

배 포 선 (재외공관)

아주지역

1. 주호주 (2) + 교(2) (4)
2. 주방글라데시 (1)
3. 주미얀마 (1)
4. 주중화민국 (1) + 교(2) (3)
5. 주휘지 (1)
6. 주인도 (2)
7. 주인니 (1)
8. 주일본 (5) + 특(19) (24)
9. 주말레이지아 (1)
10. 주네팔 (1)
11. 주뉴질랜드 (1)
12. 주필리핀 (1)
13. 주싱가폴 (1)
14. 주스리랑카 (1)
15. 주파푸아뉴기니아 (1)
16. 주파키스탄 (1)
17. 주부르나이 (1)
18. 주태국 (1) + 교(2) (3)
19. 주몽고 (1)
20. 주북경 (3)

미주지역

21. 주알젠틴 (1)
22. 주볼리비아 (1)
23. 주브라질 (1)
24. 주카나다 (2)+교(5) (7)
25. 주칠레 (1)
26. 주콜롬비아 (1)
27. 주코스타리카 (1)
28. 주도미니카(공) (1)
29. 주에쿠아돌 (1)
30. 주과테말라 (1)
31. 주자마이카 (1)
32. 주멕시코 (1)
33. 주파나마 (1)
34. 주파라과이 (1)
35. 주페루 (1)
36. 주수리남 (1)
37. 주우루과이 (1)
38. 주베네수엘라 (1)
39. 주아이티 (1)
40. 주트리니다드토바고 (1)
41. 주엘살바돌 (1)
42. 주미국 (5)+교(3) + 특(19) (27)
43. 주유엔 (5)+ 특(9) (14)

※ 교민, 특파원 포함 송부

0070

구주지역

44. 주오지리 (1)

45. 주벨지움 (1)

46. 주덴마크 (1)

47. 주핀랜드 (1)

48. 주프랑스 (2)+교(5) (7)

49. 주독일 (2)+교(5) (7)

50. 주희랍 (1)

51. 주이태리 (2)+교(3) (5)

52. 주화란 (1)

53. 주노르웨이 (1)

54. 주스페인 (1)

55. 주포르투갈 (1)

56. 주스웨덴 (1)

57. 주스위스 (1)

※ 58. 주터키 (1)

59. 주영국 (2) +교(5) (7)

60. 주아일랜드 (1)

61. 주교황청 (1)

62. 주제네바 (1)

63. 주유네스코 (1)

64. 주헝가리 (1)

65. 주불가리아 (1)

66. 주체코 (1)

67. 주 E.C. (1)

68. 주폴란드 (1)

69. 주루마니아 (1)

70. 주소련 (3)

71. 주유고 (1)

중동지역

※ 72. 주바레인 (1)

73. 주이란 (1)

※ 74. 주요르단 (1)

※ 75. 주레바논 (1)

※ 76. 주리비아 (1)

77. 주모로코 (1)

※ 78. 주오만 (1)

79. 주카타르 (1)

※ 80. 주사우디 (1)

81. 주수단 (1)

82. 주튀니지 (1)

※ 83. 주 U.A.E. (1)

84. 주모리타니아 (1)

※ 85. 주예멘 (1)

86. 주카이로(총) (1) +교(2) (3)

87. 주알제리 (1)

88. 주젯다(총) (1) +교(2) (3)

(※ 걸프사태로 파우치 중단상태 공관 : 추후배포예정)

0071

아프리카지역

89. 주카메룬 (1)

90. 주이디오피아 (1)

91. 주가봉 (1)

92. 주가나 (1)

93. 주코트디브와르 (1)

94. 주케냐 (1)

95. 주나이제리아 (1)

96. 주세네갈 (1)

97. 주시에라레온 (1)

98. 주우간다 (1)

99. 주자이르 (1)

100. 주말라위 (1)

101. 주모리셔스 (1)

102. 주스와질랜드 (1)

X03. 주소말리아 (1)

104. 주나미비아 (1)

(총)영사관

105. 주시드니 (1) +교(2) (3)

106. 주고오베 (1) +교(2) (3)

107. 주나고야 (1) + 〃 (3)

108. 주나하 (1) + 〃 (3)

109. 주니이가다 (1) + 〃 (3)

110. 주삿뽀르 (1) + 〃 (3)

111. 주센다이 (1) + 〃 (3)

112. 주시모노세기 (1) + 〃 (3)

113. 주오사카 (1) + 교(5) (6)

114. 주요꼬하마 (1) + 교(2) (3)

115. 주후쿠오카 (1) + 〃 (3)

116. 주카라치 (1) + 〃 (3)

117. 주홍콩 (1) +교(5) +특(11) (17)

118. 주뉴욕 (1) +교(5) (6)

119. 주라성 (1) +교(5) (6)

120. 주마이애미 (1)+교(2) (3)

121. 주보스톤 (1) + 〃 (3)

122. 주상항 (1) +교(5) (6)

123. 주시애틀 (1)+교(2) (3)

124. 주시카고 (1)+ 〃 (3)

125. 주아가나 (1) + 〃 (3)

126. 주아틀란타 (1)+ 〃 (3)

127. 주앵커리지 (1)+ 〃 (3)

128. 주호노루루 (1)+교(5) (6)

129. 주휴스턴 (1) + 교(2) (3)

0072

130. 주쌍파울로 (1) + 교(2) (3)

131. 주몬트리올 (1) + 교(2) (3)

132. 주벤쿠버 (1) + 교(2) (3)

133. 주토론토 (1) + 교(2) (3)

134. 주 백림 (1) + 교(2) (3)

135. 주프랑크푸르트 (1) + 교(2) (3)

136. 주함부르크 (1) + 교(2) (3)

137. 주라스팔마스 (1) + 교(2) (3)

138. 주바르셀로나 (1) + 교(2) (3)

0073

보 도 자 료
외 무 부

91-43

1991. 2. 8. 10:00
국제연합과

제 목 : 유엔가입문제에 관한 설명책자 발간

가. 외무부는 "우리는 왜 유엔에 가입하려 하는가"라는 제목하에 유엔가입 문제에 관한 정부의 입장을 정리한 설명 책자를 91.2월초 발간하였다.

나. 총 20여 페이지의 책자는

- 새로운 국제질서하에 유엔의 역할과 권능이 증진되고 있음을 설명하고,
- 그러한 국제상황하에서 우리의 유엔가입이 왜 조속 이루어져야 하는지 그 배경과 이유를 살펴보는 한편,
- 유엔가입을 북한이 반대하고 있는 이유와 그들의 소위 "단일의석 가입안"의 문제점을 지적하였으며,
- 북한의 반대입장에도 불구하고 우리가 왜 하루빨리 유엔에 가입해야 하는지에 관해서도 언급하고 있다.

다. 또한 외무부는 동 설명책자에서 1948년 정부수립 이래 숙원 외교과제로 남아 있는 유엔가입문제가 사회 각계각층의 아낌없는 성원과 지지속에 금년중에는 반드시 해결될 수 있게 되기를 희망하였다.

첨 부 : 홍보책자 1부. 끝.

앙고재	91년 2월 5일	담 당	과 장	국 장
		김신길	(서명)	(서명)

0074

보 도 자 료

외 무 부

제 91-43 호 문의전화 : 720-2408~10 보도일시 : 91 · 2 · 8 · 10 : 00 시

국제연합과

제 목 : 유엔가입문제에 관한 설명책자 발간

가. 외무부는 "우리는 왜 유엔에 가입하려 하는가"라는 제목하에 유엔가입 문제에 관한 정부의 입장을 정리한 설명 책자를 91.2월초 발간하였다.

나. 총 20여 페이지의 책자는

- 새로운 국제질서하에 유엔의 역할과 권능이 증진되고 있음을 설명하고,
- 그러한 국제상황하에서 우리의 유엔가입이 왜 조속 이루어져야 하는지 그 배경과 이유를 살펴보는 한편,
- 유엔가입을 북한이 반대하고 있는 이유와 그들의 소위 "단일의석 가입안"의 문제점을 지적하였으며,
- 북한의 반대입장에도 불구하고 우리가 왜 하루빨리 유엔에 가입해야 하는지에 관해서도 언급하고 있다.

다. 또한 외무부는 동 설명책자에서 1948년 정부수립 이래 숙원 외교과제로 남아 있는 유엔가입문제가 사회 각계각층의 아낌없는 성원과 지지속에 금년중에는 반드시 해결될 수 있게 되기를 희망하였다.

첨 부 : 홍보책자 1부. 끝.

0075

主要 外交安保狀況 要約報告

91.2.11
外交安保(外交)

1. 유엔加入 推進 動向

o 核心友邦國 會議 開催(韓.美.日.英.佛.카나다.벨지움)
- 2.20(水) 駐유엔大使 主宰로 뉴욕에서 開催 豫定
- 我國의 年內 유엔加入 方案을 全般的으로 協議 豫定

o EC 政務總局長 會議,我國立場 支持 決議
- 3月 中國外相 歐洲(獨逸,스페인,폴루갈) 訪問時 我國 支持 立場을 中國側에 公式傳達 豫定

2. 外務部,國內 弘報活動 強化

o 主要 外交問題에 관한 解說 및 政府立場 資料를 年 20回에 걸쳐 國內 政治人,教授,學者,企業人 等 5,000名 앞으로 郵送 豫定
- 政治學教授 1,200名, 經濟學教授 1,300名, 言論人 850名, 國會議員 299名,大企業 重役 900名, 教育團體 117名,其他
- 昨年度에는 11回에 걸쳐 800名에게 發送

o 今年度 1回分으로 下記 3個 弘報資料 旣發送
- "우리는 왜 유엔에 加入하려 하는가"
- "韓.美 駐屯軍 地位協定 改正"
- "第9次 韓.美 經濟協議會"

0076

<외교문제 해설, 91-3>

91년도 외교정책 방향

소련은 市場經濟 體制로의 移行 과정에서 어려운 난국을 맞고 있으나 世界 最大의 資源 保有國이며, 인구 3억의 광대한 市場으로서 경제구조나 산업기술면에서 經濟協力의 큰 潛在力을 보유하고 있습니다. 또한 동서화해와 냉전종식에 크게 기여한 소련의 改革政策 成功은 한반도의 평화와 안정을 위한 國際的 環境造成에도 매우 중요한 영향을 미치게 될 것이기 때문에 정부는 이러한 政治·經濟的 國益의 차원에서 對蘇 借款을 제공키로 한 것입니다.

유엔가입과 한·중 수교의 조기실현

정부는 또한 우리의 유엔加入과 韓·中 修交도 早期에 實現되도록 다각적인 외교활동을 전개해 나가고자 합니다.

남북한의 유엔가입은 統一을 향한 중간단계로서, 남북한간의 和解와 協力을 도모하고 韓半島의 平和安定을 유지하기 위한 제도적 장치가 될 수도 있을 것이므로 정부는 지난해에 이룩된 國際的 支持 基盤을 바탕으로 조속한 유엔 加入을 적극 추진할 계획입니다.

韓·中關係 正常化는 한반도의 平和定着과 南北韓 關係의 實質的 改善에 크게 기여할뿐 아니라, 10억 인구를 가진 광대한 市場의 潛在力에 비추어 새로운 經濟協力 對象으로도 매우 중요하다고 봅니다.

한·일관계의 발전

다음은 韓·日關係의 發展으로서, 작년 5월 盧泰愚 大統領의 訪日과 금년 1월 카이후 총리의 訪韓은 한·일 양국간의 불행했던 과거를 청산하고 未來指向的 友好協力關係를 구축하기 위한 기반을 마련하였다고 봅니다.

한·일 양국은 同伴者 關係 構築을 위한 교류협력과 상호이해 증진, 아·태지역의 평화와 화해 및 번영과 개방을 위한 貢獻强化, 범세계적 제문제 해결을 위한 기여 확대 등 지난 1월 양국 정상간에 합의된 "韓·日 友好協力 3原則"에 입각하여 각 분야에서의 內實있고 均衡된 發展을 기하도록 하여야 할 것입니다.

서울특별시 종로구 세종로 77번지
외 무 부
국 제 연 합 과
(Tel. 720－2353)
110－760

장 / 홍보관 홍보

138-225
송파구 잠실 5동 고층 APT
507동 605호
최단범 귀하

귀하

0078

보호하자 인간생명
드높이자 인간존엄

-1990년도 세계적십자운동 표어-

(섭외부장 崔恩範)
대한적십자사

1991.2.12

외무부 국제연합과장님,

여러가지 공무수행에 노고 많으시겠읍니다.

귀과에서 저에게 종종 보내주시는 자료를 감사히 받아보고 적십자사 국제 업무수행 및 대학강의자료등으로 활용하여오고 있읍니다.

한가지 말씀드릴 일은, 저에게 우송되는 수신인 이름에 오자가 있기에 별지와 같이 수정하여 보내오니 적이 바로잡아주시면 고맙겠읍니다. 최은범 上.

0079

3.5 回信

교수님께,

보내주신 편지 잘 받아보았습니다.

먼저 국제관계를 직접 연구하시고 강의 하시는데 바쁘실 교수님께서 저희 외무부가 하고있는 일에 이렇게 관심을 가져주시고 또 격려해주신 것 정말 감사하게 생각합니다.

지난 편에 보내드린 저희 졸고 「우리는 왜 유엔에 가입하려 하는가」가 부디 교수님의 연구에 도움이 되었기를 기대합니다.

이번 편에 저희과와 관련한 몇가지 자료를 보내드리오니 교수님 하시는 일에 조금이라도 도움이 될 수 있기를 바라마지 않습니다.

하시는 모든 사업에 건승하시고 많은 관심과 격려의 말씀 계속 주시기를 바랍니다.

1991. 3. 5.

외무부 국제연합과 이 규 형

0080

장 회람

3.6. 回信

500-757 광주직할시 북구 용봉동 300
全南大學校統一問題硏究所
電話 (062) 520-6712

THE INSTITUTE
FOR NATIONAL UNIFICATION STUDIES
CHONNAM NATIONAL UNIVERSITY
300, Yong Bong-Dong, Buk-Ku
Kwang-Ju, Korea
Tel : (062) 520-6712

國際聯合課長님께

보내주신 資料 :「우리는 왜 유엔에 가입하려 하는가」를

감사히 받았읍니다.

課長님의 성함도 또 相面한바도 없는 本人이

편지를 올리게 되어서 失禮가 많는것 같으나 용서해

주시기 바라면서 付託의 말씀 드립니다.

저는 全南大學校 社會科學大學 政治外交學科에 근무하는

朴河一 교수입니다.

시골大學에서 국제관계를 강의하며 국제법과 국제기구론을

담당하고 있는데 늘 最新의 資料에 어려움을 느끼고

있읍니다.

貴課에서 生產되는 국제연합 및 국제조약에 관계되는

資料를 求해 보고 싶습니다.

課長님께서 저의 硏究와 講義에 도움이 될수 있는

資料가 있으면 저의 政治外交學科 도서실에 보내주시면

교수와 學生들이 열람 할수 있도록 活用 할까 합니다

0081

|5|0|0|-|7|5|7| 광주직할시 북구 용봉동 300
全南大學校統一問題研究所
電話 (062) 520-6712

THE INSTITUTE
FOR NATIONAL UNIFICATION STUDIES
CHONNAM NATIONAL UNIVERSITY
300, Yong Bong-Dong, Buk-Ku
Kwang-Ju, Korea
Tel : (062) 520-6712

可能하시다면 參考해주시면 큰 도움이 되겠읍니다.
公務에 多忙하실텐데 번거러움을 드려서 罪悚합니다.
그럼 課長님의 健勝과 貴課의 發展을 祈願하면서 擱筆합니다.

不備余禮

1991. 2. 12

전남대학교
朴河一 拜

0082

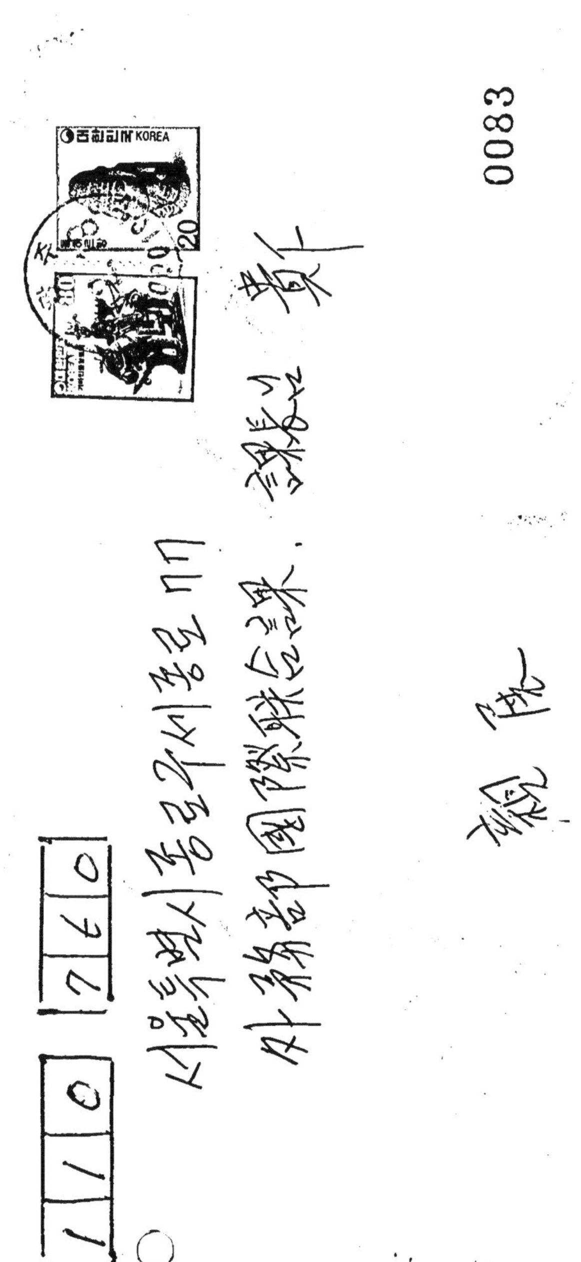

1 1 0 7 6 0
KOREA
0083

500-757

光州直轄市 北区 龍鳳洞 三〇〇番地
全南大學校 社會科學大學
朴 河 一

0084

局長

3.14 10:00-11:00
次官·局長
문동환의원
면담

UN 加入問題 現況

~~(文東煥 議員님을 위한 資料)~~

1991. 3. 14.

外　　　務　　　部

0085

1. 北韓의 基本立場

- UN 加入問題는 民族의 統一에 影響을 주는 問題이므로 民族內部 問題이며 同時에 南北對話에서 討議되고 合議될 問題임.
- 南北이 各各 UN에 加入하면 分斷이 永久化 됨.
- 따라서 單一議席下의 南北加入을 提議함.

2. 北韓의 戰略的 立場變化

- 單一議席을 꼭 固執하는 것은 아님.(90.10.2. 安保理 文書)
- 南北問題에 合議를 導出할 수 있음.
- 單一議席이 아니고 別個加入하면 南北間에 緊張이 造成되고 戰爭의 素地마저 있음.

3. 蘇聯의 立場(1991.1. 마슈리코프와의 共同聲明)

USSR reiterates its adherence to the principle of universality under which any country eligilble under the Charter of the UN has the right to enter the UN as member. USSR understands the ROK position to become the member of the UN.

0086

공 란

공 란

공 란

국내인사협일.

(첨 부)

3/14/91

유엔가입 추진입장

ㅇ 북한은 최근 노동신문 논평(2.19. 및 3.2.자)과 유엔 안보리문서로 배포된 외교부 비망록(2.20자)등을 통하여 "단일의석 가입안"을 고집하면서, 심지어 우리가 유엔에 가입하는 것은 독일식 흡수통일을 하자는 것으로서 한반도가 전쟁의 위협에 직면할지 모른다고 위협적인 언사

- 북한의 이른바 "남북한 단일의석 가입안"은 우선 가입에 관한 유엔 헌장의 규정(제 4조)에 위배되어 법적인 문제점이 있는 것은 말할 것도 없고, 현실적으로 실현 불가능한 것임.

ㅇ 정부의 유엔가입 추진목적은, 첫째 탈냉전시대에 있어 유엔의 국제적 위상이 그 어느때보다 높아져가고 있는 현시점에서 남북한이 하루빨리 유엔에 가입, 우리의 국제사회내 정당한 역할과 책임을 다하자는 것과, 둘째 남북한의 유엔가입을 실현시킴으로서 유엔체제내에서 한반도의 평화구조를 정착시켜 나가기 위함.

- 1945년 남북 분단이래 그리고 특히 한국전을 거쳐 냉전구조하에서 계속된 대결적 구조를 종식시키기 위하여는 남북한간 합의에 의한 해결이 최선의 방법이나 현재의 상황에서는 남북한간 합의에 의한 해결 기대 가능성 희박
  - 정부는 작년 9월이래 남북고위급회담을 통하여 남북한 기본합의를 타결코자 하였으나 상호 신뢰의 부족으로 합의를 이루지 못함.
- 따라서 정부는 가능한한 남북한의 유엔동시가입을 통해 남북한 평화 구조 정착의 시발점으로 삼고자 하며, 이를 위하여 북한에 대해 함께 유엔에 가입할 것을 계속 설득해 나가고자 하나, 북한이 남북한 동시 가입을 끝내 반대한다면 한반도 상황진전을 위한 촉매역할을 위하여도 우리만의 단독가입 추진 필요

0090

o 우리의 유엔가입 추진이 독일시 흡수통일을 위한 전략이라고 북측이 주장하고 있는데 대하여 (질의시)

- 현실적으로 우리는 북한을 흡수통일할 의사와 능력도 없을 뿐 아니라, 우리가 유엔에 들어가 국제사회에서 한반도내 우리이외의 존재를 부정하겠다는 것이 아님에도 불구하고 북한이 그렇게 주장하고 있는 것은 타당치 않음. 우리가 북한과 함께 유엔에 가입하려는 것은 무엇보다도 남북한이 현실을 토대로 유엔헌장의 목적과 정신을 존중하는 가운데 교류와 협력을 증진시키고 신뢰를 쌓아, 궁극적으로 한반도의 평화적 통일달성에 기여해 나가자는 것임.

o 불가침선언문제 채택에 관한 정부입장 (질의시)

- 불가침선언 문제는 선언 그 자체가 중요하다기 보다는 그 선언을 이행코자 하는 남북한의 의지와 그 이행여부를 객관적으로 검증할 수 있는 제도적 장치가 중요함.
- 따라서 남북상호간 그 이행의지를 확인하고, 그 이행여부를 검증할 수 있는 제도적 장치에 관한 합의가 이루어질 수 있을때 체결이 가능해질 것임.

0091

3비홍보 file.

報告畢

長官報告事項

1991. 3. 29.
國際機構條約局
國際聯合課(22)

題目 : 3.29日字 朝鮮日報 報道內容

3.29日字 朝鮮日報 1면 記事관련, 그 經緯를 아래와 같이 報告합니다.

o 3.28(木)밤 11:10경 조선일보 출입기자가 국기조약국장에게 전화, 세계일보 기사내용(별첨)을 言及하면서

- 北韓의 統一方案 수정설이 최근 東京에서 있었던 美國務省 "카린" 분석관의 南北韓의 유엔 同時加入에 對한 希望的 展望의 根據가 아닌가 ?, 이 시점에서 北韓이 統一方案을 수정한다면 北韓이 南北韓 同時加入을 받아들이려는 整地作業이 아니겠는지? 등 期待섞인 問議가 있었음.

o 이에 대하여 국기조약국장은 北韓의 統一方案 수정설을 알지 못하나, 現在까지 유엔등 各地에서 유엔 加入問題에 對한 北韓의 態度變化 可能性을 예상할 수 있는 하등의 움직임이 없다고 말하고

- 北韓의 統一方案 수정설을 우리의 유엔가입 문제 관련, "希望的"인 시각으로는 쓰지말고 "쓰더라도 均衡있게 쓰는것이 현 시점에서 볼때 安全하지 않겠는가"고 말하였음.
- 작년 "單一議席案"이 나온 이후, 北韓은 安保理文書(90.10.2)등 대외적으로는 유연한 자세를 表明한바 있었으나, 이는 우리의 加入을 遲延시키려는 전술이었음.
- 따라서, 北韓 統一方案 수정설은 그 內容도 모르는 시점이고, 그간의 態度를 볼때, 유엔 加入問題 관련 기대감을 갖게하는 觀測을 할수 있는 根據가 現在로서는 없고, 오히려 함정이 있을 가능성이 많을지 모른다고 言及함. 끝

앙고재	91년 3월 29일	담당	과장	국장
		김성권	(서명)	(서명)

0092

예상질문 : 북한 통일방안 수정설

답 변 : 1. 최근 일부 공관보고에 의하면 북한이 그들의 고려연방제 통일방안을 수정할지 모른다는 첩보가 있었던 것은 사실임.

2. 그러나 현재로서는 그 수정내용에 관해서 상세하게 입수된바 없어, 오늘아침 일부 신문에서 보도한바와 같은 내용을 확인해줄 수 있는 상황에 있지 않음.

0093

報告畢

長 官 報 告 事 項

1991. 3. 29.
國際機構條約局
國際聯合課(22)

題 目 : 3.29日字 朝鮮日報 報道內容

3.29日字 朝鮮日報 1면 記事관련, 그 經緯를 아래와 같이 報告합니다.

o 3.28(木)밤 11:10경 조선일보 출입기자가 국기조약국장에게 전화, 세계일보 기사내용(별첨)을 言及하면서

- 北韓의 統一方案 수정설이 최근 東京에서 있었던 美國務省 "카린" 분석관의 南北韓의 유엔 同時加入에 對한 希望的 展望의 根據가 아닌가 ?, 이 시점에서 北韓이 統一方案을 수정한다면 北韓이 南北韓 同時加入을 받아들이려는 整地作業이 아니겠는지? 등 期待섞인 問議가 있었음.

o 이에 대하여 국기조약국장은 北韓의 統一方案 수정설을 알지 못하나, 現在까지 유엔등 各地에서 유엔 加入問題에 對한 北韓의 態度變化 可能性을 예상할 수 있는 하등의 움직임이 없다고 말하고

- 北韓의 統一方案 수정설을 우리의 유엔가입 문제 관련, "希望的"인 시각으로는 쓰지말고 "쓰더라도 均衡있게 쓰는것이 현 시점에서 볼때 安全하지 않겠는가"고 말하였음.
- 작년 "單一議席案"이 나온 이후, 北韓은 安保理文書(90.1 .2)등 대외적으로는 유연한 자세를 表明한바 있었으나, 이는 우리의 加入을 遲延시키려는 전술이었음.
- 따라서, 北韓 統一方案 수정설은 그 內容도 모르는 시점이고, 그간의 態度를 볼때, 유엔 加入問題 관련 기대감을 갖게하는 觀測을 할수 있는 根據가 現在로서는 없고, 오히려 함정이 있을 가능성이 많을지 모른다고 言及함. 끝

0094

5 登錄番號 가-56號
1 第3種郵便物(가)級認可)
The Segye Times 1991年(檀紀4324年) 3月29日 金曜日 15版

"南-北지방정부 外交-軍事權 관장"

북한, 「修正통일방안」 곧 발표

蘇-中國에 이미 유엔가입 신청

우리제의 「聯合」과 개념일치

北韓은 「고려연방제통일방안」의 핵심내용을 일부 수정, 통일에 이르기까지 잠정적으로 南北의 「지방정부」가 각각 외교-군사권을 관장토록 하는 형태의 수정된 통일방안을 마련, 이를 곧 주석 金日成의 연설을 통해 공표할 예정인 것으로 알려졌다.

북한및 東歐사정에 정통한 서울의 한 외교소식통은 28일 「北韓은 최근 이같은 구상을 中國 蘇聯정부에 통보하고 협조를 요청한 것으로 안다」고 밝혔다.

이 소식통은 「北韓은 이와 함께 南北韓 동시유엔가입을 반대하는 기존 입장을 전환, 유엔총회에 그동안 유엔가입신청을 하겠다는 의사를 中-蘇측에 밝힌 것으로 안다」고 전하고 「오는 4월 11일 열리는 北韓최고인민회의 제9기 제2차회의에서 金日成주석이 통일방안 수정이 포함된 對南정책을 발표할 가능성이 큰 것으로 보인다」고 말했다.

北韓은 지난 80년이후 외교-군사권을 南北연방정부가 관장토록 하는 「고려민주연방공화국창립방안」이란 통일방안을 견지해 왔다. 따라서 외교-군사권을 남북 지방정부가 각각 갖도록 하는 수정된 연방제방안은 우리측 「한민족공동체통일방안」에서의 「남북聯合」과 개념상 일치한다는 점에서 주목되며 북측의 통일방안수정은 東歐圈외교채널을 통해 확인된 것으로 알려졌다.

이 소식 우리의 연 합을 기정 에 대비한 을 진행해 다」면서 「 안 수정구 시유엔가 화유엔정· 을 쥐기 위 일환인 것 말했다.

소식통은 은 수정된 표하면서

0095

國에 이미 협조·통보
가입 신청의사 전달
「南北聯合」과 개념일치 주목

서울 外交소식통

것으로 안다」고 식통은 「北韓은 南北韓 동시유 반대하는 기존 환,을 유엔총회 노 유엔가입신청 다는 의사를 中 밝힌 것으로 안 하고 「오는 4월 리는 北韓최고인 제9기 제2차회 金日成주석이 통 수정이 포함된 對 발표할 가능성 것으로 보인다」고 말했다.

北韓은 지난 80년이후 외교·군사권을 南北연방정부가 관장토록 하는 「고려민주연방공화국창립방안」이란 통일방안을 견지해 왔다. 따라서 외교·군사권을 남북 지방정부가 각각 갖도록 하는 수정된 연방제방안은 우리측 「한민족공동체통일방안」에서의 「남북聯合」과 개념상 일치한다는 점에서 주목되며 북측의 통일방안수정은 東歐圈외교채널을 통해 확인된 것으로 알려졌다.

이 소식통은 「北韓은 우리의 연내 유엔가입 신청을 기정사실로 보고 이에 대비한 논리개발작업을 진행해온 것으로 안다」면서 「북측의 통일방안 수정구상도 남북한 동시유엔가입을 수용하고 對유엔정책에서의 주도권을 쥐기 위한 논리개발의 일환인 것으로 보인다」고 말했다.

소식통은 「북한은 이같은 수정된 통일방안을 발표하면서 남북통일방안을 논의하기 위한 對南협상을 제의하고 통일방안의 합의를 본뒤 외교권행사의 일원화로 南과 北이 유엔에 함께 가입하자고 제안할 가능성이 크다」면서 「그러나 통일방안의 합의가 이뤄지지 않더라도 우리가 유엔가입안을 제출하면 북측도 뒤따라 가입안을 낼 것으로 보인다」고 전망했다.

소식통은 「이같은 북한의 움직임은 남북한 동시 유엔가입과 함께 일본 및 미국과의 수교를 정당화시킬 필요성에서 비롯된 것으로 분석된다」면서 「북한은 이를 계기로 더욱 적극적인 對西方접근을 모색할 것으로 보인다」고 말했다.

북한의 金日成주석은 올 연초 신년사에서도 통일방안과 관련, 「잠정적으로는 지역자치정부에 더많은 권한을 부여하고 장차로는 중앙정부의 기능을 높이나가는 방향에서 연방제 통일을 점차적으로 완성하는 문제도 협의할 용의가 있다」고 말해 고려연방제의 수정가능성을 시사했었다.

〈관련기사 2면〉

서울市 (우편번호
안내전화
FAX
政治部
經濟部
社會部
廣告局
購讀申請
配達事故
구독료
本報는 신문
그 실천요강

0096

통령과 3최고위원 당3역 등이 참석한 고위당정회의를 열어 선거시기와 대책을 논의한다.

民自黨은 선거시기에 대해 平民黨의 합당 등 정치행사와 기습선거시비가

29일 전국 市·道지부사무처장회의를 통해 이같은 지침을 시달키로 했다.

停戰委 한국장성 美 "철회의사 없다"

【워싱턴=金炳武특파원】

은 이날 「북한과 중국측의 입장이 회담거부라면 우리는 정전위 우리측 대표단을 유지하고 그들이 군사정전위에 복귀토록 할 것」이라고 말했다.

이 대변인은 「북한이나

鄭鎬根 합참의장 任期연장

국무회의, 年末까지로

정부는 28일 국무회의에서 오는 4월14일로 2년임기가 만료되는 합동참모의장 鄭鎬根대장의 임기를 12월31일까지 연장키로 의결했다.

대표단 12명 확정

국회는 4월29일부터 5월4일까지 平壤에서 열릴 제85차 국제의회연맹(IPU)총회에 참석할 대표단 12명을 다음과 같

이사장을 임명했다.

本社 내방

△鄭駿上씨 (한일은행비서실장) 신임

韓半島통일 "파란信號"

북한, 對南정책 「大轉換」조짐

「두개의 韓國」 사실상 인정 굳혀

유엔 동시加入 대비 住民설득 명분축적 속셈

40여년간 변화를 거부해온 北韓의 對南정책이 「大轉換」의 조짐을 보이고 있다.

北韓의 金日成주석은 최근 자신의 통일방안인 「고려민주연방공화국 창설방안」의 내용적 수정을 모색하고 있는 것으로 전해졌다. 東歐圈외교 소식통들의 전언, 그리고 우리 정부의 정보분석에 따르면 北韓은 통일에 이르기까지의 잠정단계로서 南과 北의 「지방정부」가 외교권과 軍통수권을 각각 관장하는 형태의 수정된 연방제방안을 구상중이라는 것이다. 北韓은 지금까지 남북및 해외동포 대표로 구성되는 연방정부가 외교-군사권을 행사해야 한다고 주장해왔다.

이같은 北韓측 움직임은 南北韓 동시유엔가입과 「두개의 한국」논리를 사실상 수용하려는 신호탄으로 풀이될 수 있다.

아울러 南과 北이 각각 외교-군사권을 보유하는 수정된 연방제주장은 우리측의 「한민족공동체통일방안」의 「남북연합」에 근접한 형태라는 점에서 향후 남북한간 통일방안 논의와 관련해 중대한 의미를 갖는다.

지난89년9월 발표된 우리측의 「한민족공동체 통일방안」은 통일에 이르기위한 과도적 중간단계로서 「남북연합」(The Korean Commonwealth)을 제시하고 있다. 남북연합은 남과 북이 각기 외교-군사권을 보유하는 주권국가이면서도 상호관계에 있어서는 국가간 관계가 아니라 「민족내부관계」를 유지토록 특수형태를 규정하고 있다.

「남북연합」과 북측의 「고려연방제」방안사이에는 전제조건과 기본원칙 등에 몇가지 차이가 있지만 핵심적인 차이는 외교-군사권을 누가 갖느냐 하는 점이었다. 따라서 金日成의 통일방안 수정이 공식화된다면 이는 남북한 통일방안의 가장 큰 걸림돌이 제거되는 결과가 되는 것이다.

北韓으로 하여금 이같은 통일방안의 내용적 수정을 모색치 않을 수 없게 만든 가장 큰 요인은 임박한 남측의 유엔가입 인것으로 분석된다.

北韓은 그동안 유엔동시가입을 극력 반대하는 이유로 동시가입이 분단을 고착화한다는 점을 내세워 왔다. 그러나 통일전까지 잠정적으로 남북이 외교권을 관장토록 통일방안을 수정할 경우 북한은 동시유엔가입의 논리적 모순이란 짐을 벗을 수 있게 된다.

남측의 유엔가입이 실현되더라도 북측은 각각의 외교권보유를 근거로 주민들을 설득할 수 있게 되며 또 뒤따라 유엔에 가입할 수 밖에 없는 상황이 되더라도 「남한의 對유엔외교에 굴복한 것이 아니라 우리가 독자적으로 유엔에 가입하는 것」이라고 설명할 명분을 얻을 수 있게 되는 것이다.

0097

북측은 남측의 연내 유엔가입이 피할 수 없는 현실이라고 판단, 이에 대비한 논리개발작업을 이미 지난해부터 진행해온 것으로 전해진다. 금년초 金日成의 신년사에서도 이같은 움직임의 단서가 발견된다. 당시 金日成은 「우리는 잠정적으로 지역적 자치정부에 더 많은 권한을 부여하고 장차 연방정부의 기능을 높여가는 방향에서 연방제통일을 완성하는 문제도 협의할 용의가 있다」고 밝혀 외교-군사권을 남북이 각각 관장하는 수정된 연방제방안을 구상중임을 시사했다.

이같은 북한의 구상은 오는 9월 유엔총회 전까지는 金日成의 발언이나 지침을 통해 공식화될 것이 확실시된다. 남북관계전문가들은 우선 오는 4월11일 개막되는 북한최고인민회의 제9기 제2차회의에서 행할 金日成의 연설을 주목할 필요가 있다고 지적한다.

지난해에도 金日成주석은 5월24일 최고인민회의 연설을 통해 통일前 남북한유엔동시가입의 가능성을 처음으로 인정한 「단일의석 유엔가입방안」을 제시했었기 때문이다.

〈朴正薰기자〉

탕」이라고 말하고 졸업생들이 경찰의 선진화 정예화 전문화를 이끄는 기수가 되어 달라고 당

〈龍仁=徐形來기

있는사람이 베푸는게 도

○…市·郡·區의회의원선거승으로 느긋해진 民自黨당직은 모처럼 맛보는 정국주도의 기를 즐기면서도 平民黨측의 로움」을 달랠 妙方을 찾느라 심.

金潤煥총장은 「이제 야당에 려다닐 마음도 없지만 야당을 지로 끌고갈 생각도 없다」며 「어차피 정당개입이 없었던 선거결과에 一喜一憂하지않고 당하게 싸우는 것이 최선의 선거대책」이라고 강조.

金宗鎬총무도 「있는 사람이 는 사람에게 베풀어야 하듯 도 야당에 많이 베풀어야 한다」 「총무가 된 후 한달 남짓한 야당총무를 14번이나 만났듯 당과 끝까지 협의-상의를 해 생각」이라며 平民黨을 자극 않으려고 애쓰는 모습.

DJ 선거 참패아니다. 강

○…平民黨의 金大中총재는 일 기초의회선거결과가 平民 「참패」로 비쳐지자 예정에 기자간담회를 자청, 「현재 여로 볼 때 실패한 것이 아니 과가 있었다」고 애써 강조.

金총재는 「우리는 동시선 했으면 「기초」는 돌아볼 수 는 형편이었는데 분리선거에 그 정도나마 소득을 얻었 지적하는 사람도 있다」며 분 거의 부당성을 통박하던 때

(외교문제 해설)

우리의 유엔가입문제

정부는 91.4.8. 유엔가입문제에 관한 우리의 입장을 종합적으로 설명하고 금년중 유엔가입을 실현하고자 하는 의지를 밝히는 각서를 유엔안전보장이사회 공식문서로 회람시켰는 바, 동 각서의 주요내용은 다음과 같습니다.

유엔안전보장이사회 이사국에

- 대한민국은 유엔헌장에 규정된 모든 의무를 수행할 의사와 능력을 갖춘 평화애호국가로서 유엔의 보편성원칙에 따라 당연히 유엔에 가입되어야 하고 가입할 준비가 되어 있음.
- 정부는 북한도 우리와 함께 유엔에 가입하여 유엔의 활동에 적극 기여하여 주길 바라고 있음. 남북한이 유엔에 각각 회원국으로 가입할 경우 남북한은 유엔헌장의 의무와 원칙을 수락하게 되므로 이는 남북한간 강력한 신뢰구축 조치의 하나가 될 것임.
- 그간 정부는 북한과 함께 유엔에 가입하기 위하여 최선의 노력을 경주하였으나 별 성과가 없었음 북한측의 단일의석 가입안은 실현 불가능한 제안이며 국제사회로부터 배척되고 있음.
- 정부는 앞으로 북한과 함께 유엔에 가입하기 위한 노력을 계속할 것이나, 북한이 우리의 노력에 호응해 오지 않을 경우 금년 제46차 유엔총회가 개막되기전에 유엔가입을 위한 필요한 조치를 취할 것임.

우리라도 먼저

앙고재	국제연합과	91년 월 8일	담당	과장	국장	차관보	차관	장관
			김성철	(서명)	(서명)	(서명)		

0098

유엔가입문제에 대한 정부입장

정부는 남북한이 1949년 각각 유엔가입을 신청한 이후 지난 40여년간 냉전 체제의 유물로 남아있는 남북한의 유엔가입문제가 국제적인 화해 조류에 발 맞추어 금년 제46차 유엔총회에서는 해결되기를 바라는 입장입니다.

유엔헌장의 의무를 수락하는 평화애호국이라면 어떤 국가라도 유엔회원국이 될 수 있음에도 불구하고, 우리나라의 유엔가입이 우리의 의사와 희망과는 관련 없이 납득할 수 없는 이유로 아직까지 실현되지 못하였다는 것은 극히 비정상적인 일입니다.

남북한의 유엔가입은 한반도 주변국 뿐만 아니라 어떤 유엔회원국의 이해에도 배치되지 않고 또한 그들에게 불리한 영향도 끼치지 않을 것이며, 평화유지와 인류번영이라는 유엔의 고귀한 목적을 고양하게 될 것입니다.

정부는 남북한이 통일시까지 잠정조치로서 유엔에 다 함께 들어가길 바라며 이를 위해 계속 노력할 것이나 북한이 어떠한 이유에서든지 유엔가입을 원치 않는다면, 북한의 추후 유엔가입을 환영하면서 금년내 우리라도 먼저 유엔에 가입하고자 합니다.

유엔가입추진 배경 및 의의

우리나라의 유엔가입 자격

유엔헌장은 헌장상 의무를 이행할 능력과 의사를 가진 모든 평화애호국에 대해 유엔의 문호는 개방되어 있다고 규정하고 있습니다.

0099

우리나라는 4천만의 인구, 세계 제12위의 무역거래 규모, 세계 17위의 GNP 규모 및 제24회 올림픽개최 국가로서 전세계 148개국과 외교관계를 맺고 있으며, 유엔산하 15개 전문기구에도 가입하고 있습니다.

따라서 우리의 유엔가입 자격에 의문을 제기할 나라는 한나라도 없으며, 이는 작년도 제45차 유엔총회에서 대다수 국가들이 우리의 조속한 유엔가입을 지지한 사실에서도 잘 나타나고 있습니다.

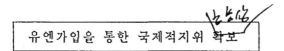

유엔가입을 통한 국제적지위 확보

오늘날 유엔은 국제평화 유지, 분쟁의 평화적해결 및 환경, 개발문제, 마약, 인권등 주요 국제문제 해결을 위한 국제협력에 있어 그 중심적 역할을 더욱 증대시키고 있습니다. 우리나라는 하루빨리 유엔에 가입하여 주요 국제문제에 대한 국제사회의 의사결정 과정에 참여할 수 있는 당연한 권리를 확보하고, 우리의 국제적 위상과 능력에 합당한 역할과 기여를 다하여야 합니다.

보다 정상적인 남북한관계 조성에 기여

남북한이 유엔이라는 범세계적 국제기구에 가입하게 되면 유엔체제내에서 상호간 교류와 협력을 증진시키고 신뢰를 쌓아 이를 토대로 남북한간에 공존공영의 관계를 도모하고, 궁극적으로 남북한의 평화적 통일을 더욱 촉진시킬 수 있을 것입니다.

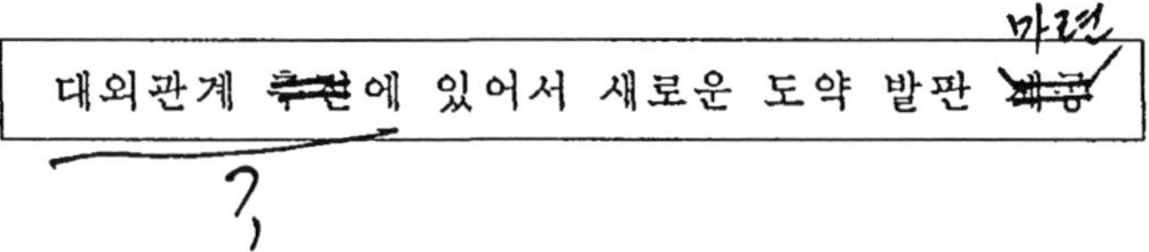

대외관계 추진에 있어서 새로운 도약 발판 마련

우리가 유엔에 가입하게 되면 과거 비회원국으로서 크고 작은 유엔회원국들에게 어쩔 수 없이 부탁만 해야 했던 비정상적인 외교를 청산하고, 눈에 보이지 않는

0100

외교적 부담에서 벗어날 수 있게 될 것입니다. 이는 선진국의 문턱에 와 있는 우리나라로 하여금 ~~건전한~~ 대외관계~~를 추진할 수 있게 하는~~ ~~대중한~~ 발판을 마련해 줄 것입니다.

새로운 동북아지역 질서 구축에 능동적 참여

냉전체제가 와해됨으로써 동북아지역에서도 새로운 국제질서 형성의 움직임이 나타나고 있습니다. 우리의 유엔가입은 이러한 동북아지역의 질서 개편 과정에서 우리나라의 입지를 강화시켜 줄 것이며, 중국을 포함한 주변국가들과의 새로운 관계 설정에도 많은 도움이 될 것입니다.

북한의 유엔가입 전망

북한이 앞으로도 우리와 함께 유엔에 가입하는 것을 계속 거부하~~고, 그 결과로서~~ 우리가 먼저 유엔에 가입하게 되는 경우, ~~당장은 북한이 이에 반발할 수도 있겠으나~~, ~~결국~~ 북한이 과거에 각종 국제기구 가입시에 그러하였듯이 우리에 뒤이어 ~~곧~~ 유엔에 가입할 것으로 봅니다.

따라서 우리가 유엔에 먼저 가입하게 되는 경우 이는 북한의 유엔가입을 촉진 시킴으로써 북한도 국제사회에서 책임있는 일원으로서 우리와 함께 합당한 역할과 기여를 다하도록 하는 계기가 될 것입니다.

0101

북한의 유엔가입 반대주장의 허구성

분단 고착화라는 주장의 모순성

작년도에 오랫동안 별도로 유엔에 가입해 있던 동.서독과 남.북예멘이 통일을 달성함으로서 북한측이 주장해온 "유엔가입은 분단을 고착화"한다는 논리는 그 타당성과 설득력을 상실하였습니다.

북한은 1949년, 1952년 2차례에 걸쳐 직접 가입신청을 한바 있고, 1957년, 1958년에는 소련을 앞세워 동시가입 권고 결의안을 제출한 것에 비추어 볼 때에도 그들의 분단 고착화 주장은 모순입니다.

단일의석하 유엔가입안의 비현실성

북한측이 작년 ~~5월이래~~ 북한 주장하고 있는 '단일의석하 유엔가입안'은 주권국가만이 유엔에 가입할 수 있다는 유엔헌장에도 배치되고, 남북한 간의 현실에 비추어 볼 때 전혀 실현 불가능한 방안입니다. 중국과 소련을 포함한 모든 나라가 북한측의 단일의석안이 문제가 많고 비현실적이라고 평가하고 있습니다.

실제로 북한은 90개의 국가에 대해서 우리와 ~~동시에~~ 67개 외교관계를 맺고 있고, 11개 유엔전문기구를 포함하여 많은 국제기구에 우리와 함께 각각 가입하고 있습니다. 그럼에도 불구하고 유엔에 대해서만 남북한이 각각 가입해서는 안된다는 북한의 주장은 아무런 타당성이 없습니다.

0102

남북한간 합의이전 유엔가입 반대주장의 불합리성

유엔가입문제는 본질적으로 유엔과 가입희망국간의 문제이며 또한 유엔가입 신청여부는 모든 주권국가가 스스로 결정할 정당한 대외주권 행사 사항입니다. 따라서 북한이 남북한간에 합의가 이루어지지 않으면 어느 한쪽도 유엔에 가입할 수 없다는 주장은 우리의 유엔가입문제에 있어서 북한측이 결정권을 갖겠다는 것으로서 우리가 결코 받아들일 수없는 주장입니다.

맺음말 : 금년에는 반드시 유엔회원국이 되고자 합니다.

우리는 북한도 우리와 함께 하루빨리 유엔에 가입하여 국제사회의 책임있는 일원으로서 합당한 역할과 기여를 다하길 바라는 입장에서 그동안 북한측에 대하여 모든 설득 노력을 기울였습니다. 앞으로도 북한이 우리와 함께 유엔에 가입하도록 계속 노력할 것이나, 북한측이 어떠한 이유에서든지 유엔가입을 원하지 않는다면, 우리는 우리의 유엔가입을 금년내에 실현시키기 위하여 구체적 조치를 취할 것입니다.

모든 일에 있어서 기회란 항상 오는 것이 아니라고 생각합니다. 이제 우리는 국민여러분의 아낌없는 성원과 지지~~에 힘입어 조금만 더 노력하면~~ 40여년의 숙원 과제를 해결할 수 있을 것으로 확신합니다. 끝.

0103

	분류번호	보존기간

발 신 전 보

번 호 : WUS-1507 910412 1822 FL 종별 :

WUN -0912

수 신 : 주 미, 유엔 대사.총영사

발 신 : 장 관 (국연)

제 목 : 자료 송부

유엔가입문제에 대한 정부각서 발표관련 ~~외무부 홍보과에서~~ 공보부가 발간한 외교문제해설을 별첨 FAX 송부하니 업무에 참고바람.

첨 부 : 동 자료 1부(5매). 끝.

WUS(F)-212
WUN(F)-39

(국제기구조약국장 문동석)

보 안 통 제	lly.

앙 고 재	년 4월 12일	유엔과	기안자 성 명		과 장		국 장		차 관	장 관
			여		lly.		h			

외신과통제

0104

분석관

분류기호 문서번호	정홍20501- 65	협조문용지 (720-2339)	결재	담 당	과 장	국 장
시행일자	1991. 4. 12					
수 신	수신처참조	발 신	정보문화국장 (서명)			
제 목	'외교문제해설' 송부					

'우리의 유엔가입' 제하 외교문제해설을 별첨과 같이 송부하오니 과직원들이 공람하시기 바랍니다.

첨부 : 외교문제해설 (제8호) 2부. 끝.

수신처: 외교안보연구원장, 각 실.국(과)장, 정특반장, 연구관, 대사실

0105

Ⅲ-8 (1991. 4. 12)
외무부

우리의 유엔가입

정부는 '91. 4. 8. 유엔加入問題에 대한 우리의 입장을 종합적으로 설명하고 금년중 유엔가입을 실현하고자 하는 의지를 밝히는 覺書를 유엔안전보장이사회 공식문서로 유엔全會員國에 회람시킨바 있습니다. 각서의 주요내용은 아래와 같습니다.

- 대한민국은 유엔헌장에 규정된 모든 의무를 수행할 의사와 능력을 갖춘 평화 애호국가로서 유엔의 普遍性原則에 따라 당연히 유엔에 가입되어야 하고 가입할 준비가 되어 있음.

- 정부는 북한도 우리와 함께 유엔에 가입하여 유엔의 활동에 적극 기여하여 주길 바라고 있음. 남북한이 유엔에 각각 會員國으로 가입할 경우 남북한은 유엔헌장의 의무와 원칙을 수락하게 되므로 이는 남북한간 강력한 信賴구축 조치의 하나가 될 것임.

- 그간 정부는 북한과 함께 유엔에 가입하기 위하여 최선의 노력을 경주하였으나 별 성과가 없었음. 북한의 단일의석 가입안은 實現 不可能한 제안이며 국제사회로부터 외면받고 있음.

- 정부는 앞으로 북한과 함께 유엔에 가입하기 위한 노력을 계속할 것이나, 북한이 우리의 노력에 呼應해 오지 않을 경우 금년 제46차 유엔총회가 개막되기전에 우리라도 먼저 유엔에 가입하기 위한 필요한 조치를 취할 것임.

0106

유엔가입문제에 대한 정부입장

정부는 남북한이 1949년 각각 유엔가입을 신청한 이후 지난 40여년간 냉전 체제의 유물로 남아있는 南北韓의 유엔加入問題가 국제적인 화해 조류에 발 맞추어 금년 제46차 유엔총회에서는 解決되기를 바라고 있습니다.

유엔헌장상의 의무를 수락하는 平和愛好國이라면 어떤 국가라도 유엔회원국이 될 수 있음에도 불구하고, 우리나라의 유엔가입이 우리의 의사와 희망과는 관련없이 납득할 수 없는 이유로 아직까지 실현되지 못하였다는 것은 매우 非正常的인 일입니다.

남북한의 유엔가입은 한반도 주변국 뿐만 아니라 어떤 유엔회원국의 이해에도 배치되지 않고 또한 그들에게 불리한 영향도 끼치지 않을 것이며, 平和維持와 人類繁榮이라는 유엔의 고귀한 목적을 달성하는데 크게 이바지 하게 될 것입니다.

정부는 남북한이 통일이 될때까지 暫定措置로서 유엔에 함께 들어가길 바라며 이를 위해 계속 노력할 것이나 북한이 어떠한 이유에서든지 유엔가입을 원치 않는다면, 북한의 추후 유엔가입을 환영하면서 금년내 우리라도 먼저 유엔에 加入하고자 합니다.

유엔가입추진 배경 및 의의

우리나라의 유엔가입 자격

유엔헌장은 헌장상 의무를 이행할 능력과 의사를 가진 모든 평화애호국에 대해 유엔의 門戶는 開放되어 있다고 규정하고 있습니다.

우리나라는 4천만의 인구, 세계 제12위의 무역거래 규모, 세계 17위의 GNP 규모 및 제24회 올림픽개최 국가로서 전세계 148개국과 外交關係를 맺고 있으며, 유엔산하 15개 전문기구에도 가입하고 있습니다.

따라서 우리의 유엔가입 자격에 의문을 제기할 나라는 한나라도 없으며, 이는 작년도 제45차 유엔총회에서 대다수 국가들이 우리나라의 早速한 유엔加入을 支持한 사실에서도 잘 나타나고 있습니다.

유엔가입을 통한 국제적지위 향상

오늘날 세계평화 유지, 분쟁의 평화적해결 및 환경, 개발문제, 마약, 인권등 주요 문제 해결을 위한 국제협력에 있어 유엔의 역할은 더욱 중요시되고 있습니다. 우리나라는 하루빨리 유엔에 가입하여 국제문제에 대한 意思決定 과정에 參與할 수 있는 당연한 권리를 확보하고, 우리의 국제적 位相과 능력에 합당한 役割과 기여를 다하여야 합니다.

보다 정상적인 남북한관계 조성에 기여

남북한이 유엔이라는 범세계적 국제기구에 가입하게 되면 유엔체제내에서 상호간 교류와 협력을 증진시키고 신뢰를 쌓아 이를 토대로 남북한간에 서로 돕고 도움을 받는 관계를 만들고, 궁극적으로 남북한의 平和的인 統一을 촉진시키는 계기가 될 것입니다.

대외관계에 있어서 새로운 도약 발판 마련

우리가 유엔에 가입하게 되면 과거 비회원국으로서 크고 작은 유엔회원국들에게 많은 부탁을 해야 했던 非正常的인 外交를 淸算하고, 눈에 보이지 않는 외교적 부담에서 벗어날 수 있게 될 것입니다. 이는 선진국의 문턱에 와 있는 우리나라로 하여금 대외관계에 있어서 새로운 跳躍을 위한 발판을 마련해 줄 것입니다.

새로운 동북아지역 질서 구축에 능동적 참여

냉전체제가 와해됨으로써 동북아지역에서도 새로운 국제질서 형성의 움직임이 나타나고 있습니다. 우리의 유엔가입은 이러한 東北亞地域의 秩序改編 過程에서 우리나라의 立地를 強化시켜 줄 것이며, 중국을 포함한

3

0108

주변국가들과의 새로운 관계를 정립하는데 큰 도움이 될 것입니다.

북한의 유엔가입 전망

북한이 앞으로도 우리와 함께 유엔에 가입하는 것을 계속 거부하여 우리가 먼저 유엔에 가입하게 되는 경우, 북한이 과거에 각종 국제기구 가입시에 그러하였듯이 우리에 뒤이어 결국 유엔에 가입하게 될 것으로 봅니다.

따라서 우리가 유엔에 먼저 가입하게 되는 경우 이는 북한의 유엔加入을 促進시킴으로써 북한도 국제사회에서 책임있는 일원으로서 우리와 함께 합당한 역할과 기여를 다하도록 하는 契機가 될 것입니다.

북한의 유엔가입 반대주장의 허구성

분단 고착화라는 주장의 모순성

오랫동안 별도로 유엔에 가입해 있던 동. 서독과 남. 북예멘이 작년 통일을 달성함으로서 북한측이 주장해온 "유엔가입은 分斷을 固着化"한다는 논리는 그 타당성과 설득력을 상실하였습니다.

북한은 1949년, 1952년 2차례에 걸쳐 직접 가입신청을 한바 있고, 1957년, 1958년에는 소련을 앞세워 동시가입 권고 결의안을 제출하였던 사실에 비추어 볼 때에도 분단 고착화 주장은 矛盾입니다.

단일의석하 유엔가입안의 비현실성

북한측이 작년부터 주장하고 있는 '單一議席하 유엔가입안'은 주권국가만이 유엔에 가입할 수 있다는 유엔헌장에도 배치되고, 남북한 간의 현실에 비추어 볼 때 전혀 實現 不可能한 방안입니다. 중국과 소련을 포함한 모든 나라가 북한측의 단일의석안이 문제가 많고 非現實的이라고 평가하고 있습니다.

실제로 北韓은 90개의 국가에 대해서 우리와 함께 외교관계를 맺고 있고, 11개 유엔전문기구를 포함하여 많은 국제기구에 우리와 함께 각각 가입하고 있습니다. 그럼에도 불구하고 유엔에 대해서만 남북한이 각각 가입해서는 안된다는 북한의 주장은 아무런 妥當性이 없습니다.

남북한간 합의이전 유엔가입 반대주장의 불합리성

유엔가입문제는 본질적으로 유엔과 加入希望國간의 문제이며 또한 유엔가입 신청여부는 모든 주권국가가 스스로 결정할 정당한 主權 행사에 관한 사항입니다. 따라서 북한이 남북한간에 합의가 이루어지지 않으면 어느 한쪽도 유엔에 가입할 수 없다는 주장은 우리의 유엔가입문제에 있어서 북한측이 결정권을 갖겠다는 것으로서 우리가 결코 받아들일 수 없는 주장입니다.

금년에는 반드시 유엔회원국이 되고자 합니다

우리는 北韓도 우리와 함께 하루빨리 유엔에 加入하여 국제사회의 책임있는 일원으로서 합당한 역할과 기여를 다하길 바라는 입장에서 그동안 북한측에 대하여 모든 說得 努力을 기울였습니다. 앞으로도 북한이 우리와 함께 유엔에 가입하도록 계속 노력할 것이나, 북한측이 어떠한 이유에서든지 유엔가입을 원하지 않는다면, 우리는 우리의 유엔가입을 今年內에 실현시키기 위하여 구체적 조치를 취할 것입니다.

모든 일에 있어서 機會란 항상 오는 것이 아니라고 생각합니다. 이제 우리는 국민여러분의 아낌없는 성원과 지지로 40여년의 宿願課題를 해결할 수 있을 것으로 확신합니다. 끝.

5

0110

◆편집 · 제작 : 정보문화국 홍보과 (720-2339)

0111

大學 政治外交學科 助敎 貴下, (34개 대학) 30부씩 배포.

제번하옵고, 우리의 유엔가입문제와 관련하여 저희 외무부는 금년 2월 "우리는 왜 유엔에 가입하려 하는가 "라는 제하의 책자를 제작하여 국내의 관심있는 분들께 배포한 바 있습니다

잘 알고 계시리라 믿습니다만, 정부는 1948년 정부수립이래 유엔가입을 주요 외교목표의 하나로 설정하고, 이의 실현을 위하여 꾸준히 노력하여 왔습니다. 오늘날 국제사회에는 화합과 협력이라는 새로운 분위기가 팽배해 있고, 유엔은 세계평화와 인류복지를 구현하는 명실상부한 범세계적 기구로서 그 권능과 역할에 대한 기대가 커져가고 있습니다. 우리가 유엔에 가입하고자 하는 것은 지구촌의 제문제에 적극 참여함으로써 주권국가로서의 정당한 몫을 하고 나아가 평화유지와 인류번영이라는 고귀한 유엔목적을 달성하는데 있어 우리의 역할을 다하고자 하기 때문입니다.

이와 관련하여 외무부에서는 전번 책자 발간에 이어 며칠전 "우리의 유엔 가입 "이라는 제하로 간단한 외교문제 해설자료를 발간하였습니다. 이에 몇부 우송하오니 유엔가입 문제에 대해 관심있는 학생들로 하여금 한번 보게 해주시어 이 문제에 대한 이해의 폭을 넓히는 계기를 만들어 주시길 바랍니다.

계속된 협조에 감사드리며 귀과의 무궁한 발전을 기원합니다.

1991. 4. 13.

외무부 국제연합과장

이 규 형 드림

이규형

0112

아국의 유엔가입을 위한 홍보방안

- o 시청각 매체 활용 홍보
  - TV, 라디오, 해설, 대담, 토론 프로에 출연
  - 대한뉴스 영화 프로제작
  - 일간지, 잡지 회견 및 기고

- o 외신기자, 외교단 브리핑.자료 배포

- o 강연회 출강
  - 현재 시행되고 있는 대국민 강연회 주제를 유엔 홍부 위주로 설정, 시행 (연구원 연구위원, 교수, 본부간부 등)

- o KBS 국제방송국 출연
  - 토요일 KBS 응접실 대담프로 출연
  - '유엔가입' 특별 기획프로 (15분) 제작 (방송원고 30매 분량 작성 요)

- o 국민여론조사
  - [illegible] 여론지도층 대상 조사, 전국민 대상 조사 등 취사선택
  - 대국민 홍보 효과 제고 및 국민여론 파악

- o '외교문제해설' 송부
  - 씨리즈로 '유엔가입' 주제하의 DM 홍보자료 계속 송부

- o 대학 활용
  - 국제법.국제기구 전공 교수에게 자료 제공 후 원고 부탁, 기고 및 강연의뢰
  - 대학 세미나.토론회 개최 지원

0113

유엔가입이 우리나라에게 가져다 줄 수 있는 실익은?

o 첫째, 우리나의 유엔가입은 국제사회에서 우리나라의 국제적 지위를 더 한층 높여 줄 것임.

- 오늘날 유엔은 세계평화 유지, 분쟁의 평화적 해결, 환경 및 인권 문제등 중요한 국제문제 해결을 위한 국제협력을 강화시키는데 더욱 큰 역할을 하고 있음.
- 이와 같이 국제사회에서 중요한 역할을 수행하고 있는 유엔에 우리가 가입함으로써 유엔을 통하여 처리되고 있는 중요한 국제문제등에 대한 토의 및 처리과정에서 우리의 입장을 떳떳하게 밝히고 또한 반영시킬 수 있을 것임.
- 즉, 우리는 현재 옵서버로서 일부 제한 또는 완전히 제외되고 있는 유엔체제 내에서의 발언권, 토의참여권, 발의권, 표결권 및 입후보권을 완전히 향유, 행사할 수 있게됨.

o 둘째, 유엔가입은 남북한관계를 보다 정상적인 관계로 만들어 나갈 수 있는 여건 조성에도 크게 도움이 될 것임.

- 유엔은 국제적 분쟁을 사전에 예방하고 또한 분쟁이 일어난 경우에는 이를 평화적으로 해결하는 것을 가장 중요한 임무로 삼고 있음. 그 대표적인 경우가 50년 한국전쟁시 유엔군의 파견이었으며, 최근 이락의 쿠웨이트 점령으로 일어난 걸프사태 해결을 위한 유엔의 역할에서 잘 나타나고 있음.
- 따라서 남북한이 모두 유엔에 가입하게 되면 남북한은 유엔회원국으로서 유엔헌장이 규정하고 있는 제반 의무를 다해야 하며, 특히 무력불사용의 의무를 일차적으로 지게되므로 이는 결국 한반도에서 전쟁 억지 효과를 가져오게 될 것임.

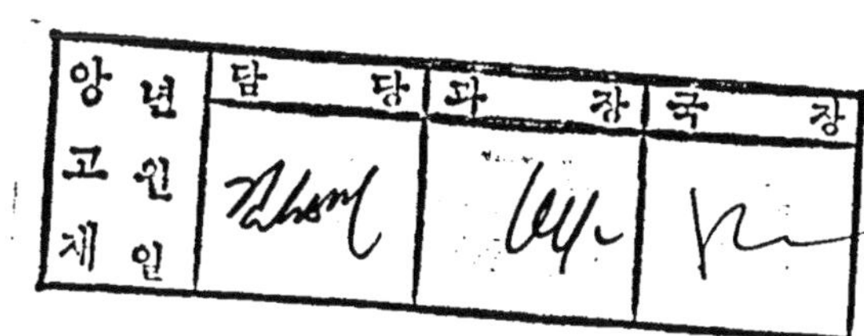

0114

- 그리고 유엔이라는 범세계적 국제기구내에서 남북한은 서로 교류와 협력을 증진시켜 나갈 수 있고, 이를 통하여 상호간의 신뢰가 축적되어 나가서 서로 돕고 도움을 받는 공존번영의 관계를 만들어 나갈 수 있을 것임. 이는 궁극적으로 남북한이 서로 다른 이념과 체제의 벽을 뛰어 넘어 오늘의 분단상황을 평화적으로 극복하여 통일을 하루빨리 달성 시키는데에도 도움이 될 것임.

- 작년도에 이루어진 독일과 예멘의 통일사례는 이를 여실히 입증하고 있음. 즉 이들 두나라는 과거 십여년간 동.서독일과 남.북예멘으로 각각 유엔에 가입해서 별개 회원국으로서 활동해 오면서 서로 협력과 교류를 증진시키고, 유엔내에서의 제반활동에 적극 참여하여 결국 통일을 달성한 바 있음.

o 셋째, 유엔가입은 우리의 대외관계에 있어서 새로운 도약의 발판을 마련하게 될 것임.

- 우리는 그동안 유엔에 가입하지 못하고 있다는 이유로 크고 작은 유엔회원국들에게 우리와 관련된 제반 국제문제에 있어서 우리의 입장을 대변해주도록 부탁을 하지 않을 수 없는 상황임.

- 따라서, 유엔가입은 우리나라가 이와 같이 눈에 보이지 않는 외교적 부담에서 벗어나고, 다른나라에게 부탁을 자주 해야했던 비정상적인 외교를 청산하게 할 것이며, 나아가 선진국의 문턱에 와 있는 우리 나라의 수준에 합당한 대외관계를 유지해 나갈 수 있도록 하는 발판을 마련해 줄 것임.

o 넷째, 유엔가입은 동북아지역내 새로운질서 구축에 있어 우리의 능동적 참여를 더욱 가능하게 할 것임.

- 오늘날 국제사회에서는 과거 미.소 강대국에 의해 주도되어온 냉전 체제가 와해되었고, 이에따라 한반도를 둘러싼 동북아지역에서도 새로운 국제질서가 형성되고 있음.

0115

- 이러한 움직임은 한.소수교, 한.중 무역대표부 교환설치, 미국 일본과 북한의 관계개선 움직임등으로 현실화 되고 있음은 주지의 사실임. 앞으로 우리의 유엔가입은 동북아지역의 새로운 질서 수립과정에서 우리나라의 역할을 강화시켜 줄 것이며, 앞으로 중국을 과의 관계설정에 있어서도 우리나라의 입지를 크게 높여 줄 것임.

0116

5.6 15:30 시분
청와대 정책보고서
요청자료
(대변인실 비서관 /
관중팀서기관)

유엔가입이 우리나라에게 가져다 줄 수 있는 실익은?

ㅇ 첫째, 우리나의 유엔가입은 국제사회에서 우리나라의 국제적 지위를 더 한층 높여 줄 것임.

- 오늘날 유엔은 세계평화 유지, 분쟁의 평화적 해결, 환경 및 인권 문제등 중요한 국제문제 해결을 위한 국제협력을 강화시키는데 더욱 큰 역할을 하고 있음.
- 이와 같이 국제사회에서 중요한 역할을 수행하고 있는 유엔에 우리가 가입함으로써 유엔을 통하여 처리되고 있는 중요한 국제문제등에 대한 토의 및 처리과정에서 우리의 입장을 떳떳하게 밝히고 또한 반영시킬 수 있을 것임.
- 즉, 우리는 현재 옵서버로서 일부 제한 또는 완전히 제외되고 있는 유엔체제내에서의 발언권, 토의참여권, 발의권, 표결권 및 입후보권을 완전히 향유, 행사할 수 있게됨.

ㅇ 둘째, 유엔가입은 남북한관계를 보다 정상적인 관계로 만들어 나갈 수 있는 여건 조성에도 크게 도움이 될 것임.

- 유엔은 국제적 분쟁을 사전에 예방하고 또한 분쟁이 일어난 경우에는 이를 평화적으로 해결하는 것을 가장 중요한 임무로 삼고 있음. 그 대표적인 경우가 50년 한국전쟁시 유엔군의 파견이었으며, 최근 이락의 쿠웨이트 점령으로 일어난 걸프사태 해결을 위한 유엔의 역할에서 잘 나타나고 있음.
- 따라서 남북한이 모두 유엔에 가입하게 되면 남북한은 유엔회원국으로서 유엔헌장이 규정하고 있는 제반 의무를 다해야 하며, 특히 무력불사용 의무를 일차적으로 지게되므로 이는 결국 한반도에서 전쟁 억지효과를 가져오게 될 것임.

0117

- 그리고 유엔이라는 범세계적 국제기구내에서 남북한은 서로 교류와 협력을 증진시켜 나갈 수 있고, 이를 통하여 상호간의 신뢰가 축적되어 나가서 서로 돕고 도움을 받는 공존번영의 관계를 만들어 나갈 수 있을 것임. 이는 궁극적으로 남북한이 서로 다른 이념과 체제의 벽을 뛰어 넘어 오늘의 분단상황을 평화적으로 극복하는 데 크게 도움이 될 것임.
- 작년도에 이루어진 독일과 예멘의 통일사례는 이를 여실히 입증하고 있음. 즉 이들 두나라는 과거 십여년간 동.서독일과 남.북예멘으로 각각 유엔에 가입해서 별개 회원국으로서 활동해 오면서 서로 협력과 교류를 증진시키고, 유엔내에서의 제반활동에 적극 참여하여 결국 통일을 달성한 바 있음.

o 셋째, 유엔가입은 우리의 대외관계에 있어서 새로운 도약의 발판을 마련하게 될 것임.

- 우리는 그동안 유엔에 가입하지 못하고 있다는 이유로 크고 작은 유엔 회원국들에게 우리와 관련된 제반 국제문제에 있어서 우리의 입장을 대변해주도록 부탁을 하지 않을 수 없는 상황임.
- 따라서, 유엔가입은 우리나라가 이와 같이 눈에 보이지 않는 외교적 부담에서 벗어나고, 다른나라에게 부탁을 자주 해야했던 비정상적인 외교를 청산하게 할 것이며, 나아가 선진국의 문턱에 와 있는 우리 나라의 수준에 합당한 대외관계를 유지해 나갈 수 있도록 하는 발판을 마련해 줄 것임.

o 넷째, 유엔가입은 동북아지역내 새로운 질서 구축에 있어 우리의 능동적 참여를 더욱 가능하게 할 것임.

- 냉전체제가 와해됨으로써 동북아지역에서도 새로운 국제질서 형성의 움직임이 나타나고 있음. 우리의 유엔가입은 이러한 동북아지역의 질서개편 과정에서 우리나라의 입지를 강화시켜 줄 것이며, 중국을 포함한 주변국가들과의 새로운 관계를 정립하는데 큰 도움이 될 것임.

0118

참고자료

1. 북한태도

ㅇ 90.5. 단일의석 가입안 제시이래 적어도 대외적으로는 전술적인 차원에서라도 현실적인 방향으로 전환 움직임을 보이고 있음.

- 90.10.2. 안보리문서에서 단일의석 가입안이 절대적이 아님을 적시. 단, 고위급회담시 비타협성 노정

- 90.12. 중국측에 대해 입장전환 예정임을 언급

- 91.1. 김일성 신년사 : 고려연방제 수정 시사

- 91.2.20. 안보리문서에서 재차 타협가능성 기술

- 91.3. 고려연방제 수정방안 북한우방국(소련)에 제시

2. 북한의 의도 분석

ㅇ 세습체제 유지와 대외개방 필요성이라는 "딜렘마"에 봉착

ㅇ 남북문제 포함 대외정책의 기조는 계속 유지하면서 경제난, 외교적 고립 탈피를 위해 대외적인 유연전술 구사등 전술적 대응 노력

ㅇ 전술적 대응이라 하더라도 현실 인정쪽으로 방향전환 시사는 나름대로 의미를 가지고 있다고 판단됨

3. 남북한 유엔가입의 의의

ㅇ 국제사회에서의 정당한 역할과 기여

ㅇ 남북한관계 개선의 새로운 계기 마련

- 북한의 '하나의 조선 논리' 수정

- 한반도내 평화공존체제 수립

· 김일성사후 한반도사태 급변가능성에 대한 안전판 마련

- 한반도 및 동북아지역정세 안정에 기여

ㅇ 우리의 선가입은 북한의 후가입을 자극함으로써 궁극적인 동시가입 달성

0119

4. 금년도 유엔가입 추진의 필요성

o 유리한 국제환경의 적극 활용

- 소련 국내정국의 가변성 고려

o 북한변화 유도 가속화

0120

국내인사

김[illegible]대표[illegible]
설명자료 (5/11/91 [illegible])

유엔加入問題

1991. 5. 13

外 務 部

0121

最近 重點努力 現況

1. 北韓에 대한 同時加入 說得努力 繼續

가. 主要 非同盟國을 통한 說得努力 展開

o 인니의 說得努力 (91.3.18)

- 인니 外相은 駐인니 北韓大使 招致, 北韓에 대해 韓國과 함께 同時加入토록 說得

o 印度의 說得努力

- 노신영 特使를 통하여 印度 高位層에 이종옥 北韓 副主席 訪印時 (91.5.7-11), 北韓이 韓國과 함께 유엔에 加入할 것을 說得해 주도록 要請

- 印度側에서 이종옥에게 最近의 유엔의 役割等을 說明하면서, 北韓이 韓國과 함께 유엔에 加入할 것을 說得하였으나, 北側은 旣存立場 (單一議席 加入案) 되풀이

o 이란의 說得努力

- 최광수特使 이란 訪問時(5.4-8), "라프산자니 "大統領은 今後 積極的인 對北韓 說得努力 約束

0122

o 루마니아의 說得努力

- "로만" 首相은 5.10. 노신영 特使에게 北韓에 대하여 유엔加入은 北韓의 利益에도 도움이 된다는 것을 說明하고 同時加入이 유리하다는 점을 說得하겠다고 言及

나. 유엔總會議長의 積極的 協力確保

o 4.29. 外務長官의 De Marco 유엔總會議長 面談時, 現在 推進中인 同 議長의 北韓訪問(5월말)과 關聯, 訪北時 새로운 國際秩序下에서 유엔의 強化된 役割을 說明, 北韓도 早速 유엔에 加入할 것을 北韓 指導層에 說得해 줄 것을 要請

o 同 議長은 의욕을 갖고 현재 訪北 積極 推進中

다. 南北韓 유엔大使間 接觸

o 90.7.以後 5차에 걸쳐 조용한 가운데 接觸을 갖고 同時加入을 진지하게 說得

2. 中國에 대한 說得努力 強化

o 中國態度의 肯定的 發展과 對北韓 說得 立地를 強化시켜 주는데 主眼點을 두고 推進

0123

o 南北韓이 함께 유엔에 加入코자 한다는 점을 分明히 하고 있음.

- 유엔 安保理의 南北韓 加入勸告 決議案 採擇 方案

- 南北韓의 共同名義 加入 申請書 方案

o 說得 채널

- 安保理内 友邦國과 中國間 公式協議 채널 活用

- 우리의 對中國 直接 接觸

- 友邦國을 통한 對中國 說得

0124

政府의 立場

o 南北韓關係의 肯定的 發展을 위하여는 北韓을 說得, 우리와 함께 유엔에 加入하는 것이 가장 바람직함.

0125

o 이러한 立場을 견지하면서도, 이의 實現을 위하여 北韓의 決斷을 促求하고 中國의 對北韓 說得 立地를 強化시켜 준다는 次元에서 北側이 끝내 원하지 않는다면 우리의 先유엔加入이 不可避하다는 점을 強調하는데 力點을 두고 있음.

o 유엔總會 開幕(9.17)前까지 北韓의 體面을 세워주고 中國의 對北韓 說得 立地를 強化시켜 줄 수 있는 同時加入 努力을 조용한 가운데 多角的으로 展開

向後 推進計劃

1. 北韓 說得에 重點 努力

  o 南北高位級會談 再開時

  o 非同盟圈 指導者等 金日成에 대한 接近이 可能한 인물을 통한 說得 推進

  o 進展 推移를 보아가면서 유엔事務總長의 役割 摸索도 積極 檢討

2. 中國에 대한 說得努力 繼續

  o 中國의 對北韓 說得立地 強化에 主眼

    - 友邦國을 통한 國際社會의 分明한 支持 雰圍氣 傳達

    - 北韓의 體面 중시를 考慮, 中國이 北韓에게 受諾을 慫慂할 수 있는 方案 繼續 協議

  o 友邦國과 中國間 協議 繼續

0126

WUW(F)-72

10520 1800

(유엔加入 問題) 첨부

"이러한 努力과 관련, 본인은 이 기회를 빌어 우리의 유엔加入 問題에 대해 몇말씀 드리고자 합니다.

韓國은 自由와 平和를 愛好하는 民主國家로서 유엔憲章에 規定된 유엔會員國으로서의 資格을 충분히 갖추고 있습니다. 특히 4.300만의 인구, 국민 총생산 규모가 세계 제15위권이며, 또한 세계 제12위권의 交易國으로서 현재 148개국과 外交關係를 維持하고 있는 우리나라가 아직도 유엔에 加入하지 못하고 있는 것은 非正常的인 일이 아닐 수 없으며, 이는 유엔의 普遍性原則에 어긋나는 것입니다. 우리나라가 하루빨리 유엔에 加入하여 國際平和와 繁榮을 위해 應分의 役割과 寄與를 하는것은 國際社會가 바라고 있는 바입니다.

그간 우리는 통일이 될때까지 暫定措置로서 南北韓이 같이 유엔에 加入하도록 諸般努力을 다해 왔으나, 북한은 여러분도 잘 아시다시피 南北韓이 유엔에 同時加入하면 國土分斷이 永久化 된다는 理由로 反對하여 왔고, 특히 작년 5월에는 南北韓이 單一議席으로 유엔에 加入하자는 안을 내놓았습니다.

그러나, 독일과 예멘의 例에서 본바와 같이 유엔加入이 統一過程을 促求하는 것이지 統一을 防害하지 않는다는 것은 立證된 바 있으며, 또한 北韓이 主張하고 있는 單一議席 加入案이 현실적이 아니라는 점은 이미 國際社會에서 널리 指摘된 바 있습니다.

2-1

0127

남북한이 유엔에 함께 들어가 유엔헌장을 준수하는 가운데 相互間에 和解와 協力을 增進하는 것이 韓半島의 平和와 安定 뿐만 아니라, 궁극적으로 平和的 統一을 促進하게 될 것입니다.

따라서 우리는 앞으로도 南北韓이 유엔에 같이 加入할 수 있는 방향으로 계속 努力해 나가고자 합니다마는, 北韓이 끝까지 유엔에 加入할 意思가 없거나 준비가 되어있지 않다면 우리만이라도 금년내 유엔에 加入하는 것이 금후 北韓의 유엔加入의 길을 열어주게 된다고 보고 있으며, 우리는 이미 이와같은 우리의 확고한 뜻을 友邦國 뿐만 아니라 中國側에게도 전한 바 있습니다.

中國側도 南北韓이 유엔에 同時加入하는 것을 바라고 있고, 이를 위해 南北韓이 協議를 계속해 주기를 希望하고 있는 것으로 알려져 있습니다.

우리는 남북한의 유엔加入이 韓半島의 平和와 安定, 나아가 平和的인 統一에도 크게 기여할 것이기 때문에 남북한의 유엔가입은 中國의 利益에도 符合된다는 점을 中國側도 잘 認識하고 있을 것으로 믿고 있습니다. 따라서, 우리로서는 유엔안보리 상임이사국의 일원인 中國이 南北韓의 유엔加入 實現을 위하여 協調해 주기 바라고 있으며, 만일 北韓이 끝내 加入을 원하지 않는다면 우리만이라도 유엔에 加入할 수 있도록 肯定的인 태도를 취해 줄 것으로 期待하고 있습니다.

최근 걸프事態에서 잘 나타난 바 있듯이 오늘날 유엔의 役割과 重要性이 크게 提高되고 있는 國際狀況下에서 우리의 유엔가입은 國際平和와 繁榮을 위해 韓國이 應分의 役割을 해주기를 기대하는 國際社會의 期望에도 符合하는 것입니다.

이러한 점에 비추어서도 우리는 유엔加入 問題에 대한 中國側의 理解와 協調를 期待하고 있으며, 금년에 우리의 유엔加入이 實現된다면 이는 韓半島와 東北亞地域의 平和와 安定構築을 위한 중요한 계기가 될 것으로 믿고 있습니다."

0128

2-2

	분류번호	보존기간

발 신 전 보

번 호 : WUN-1407 910520 1802 FL 종별 :

수 신 : 주 유엔 대사.총영사

발 신 : 장 관 (국연)

제 목 : 장관연설문 송부

본직은 금 5.20. 오전 경북대 및 외연원 공동주최 학술회의 (대구)에서 "한.중관계 현황과 전망"제하 기조연설을 행한 바, 동 연설중 유엔가입문제 관련 부분을 별첨 FAX 송부하니 참고 바람.

첨 부 : 표제 연설내용 1부. 끝.

WUN(F)-72

(국제기구조약국장 문동석)

보안 통제	

앙 고 재	91년 5월 20일	유엔과	기안자 성명		과 장		국 장		차 관	장 관
							전결			

외신과통제

0129

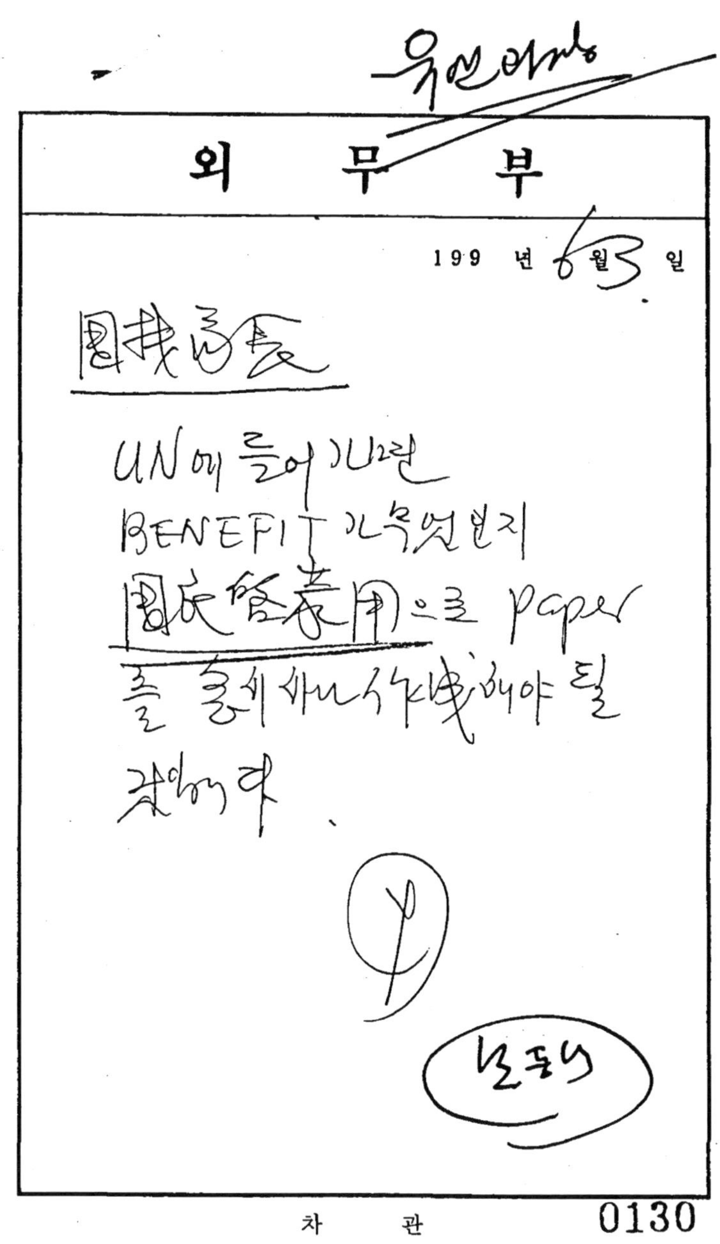

유엔과장

외 무 부

199 년 6월 3일

國際局長

UN에 들어가려면
BENEFIT가 무엇인지
國民啓蒙用으로 paper
를 [illegible] 해야 될
것임다.

차 관

0130

홍보자료(보관)
(국내홍보 file.)

북한의 유엔가입결정과 우리의 입장

北韓은 91.5.27 外交部 聲明을 통하여 유엔加入을 신청하기로 결정했다고 밝혔습니다. 이는 북한이 주장해왔던 '單一議席下의 南北韓 유엔加入案'의 포기를 의미하는 것이며 북한과 함께 유엔에 가입하고자 했던 우리의 노력이 성취된 것을 의미합니다.
따라서 금년가을 유엔總會를 계기로 南北韓은 유엔에 함께 加入할 것으로 전망되고 있습니다. 이는 盧泰愚大統領께서 88.7.7 聲明 이후 東歐諸國과의 수교, 蘇聯과의 수교 및 韓·蘇 頂上會談, 中國과의 무역대표부 상호 설치등 北方外交를 능동적으로 꾸준히 추진해 온 결과이며 頂上外交를 통한 서구 우방제국의 지지확보의 결과입니다. 유엔가입에 대한 大統領의 확고한 意志와 國民各界各層의 적극적 聲援과 깊은 이해를 바탕으로 전외교역량을 집중시킨 결과 南北韓의 유엔同時加入은 가까운 시일내에 이루어지게 되었습니다. 남북한의 유엔가입은 韓半島 및 東北亞地域의 安定과 平和定着에 크게 기여하고 나아가 남북한의 平和的 統一을 촉진시키는 계기가 될 것입니다.

0131

북한의 유엔가입 결정과 배경

북한측 발표 요지

北韓의 5.27자 外交部 聲明의 요지는 아래와 같습니다.

. 北韓政府는 유엔加入 問題와 관련하여 聯邦制가 실현된 다음 통일된 하나의 조선으로 유엔에 들어갈 것을 일관되게 주장하여 왔으며, 統一이 실현되기전에 南北이 유엔에 들어가는 경우에는 두개의 議席으로 제각기 들어갈것이 아니라 하나의 議席으로 共同으로 들어가자는 提案을 하였음.

. 그러나 韓國의 유엔 單獨加入 시도가 요지부동이라는 것을 명백히 확인한 이상 이를 방임할 경우 유엔무대에서 전조선 민족의 이익과 관련되는 중대한 문제들이 편견적으로 논의될 수 있고 그로부터 엄중한 후과가 초래되는 것을 수수방관할 수 없음.

. 南韓 當局者들에 의하여 造成된 일시적 難局을 타개하기 위한 措置로서 현단계에서 유엔에 가입하는 길을 택하지 않을 수 없게 되었으며 소정의 절차에 따라 유엔 事務總長에게 정식으로 유엔加入 申請書를 提出할 것임.

. 北韓이 유엔에 加入하기로 한 것은 南韓의 分裂主義的 책동으로 말미암아 조성된 정세에 대처하여 不可避하게 취하게 된 措置이며, 이같이 南北이 유엔에 따로 들어가지 않으면 안되게 된 오늘의 事態는 절대로 고착되지 말아야 함.

0132

북한측 입장변화 배경

북한이 그동안 계속 강력히 反對해오던 南北韓 同時加入을 갑작스럽게 받아들이지 않을 수 없었던 理由를 分析해보면 대체로 다음 네가지로 요약할 수 있습니다.

첫째, 政府의 北方外交의 推進은 우리의 對外政策에 대한 국제적인 支持基盤을 확대시켰고 그 결과 우리의 유엔가입 정책에 대한 國際的 支持 雰圍氣가 압도적으로 擴散된 반면, 北韓의 單一議席 加入案은 非現實的인 것으로서 國際社會에서 外面 당하게 되었습니다.

둘째, 韓.蘇 修交 및 3차에 걸친 韓.蘇 頂上會談의 결과로 소련이 유엔 가입에 관한 우리의 立場을 支持하게 되었으며, 中國도 최근 韓.中間의 實質關係 증진 및 우리의 유엔가입이 더이상 늦추어져서는 안된다는 國際的 雰圍氣를 의식하여, 북한에 대해 拒否權 行使와 관련한 確約을 하지 않은 것으로 알려졌습니다.

세째, 盧大統領께서 연두기자회견, 外務部 업무보고시 뿐만 아니라 91年 4月에 서울에서 개최되었던 ESCAP 총회에서도 금년내 우리의 유엔加入 실현 意志를 천명하여 우리政府의 금년내 유엔가입 의지가 確固하다는 점이 여러경로를 통해 확인되었습니다. 미, 영, 불등 우리 友邦國과 主要非同盟國들이 과거 어느때보다도 우리입장에 대한 적극적인 支援과 協調를 보였습니다. 또 북한이 그동안 우리의 유엔加入을 반대하는 名分으로 내세웠던 소위 分斷固着化 논리가 說得力을 喪失하였습니다. 政府가 4.5자 覺書를 유엔안보리에 배포하였을때 우리 言論이 社說등을 통해 이를 支持하여 국내의 支持雰圍氣가 고조되어 북한으로서도 우리 國內輿論 분열을 통한 유엔 加入 沮止가 소기의 성과를 거두지 못하리라고 판단한 것으로 보입니다.

0133

네째, 상기에 비추어 북한은 우리의 유엔加入을 더이상 沮止내지는 遲延시킬 수 없다는 판단에 도달하게 되었습니다. 결국 우리의 유엔 先加入으로 북한의 外交的.經濟的 孤立이 더욱 심화될 것으로 不安感이 점증함에 따라 우리와 함께 금년에 유엔에 가입하는 것이 스스로 자초한 國際的 困境을 脫皮함과 동시에 日.北韓 修交와 對西方 關係改善 등 實利에 맞는 선택이라고 판단하게 된 것으로 보입니다.

정부의 입장과 유엔가입 노력

외무부 논평

5.28 外務部 代辯人 名義로 아래와 같은 論評을 즉각 發表하였습니다.

. 우리는 北韓이 오늘 外交部 聲明을 통해 正式으로 유엔 加入 申請書를 提出할 것이라고 발표한 것을 歡迎하는 바임.

. 大韓民國 政府는 이미 누차 밝힌바와 같이 南北韓의 유엔 同時加入이 統一시까지의 暫定措置이며, 南北韓이 유엔에 함께 加入함으로써 韓半島에서의 緊張緩和와 平和的인 統一에 寄與하게 될 것임을 確信함.

. 우리는 南北韓의 유엔加入이 韓半島 뿐만 아니라 東北亞細亞 地域의 平和와 安定을 定着시키는 데에도 큰 轉機가 될 것을 期待하는 바임.

정부의 유엔가입 노력

盧大統領께서는 年頭記者會見 (1.8), 外務部 年頭業務報告(1.24), ESCAP 開幕演說 (4.1), 韓.蘇 頂上會談 後續 國務會議 (4.22) 등 수차에 걸쳐 직접 우리의 確固한 今年내 유엔加入 意志를 對內外에 表明함으로써 우리 友邦들의 積極的인 協調와 支援을 확보하였습니다.

0134

그동안 政府는 우리의 유엔가입 問題에 대한 각국의 支持確保를 위하여 년초부터 유엔 및 海外公館을 통한 각국과의 交涉을 한층 강화하고 뉴욕에서는 관련 友邦國들이 참여하는 會議를 수시로 개최하여 유엔 加入을 위한 구체적 對策에 관해 긴밀히 협의해 왔습니다. 首相, 外務長官 등 高位級人士의 交換訪問을 통하여 我國立場에 대한 主要 國家들의 確固한 支持를 獲得하였습니다. 특히, 4월말부터 5월중순까지 大統領 特使를 9개반으로 편성, 총 37개국에 派遣하여 全世界에 걸쳐 폭넓은 지지를 確保하는 努力을 傾注한 바 있습니다. 또한 國會차원에서도 국회의장의 巡訪外交 및 평양 IPU 총회 참석 활동 등, 議員外交를 통하여 우리의 유엔가입 실현노력을 적극 지원해 주었습니다.

아울러 우리의 유엔加入 實現을 위하여는 무엇보다 中國의 態度가 關鍵임을 감안, 美國 등 友邦國과 東歐圈 및 非同盟 主要國의 協調를 확보하여 중국 高位人士의 海外訪問 등 및 外國 高位人士의 中國訪問시 我國立場을 적극 傳達하는 한편, 韓.中간 直接 接觸 契機를 활용하여 우리의 유엔가입에 대한 中國의 肯定的 態度 진전을 위해 노력하였습니다.

이밖에 北韓이 유엔가입 문제에 관해 보다 現實的인 視角을 갖도록 하기 위하여 그 어느때 보다도 진지한 노력을 기울였습니다. 즉, 작년에 南北高位級會談, 實務代表 接觸을 통해 우리 입장을 설명하였습니다. 특히, 작년 및 올해에 걸쳐 유엔주재 南北大使가 접촉을 갖고 현 시점에서 統一前暫定措置로서 南北韓이 다함께 유엔에 들어가는 것이 가장 바람직함을 說明하였습니다. 또 中.蘇를 통한 對北韓 接觸과 北韓과도 친근한 관계에 있는 主要 非同盟國을 통한 접촉도 적극 전개하였습니다.

0135

이러한 努力에 있어서 특히, 우리 정부는 남북한의 유엔가입은 韓半島의 平和와 安定에 기여할 뿐 아니라 평화적 통일을 촉진하게 될 것이라는 것과 北韓의 대일본 수교와 대서방관계 개선에도 도움이 될 것이라고 설명하였습니다. 걸프사태 이후 유엔의 역할이 크게 고양되고 있음에 비추어 韓國이 유엔에 加入함으로써 그 國力과 國際的 地位向上에 상응하는 役割을 수행하기를 바라는 國際社會의 여망에도 부합되며, 南北韓 關係에 있어서도 相互交流와 協力을 增進시킴으로써 상호 信賴構築과 關係 正常化에 큰 전기를 마련케 할 것이라는 점을 강조하였습니다.

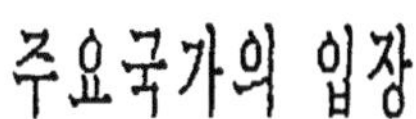

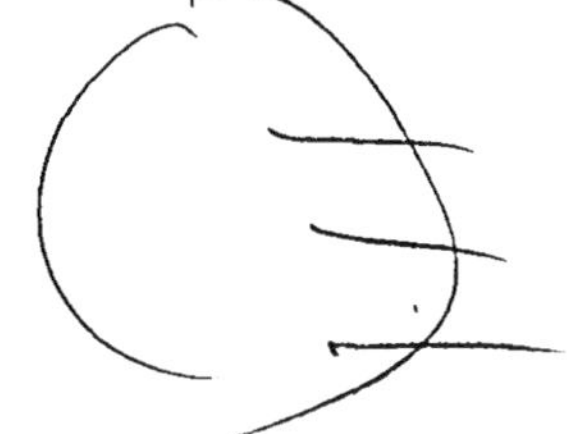

미 국

北韓의 聲明을 환영하며, 南北韓의 유엔 加入은 南北對話와 궁극적인 韓半島 통일에 기여할 것임. 普遍性의 原則에 입각해서 南北韓이 유엔에 개별적으로 加入하는 것을 支援할 것임 (국무부 대변인, 5.28)

일 본

우리는 아직 北韓이 정확히 무엇을 意圖하는지에 대한 정보를 얻지 못하고 있으나, 만약 北韓이 진실로 유엔에 가입하려 한다면, 이것은 日.北韓의 관계를 增進시키는데 도움이 될 것으로 歡迎함. (외무성 대변인 5.28)

영 국

北韓의 결정은 아주 반가운 소식으로 북한이 유엔 加入 申請을 계기로 國際社會에서 正常的으로 활동하는 것이 중요하다는 인식을 갖게 되기를 기대함. (외무성 당국자, 5.28)

0136

프 랑 스

北韓의 決定을 歡迎하며, 이는 緊張緩和와 平和定着을 위한 한국의 노력과도 합치되므로 韓半島 問題 解決을 위한 進一步한 契機로 평가함.
(외무부 대변인, 5.28)

소 련

유엔에 加入하겠다는 北韓의 결정을 환영하며 北韓指導部가 國際社會의 상식을 인식한 것으로 보며, 蘇聯은 이러한 움직임이 南北간의 對話와 전체 亞·太地域의 安全을 촉진시킬 것을 희망함. (대통령 대변인, 5.28)

중 국

우리는 南北韓의 유엔가입 問題와 관련, 南北間의 協商과 妥協을 통해 해결되어야 한다고 주장해 왔음. 北韓이 현재 유엔가입 申請을 결정한 것은 南北間의 대화, 韓半島의 平和와 安定의 促進에 기여하게 될 것임. (외교부대변인, 5.28)

향후 추진방향

가입신청서 제출시기

지난 4.5자 정부 각서에서 밝혔듯이 유엔 安保理 議事規則을 감안, 금년 가을 제 46차 總會開幕 (9.17) 전에 늦어도 8월초 까지는 加入申請書를 제출한다는 基本原則下에 준비를 해왔으며, 國內 節次를 마치는대로 友邦國과 協議하여 申請時期를 결정하고자 합니다.

0137

신청서 처리등 대책

加入申請書는 南北韓이 각기 제출할 것이나, 安保理에서는 하나의 決議案으로 일괄처리 (가입권고) 하고, 總會에서 承認하는 方案을 고려할 수 있습니다. 그러나 申請書 處理 등 제반 節次問題는 앞으로 유엔憲章 및 安保理 議事規則과 유엔의 慣行 등을 토대로 友邦國과 긴밀히 협의하여 對處해 나가고자 합니다.

남북한 협의

우리는 5.27 유엔 加入問題와 관련한 유엔주재 南北韓 大使間 協議를 提議한 바 있습니다. 北韓側이 우리의 이와같은 提議에 응해온다면 북한측과 加入申請과 관련된 細部節次 問題를 協議하는 方案도 검토하고자 합니다.

국내 절차 문제

유엔가입 申請國은 安保理 議事規則 第58條에 따라 유엔 事務總長에게 유엔加入申請書 제출시 유엔헌장상 의무를 수락하는 宣言書 (Declaration) 도 제출해야 하며 유엔總會에서 新規會員國의 加入에 관한 決議案이 채택됨과 동시에 유엔가입국은 유엔헌장 遵守義務를 지게됩니다. 유엔加入을 위한 憲章수락 (국제사법재판소 규정 포함) 은 憲法 제60조상의 "중요한 國際組織에 관한 條約"에 해당되므로 유엔헌장 수락을 위해서는 國務會議 審議를 거쳐 國會의 동의절차를 거쳐야 합니다. 따라서 政府는 우리나라의 유엔가입 申請書를 유엔事務總長에 제출하기 전에 유엔 憲章 수락에 관한 國務會議審議 및 國會 동의 節次를 完了할 예정입니다. 끝.

0138

북한의 유엔가입결정과 우리의 입장

北韓은 91.5.27 外交部 聲明을 통하여 유엔加入을 신청하기로 결정했다고 밝혔습니다. 이는 북한이 주장해왔던 '單一議席下의 南北韓 유엔加入案'의 포기를 의미하는 것이며 북한과 함께 유엔에 가입하고자 했던 우리의 노력이 성취된 것을 의미합니다. 따라서 금년가을 유엔總會를 계기로 南北韓은 유엔에 함께 加入할 것으로 전망되고 있습니다. 이는 盧泰愚大統領께서 88.7.7 聲明 이후 東歐諸國과의 수교, 蘇聯과의 수교 및 韓.蘇 頂上會談, 中國과의 무역대표부 상호 설치등 北方外交를 능동적으로 꾸준히 추진해 온 결과이며 頂上外交를 통한 서구 우방제국의 지지확보의 결과입니다. 유엔가입에 대한 大統領의 확고한 意志와 國民各界各層의 적극적 聲援과 깊은 이해를 바탕으로 전외교역량을 집중시킨 결과 南北韓의 유엔同時加入은 가까운 시일내에 이루어지게 되었습니다. 남북한의 유엔가입은 韓半島 및 東北亞地域의 安定과 平和定着에 크게 기여하고 나아가 남북한의 平和的 統一을 촉진시키는 계기가 될 것입니다.

0139

북한의 유엔가입 결정과 배경

북한측 발표 요지

北韓의 5.27자 外交部 聲明의 요지는 아래와 같습니다.

. 北韓政府는 유엔加入 問題와 관련하여 聯邦制가 실현된 다음 통일된 하나의 조선으로 유엔에 들어갈 것을 일관되게 주장하여 왔으며, 統一이 실현되기전에 南北이 유엔에 들어가는 경우에는 두개의 議席으로 제각기 들어갈것이 아니라 하나의 議席으로 共同으로 들어가자는 提案을 하였음.

. 그러나 韓國의 유엔 單獨加入 시도가 요지부동이라는 것을 명백히 확인한 이상 이를 방임할 경우 유엔무대에서 전조선 민족의 이익과 관련되는 중대한 문제들이 편견적으로 논의될 수 있고 그로부터 엄중한 후과가 초래되는 것을 수수방관할 수 없음.

. 南韓 當局者들에 의하여 造成된 일시적 難局을 타개하기 위한 措置로서 현단계에서 유엔에 가입하는 길을 택하지 않을 수 없게 되었으며 소정의 절차에 따라 유엔 事務總長에게 정식으로 유엔加入 申請書를 提出할 것임.

. 北韓이 유엔에 加入하기로 한 것은 南韓의 分裂主義的 책동으로 말미암아 조성된 정세에 대처하여 不可避하게 취하게 된 措置이며, 이같이 南北이 유엔에 따로 들어가지 않으면 안되게 된 오늘의 事態는 절대로 고착되지 말아야 함.

0140

북한측 입장변화 배경

북한이 그동안 계속 강력히 反對해오던 南北韓 同時加入을 갑작스럽게 받아들이지 않을 수 없었던 理由를 分析해보면 대체로 다음 네가지로 요약할 수 있습니다.

첫째, 政府의 北方外交의 推進은 우리의 對外政策에 대한 국제적인 支持基盤을 확대시켰고 그 결과 우리의 유엔가입 정책에 대한 國際的 支持 雰圍氣가 압도적으로 擴散된 반면, 北韓의 單一議席 加入案은 非現實的인 것으로서 國際社會에서 外面 당하게 되었습니다.

둘째, 韓.蘇 修交 및 3차에 걸친 韓.蘇 頂上會談의 결과로 소련이 유엔 가입에 관한 우리의 立場을 支持하게 되었으며, 中國도 최근 韓.中間의 實質關係 증진 및 우리의 유엔가입이 더이상 늦추어져서는 안된다는 國際的 雰圍氣를 의식하여, 북한에 대해 拒否權 行使와 관련한 確約을 하지 않은 것으로 알려졌습니다.

세째, 盧大統領께서 연두기자회견(1.8), 外務部 업무보고시(1.24) 뿐만 아니라 91年 4月에 서울에서 개최되었던 ESCAP 총회에서도 금년내 우리의 유엔加入 실현 意志를 천명하여 우리政府의 금년내 유엔가입 의지가 確固하다는 점이 여러경로를 통해 확인되었습니다. 미, 영, 불등 우리 友邦國과 主要非同盟國들이 과거 어느때보다도 우리입장에 대한 적극적인 支援과 協調를 보였습니다. 또 북한이 그동안 우리의 유엔加入을 반대하는 名分으로 내세웠던 소위 分斷固着化 논리가 說得力을 喪失하였습니다. 政府가 4.5자 覺書를 유엔안보리에 배포하였을때 우리 言論이 社說등을 통해 이를 支持하여 국내의 支持雰圍氣가 고조되어 북한으로서도 우리 國內輿論 분열을 통한 유엔 加入 沮止가 소기의 성과를 거두지 못하리라고 판단한 것으로 보입니다.

0141

네째, 상기에 비추어 북한은 우리의 유엔加入을 더이상 沮止내지는 遲延시킬 수 없다는 판단에 도달하게 되었습니다. 결국 우리의 유엔 先加入으로 북한의 外交的.經濟的 孤立이 더욱 심화될 것으로 不安感이 점증함에 따라 우리와 함께 금년에 유엔에 가입하는 것이 스스로 자초한 國際的 困境을 脫皮함과 동시에 日.北韓 修交와 對西方 關係改善 등 實利에 맞는 선택이라고 판단하게 된 것으로 보입니다.

정부의 입장과 유엔가입 노력

외무부 논평

5.28 外務部 代辯人 名義로 아래와 같은 論評을 즉각 發表하였습니다.

. 우리는 北韓이 오늘 外交部 聲明을 통해 正式으로 유엔 加入 申請書를 提出할 것이라고 발표한 것을 歡迎하는 바임.

. 大韓民國 政府는 이미 누차 밝힌바와 같이 南北韓의 유엔 同時加入이 統一시까지의 暫定措置이며, 南北韓이 유엔에 함께 加入함으로써 韓半島에서의 緊張緩和와 平和的인 統一에 寄與하게 될 것임을 確信함.

. 우리는 南北韓의 유엔加入이 韓半島 뿐만 아니라 東北亞細亞 地域의 平和와 安定을 定着시키는 데에도 큰 轉機가 될 것을 期待하는 바임.

정부의 유엔가입 노력

盧大統領께서는 年頭記者會見 (1.8), 外務部 年頭業務報告(1.24), ESCAP 開幕演說 (4.1), 韓.蘇 頂上會談 後續 國務會議 (4.22) 등 수차에 걸쳐 직접 우리의 確固한 今年내 유엔加入 意志를 對內外에 表明함으로써 우리 友邦들의 積極的인 協調와 支援을 확보하였습니다.

0142

그동안 政府는 우리의 유엔가입 問題에 대한 각국의 支持確保를 위하여 년초부터 유엔 및 海外公館을 통한 각국과의 交涉을 한층 강화하고 뉴욕에서는 관련 友邦國들이 참여하는 會議를 수시로 개최하여 유엔 加入을 위한 구체적 對策에 관해 긴밀히 협의해 왔습니다. 首相, 外務長官 등 高位級人士의 交換訪問을 통하여 我國立場에 대한 主要 國家들의 確固한 支持를 獲得하였습니다. 특히, 4월말부터 5월중순까지 大統領 特使를 9개반으로 편성, 총 37개국에 派遣하여 全世界에 걸쳐 폭넓은 지지를 確保하는 努力을 傾注한 바 있습니다. 또한 國會차원에서도 국회의장의 巡訪外交 및 평양 IPU 총회 참석 활동 등, 議員外交를 통하여 우리의 유엔가입 실현노력을 적극 지원해 주었습니다.

아울러 우리의 유엔加入 實現을 위하여는 무엇보다 中國의 態度가 關鍵임을 감안, 美國 등 友邦國과 東歐圈 및 非同盟 主要國의 協調를 확보하여 중국 高位人士의 海外訪問 등 및 外國 高位人士의 中國訪問시 我國立場을 적극 傳達하는 한편, 韓.中간 直接 接觸 契機를 활용하여 우리의 유엔가입에 대한 中國의 肯定的 態度 진전을 위해 노력하였습니다.

이밖에 北韓이 유엔가입 문제에 관해 보다 現實的인 視角을 갖도록 하기 위하여 그 어느때 보다도 진지한 노력을 기울였습니다. 즉, 작년에 南北 高位級會談, 實務代表 接觸을 통해 우리 입장을 설명하였습니다. 특히, 작년 및 올해에 걸쳐 유엔주재 南北大使가 접촉을 갖고 현 시점에서 統一前 暫定措置로서 南北韓이 다함께 유엔에 들어가는 것이 가장 바람직함을 說明하였습니다. 또 中.蘇를 통한 對北韓 接觸과 北韓과도 친근한 관계에 있는 主要 非同盟國을 통한 접촉도 적극 전개하였습니다.

0143

이러한 努力에 있어서 특히, 우리 정부는 남북한의 유엔가입은 韓半島의 平和와 安定에 기여할 뿐 아니라 평화적 통일을 촉진하게 될 것이라는 것과 北韓의 대일본 수교와 대서방관계 개선에도 도움이 될 것이라고 설명하였습니다. 걸프사태 이후 유엔의 역할이 크게 고양되고 있음에 비추어 韓國이 유엔에 加入함으로써 그 國力과 國際的 地位向上에 상응하는 役割을 수행하기를 바라는 國際社會의 여망에도 부합되며, 南北韓 關係에 있어서도 相互交流와 協力을 增進시킴으로써 상호 信頼構築과 關係 正常化에 큰 전기를 마련케 할 것이라는 점을 강조하였습니다.

주요국가의 입장

미 국

北韓의 聲明을 환영하며, 南北韓의 유엔 加入은 南北對話와 궁극적인 韓半島 통일에 기여할 것임. 普遍性의 原則에 입각해서 南北韓이 유엔에 개별적으로 加入하는 것을 支援할 것임 (국무부 대변인, 5.28)

o 일 본(관방장관, 5.28)

- 일본은 이전부터 한반도의 통일에 이르는 과도적 조치로서 남.북이 동시가입하는 것이 바람직하다는 입장을 취해왔던 바, 금번 북한이 잠정적 조치이지만 유엔 동시가입 방침을 굳힌 것을 환영함.
- 금후 남.북 동시가입이 실현되어 이에 의해 한반도의 긴장완화가 더욱 촉진될 것을 강하게 기대함.

...지지를 얻지 못하고

北韓의 결정은 아주 반가운...

에서 正常的으로 활동하는 것이 중요하다는 ...

(외무성 당국자, 5.28)

0144

프 랑 스

北韓의 決定을 歡迎하며, 이는 緊張緩和와 平和定着을 위한 한국의 노력과도 합치되므로 韓半島 問題 解決을 위한 進一步한 契機로 평가함.
(외무부 대변인, 5.28)

소 련

유엔에 加入하겠다는 北韓의 결정을 환영하며 北韓指導部가 國際社會의 상식을 인식한 것으로 보며, 蘇聯은 이러한 움직임이 南北간의 對話와 전체 亞.太地域의 安全을 촉진시킬 것을 희망함. (대통령 대변인, 5.28)

중 국

우리는 南北韓의 유엔가입 問題와 관련, 南北間의 協商과 妥協을 통해 해결되어야 한다고 주장해 왔음. 北韓이 현재 유엔가입 申請을 결정한 것은 南北間의 대화, 韓半島의 平和와 安定의 促進에 기여하게 될 것임. (외교부대변인, 5.28)

향후 추진방향

가입신청서 제출시기

지난 4.5자 정부 각서에서 밝혔듯이 유엔 安保理 議事規則을 감안, 금년 가을 제 46차 總會開幕 (9.17) 전에 늦어도 8월초 까지는 加入申請書를 제출한다는 基本原則下에 준비를 해왔으며, 國內 節次를 마치는대로 友邦國과 協議하여 申請時期를 결정하고자 합니다.

0145

신청서 처리등 대책

加入申請書는 南北韓이 각기 제출할 것이나, 安保理에서는 하나의 決議案으로 일괄처리 (가입권고) 하고, 總會에서 承認하는 方案을 고려할 수 있습니다. (그러나) 申請書 處理 등 제반 節次問題는 앞으로 유엔憲章 및 安保理 議事規則과 유엔의 慣行 등을 토대로 友邦國과 긴밀히 협의하여 對處해 나가고자 합니다.

남북한 협의

우리는 5.27 유엔 加入問題와 관련한 유엔주재 南北韓 大使間 協議를 提議한 바 있습니다. 北韓側이 우리의 이와같은 提議에 응해온다면 북한측과 加入申請과 관련된 細部節次 問題를 協議하는 方案도 검토하고자 합니다.

국내 절차 문제

유엔가입 申請國은 安保理 議事規則 第58條에 따라 유엔 事務總長에게 유엔加入申請書 제출시 유엔헌장상 의무를 수락하는 宣言書 (Declaration) 도 제출해야 하며 유엔總會에서 新規會員國의 加入에 관한 決議案이 채택됨과 동시에 유엔가입국은 유엔헌장 遵守義務를 지게됩니다. 유엔加入을 위한 憲章수락 (국제사법재판소 규정 포함) 은 憲法 제60조상의 "중요한 國際組織에 관한 條約"에 해당되므로 유엔헌장 수락을 위해서는 國務會議 審議를 거쳐 國會의 동의절차를 거쳐야 합니다. 따라서 政府는 우리나라의 유엔가입 申請書를 유엔事務總長에 제출하기 전에 유엔 憲章 수락에 관한 國務會議審議 및 國會 동의 節次를 完了할 예정입니다. 끝.

0146

(외교문제 해설)

남북한 유엔가입에 대한 정부입장

1991. 6. 4.

북한은 지난 5.28. 외교부 성명을 통하여 금년에 유엔가입 선청서를 제출키로 하였다고 발표하였습니다.

북한측의 태도변화는 무엇보다도 정부가 그동안 국민여러분의 성원과 깊은 이해를 바탕으로 금년에 유엔에 반드시 가입하겠다는 확고한 의지를 갖고 유엔가입정책을 적극 추진한데 따른 결과라고 봅니다.

금년 9월 17일 제46차 유엔총회가 개막되면 남북한이 다함께 유엔에 가입하게 될 것으로 전망됩니다. 정부는 남북한의 유엔가입으로 남북한 관계가 서로 돕고 도움을 받는 공존공영의 관계로 발전되어 갈수 있는 귀중한 토대가 마련될 것으로 기대하며, 나아가 한반도의 긴장완화와 평화정착 분위기가 조성되어 궁극적으로는 평화적 통일도 촉진할 것으로 믿습니다.

앞으로 정부는 금년 가을 유엔가입에 필요한 국내절차와 유엔헌장 및 관련 규정에 따른 세부절차를 차질없이 밟아 나갈 예정입니다.

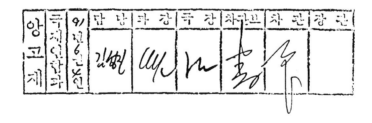

앙고제	국제연합과	91년 6월 4일	담 당	과 장	국 장	차관보	차 관	장 관
			김[illegible]	[signature]	[signature]	[signature]	[signature]	

1

0147

북한측 입장변화 배경

북한이 그동안 계속 강력히 반대해오던 유엔 가입을 갑작스럽게 받아들이게 된 이유를 분석해보면 대체로 다음 네가지로 요약할 수 있습니다.

첫째, 정부의 북방외교의 추진은 우리의 대외정책에 대한 국제적인 지지기반을 확대시켰고, 그 결과 우리의 유엔가입 정책에 대한 국제적 지지 분위기가 압도적으로 확산된 반면, 북한의 단일의석 가입안은 비현실적인 것으로서 국제사회에서 외면당하게 되었습니다. 또한 북한이 그동안 우리의 유엔가입을 반대하는 명분으로 내세웠던 소위 "분단고착화" 논리가 설득력을 완전히 상실한 가운데, 미.영.불등 우리 우방국과 주요 비동맹국들이 과거 어느때보다도 우리입장에 대한 적극적인 지원와 협조를 보인 것도 큰 영향을 주었다고 판단됩니다.

둘째, 한.소 수교 및 3차에 걸친 한.소 정상회담의 결과로 소련이 유엔 가입에 관한 우리의 입장을 지지하게 되었으며, 중국도 최근 한.중간의 실질관계 증진 및 우리의 유엔가입이 더이상 늦추어져서는 안된다는 국제적 분위기를 의식하여, 북한에 대해 거부권 행사와 관련한 약속을 하지 않은 것으로 알려졌습니다.

세째, 노대통령께서 연두기자회견(1.8), 외무부 업무보고시(1.24)뿐만 아니라 금년 4월에 서울에서 개최되었던 ESCAP 총회에서도 금년내 우리의 유엔가입 실현 의지를 천명하여 우리정부의 금년내 유엔가입 의지가 확고하다는 점이 국제적으로 확인되었습니다. 특히 정부가 4.5자 각서를 유엔안보리에 배포하였을때 우리 사설과 해설등을 통해 이를 지지함으로써 국내의 지지 분위기가 고조되어 북한으로서도 우리 국내여론 분열을 통한 유엔가입 저지 또는 지연이 소기의 성과를 거두지 못하리라고 판단한 것으로 보입니다.

네째, 상기에 비추어 북한은 우리의 유엔 선가입 실현시 자신들의 외교적.경제적 고립이 더욱 심화될 것으로 우려하게 되었고, 이에따라 우리와 함께 금년내 유엔에 가입하는 것이 스스로 자초한 국제적 고립을 탈피함과 동시에 일본과의 수교와 대서방 관계개선등 실리에 맞는 선택이라고 판단하게 된것으로 보입니다.

>

금후 유엔가입 추진계획

앞으로 정부는 오는 9.17. 제46차 유엔총회 개막일에 유엔 회원국이 된다는 방침아래 이에 필요한 조치를 다음과 같이 구체적으로 취해나갈 예정입니다.

국내절차

유엔가입은 유엔헌장상의 제반의무를 수락하는 것을 전제로 하므로, 헌법상 국무회의 심의를 거쳐 국회의 동의를 받도록 되어있습니다.
따라서 정부는 이와같은 국내절차를 가급적 조속히 마칠 계획으로 있습니다.

가입신청서 제출시기

상기 국내절차를 완료한 이후에는 유엔가입관련 규정과 유엔내의 관행을 고려하고, 또한 우방국들과도 긴밀히 협의하여 늦어도 8월초까지는 가입신청서를 유엔사무총장에게 제출할 예정입니다.

유엔주재 남북한 대사간 협의

정부는 지난 5.27. 주유엔 대사를 통하여 유엔주재 남북대사 회담을 가질 것을 제의했습니다. 앞으로 북한측이 이러한 우리의 제의에 응해 오면, 정부는 유엔가입에 따른 세부절차를 북한측과 협의해 나갈 예정입니다.

남북한 유엔가입의 의의

남북한은 유엔에 가입하게 됨으로써 국제사회에서 많은 유형.무형의 자산을 얻을 수 있으며 남북한 관계에 있어서나, 한반도 및 동북아 정세에 긍정적 영향을 미칠 것으로 기대하고 있습니다.

남북한의 국제적 지위향상

걸프전 이후 유엔의 역할이 그 어느때 보다 더욱 고양되고 있는 오늘날 유엔에서 다루어지는 주요 국제문제의 의사결정에 있어서 남북한은 완전하게 참여할 수 있게 됩니다. 따라서 남북한은 국제사회에서 각기의 능력과 국제적 위상에 합당한 역할과 기여를 다하게 될것이고, 이를 통하여 국제적 지위가 크게 향상될 것입니다.

남북한 관계의 정상화 도모

남북한은 유엔회원국으로서 분쟁의 평화적 해결과 무력 불사용의 의무를 지게 되며, 이는 결과적으로 한반도에서의 긴장완화와 평화유지에 유리한 국제적 환경조성에 기여하게 될 것입니다. 또한 남북한이 유엔 테두리내에서 상호교류와 협력을 축적시킴으로써 상호신뢰를 증대, 궁극적으로 평화적 통일을 촉진시키는데 기여하게 될것입니다.

4

0150

대외관계에 있어서 새로운 발판 마련

남북한은 과거 40여년간 국제사회에서 지속되어 온 소모적 대결외교를 청산할수 있게 됨으로써 대외관계에 있어서 보다 정상적인 활동을 수행할수 있을 것이며, 나아가 7천만 한민족의 이익을 도모할 수 있는 소중한 발판도 마련될수 있을 것입니다.

동북아지역 질서개편에 능동적 참여 가능

남북한의 유엔가입을 계기로 한반도 정세가 보다 안정되면, 이에 따라 동북아지역에서도 새로운 질서의 형성이 촉진될 것으로 예상됩니다. 이러한 과정에서 남북한은 각기 국력과 국제적 위상에 합당한 역할을 하게될 것이며, 주변국들과의 관계도 재정립해 나가게 될 것으로 전망됩니다.

유엔가입 관련 주요 관심사항에 대한 정부입장

남북한관계에 대한 입장

남북한이 유엔에 가입하는 경우 이는 유엔과 한국, 또한 유엔과 북한간 관계에 한정되는 것이므로 남북한 상호간에는 물론, 기존 유엔회원국의 남북한에 대한 법률적, 묵시적 국가승인의 효력이 자동적으로 발생하는 것이 아닙니다.

남북한이 유엔에 가입한 이후에도 남북한 관계는 국가간의 관계가 아닌 민족공동체내의 특수관계라는 점은 변함이 없습니다.

0151

휴전협정과 유엔사 지위 변경여부

남북한의 유엔가입과 휴전협정 변경문제와는 직접적인 관련이 없습니다. 현 휴전협정 체제는 남북한간에 항구적인 평화장치를 마련하는 명백하고 구체적인 별도합의가 이루어질때까지 존속되어야 합니다. 또한 이러한 평화보장 조치가 이루어지기 전까지는 현 휴전협정 체제를 유지.감시하기 위한 목적으로 설립된 유엔사도 해체되어서는 않될 것입니다.

헌법 및 국가보안법의 개정필요 여부

남북한의 유엔동시가입은 현재의 분단상황으로부터 통일을 추구하는 과정에서 우선 한반도의 현실에 대한 인식을 바탕으로, 유엔체제내에서 남북한간의 교류와 협력을 증진시켜 궁극적으로 통일을 달성하기 위한 과도적이며 통일지향적 특수관계를 전제로 하고 있습니다.

따라서 북한의 유엔가입에 따른 우리나라의 헌법 및 국가보안법의 개정 문제는 법리적인 측면에서 다룰 문제라기 보다는 민족분단의 현실에 처해있는 남북한 관계의 특수성을 고려하고, 조국통일의 실현이 한민족의 염원이며 지상의 과제라는 측면에서 다루어야 할 문제라고 봅니다. 끝.

국장님

(외교문제 해설)

남북한 유엔가입에 대한 정부입장

1991. 6. 4.

북한은 지난 5.28. 외교부 성명을 통하여 금년에 유엔가입 신청서를 제출키로 하였다고 발표하였습니다.

북한측의 태도변화는 무엇보다도 정부가 그동안 국민여러분의 성원과 깊은 이해를 바탕으로 금년에 유엔에 반드시 가입하겠다는 확고한 의지를 갖고 유엔가입정책을 적극 추진한데 따른 결과라고 봅니다.

금년 9월 17일 제46차 유엔총회가 개막되면 남북한이 다함께 유엔에 가입하게 될 것으로 전망됩니다. 정부는 남북한의 유엔가입으로 남북한 관계가 서로 돕고 도움을 받는 공존공영의 관계로 발전되어 갈수 있는 귀중한 토대가 마련될 것으로 기대하며, 나아가 한반도 및 동북아지역에서의 긴장완화와 평화를 정착시키고, 남북한의 평화적 통일을 촉진시키는 데에도 기여할 것으로 확신합니다.

앞으로 정부는 금년 가을 유엔가입에 필요한 국내절차와 유엔헌장 및 관련 규정에 따른 세부절차를 차질없이 밟아 나갈 예정입니다.

북한측 입장변화 배경

북한이 그동안 계속 강력히 반대해오던 유엔가입을 갑작스럽게 받아들이게 된 이유를 분석해보면 대체로 다음 네가지로 요약할 수 있습니다.

첫째, 정부의 북방외교의 추진은 우리의 대외정책에 대한 국제적인 지지기반을 확대시켰고, 그 결과 우리의 유엔가입 정책에 대한 국제적 지지 분위기가 압도적으로 확산된 반면, 북한의 단일의석 가입안은 비현실적인 것으로서 국제사회에서 외면당하게 되었습니다. 또한 북한이 그동안 우리의 유엔가입을 반대하는 명분으로 내세웠던 소위 "분단고착화" 논리가 설득력을 상실한 가운데, 미.영.불등 우리 우방국과 주요 비동맹국들이 과거 어느때보다도 우리입장에 대한 적극적인 지원와 협조를 보인 것도 큰 영향을 주었다고 판단됩니다.

둘째, 한.소 수교 및 3차에 걸친 한.소 정상회담의 결과로 소련이 유엔가입에 관한 우리의 입장을 지지하게 되었으며, 중국도 최근 한.중간의 실질관계 증진 및 우리의 유엔가입이 더이상 늦추어져서는 안된다는 국제적 분위기를 의식하여, 북한에 대해 거부권 행사와 관련한 약속을 하지 않은 것으로 알려졌습니다.

그간 우리의 유엔가입은 현실적으로 안보리 상임이사국인 중.소의 반대입장에 따라 그간 실현되지 못하였으나, 작년도 유엔총회시 우리의 가입을 확고히 지지한다는 「부쉬」 미국대통령의 연설에 이어, 이문제에 대한 「고르바쵸프」소련대통령의 아국 지지입장 표명은 중국측으로 하여금 이문제에 관한 국제여론을 더욱 인식케 하는 계기가 되었고, 나아가 [illegible] 보다 [illegible] 건설적인 역할을 모색하게 한 것으로 보입니다.

2

0154

final

(외교문제 해설)

남북한 유엔가입에 대한 정부입장

1991. 6. 4.

북한은 지난 5.28. 외교부 성명을 통하여 금년에 유엔가입 선청서를 제출키로 하였다고 발표하였습니다.

북한측의 태도변화는 무엇보다도 정부가 그동안 국민여러분의 성원과 깊은 이해를 바탕으로 금년에 유엔에 반드시 가입하겠다는 확고한 의지를 갖고 유엔가입정책을 적극 추진한데 따른 결과라고 봅니다.

금년 9월 17일 제46차 유엔총회가 개막되면 남북한이 다함께 유엔에 가입하게 될 것으로 전망됩니다. 정부는 남북한의 유엔가입으로 남북한 관계가 서로 돕고 도움을 받는 공존공영의 관계로 발전되어 갈수 있는 귀중한 토대가 마련될 것으로 기대하며, 나아가 한반도 및 동북아지역에서의 긴장완화와 평화를 정착시킴으로써, 남북한의 평화적 통일을 촉진시키는 데에도 크게 기여할 것으로 확신합니다.

앞으로 정부는 금년 가을 유엔가입에 필요한 국내절차와 유엔헌장 및 관련 규정에 따른 세부절차를 차질없이 밟아 나갈 예정입니다.

북한측 입장변화 배경

북한이 그동안 계속 강력히 반대해오던 유엔가입을 갑작스럽게 받아들이게 된 이유를 분석해보면 대체로 다음 네가지로 요약할 수 있습니다.

첫째, 정부의 북방외교의 추진은 우리의 대외정책에 대한 국제적인 지지기반을 확대시켰고, 그 결과 우리의 유엔가입 정책에 대한 국제적 지지 분위기가 압도적으로 확산된 반면, 북한의 단일의석 가입안은 비현실적인 것으로서 국제사회에서 외면당하게 되었습니다. 또한 북한이 그동안 우리의 유엔가입을 반대하는 명분으로 내세웠던 소위 "분단고착화" 논리가 설득력을 완전히 상실한 가운데, 미.영.불등 우리 우방국과 주요 비동맹국들이 과거 어느때보다도 우리입장에 대한 적극적인 지원와 협조를 보인 것도 큰 영향을 주었다고 판단됩니다.

둘째, 한.소 수교 및 3차에 걸친 한.소 정상회담의 결과로 소련이 유엔 가입에 관한 우리의 입장을 지지하게 되었으며, 중국도 최근 한.중간의 실질관계 증진 및 우리의 유엔가입이 더이상 늦추어져서는 안된다는 국제적 분위기를 의식하여, 북한에 대해 거부권 행사와 관련한 약속을 하지 않은 것으로 알려졌습니다.

특히 우리의 유엔가입은 현실적으로 안보리 상임이사국인 중.소의 반대입장에 따라 그간 실현되지 못하였으나, 작년도 유엔총회시 우리의 가입을 확고히 지지한다는 「부쉬」 미국대통령의 연설에 이어, 이문제에 대한「고르바쵸프」소련대통령의 아국 지지입장 표명은 결국 중국측으로 하여금 더이상 북한측 입장을 두둔할 수 없도록 만든 것으로 보입니다.

세째, 노대통령께서 연두기자회견(1.8), 외무부 업무보고시(1.24)뿐만 아니라 금년 4월에 서울에서 개최되었던 ESCAP 총회에서도 금년내 우리의 유엔가입 실현 의지를 천명하여 우리정부의 금년내 유엔가입 의지가 확고하다는 점이 국제적으로 확인되었습니다. 특히 정부가 4.5자 각서를 유엔 안보리에 배포하였을때 우리 언론이 사설과 해설등을 통해 이를 지지함으로써 국내의 지지 분위기가 고조되어 북한으로서도 우리 국내여론 분열을 통한 유엔가입 저지 또는 지연이 소기의 성과를 거두지 못하리라고 판단한 것으로 보입니다.

네째, 상기에 비추어 북한은 우리의 유엔 선가입 실현시 자신들의 외교적.경제적 고립이 더욱 심화될 것으로 우려하게 되었고, 이에따라 우리와 함께 금년내 유엔에 가입하는 것이 스스로 자초한 국제적 고립을 탈피함과 동시에 일본과의 수교와 대서방 관계개선등 실리에 맞는 선택이라고 판단하게 된것으로 보입니다.

금후 유엔가입 추진계획

앞으로 정부는 오는 9.17. 제46차 유엔총회 개막일에 유엔 회원국이 된다는 방침아래 이에 필요한 조치를 다음과 같이 구체적으로 취해나갈 예정입니다.

국내절차

유엔가입은 유엔헌장상의 제반의무를 수락하는 것을 전제로 하므로, 헌법상 국무회의 심의를 거쳐 국회의 동의를 받도록 되어있습니다. 따라서 정부는 이와같은 국내절차를 가급적 조속히 마칠 계획으로 있습니다.

가입신청서 제출시기

상기 국내절차를 완료한 이후에는 유엔가입관련 규정과 유엔내의 관행을 고려하고, 또한 우방국들과도 긴밀히 협의하여 늦어도 8월초까지는 가입신청서를 유엔사무총장에게 제출할 예정입니다.

유엔주재 남북한 대사간 협의

정부는 지난 5.27. 주유엔 대사를 통하여 유엔주재 남북대사 회담을 가질 것을 제의했습니다. 앞으로 북한측이 이러한 우리의 제의에 응해 오는대로, 정부는 유엔가입에 따른 세부절차를 북한측과 협의해 나갈 예정입니다.

남북한 유엔가입의 의의

남북한은 유엔에 가입하게 됨으로써 국제사회에서 많은 유형.무형의 자산을 얻을 수 있으며 남북한 관계에 있어서나, 한반도 및 동북아 정세에 긍정적 영향을 미칠 것으로 기대하고 있습니다.

남북한의 국제적 지위향상

걸프전 이후 유엔의 역할이 그 어느때 보다 더욱 고양되고 있는 오늘날 유엔에서 다루어지는 주요 국제문제의 의사결정에 있어서 남북한은 완전하게 참여할 수 있게 됩니다. 실례로 남북한은 금후 유엔안보리의 이사국으로도 진출할수 있게되어 유엔의 세계평화 유지와 관련된 의사결정에 참여함으로써 국제평화와 안전증진에도 크게 기여할 수 있게 될것입니다. 또한 남북한은 유엔에 가입함으로써 경제사회 이사회등 주요기관 및 유엔 산하기구의 중요한 참가국으로서의 지위뿐만 아니라, 유엔사무국등 주요기구의 보직에도 한국인이 진출할 수 있게 됩니다. 따라서 남북한은 국제사회에서 각기 능력과 국제적 위상에 합당한 역할과 기여를 다하게 될것이고, 이를 통하여 국제적 지위가 크게 향상될 것입니다.

남북한 관계의 정상화 도모

남북한은 유엔회원국으로서 분쟁의 평화적 해결과 무력 불사용의 의무를 지게 되며, 이는 결과적으로 한반도에서의 긴장완화와 평화유지에 유리한 국제적 환경조성에 기여하게 될 것입니다. 또한 남북한이 유엔 테두리내에서 상호교류와 협력을 축적시킴으로써 상호신뢰를 증대, 궁극적으로 평화적 통일을 촉진시키는데 기여하게 될것입니다.

대외관계에 있어서 새로운 발판 마련

남북한은 과거 40여년간 국제사회에서 지속되어 온 소모적 대결외교를 청산할수 있게 됨으로써 대외관계에 있어서 보다 정상적인 활동을 수행할수 있을 것이며, 나아가 7천만 한민족의 이익을 도모할 수 있는 소중한 발판도 마련될수 있을 것입니다.

동북아지역 질서개편에 능동적 참여 가능

남북한의 유엔가입을 계기로 한반도 정세가 보다 안정되면, 이에 따라 동북아지역에서도 새로운 질서의 형성이 촉진될 것으로 예상됩니다. 이러한 과정에서 남북한은 각기 국력과 국제적 위상에 합당한 역할을 하게될 것이며, 주변국들과의 관계도 재정립해 나가게 될 것으로 전망 됩니다.

유엔가입 관련 주요 관심사항에 대한 정부입장

남북한관계에 대한 입장

남북한이 유엔에 가입하는 경우 이는 유엔과 한국, 또한 유엔과 북한간 관계에 한정되는 것이므로 남북한 상호간에는 물론, 기존 유엔회원국의 남북한에 대한 법률적, 묵시적 국가승인의 효력이 자동적으로 발생하는 것이 아닙니다.

남북한이 유엔에 가입한 이후에도 남북한 관계는 국가간의 관계가 아닌 민족공동체내의 특수관계라는 점은 변함이 없습니다.

휴전협정과 유엔사 지위 변경여부

남북한의 유엔가입과 휴전협정 변경문제와는 직접적인 관련이 없습니다. 현 휴전협정 체제는 남북한간에 항구적인 평화장치를 마련하는 명백하고 구체적인 별도합의가 이루어질때까지 존속되어야 합니다. 또한 이러한 평화보장 조치가 이루어지기 전까지는 현 휴전협정 체제를 유지.감시하기 위한 목적으로 설립된 유엔사도 해체되어서는 않될 것입니다.

헌법 및 국가보안법의 개정필요 여부

남북한의 유엔동시가입은 현재의 분단상황으로부터 통일을 추구하는 과정에서 우선 한반도의 현실에 대한 인식을 바탕으로, 유엔체제내에서 남북한간의 교류와 협력을 증진시켜 궁극적으로 통일을 달성하기 위한 과도적이며 통일지향적 특수관계를 전제로 하고 있습니다.

따라서 북한의 유엔가입에 따른 우리나라의 헌법 및 국가보안법의 개정 문제는 법리적인 측면에서 다룰 문제라기 보다는 민족분단의 현실에 처해있는 남북한 관계의 특수성을 고려하고, 조국통일의 실현이 한민족의 염원이며 지상의 과제라는 측면에서 다루어야 할 문제라고 봅니다. 끝.

UN加入契機 國內外 慶祝行事 推進計劃 報告

※ 6.8(土) 行政調整室長 主宰, 關係部處 室長會議 結果임.

□ 目　的

o 6共和國 最大의 外交業績인 UN加入을 慶祝하고 傳統文化 公演을 통하여 "文化韓國"의 이미지를 世界的으로 浮刻.

o 全國民의 參與下에 多樣한 文化行事를 開催, 國民的 祝祭雰圍氣를 造成, "國民의 和合과 團結"을 다지는 契機로 活用.

□ 推進方針

o 國內外 慶祝行事를 連繫推進함으로써 慶祝雰圍氣 造成을 極大化
o 國內公演行事는 劃一的 行事가 되지 않도록 各 地方 特性을 살린 多樣한 레파토리로 構成 推進
o UN本部에의 寄贈 藝術作品은 우리 固有의 文化內容物로서 象徵性이 있는 것을 選定.

□ 行事內容

1. 海外慶祝公演團 및 UN本部 藝術作品 寄贈

o UN加入 慶祝行事
  - 時期.場所　: 9.23, 뉴욕 카네기홀(* 9.20 L.A僑民 慰安公演)
  - 公演團 構成 : 總 150名 內外
  - 行事內容 : 國立公演團 傳統藝術公演 및 慶祝 리셉션 開催

o 韓蘇修交 1周年 紀念行事
  - 時期.場所 : UN行事後(9月末~10月初),모스크바 및 레닌그라드
  - 內　　容 : 傳統藝術公演,韓國映畵上映,韓蘇 親善의 밤 行事등
  ※ 東歐地域등 巡廻公演 : 蘇聯公演以後

0162

○ UN本部 藝術作品 寄贈

- 88올림픽 開.閉會式行事에 使用했던 큰 북(龍鼓)
- "큰 북"과 함께 우리 傳統文化의 特性을 나타낼 수 있는 現代藝術作品(例: 十長生圖) 寄贈問題 檢討.

※ 寄贈物品의 內容, 設置時期.場所등은 駐UN代表部를 통하여 UN本部側과 協議決定

2. 國內慶祝行事 推進計劃

<基本方針>

○ 劃一的 行事 止揚, 既存의 文化行事를 活用, 創意力있고 多樣한 行事로 開催

○ UN加入을 契機로 우리가 國際社會의 一員임을 浮刻, 國際間의 理解增進 契機로 活用

○ 6.25當時 UN의 役割을 浮刻 弘報, 國民教育의 "산 機會"로 活用

⇒ 「國民教育과 弘報를 兼한 內實있는 行事」로 推進

○ 海外巡廻 慶祝公演團 리허설

- 海外公演團은 出發前(9.19경)에 서울에서 公演하고, 歸國後 (11月경)에는 서울.부산.광주등 主要都市 巡廻公演 推進.

○ 市道單位 自體 慶祝文化行事 推進

- 全國的으로 一時的.劃一的 行事開催를 止揚하고 各 市.道別 實情에 맞게 自體的으로 行事計劃을 樹立 推進하되, 官主導의 行事를 止揚하고 市民의 自發的 參與를 誘導하여 內實있는 行事가 이루어질 수 있도록 積極 支援.協調

※ 市.道別로 9~10月中 開催計劃으로 있는 既存의 各種 文化行事(例 : 서울시 88올림픽紀念 市民文化祝祭)에 UN加入慶祝意味를 賦與, 國民的 祝祭雰圍氣 造成

- 行事內容은 各 市.道別로 그 地方의 傳統固有 文化藝術을 最大限 活用하여 多樣하고도 特色있는 文化行事를 開催
- 所要豫算은 市.道 自體豫算(豫備費등)으로 充當.

○ 釜山 UN軍墓地를 비롯한 各國의 UN參戰碑등에 대한 淨化事業을 大大的으로 展開하여 UN의 役割에 대한 國民認識 提高

0163

□ 推進計劃

o 海外慶祝行事關聯 細部計劃 樹立(文化部, 外務部, 公報處)

- 公演日字, 公演場 確保, 現地弘報등 公演實施와 關聯되는 諸般 實務準備事項에 대한 關聯當事國 및 關聯機關과의 協議進行등 細部計劃 마련

- 各種 慶祝리셉션, 藝術作品 寄贈問題등에 대한 具體的인 推進計劃 마련

o 國內慶祝行事關聯 細部計劃 樹立(內務部, 서울市)

- 地方單位 行事進行을 위한 基本指針 示達, 綜合計劃 樹立
- 市.道知事 主管으로 各 地方 放送局등 言論社와의 協調, 地方文化藝術團體 參與誘導등 具體的인 行事推進計劃 마련

o 國內外 綜合弘報計劃 樹立(公報處)

- 中央 및 地方言論社와의 協調아래 大大的인 弘報推進計劃 마련 → 事前 붐 造成

o 所要豫算 確保(經濟企劃院)

- 文化部에서 所要豫算을 算出, 經濟企劃院 協調아래 豫備費등으로 執行.(* 所要豫算 約 1,530百萬원)

□ 推進狀況 點檢

o 行政調整室에서 所管別 推進狀況을 定例的(月 2回)으로 點檢하여 綜合報告.

o 點檢結果 不振 또는 問題點 있는 事項에 대하여는 隨時로 關係官會議를 開催하여 調整.解決.

0164

분류기호 문서번호	문홍20501- 113	협조문용지 (720-2339)	결재	담 당	과 장	국 장
시행일자	1991. 6. 12.					
수 신	수신처 참조	발 신	문화협력국장 (서명)			
제 목	외교문제해설 송부					

최근 북한의 유엔가입 신청결정과 관련한 정부의 입장을 수록한 '외교문제해설'을 별첨 송부하니 참고하시기 바랍니다.

첨부 : 외교문제해설(남북한 유엔가입에 대한 정부입장). 끝.

수신처 : 각 실.국.과장, 외교안보연구원장

0165

91-11 (1991. 6. 8)
외무부

남북한 유엔가입에 대한 정부입장

北韓은 지난 5. 28. 外交部 성명을 통하여 금년에 유엔가입 신청서를 제출키로 하였다고 발표하였습니다.

북한측의 態度變化는 무엇보다도 정부가 그동안 국민여러분의 성원과 깊은 이해를 바탕으로 금년에 유엔에 반드시 가입하겠다는 확고한 의지를 갖고 유엔加入政策을 적극 추진한데 따른 결과라고 봅니다.

금년 9월 17일 제46차 유엔總會가 개막되면 남북한이 다함께 유엔에 가입하게 될 것으로 전망됩니다. 정부는 남북한의 유엔가입으로 남북한 관계가 서로 돕고 도움을 받는 共存共榮의 관계로 발전되어 갈 수 있는 귀중한 토대가 마련될 것으로 기대하며, 나아가 한반도 및 동북아지역에서의 긴장완화와 평화를 정착시키고, 南北韓의 平和的 統一을 촉진시키는 데에도 기여할 것으로 확신합니다.

앞으로 정부는 금년 가을 유엔가입에 필요한 國內節次와 유엔헌장 및 관련 규정에 따른 細部節次를 차질없이 밟아 나갈 예정입니다.

0166

북한측 입장변화 배경

북한이 그동안 계속 강력히 반대해오던 유엔가입을 갑작스럽게 받아들이게 된 이유를 분석해보면 대체로 다음 네가지로 요약할 수 있습니다.

첫째, 정부의 北方外交의 추진은 우리의 대외정책에 대한 국제적인 지지기반을 확대시켰고, 그 결과 우리의 유엔가입 정책에 대한 國際的 支持 雰圍氣가 압도적으로 확산된 반면, 북한의 단일의석 가입안은 비현실적인 것으로서 국제사회에서 외면당하게 되었습니다. 또한 북한이 그동안 우리의 유엔가입을 반대하는 명분으로 내세웠던 소위 "分斷固着化" 논리가 설득력을 상실한 가운데, 미·영·불등 우리 우방국과 주요 비동맹국들이 과거 어느때보다도 우리 입장에 대한 적극적인 지원과 협조를 보인 것도 큰 영향을 주었다고 판단됩니다.

둘째, 韓·蘇 修交 및 3차에 걸친 韓·蘇 頂上會談의 결과로 소련이 유엔 가입에 관한 우리의 입장을 지지하게 되었으며, 중국도 최근 韓·中간의 실질관계 증진 및 우리의 유엔가입이 더이상 늦추어져서는 안된다는 국제적 분위기를 의식하여, 북한에 대해 거부권 행사와 관련한 약속을 하지 않은 것으로 알려졌습니다.

그간 우리의 유엔가입은 현실적으로 안보리 상임이사국인 中·蘇의 反對立場에 따라 實現되지 못하였으나, 작년도 유엔총회시 우리의 가입을 확고히 지지한다는 「부쉬」 미국대통령의 연설에 이어, 이 문제에 대한 「고르바쵸프」 소련대통령의 我國 支持立場 表明은 중국측으로 하여금 이 문제에 관한 국제여론을 더욱 인식케하는 계기가 되었고, 나아가 남북한의 유엔加入問題에 대하여 보다 현실적이고 건설적인 역할을 모색하게 한 것으로 보입니다.

세째, 盧大統領께서 연두기자회견(1. 8), 외무부 업무보고시(1. 24)뿐만 아니라 금년 4월에 서울에서 개최되었던 ESCAP 총회에서도 금년내 우리의 유엔加入 實現 意志를 천명하여 우리 정부의 금년내 유엔가입 의지가 확고하다는 점이 국제적으로 확인되었습니다. 특히 정부가 4. 5자 각서를 유엔安保理에 배포하였을 때 우리 언론이 사설과 해설등을 통해 이를 지지함으로써 국내의 지지 분위기가 고조되어 북한으로서도 우리 국내여론

2

0167

분열을 통한 유엔가입 저지 또는 지연이 소기의 성과를 거두지 못하리라고 판단한 것으로 보입니다.

네째, 상기에 비추어 북한은 우리의 유엔 先加入 實現時 자신들의 외교적 · 경제적 고립이 더욱 심화될 것으로 우려하게 되었고, 이에 따라 우리와 함께 금년내 유엔에 가입하는 것이 스스로 자초한 국제적 고립을 탈피함과 동시에 일본과의 수교와 對西方 關係改善등 실리에 맞는 선택이라고 판단하게 된 것으로 보입니다.

금후 유엔가입 추진계획

앞으로 정부는 오는 9. 17. 제46차 유엔총회 개막일에 유엔 회원국이 된다는 방침아래 이에 필요한 조치를 다음과 같이 구체적으로 취해나갈 예정입니다.

국내절차

유엔가입은 유엔헌장상의 제반의무를 수락하는 것을 전제로 하므로, 헌법상 國務會議 審議를 거쳐 國會의 同意를 받도록 되어 있습니다.

따라서 정부는 이와 같은 국내절차를 가급적 조속히 마칠 계획으로 있습니다.

가입신청서 제출시기

상기 국내절차를 완료한 이후에는 유엔가입 관련 규정과 유엔내의 관행을 고려하고, 또한 우방국들과도 긴밀히 협의하여 늦어도 8월초까지는 加入申請書를 유엔사무총장에게 제출할 예정입니다.

유엔주재 남북한 대사간 협의

정부는 지난 5. 27 주유엔 대사를 통하여 유엔주재 南北大使 會談을 가질 것을 제의했습니다. 앞으로 북한측이 이러한 우리의 제의에 응해 오는대로, 정부는 유엔가입에 따른 細部節次를 북한측과 협의해 나갈 예정입니다.

남북한 유엔가입의 의의

남북한은 유엔에 가입하게 됨으로써 국제사회에서 많은 有形·無形의 資產을 얻을 수 있으며, 남북한 관계에 있어서나, 한반도 및 동북아 정세에 긍정적 영향을 미칠 것으로 기대하고 있습니다.

남북한의 국제적 지위향상

걸프전 이후 유엔의 역할이 그 어느때보다 더욱 고양되고 있는 오늘날 유엔에서 다루어지는 주요 국제문제의 意思決定에 있어서 남북한은 완전하게 참여할 수 있게 됩니다. 실례로 남북한은 금후 유엔안보리의 이사국으로도 진출할 수 있게되어 유엔의 世界平和 維持와 關聯된 意思決定에 참여함으로써 국제평화와 안전증진에도 크게 기여할 수 있게 될 것입니다. 또한 남북한은 유엔에 가입함으로써 경제사회 이사회등 주요기관 및 유엔 산하기구의 중요한 參加國으로서의 지위뿐만 아니라, 유엔사무국등 主要機構의 補職에도 한국인이 진출할 수 있게 됩니다. 따라서 남북한은 국제사회에서 각기 능력과 국제적 위상에 합당한 역할과 기여를 다하게 될 것이고, 이를 통하여 國際的 地位가 크게 향상될 것입니다.

남북한 관계의 정상화 도모

남북한은 유엔회원국으로서 분쟁의 평화적 해결과 무력 불사용의 의무를 지게 되며, 이는 결과적으로 한반도에서의 긴장완화와 평화유지에 유리한 國際的 環境造成에 기여하게 될 것입니다. 또한 남북한이 유엔 테두리내에서 상호교류와 협력을 축적시킴으로써 상호신뢰를 증대, 궁극적으로 平和的 統一을 촉진시키는데 기여하게 될 것입니다.

대외관계에 있어서 새로운 발판 마련

남북한은 과거 40여년간 국제사회에서 지속되어온 消耗的 對決外交를 淸算할 수 있게 됨으로써 대외관계에 있어서 보다 정상적인 활동을 수행할 수 있을 것이며, 나아가 7천만 한민족의 이익을 도모할 수 있는 소중한 발판도 마련될 수 있을 것입니다.

동북아지역 질서개편에 능동적 참여 가능

남북한의 유엔가입을 계기로 한반도 정세가 보다 안정되면, 이에 따라 東北亞地域에서도 새로운 秩序의 形成이 촉진될 것으로 예상됩니다.

이러한 과정에서 남북한은 각기 국력과 국제적 위상에 합당한 역할을 하게 될 것이며, 주변국들과의 관계도 재정립해 나가게 될 것으로 전망됩니다.

유엔가입 관련 주요 관심사항에 대한 정부입장

남북한관계에 대한 입장

남북한이 유엔에 가입하는 경우 이는 유엔과 한국, 또한 유엔과 북한간 관계에 한정되는 것이므로 남북한 상호간에는 물론, 기존 유엔회원국의 남북한에 대한 法律的, 默示的 國家承認의 효력이 자동적으로 발생하는 것이 아닙니다.

남북한이 유엔에 가입한 이후에도 남북한 관계는 국가간의 관계가 아닌 民族共同體내의 特殊關係라는 점은 변함이 없습니다.

0170

휴전협정과 유엔사 지위 변경여부

남북한의 유엔가입과 休戰協定 變更問題와는 직접적인 관련이 없습니다. 현 휴전협정 체제는 南北韓間에 항구적인 평화장치를 마련하는 명백하고 구체적인 별도합의가 이루어질 때까지 존속되어야 합니다. 또한 이러한 平和保障 措置가 이루어지기 전까지는 현 휴전협정 체제를 유지 · 감시하기 위한 목적으로 설립된 유엔사도 해체되어서는 안될 것입니다.

헌법 및 국가보안법의 개정필요 여부

남북한의 유엔동시가입은 현재의 分斷狀況으로부터 통일을 추구하는 과정에서 우선 한반도의 현실에 대한 인식을 바탕으로, 유엔체제내에서 남북한간의 교류와 협력을 증진시켜 궁극적으로 통일을 달성하기 위한 過渡的이며 統一指向的 特殊關係를 전제로 하고 있습니다.

따라서 북한의 유엔가입에 따른 우리나라의 헌법 및 국가보안법의 개정문제는 법리적인 측면에서 다룰 문제라기 보다는 민족분단의 현실에 처해있는 南北韓 關係의 特殊性을 고려하고, 祖國統一의 실현이 한민족의 염원이며 지상의 과제라는 측면에서 다루어야 할 문제라고 봅니다. 끝.

◆편집 · 제작 : 문화협력국 홍보과(720-2339)

0171

유엔가입계기 국내 경축행사개최시 대국민 홍보주제(안)

1991.6.26.
외 무 부
국제연합과

1. 유엔가입의의 홍보

o 정부수립이래 43년만의 외교숙원과제인 유엔가입의 실현은 제6공화국 최대의 외교업적임.

- 1948년 정부수립에서 현재 유엔사에 의한 한반도 휴전협정체제 유지에 이르기까지 유엔과는 특수한 관계
- 북방외교와 함께 역대정권이 이룩하지 못한 외교적 대성과

2. 우리의 국제적 위상에 대한 국민적 인식 제고

o 유엔회원국으로서 우리나라는 제반 주요국제문제에 대한 의사결정 과정에 참여할 수 있게 될것임. 따라서 아국은 국제사회의 당당한 구성원으로서 응분의 역할과 기여 및 책임을 다하게 될것인 바, 오늘날 세계속의 아국위치 및 국제사회에 대한 아국의 기여와 책임에 대한 국민적 인식을 제고시킴.

3. 정부의 통일정책에 대한 국민적 공감대 확산

o 남북한의 유엔가입으로 남북한 관계가 새로운 차원으로 발전될 것으로 예상됨을 홍보, 유엔테두리안에서 남북한이 교류와 접촉을 더욱 활성화시킴으로써 궁극적으로 남북한의 평화적 통일을 앞당기려는 정부의 통일정책에 대한 국민적 공감대를 확산시킴. - 끝 -

앙고재 91년 6월 26일	담 당	과 장	국 장

0172

외교 문제해설

유엔가입 이후 우리의 외교방향

91. 10. 8.

우리나라는 제46차 유엔총회 개막일인 9.17. 모든 유엔회원국들의 축복속에서 161번째 정회원국으로 유엔에 가입하게 됨으로써 마침내 태극기가 유엔본부 건물앞에 휘날리게 되었습니다.

금번 유엔가입에 따라 노태우 대통령은 9.22-25간 유엔총회에 참석, 유엔회원국이된 대한민국 국가원수로서는 처음으로 9.24. 유엔총회장에서 기조연설을 행하였습니다.

한편 북한도 9.17. 우리와 함께 유엔에 가입하여 남북한의 유엔회원국 시대가 열리게 되었습니다. 우리는 남북한이 과거의 소모적 대결외교를 청산하고, 유엔의 테두리내에서 서로 화합하고 협력하는 새로운 관계를 만들어 나가게 되기를 기대하고 있습니다.

정부는 앞으로 유엔을 중심으로 한 "다자외교" 활동에 적극적으로 참여함으로써 국제사회에서 우리의 국력과 국제적 위상에 맞는 역할과 기여를 다 하고자 합니다. 또한 대화의 장인 유엔무대에서 남북한이 협조와 교류를 증진시킴으로써 남북한간의 관계개선과 발전, 나아가 평화적 통일을 앞당기는 "통일외교" 노력을 적극적으로 기울여 나갈 것입니다.

앙고재	국제연합과	91년 10월 8일	담당	과장	국장	차관보	차관	장관

1

0173

유엔과 우리나라와의 관계

유엔은 1948.12.12. 대한민국 정부를 한반도내 유일합법정부로 승인했고, 1950년 6.25 전쟁당시 16개국으로 구성된 유엔군을 파병하여 우리의 자유민주주의 체제를 수호하는데 큰 역할을 하였습니다.

그리고 유엔은 1950.10.7. 유엔한국통일부흥위원단(UNCURK)을 설립하여 우리나라가 전쟁의 폐허에서 오늘날과 같이 발전된 국가로 성장하는데 여러모로 지원해 주었습니다.

그동안 우리나라는 국제사회에서 유엔 비회원국이기 때문에 감수할 수 밖에 없었던 유형·무형의 많은 제약에서 벗어나 이제 당당한 유엔회원국으로서 그리고 세계에서 GNP 규모 제15위 및 무역규모 제13위의 국가로서의 국제적 위상에 맞는 역할을 하게 되었습니다.

앞으로 우리는 군축, 환경, 인권, 마약등 주요 국제문제 해결을 위한 유엔의 제반활동에 적극적으로 참여할 것이며, 이러한 참여 활동을 통하여 우리나라와 유엔과의 관계는 더욱 긴밀해 질것으로 예상됩니다.

대통령의 유엔총회 기조연설 ~~내용~~

노태우 대통령은 9.24. 오전 유엔총회장에서 "평화로운 하나의 세계 공동체를 향하여" 제목하에 기조연설을 행하셨습니다.

노대통령은 기조연설을 통하여 주요 국제문제에 대한 우리정부의 기본입장을 밝히고, 국제평화·안전의 유지 및 인류복지 증진을 위한 유엔의 목적과 정신에 기여하고자하는 우리의 확고한 의지와 포부를 천명하였습니다.

2

0174

또한 노대통령은 한반도문제 해결을 위한 3대원칙 (하기참조)을 제시함으로써 앞으로 남북한간 화해와 협력의 새로운 관계 조성을 위한 구상을 밝혔습니다.

한반도문제 해결을 위한 3대원칙

(1) "남북한은 불안한 휴전체제를 평화체제로 전환해야 함."

- 남북한간의 평화협정을 체결하여 상호 무력사용을 포기하고 모든 분야에서 관계정상화를 추진해야 함.

(2) "한반도에서 전쟁의 위협을 제거하기 위해 남북한은 군사적 신뢰의 구축을 바탕으로 실질적인 군비감축을 추진해 나가야 하며, 북한의 핵무기개발 포기 및 남북한간 신뢰구축 노력이 진전될 경우, 재래식 전력감축과 한반도 핵문제에 관한 남북한간 협의를 추진할 용의가 있음."

- 남북한간의 상호 군사정보교환, 군사훈련 사전통보, 기습공격 예방을 위한 상주감시단 상호 파견등 군사적 불신제거를 위한 조처가 선행되어야 함.
- 북한은 모든 핵물질과 시설에 대한 국제기구의 사찰을 무조건 수용해야 함.

(3) "남북한은 사람과 물자, 정보의 자유로운 교류의 길을 열어 단절의 시대를 종식시켜야 함."

- 남북한간의 자유로운 통행, 통신과 통상이 보장되어야 함.
- 남북한간의 정치, 군사, 교류협력 문제를 포함한 모든 문제를 대화와 타협을 통해 해결하여 실질적 관계를 증진해 나가고자 함.

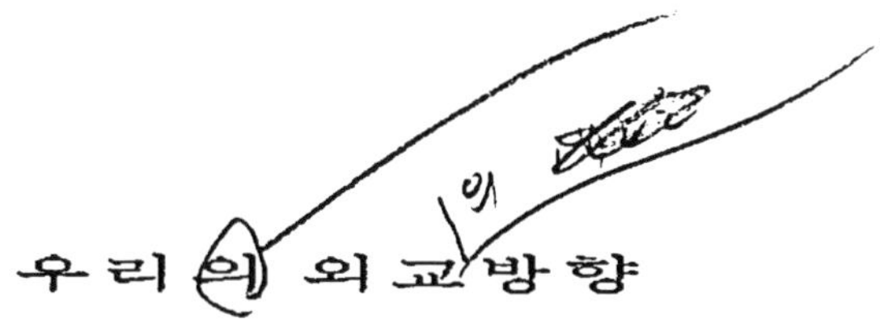

우리의 외교방향

변화된 우리의 외교환경

- 우리나라는 유엔 옵서버국에서 정회원국으로 지위가 격상됨으로써 제반 국제문제 해결을 위한 의사결정 과정에 있어서 완전한 참여가 가능하게 되었고 그에 따라 우리의 국제적 위상이 높아질 것입니다.
- 그리고 유엔 테두리내에서 남북한간의 협조 및 교류를 증진시켜 상호 신뢰를 바탕으로 한 화합과 협력의 새로운 남북한관계가 조성될 것으로 기대됩니다.
- 남북한의 유엔회원국 시대를 맞이하여 국제무대에서 남북한간의 소모적 대결외교를 지양하고 보다 실리위주의 외교를 전개할 수 있게 되었습니다.

금후 외교추진방향

<다자외교 추진>

- 정부는 금년도 제46차 유엔총회에 정회원국으로 참석하는 것을 시발로 유엔을 중심으로 다루어지고 있는 군축, 환경보호, 마약퇴치, 인권신장, 빈곤문제등 주요국제문제 해결을 위한 국제적 협력 활동에 적극 참여할 것입니다.

- 이를위해 정부는 유엔등 국제무대에서 우방국들과 긴밀히 협조해 나가면서, 분야별 전문인력 양성 및 조직개편등 우리자체의 다자외교 활동기반을 착실히 강화하고, 경험도 축적함으로써 가까운 시일내에 본격적인 다자외교활동을 전개해 나갈 예정입니다.

4

0176

〈통일외교 전개〉

o 정부는 남북한의 유엔가입이 통일전까지 잠정적 조치이며, 유엔 가입 이후에도 남북한은 민족공동체내의 특수관계를 유지한다는 기본입장을 견지하고 있습니다.

o 이러한 견지에서 정부는 우선 유엔의 테두리내에서 남북한 유엔 대표부간의 접촉과 교류를 증진시킴으로써 상호 협력체제를 강구해 나가고자 합니다. 즉,남북한이 유엔내에서 다루어지고 있는 주요 국제문제 해결에 있어서 공동입장을 취하고 상호 협력할 수 있는 방안을 모색하기 위하여 북한측과의 대화 노력을 기울일 것입니다.

o 우리는 금번 유엔가입을 계기로 유엔내에서 남북한간 협조관계가 조성되고, 이를 토대로 남북간의 제반 현안에 대해 진지한 협의가 이루어질 수 있기를 희망합니다. 이와 같은 남북한간의 협의가 잘 진전된다면, 이는 곧 남북한간의 전반적인 관계개선· 발전과 나아가 평화적 통일을 촉진시킬수 있는 여건을 마련할 것으로 기대합니다.

〈실리외교 추진〉

o 정부는 금번 유엔가입으로 남북한이 ~~유엔등~~ 국제무대에서 ~~그동안 지속해온~~ 소모적 대결외교를 청산하고, 7천만 한민족의 공동번영과 이익을 위해 서로 ~~화합하고~~ 협력할 수 있는 계기가 마련될 것으로 기대합니다.

o 따라서 우리는 북한과의 대결과 경쟁에서 파생되었던 외교적 부담에서 벗어나서 우리의 국익과 국제적 위상을 높이는데 모든 외교 역량을 기울여 나갈 것입니다.

5

0177

o 앞으로 우리나라는 전세계 모든국가와의 실질협력 관계를 증진 시키고 또한 우리의 외교지평을 확대함으로써, 다가오는 21세기에 세계 중심국가의 하나로 발전할 수 있는 귀중한 토대를 마련해 나갈 것입니다.

맺 음 말

최근 소련내에는 쿠데타 실패이후 개혁과 개방추세가 더욱 가속화되고 있고, 부쉬 미대통령의 획기적인 핵감축정책 발표로 미·소를 중심으로 한 세계적 핵군축을 위한 국제적 협력분위기가 고조되고 있읍니다. 그리고 동북아지역내에는 한.중관계 개선, 일.북한 수교접촉, 미.북한 관계개선 접촉등 새로운 질서가 형성되는 과정이 진행되고 있습니다.

이러한 주변정세의 변화와 함께 금번 남북한의 유엔가입은 남북한 관계 및 동북아지역정세 전반에 큰 영향을 미칠 것으로 예상됩니다.

앞으로 정부는 이러한 주변정세의 변화에 능동적으로 대처하고, 급변하는 국제사회에서 우리의 국익과 국제적 위상을 높히는 동시에, 남북한간의 긴장완화를 도모하고 나아가 평화적 통일을 촉진시키기 위하여 "다자외교", "통일외교" 및 "실리외교"를 적극적으로 전개해 나갈 예정입니다.

금번 우리나라의 역사적인 유엔가입 실현 과정에서 분명히 나타난 바와 같이, 우리정부의 외교정책이 소기의 성과를 거두기 위하여는 국민여러분의 아낌없는 지지와 성원이 필요함은 두말할 나위가 없습니다. 정부는 남북한의 유엔회원국시대를 맞이하여, 앞으로도 주요 외교정책 추진에 있어서 ~~사회~~ 각계 각층의 여론과 ~~건설적 의견을~~ 적극적으로 수렴하면서, ~~우리의 외교지평을 전세계로 확대하고~~ 국제사회에서 우리의 국익 증진 및 국제적 위상을 드높이기 위하여 배전의 노력을 기울여 나갈 것입니다.

외교 문제해설

유엔가입 이후 우리외교의 방향

91. 10. 8.

우리나라는 제46차 유엔총회 개막일인 9.17. 모든 유엔회원국들의 축복속에 161번째 정회원국으로 유엔에 가입하게 됨으로서 마침내 태극기가 유엔본부 함마슐트 광장앞에 휘날리게 되었습니다.

더욱 뜻깊은 것은 우리가 희망하였던대로 북한도 9.17. 우리와 함께 유엔에 가입하여 남북한의 유엔회원국시대가 열리게 되었습니다. 우리는 남북한이 과거의 소모적 대결외교를 청산하고, 유엔의 테두리 내에서 서로 화합하고 협력하는 새로운 관계를 만들어 나가게 되기를 기대하고 있습니다.

정부는 앞으로 유엔을 중심으로 한 "다자외교" 활동에 적극적으로 참여함으로써 국제사회에서 우리의 국력과 국제적 위상에 맞는 역할과 기여를 다 하고자 합니다. 또한 유엔무대에서 남북한이 협조와 교류를 증진시킴으로써 남북한간의 관계개선과 발전, 나아가 평화적 통일을 앞당기기 위한 노력을 적극적으로 기울여 나갈 것입니다.

대통령의 유엔총회 기조연설

노태우 대통령은 9.24. 오전 유엔총회장에서 "평화로운 하나의 세계 공동체를 향하여" 제목하에 기조연설을 행하셨습니다.

노대통령은 기조연설을 통하여 주요 국제문제에 대한 우리정부의 기본입장을 밝히고, 국제평화·안전의 유지 및 인류복지 증진을 위한 유엔의 목적과 정신에 기여하고자하는 우리의 확고한 의지와 포부를 천명하였습니다.

또한 노대통령은 한반도문제 해결을 위한 3대원칙 (하기참조)을 제시함으로써 앞으로 남북한간 화해와 협력의 새로운 관계 조성을 위한 구상을 밝혔습니다.

한반도문제 해결을 위한 3대원칙

(1) "남북한은 불안한 휴전체제를 평화체제로 전환해야 함."

- 남북한간의 평화협정을 체결하여 상호 무력사용을 포기하고 모든 분야에서 관계정상화를 추진해야 함.

(2) "한반도에서 전쟁의 위협을 제거하기 위해 남북한은 군사적 신뢰의 구축을 바탕으로 실질적인 군비감축을 추진해 나가야 하며, 북한의 핵무기개발 포기 및 남북한간 신뢰구축 노력이 진전될 경우, 재래식 전력감축과 한반도 핵문제에 관한 남북한간 협의를 추진할 용의가 있음."

- 남북한간의 상호 군사정보교환, 군사훈련 사전통보, 기습공격 예방을 위한 상주감시단 상호 파견등 군사적 불신제거를 위한 조처가 선행되어야 함.
- 북한은 모든 핵물질과 시설에 대한 국제기구의 사찰을 무조건 수용해야 함.

(3) "남북한은 사람과 물자, 정보의 자유로운 교류의 길을 열어 단절의 시대를 종식시켜야 함."

- 남북한간의 자유로운 통행, 통신과 통상이 보장되어야 함.
- 남북한간의 정치, 군사, 교류협력 문제를 포함한 모든 문제를 대화와 타협을 통해 해결하여 실질적 관계를 증진해 나가고자 함.

우리 외교의 방향

변화된 우리의 외교환경

- o 우리나라는 유엔 옵서버국에서 정회원국으로 지위가 격상됨으로써 제반 국제문제 해결을 위한 의사결정 과정에 있어서 완전한 참여가 가능하게 되었고 그에 따라 우리의 국제적 위상이 높아질 것입니다.

- o 그리고 유엔 테두리내에서 남북한간의 협조 및 교류를 증진시켜 상호 신뢰를 바탕으로 한 화합과 협력의 새로운 남북한관계가 조성될 것으로 기대됩니다.

- o 남북한의 유엔회원국 시대를 맞이하여 국제무대에서 남북한간의 소모적 대결외교를 지양하고 보다 실리위주의 외교를 전개할 수 있게 되었습니다.

금후 외교추진방향

<다자외교 추진>

- 정부는 금년도 제46차 유엔총회에 정회원국으로 참석하는 것을 시발로 유엔을 중심으로 다루어지고 있는 군축, 환경보호, 마약퇴치, 인권신장, 빈곤문제등 주요국제문제 해결을 위한 국제적 협력 활동에 적극 참여할 것입니다.

- 이를위해 정부는 유엔등 국제무대에서 우방국들과 긴밀히 협조해 나가면서, 분야별 전문인력 양성 및 조직개편등 우리자체의 다자외교 활동기반을 착실히 강화하고, 경험도 축적함으로써 가까운 시일내에 본격적인 다자외교활동을 전개해 나갈 예정입니다.

<통일외교 전개>

- 정부는 남북한의 유엔가입이 통일전까지 잠정적 조치이며, 유엔 가입 이후에도 남북한은 민족공동체내의 특수관계를 유지한다는 기본입장을 견지하고 있습니다.

- 이러한 견지에서 정부는 우선 유엔의 테두리내에서 남북한 유엔 대표부간의 접촉과 교류를 증진시킴으로써 상호 협력체제를 강구해 나가고자 합니다. 즉 남북한이 유엔내에서 다루어지고 있는 주요 국제문제 해결에 있어서 공동입장을 취하고 상호 협력할 수 있는 방안을 모색하기 위하여 북한측과의 대화 노력을 기울일 것입니다.

o 우리는 금번 유엔가입을 계기로 유엔내에서 남북한간 협조관계가 조성되고, 이를 토대로 남북간의 제반 현안에 대해 진지한 협의가 이루어질 수 있기를 희망합니다. 이와 같은 남북한간의 협의가 잘 진전된다면, 이는 곧 남북한간의 전반적인 관계개선·발전과 나아가 평화적 통일을 촉진시킬수 있는 여건을 마련할 것으로 기대합니다.

<실리외교 추진>

o 정부는 금번 유엔가입으로 남북한이 국제무대에서의 소모적 대결 외교를 청산하고, 7천만 한민족의 공동번영과 이익을 위해 서로 협력할 수 있는 계기가 마련될 것으로 기대합니다.

o 따라서 우리는 북한과의 대결과 경쟁에서 파생되었던 외교적 부담에서 벗어나서 우리의 국익과 국제적 위상을 높이는데 모든 외교 역량을 기울여 나갈 것입니다.

o 앞으로 우리나라는 전세계 모든국가와의 실질협력 관계를 증진 시키고 또한 우리의 외교지평을 확대함으로써, 다가오는 21세기에 세계 중심국가의 하나로 발전할 수 있는 귀중한 토대를 마련해 나갈 것입니다.

맺 음 말

최근 소련내에는 쿠데타 실패이후 개혁과 개방추세가 더욱 가속화되고 있고, 부쉬 미대통령의 획기적인 핵감축정책 발표로 미·소를 중심으로 한 세계적 핵군축을 위한 국제적 협력분위기가 고조되고 있읍니다. 그리고 동북아지역내에는 한.중관계 개선, 일.북한 수교접촉, 미.북한 관계개선 접촉등 새로운 질서가 형성되는 과정이 진행되고 있습니다.

이러한 주변정세의 변화와 함께 금번 남북한의 유엔가입은 남북한 관계 및 동북아지역정세 전반에 큰 영향을 미칠 것으로 예상됩니다.

앞으로 정부는 이러한 주변정세의 변화에 능동적으로 대처하고, 급변하는 국제사회에서 우리의 국익과 국제적 위상을 높히는 동시에, 남북한간의 긴장완화를 도모하고 나아가 평화적 통일을 촉진시키기 위하여 "다자외교", "통일외교" 및 "실리외교"를 적극적으로 전개해 나갈 예정입니다.

금번 우리나라의 역사적인 유엔가입 실현 과정에서 분명히 나타난 바와 같이, 우리정부의 외교정책이 소기의 성과를 거두기 위하여는 국민여러분의 아낌없는 지지와 성원이 필요함은 두말할 나위가 없습니다. 정부는 남북한의 유엔회원국시대를 맞이하여, 앞으로도 주요 외교정책 추진에 있어서 각계 각층의 의견과 여론을 적극적으로 수렴하면서, 국제사회에서 우리의 국익 증진 및 국제적 위상을 드높이기 위하여 배전의 노력을 기울여 나갈 것입니다.

심의관

분류기호 문서번호	문홍20501- 20P	협조문용지 ( )	결재	담 당	과 장	국 장
시행일자	1991. 10. 15.					
수 신	수신처참조	발 신	문화 협력국장 (서명)			
제 목	'외교문제해설' 송부					

당국 발간 하기 외교문제해설(2부) 및 장관연설문을 별첨과

같이 송부하오니 업무에 참고하시기 바랍니다.

- 아 래 -

o 유엔가입 이후 우리외교의 방향 (해설 15호)

o 노태우 대통령 멕시코방문 결과 (해설 16호)

o 남·북한 유엔가입후 한국외교(장관 연설문) 2부. 끝.

첨부 : 상기 자료. 끝.

수신처 : 외교안보연구원장, 각 실·국(과)장, 공보관실, 대사실

0185

91-16 (1991. 10. 9)
외무부

노태우대통령 멕시코 방문결과
- 북미 및 중남미지역 경제진출 확대에 중요계기 -

盧泰愚 大統領은 9월 25일-27일간 중미의 멕시코를 公式訪問하였습니다. 이는 우리나라 국가원수로서는 최초의 중남미 지역 방문으로서 노대통령은 한·멕시코 정상회담을 통해 인구·자원·영토면에서 중미의 최대국인 멕시코와 友好協力關係를 다지고 다른 중남미 제국과 보다 활발한 제반 협력관계를 발전 시키는 기반을 구축하였습니다.

인구 8,100 만과 한반도의 9배에 달하는 면적을 가진 멕시코는 원유·은·구리등 천연자원이 풍부히 매장되어 있는 세계굴지의 資源富國이기도 합니다. 또한 멕시코는 우리나라와 연간 무역고가 약 8.2억불에 달하여 중남미지역내 우리나라 최대의 交易國이며, 같은 태평양 연안국으로서 아시아·태평양지역 협력을 주요정책으로 추진하고 있는 자원보유 신흥공업국이라는 점에서 우리나라와 상호 보완적인 協力關係 발전이 기대되는 나라입니다.

특히 멕시코는 최근 미국·캐나다와 자유무역 협정체결 협상을 진행시키고 있어 우리나라 무역고의 37%를 차지하는 북미 지역시장 변화에 능동적으로 대처해 나가는데 긴요할 뿐 아니라 이 지역에 수출기반을 확대하기 위한 우리업체의 投資進出 대상지로서도 중요성이 부각되고 있습니다.

이번의 노태우 대통령의 멕시코 방문은 우리정부가 그간 추진하여 왔고 유엔가입 이후 보다 가속화될 實質的 善隣外交의 일환으로 우리나라가 중남미·북미등 미주지역 전반과 경제협력관계를 더욱 발전시키고 공고히 하는데 큰 계기가 되었습니다.

0186

주요일정

9. 25(수) 공식 환영행사, 단독 및 확대정상회담, 살리나스 대통령 내외 주최 공식 만찬

9. 26(목) 멕시코 시청 환영행사, 애국용사탑 헌화, 제16차 한·멕시코 민간 경협위 오찬 연설, 교민초청 만찬

9. 27(금) 환송행사, 하와이 향발

한 · 멕시코 정상회담 협의내용

노태우대통령은 9월 25일 살리나스 멕시코 대통령과 頂上會談을 가졌으며, 이 회담에서 논의·합의된 주요사항은 아래와 같습니다.

(韓半島 問題와 國際무대에서의 協力)
노대통령은 南北韓의 유엔加入으로 남북관계 발전을 위해 새로운 계기가 마련되었으며, 앞으로 平和統一 달성을 위해 북한과의 대화와 교류를 계속해 나갈 것임을 설명하고, 북한의 核開發이 한반도 뿐만 아니라 세계평화와 안정에 위협이 된다는 점을 강조하였습니다. 살리나스 대통령은 우리의 유엔가입을 축하하고, 북한의 핵문제에 관한 우리입장에 이해를 표명하였으며, 남북한의 유엔가입으로 한반도에서 어려운 시기가 종료되는등 남북한 유엔 동시 가입이 지니는 정치적 의미를 높이 평가하면서 앞으로 유엔에서의 상호 긴밀한 협조를 다짐하였습니다.

(아시아·太平洋 地域 協力)
살리나스 대통령은 우리나라가 의장국으로 있는 APEC (Asia-Pacific Economic Cooperation)에 가입을 희망하고 우리정부의 적극적인 지원을 요청한데 대해 노대통령은 우리정부는 멕시코의 APEC 가입을 지지하고 있으며, 이를 위해 가능한 모든 노력과 지원을 제공할 것이라고 설명하였습니다. 양측은 또한 같은 태평양 연안국으로서 아시아·太平洋 地域 協力 發展을 위해 함께 노력 하기로 합의하였습니다.

(北美自由貿易協定)
노대통령은 미국, 카나다, 멕시코등 북미 3국간에 진행중인 北美自由貿易協定協商의 성공적인 타결을 희망하는 한편, 동 협정이 배타적인 지역경제 블럭으로 발전될 가능성에 우려를 표명하였으며, 살리나스 대통령은 북미자유무역협정 체결로 오히려 자유무역이 촉진될 것이며, 한국이 멕시코를 통해 北美市場으로 進出을 擴大하는데 보다 유리한 여건이 조성될 것이라고 설명하였습니다.

(貿易 · 投資關係 增進)
양대통령은 韓國의 中南美地域 進出과 멕시코의 東아시아 · 太平洋地域 進出을 위해 상호협력의 필요성에 의견일치를 보았습니다. 노대통령은 또한 우리나라가 멕시코내에 공단건설등 투자진출에 많은 관심을 가지고 있다고 언급하고, 멕시코 정부가 우리업체의 투자진출을 적극 지원해 줄것을 요청하였습니다. 살리나스 대통령은 한국기업의 대멕시코 투자진출 확대를 환영한다고 말하고, 멕시코 정부는 외국인 투자법 개정등 외국인 투자촉진을 위해 노력하고 있음을 설명하였습니다.

(經濟 · 科學協力)
양국 관계장관은 경제사회개발기획협력 의정서와 과학협력 약정에 서명하고, 이를 바탕으로 양국간의 經濟發展 經驗의 相互交換 및 科學技術協力을 擴大해 나가기로 하였습니다. 또한 양측은 양국민간의 상호 이해증진을 위한 인적교류를 보다 활발히 하기 위하여 관광협력 의정서에 가서명하였습니다.

기타 방문 주요활동

노태우 대통령은 9. 26 제16차 한 · 멕 민간경협위원회에 참석, 양국 유력 경제인들과 通商 · 投資 擴大 方案에 관해 의견을 교환하였으며, 80여년전 이민한 초대 교민등 재 멕시코 교민들을 초청, 격려하고 僑民社會의 團合과 發展을 致賀하였습니다.

노대통령 멕시코 방문의 성과

첫째, 노대통령의 멕시코 방문은 우리나라 국가원수로서는 최초의 중남미 국가 방문으로 잠재력이 큰 중남미 지역에 우리나라가 경제적인 진출을 확대하는데 중요한 계기를 마련함으로써 우리의 對外經濟 領域 擴大에 기여하였습니다.

둘째, 노대통령은 7월 미국, 카나다 방문에 이어 이번에 멕시코를 방문함으로써 우리의 최대 수출시장인 北美經濟圈과의 協力基盤을 構築, 북미자유무역지대 형성에 능동적으로 대처해 나가게 되었습니다.

셋째, 노대통령의 멕시코 방문으로 한·멕시코 양국간 상호 보완적인 경제구조를 활용한 교역확대 및 우리나라의 북미시장 진출에 관문으로서의 對 멕시코 投資擴大에 양국간 효율적 協議體制가 마련됨으로써 21세기 太平洋時代를 향한 協力關係 증진에 계기가 되었습니다.

멕시코 개황

멕시코 개황

면 적	: 195.8만 ㎢ (한반도 면적의 9배)
인 구	: 8,100만명 (멕시코 시티 : 약 2,000 만명)
언 어	: 스페인어
GNP	: 2,336 억불 ('90년)
1인당 GNP	: 2,879 불 ('90년)

자원 보유현황

- 원유 생산량 세계 5위 (일일 250만 배럴)
- 은·형석(세계1위), 흑연(세계2위), 아연(세계3위) 등

1962년 한국과 국교수립

5

0190

◆편집 · 제작 : 문화협력국 홍보과 (720-2339)

0191

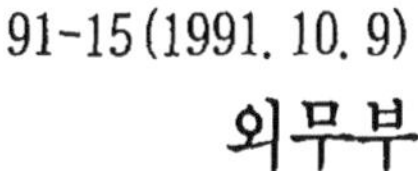

유엔가입 이후 우리외교의 방향
-多者·統一·實利外交의 推進-

우리나라는 제46차 유엔총회 개막일인 9월17일 모든 유엔회원국들의 축복속에 161번째 정회원국으로 유엔에 加入하게 됨으로서 마침내 태극기가 유엔본부 함마슐트 광장앞에 휘날리게 되었습니다.

더욱 뜻깊은 것은 우리가 희망하였던대로 북한도 우리와 함께 유엔에 가입하여 남북한의 유엔會員國時代가 열리게 되었습니다. 우리는 남북한이 과거의 소모적 對決外交를 청산하고, 유엔의 테두리내에서 서로 和合하고 協力하는 새로운 관계를 만들어 나가게 되기를 기대하고 있습니다.

정부는 앞으로 유엔을 중심으로 한 "多者外交" 활동에 적극적으로 참여함으로써 국제사회에서 우리의 국력과 국제적 위상에 맞는 역할과 기여를 다 하고자 합니다. 또한 유엔무대에서 남북한이 協助와 交流를 증진시킴으로써 남북한간의 관계개선과 발전, 나아가 平和的 統一을 앞당기기 위한 노력을 적극적으로 기울여 나갈 것입니다.

0192

대통령의 유엔총회 기조연설

노태우 대통령은 9. 24. 오전 유엔총회장에서 "平和로운 하나의 世界 共同體를 향하여" 제목하에 기조연설을 행하셨습니다.

노대통령은 기조연설을 통하여 주요 국제문제에 대한 우리정부의 기본입장을 밝히고, 國際平和·安全의 維持 및 人類福祉 增進을 위한 유엔의 목적과 정신에 기여하고자 하는 우리의 확고한 의지와 포부를 천명하였습니다.

또한 노대통령은 한반도문제 해결을 위한 3大原則을 제시함으로써 앞으로 남북한간 화해와 협력의 새로운 관계 조성을 위한 구상을 밝혔습니다.

한반도문제 해결을 위한 3대원칙

(1) "남북한은 불안한 休戰體制를 平和體制로 전환해야 함."
- 남북한간의 평화협정을 체결하여 상호 무력사용을 포기하고 모든 분야에서 관계정상화를 추진해야 함.

(2) "한반도에서 전쟁의 위협을 제거하기 위해 남북한은 군사적 신뢰의 구축을 바탕으로 실질적인 軍備減縮을 추진해 나가야 하며, 북한의 핵무기개발 포기 및 남북한간 신뢰구축 노력이 진전될 경우, 재래식 전력감축과 한반도 핵문제에 관한 남북한간 협의를 추진할 용의가 있음."
- 남북한간의 상호 군사정보교환, 군사훈련 사전통보, 기습공격 예방을 위한 상주감시단 상호 파견등 군사적 불신제거를 위한 조처가 선행되어야 함.

- 북한은 모든 핵물질과 시설에 대한 국제기구의 사찰을 무조건 수용해야 함.

(3) "남북한은 사람과 물자, 정보의 자유로운 交流의 길을 열어 단절의 시대를 종식시켜야 함."
- 남북한간의 자유로운 통행, 통신과 통상이 보장되어야 함.
- 남북한간의 정치, 군사, 교류협력 문제를 포함한 모든 문제를 대화와 타협을 통해 해결하여 실질적 관계를 증진해 나가고자 함.

우리외교의 방향

변화된 우리의 외교환경

○ 우리나라는 유엔 옵서버국에서 正會員國으로 지위가 격상됨으로써 제반 국제문제 해결을 위한 의사결정 과정에 있어서 완전한 參與가 가능하게 되었고, 그에 따라 우리의 國際的 位相이 높아질 것입니다.

○ 그리고 유엔 테두리내에서 남북한간의 협조 및 교류를 증진시켜 상호 신뢰를 바탕으로 한 화합과 협력의 새로운 南北韓關係가 조성될 것으로 기대됩니다.

○ 남북한의 유엔회원국 시대를 맞이하여 국제무대에서 남북한간의 소모적 대결외교를 지양하고 보다 實利爲主의 외교를 전개할 수 있게 되었습니다.

3

0194

금후 외교추진방향

<다자외교 추진>

○ 정부는 금년도 제46차 유엔총회에 정회원국으로 참석하는 것을 시발로 유엔을 중심으로 다루어지고 있는 군축, 환경보호, 마약퇴치, 인권신장, 빈곤문제등 주요국제문제 해결을 위한 國際的 協力 활동에 적극 참여할 것입니다.

○ 이를위해 정부는 유엔등 국제무대에서 우방국들과 긴밀히 협조해 나가면서, 분야별 專門人力 養成 및 조직개편등 우리자체의 다자외교 활동기반을 착실히 강화하고, 경험도 축적함으로써 가까운 시일내에 본격적인 多者外交活動을 展開해 나갈 예정입니다.

<통일외교 전개>

○ 정부는 남북한의 유엔가입이 통일전까지 잠정적 조치이며, 유엔가입 이후에도 남북한은 民族共同體내의 特殊關係를 유지한다는 기본입장을 견지하고 있습니다.

○ 이러한 견지에서 정부는 우선 유엔의 테두리내에서 남북한 유엔 대표부간의 접촉과 교류를 증진시킴으로써 相互 協力體制를 강구해 나가고자 합니다. 즉 남북한이 유엔내에서 다루어지고 있는 주요 국제문제 해결에 있어서 共同立場을 취하고 상호 협력할 수 있는 방안을 모색하기 위하여 北韓側과의 對話 努力을 기울일 것입니다.

○ 우리는 금번 유엔가입을 계기로 유엔내에서 남북한간 협조관계가 조성되고, 이를 토대로 남북간의 제반 현안에 대해 진지한 협의가 이루어질 수 있기를 희망합니다. 이와 같은 남북한간의 협의가 잘 진전된다면, 이는 곧 남북한간의 전반적인 관계개선·발전과 나아가 平和的 統一을 促進시킬수 있는 여건을 마련할 것으로 기대합니다.

<실리외교 추진>

○ 정부는 금번 유엔가입으로 남북한이 국제무대에서의 消耗的 對決外交를 清算하고, 7천만 한민족의 공동번영과 이익을 위해 서로 협력할 수 있는 계기가 마련될 것으로 기대합니다.

○ 따라서 우리는 북한과의 대결과 경쟁에서 파생되었던 외교적 부담에서 벗어나서 우리의 國益과 國際的 位相을 높이는데 모든 외교 역량을 기울여 나갈 것입니다.

○ 앞으로 우리나라는 전세계 모든국가와의 실질협력 관계를 증진시키고 또한 우리의 外交地平을 擴大함으로써, 다가오는 21세기에 세계 중심국가의 하나로 발전할 수 있는 귀중한 토대를 마련해 나갈 것입니다.

맺 음 말

최근 소련내에는 쿠데타 실패이후 改革과 開放추세가 더욱 가속화되고 있고, 부쉬 미대통령의 획기적인 核減縮정책 발표로 미·소를 중심으로 한 세계적 핵군축을 위한 國際的 協力분위기가 고조되고 있습니다. 그리고 동북아지역내에는 한·중관계 개선, 일·북한 수교접촉, 미·북한 관계개선 접촉등 새로운 질서가 형성되는 과정이 진행되고 있습니다.

이러한 주변정세의 변화와 함께 금번 남북한의 유엔가입은 남북한 관계 및 東北亞地域情勢 전반에 큰 影響을 미칠 것으로 예상됩니다.

앞으로 정부는 이러한 주변정세의 변화에 능동적으로 대처하고, 급변하는 국제사회에서 우리의 국익과 국제적 위상을 높이는 동시에, 남북한간의 긴장완화를 도모하고 나아가 평화적 통일을 촉진시키기 위하여 "多者外交", "統一外交" 및 "實利外交"를 적극적으로 전개해 나갈 예정입니다.

금번 우리나라의 역사적인 유엔가입 실현 과정에서 분명히 나타난 바와 같이, 우리정부의 외교정책이 소기의 성과를 거두기 위하여는 國民여러분의 아낌없는 支持와 聲援이 필요함은 두말할 나위가 없습니다. 정부는 남북한의 유엔회원국시대를 맞이하여, 앞으로도 주요 외교정책 추진에 있어서 각계 각층의 意見과 輿論을 적극적으로 수렴하면서, 국제사회에서 우리의 국익 증진 및 국제적 위상을 드높이기 위하여 배전의 努力을 기울여 나갈 것입니다.

◆편집 · 제작 : 문화협력국 홍보과 (720-2339)

0197

홍보 file
1과 가
-3/4

공 보 처

제삼 35243-15324 (561-6345) 1991. 11. 2.

수신 외무부장관

참조 국제기구국장

제목 해외홍보영화 제작자문 협조

1. 당처 국립영화제작소에서는 남북한 동시 유엔가입 ('91.9.17)을 계기로 한국과 U.N이란 주제로 해외홍보영화를 제작, 역사적인 U.N가입을 주도해 온 한국정부의 외교적 성과및 한국과 U.N과의 배경을 해외에 홍보코저 하오니 아래사항을 협조하여 주시기 바랍니다.

2. 영화제작내용

ㅇ 영화명 : 가제 "한국과 U.N"

ㅇ 규 격 : 35미리 20분품

3. 협조내용

가. U.N에 관한 참고자료 (저술서적 및 홍보책자)

나. 자문을 구할 수 있는 관계기관 및 전문가 선정

다. 영화시나리오 집필 적임자 선정. 끝.

공 보 처 장 관

0198

외 무 부

110-760 서울 종로구 세종로 77번지 / (02) 720-2334 / (02) 723-3505

문서번호 연일 2031- 55839
시행일자 1991.11.11.
(경유)
수신 공보처장관
참조 국립영화제작소장

취급		장 관
보존		
국 장	전결	
심의관		
과 장		
기안	김성진	협조

제목 해외홍보영화 제작자문 협조

대 : 제삼 35243-1534(91.11.2)

1. 대호 표제 홍보영화(가제 : 한국과 UN) 제작관련, 당부에서 발간한 "우리의 대유엔 외교" 책자를 별첨 송부합니다.

2. 아울러 표제 홍보영화 제작시 자문을 구할수 있는 당부인사(유엔대표부 장기간 근무경력 보유) 및 동영화 제작방향에 관한 당부의견을 아래와 같이 회보하니 참고하시기 바랍니다.

가. 자문을 구할 수 있는 인사(3명)

- o 박쌍용 전유엔대사(한국국제협력단 부총재)
- o ~~김창훈 대사(외교안보연구원 연구위원)~~
- o 한우석 대사(외교안보연구원 연구위원)
- o 이시영 대사(외교정책기획실장)

/계속/

0199

나. 당부로서는 표제영화가 주제의 성격상 국내외 한국인을 대상으로 제작하는것이 적절할 것으로 사료됩니다.

다. 참고로 외국인사의 경우, 우리나라의 유엔가입을 단지 냉전시대의 비정상적인 상태가 이제 정상화 되었다는 시각에서 평가하고 있다는 점도 영화제작관련 참고하여 주시기 바랍니다. 끝.

첨부 : 우리의 대유엔외교 1부. 끝.

0200

"한반도와 유엔" film에 대한 의견

1992. 3. 12.
외무부 국제연합1과

1. 본 film 제작의 목적은 작년 9월 남북한의 유엔가입을 계기로 우리나라와 유엔과의 관계를 "다큐멘타리" 형식으로 구성·편집하여,

   가. 유엔에 의하여 정부가 수립되고, 국권이 수호되고 또한 우리국가의 발전에 유엔이 기여한 바를 강조,

   나. 유엔과 우리나라의 밀접한 관계를 부각시키고자 한 것으로 이해됨.

2. 그러나 film의 구성상,

   가. 1948년 유엔 한국위원회의 활동, 1951년 우리대표의 유엔연설등 역사적 가치를 가지고 있는 화면을 발굴, 배합한 점등은 평가되면서도,

   나. 과도한 한국전쟁에 관한 장면, 즉

   - 전쟁과 직접 관련되는 부분 총 361초 (화면 #19-#27, #30-#36),
   - 전쟁전후 구호활동 장면 137초 (화면 #28, #29, #37, #38)로서
   - 관련 전후장면 2컷(#18, #39)분 69초를 합할 경우,

   다. 전쟁에 관한 film 양이 총 567초(9분 27초)로서, 전체 17분 분량의 반이상을 차지하고 있어, (관련 전후장면 69초를 제외할 경우에도 총 498초 - 8분 18초)

   - 보고나서는 언뜻 한국전쟁에 관한 film을 본 것이 아닌가 하는 느낌을 갖지 않을 수 없음.

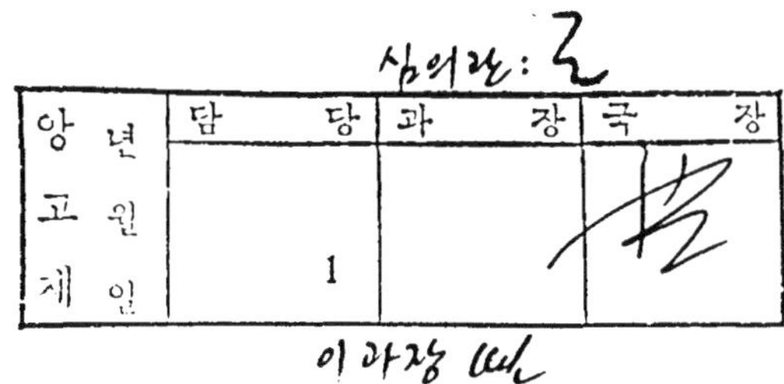

양 년	담 당	과 장	국 장
고 월			
재 일	1		

0201

3. 따라서 제목에 부합하는 내용이 되기 위하여는 기본적으로 "전쟁관련 장면"을 줄이고, "유엔과의 관련성"을 늘이는 작업이 요구됨.

가. 그중 특히 전쟁전후 구호활동 장면(137초)의 일부 축소(구호품을 받고 어린아이들 춤추는 장면등) 및 UNCURK의 구체적인 지원내용(건물 준공등)을 알려주는 것이 좋을 것으로 판단되고,

나. 전쟁관련 장면을 적절히 줄이는 것이 좋을 것임.

o 다만, 논리전개상 북한군의 거침없는 남침장면(#25)에서 막바로 인천상륙작전 성공(#26)으로의 연결은 무리이므로

- 중간에 도표를 활용하더라도 "낙동강전선"장면을 삽입하는 것이 좋을 것임.

다. 무엇보다도 제목에 비추어 유엔과 한국과의 관계가 어느정도 시대별로 정리되어야 바람직하나,

o 현 체제는 1945-1948기간, 1950-1953 및 전후 UNCURK 활동에 관한 일부 언급, 1991년 기간만 다루고 있어 크게 아쉬운 상황임.

o 물론 자료화면 확보상의 애로가 있겠으나, 주유엔 옵서버의 활동 (# 화면은 대표부 현판, 주재대사 사진전시, 총회 및 각위원회시 우리 대표들의 연설장면등으로 활용가능시)에 대한 언급과,

- 특히 기간별로 1954-1975년까지 매년 유엔총회에 한국문제가 상정되어 동서간 대립의 상징적 사건으로 공산측과 서방측간에 결론없는 입씨름이 계속되었다는 점,

- 또한 1975-1990년까지는 우리의 외교정책이 6.23선언(1973년)을 계기로 전환되면서 "한국문제의 탈 유엔화" 시대에 접어들되,

  · 실질적인 참여활동강화(UNDP, UNICEF등)를 모색하면서,

  · 유엔가입 실현을 위하여 애써왔다는 점등이 설명되어야 할 것임.

(※ 한편, 상기에 관한 화면구득에 문제가 있을 경우 원로외교관이 1-2분 등장, 설명하는 방안도 있지 않을까 생각됨.)

라. 또한 우리가 유엔에 가입할 수 있게 된 까닭을 추가해야 할 것인 바, 북한측의 반대를 무릅쓰고 가입을 실현시키기 위한 우리의 노력(대우방 교섭, 특사파견, 유력인사 방한초청, 중국설득)을 곁들여야만

o 그저 가입이 굴러떨어진 것이 아니라 우리가 애써서 얻은 결과라는 점이 부각될 것으로 생각되며,

(# 화면은 유엔사무총장 면담장면, 유력인사 방한장면 등등 활용가능시)

o 특히 그러한 점에 비추어 유엔가입 실현배경으로서 북방정책 및 올림픽 개최에 관한 화면삽입은 필수적임. (대본 pp 34/35 참조)

마. 그밖에 film 제작 취지에 비추어 말미에 "우리가 유엔에 가입함으로써 어떠한 의의가 있는가, 또 앞으로 어떠한 각오로 임해야 할 것인가"로 정리를 해주어야 한다고 생각됨.

o 현재 통일을 기대하는 "멘트"는 되어 있으나,

o 국제사회에서 우리국력에 상응하는 역할과 임무,

o 국제평화와 안전, 그리고 번영에 기여하는 대한민국의 노력 및

o 동북아질서, 새로운 국제질서 구축에 충분한 몫을 다하는 우리들의 능력 등등이 강조될 것이 바람직함.

(# 화면은 UN 평화유지군 활동, 후진국 개발업무, 아프리카 식량 원조등등 활용가능 및 우리의 청년봉사단의 해외파견 및 기술 지도 장면등 활용 가능시)

3

0203

4. 대본내용을 점검해 볼때

가. 몇몇 오류가 있어 대본을 직접 수정하였음.

- o P.4/ 제 46차 총회가 26차로 기술
- o P.5/ 유엔가입 이전 수교국가수가 다소 부정확(91.8월까지 149개국, 91.12.까지 153개국, 92.2.현재 162개국)
- o P.5/ 17개 유엔산하전문기구 가입 36개 정부간기구 가입
- o P.8 및 P.29/ 한국전시 유엔군 피해(사망 35,737, 실종 1,554명)
- o P.9/ 제2차 유엔총회에 "한국독립문제"가 제안, 채택된 것이 아님.
- o P.17/ 전쟁발발후 유엔 안보리가 취한 조치 설명이 정확하게 기술되지 않았음.
- o P.20/ 인천상륙작전에 동원된 함정파견국가수는 국방부에 확인 필요(참전 16개국 전체가 해군 파병한 것은 아님)
- o P.25/ 휴전일자는 7.27.
- o P.29/ 부산 유엔묘지 안치영현수는 최근 2주 증가되어 2,297주임. (당부가 관할중임)

나. 또한 부분적으로 다른 표현을 사용할 것이 요망되는 내용이 다수 있어 대본을 직접 수정함.

5. 그밖에,

가. 시작부분을 꼭 "원폭투하장면"으로 해야 할 것인지?

- o 물론 "2차대전의 종결과 일본의 패망, 그에따른 우리나라의 해방"이라는 것을 표현키 위함이겠으나,
  - "핵문제, 환경문제"에 관한 세인의 관심이 큰 현시점에서, 바로 원폭구름장면에 의한 전쟁종결 이미지보다는

4

0204

o 다른장면, 가령 진주만공습 장면을 배경으로 2차대전을 일으킨 일본 (또한 히틀러의 전체주의적 군대사열, 경례장면등)이 선행 되어야,

- 그와같은 "불의, 악"을 응징키 위한 "원폭의 불가피성"이 당연하다는 이미지를 남길 수 있지 않을까 사료됨.

나. 다음 각 장면의 보완내지 삽입이 요망됨.

o 유엔가입 궐기대회장면(#17, 대본 P.14)에서 "유엔이 우리나라를 유일합법정부로 선언..."하는 멘트에서는

- 동 결의안(총회결의 제195호, 1948.12.12)의 해당부분 (established law ful government, ... only such government in Korea)을 close-up시키는 것이 사실적일 것임.

o 또한 유엔가입 시도가 왜 실패하였는지에 관한 언급이 필요함.

- P.14 대본에 직접 수정하였으나, 관련장면(가능한 후루시쵸프의 구두로 연단을 치는 장면) 삽입 바람직

o 한국전쟁 발발에 따른 유엔 안보리의 제조치내용, 즉

- 관련결의내용을 해당장면에서 close-up시키므로서 보다 생동감이 있게 할수 있을 것임. (대본 P.17, 18)

다. 전쟁이후 "북한의 도발과 남북대화" (장면 #42-#46, 대본 P.31-P.34)에 관한 장면은 한마디로 산만함.

o 대략, "북한의 끊임없는 도발속에서도 우리는 인내심을 갖고 남북 대화를 통하여 조국의 평화적 통일을 앞당기기 위하여 애썼다"는 것을 전달키 위한 것으로 보이나,

- 그것이 다음 결론부분이라고 할 수 있는 유엔가입에 무슨 영향 (또는 의미)을 주는 것인지 뚜렷한 메세지가 없음.

o 굳이 생각해 보자면, "대화와 도발"이라는 북한의 이중적 자세를 현재 화면구성과 같이 도발쪽에 중점을 주되, 이후 연결부분을

- "이와같은 북한의 이중적 자세는 유엔가입문제에 있어서도 나타났다. 즉 북한은 1950년대에는 직접 유엔에 가입을 신청한 바 있고, 1973년 우리의 6.23 선언이 있기까지는 남북한의 유엔동시가입을 주장하다가,
- "우리가 동시가입을 추진하자, 이것이 민족분단의 고착화 라고 주장하면서 최근까지 극력 유엔의 가입에 반대해 왔다.
  (# 화면은 북한측대표의 연설, 남북대화시 손가락질하는 장면등 고려가능)
- "그러나 우리의 끈질긴 설득, 그리고 우리입장에 대한 국제 사회의 압도적인 지지, 급기야는 그들이 믿는 중국과 소련의 태도가 변화하자, 작년 5월말 갑자기 유엔에 가입할 것임을 발표하였다"라고,
  (# 화면은 이붕총리의 방북, 김일성의 중국지도자 면담 장면등을 사용가능시)

o 연결할 경우 무난할 것으로 생각됨.

※ 이후 멘트와 장면은 대본 P.34-I (수정본)로 연결 가능할 것으로 생각됨.

6. 결론적으로,

o 상기 내용을 전폭적으로 수용, 재제작할 것이 요망되지만, 현실적으로 이미 film이 완성되어 있다는 점을 감안할때,

o 최소한,

- 3항중 "가, 나" 내용,
- 3항의 "라"중 북방정책과 올림픽 관련 장면의 삽입 및 4항 대본의 수정은 반드시 이루어져야 할 것으로 생각되며

o 가능하다면 다음과 같이 우선순위를 두어 수정, 보완해 줄 것이 요망됨.

- 5항의 "나"
- 3항의 "다", "라", "마"
- 5항의 "다" 및 "가"

- 끝 -

정 리 보 존 문 서 목 록					
기록물종류	일반공문서철	등록번호	2020080017	등록일자	2020-08-19
분류번호	731.12	국가코드		보존기간	영구
명 칭	남북한 유엔가입관련 홍보 및 언론보도, 1990-91. 전5권				
생 산 과	국제연합1과	생산년도	1990~1991	담당그룹	
권 차 명	V.2 대언론 홍보 및 기자회견 자료				
내용목차					

0001

가입문제 (언론 자료) 가시

10/19 차관 기자회견 자료

제2차 남북고위급회담후 유엔가입대책

o 북한은 금번 제2차 고위급회담 기조연설을 통하여 유엔가입문제 관련 첫째, 남북한이 통일위업에 이롭게 협의, 해결하기 위하여 공동 노력하고, 둘째 합의가 이루어 질때까지 토의를 계속하며, 셋째 합의전에는 어느 일방도 먼저 유엔에 가입치 말자고 제의하여 왔음.

o 북한측의 금번 제의는 한마디로 우리의 유엔가입을 무한정 저지하겠다는 의도로 밖에 볼 수 없음. 만일 북한측의 요구를 받아들인다면, 이는 바로 우리의 유엔가입문제에 대한 거부권을 북한에 주는 것과 같으며, 나아가 우리가 독립주권국가로서 마땅히 가져야 할 외교권에 대한 상상할 수 없는 제약을 인정하는 것임.

o 유엔가입문제와 관련한 우리의 기본입장은 불변임. 유엔가입문제는 본질적으로 우리와 유엔간의 문제이며 남북관계와는 별개의 문제임. 다만, 남북한이 국제사회의 축복속에서 다함께 유엔에 가입하여 전인류의 보편적 가치 구현에 적극 동참함은 물론 유엔체제내에서 남북한간 교류와 협력을 증진시키는 것이

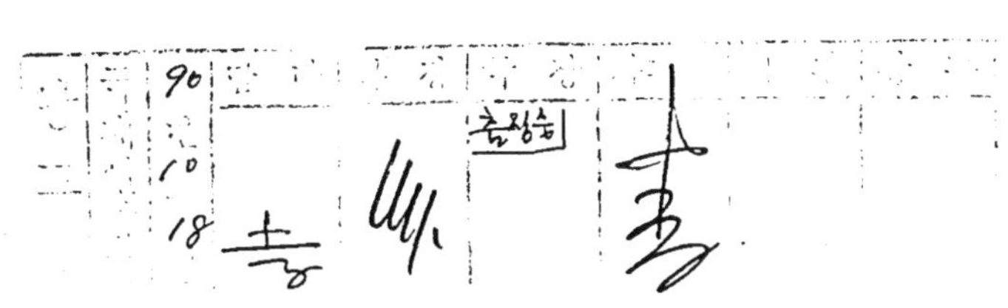

0002

바람직한다는 견지에서 남북한이 다함께 유엔에 가입하자는 것임. 그러나 만일 북한측이 유엔에 가입할 의사가 없거나 가입할 준비가 되어 있지 않다면 우리만이라도 먼저 유엔에 가입하겠다는 입장임.

o 우리는 앞으로 금추 제45차 유엔총회시 각국의 기조연설에서 나타난 바와 같이 우리의 유엔가입문제에 대한 대다수 유엔회원국들의 압도적인 지지와 북측의 단일의석 가입안에 대한 국제적인 배척 분위기를 적극 활용하여 북한의 태도 변화를 유도하기 위한 노력은 계속하고자 함.

o 우리의 금년내 유엔가입신청 문제와 관련하여서는 금번 제2차 남북고위급 회담에 참석한 우리대표단이 귀경한후 평양에서 오고간 이야기를 종합검토, 북측의 의도를 좀더 정확히 파악한 후, 우리의 우방국들과 긴밀한 협의하에 신중히 대처코자 함.

0003

가입문제 (언론자료)

유엔가입 대책

(1차관보 외신기자회견 자료)

90. 12. 3.
국제연합과

o 우리정부는 가능한한 조속한 시일내에 유엔에 가입하여야 하며, 북한의 유엔가입도 환영함으로써 남.북한이 다같이 유엔에 가입하여야 한다고 믿고 있음. 유엔에 가입하여 국제협력과 주요 국제문제 해결 과정에서 우리의 정당한 몫을 다해야 한다는 것이 우리의 기본입장임.

o 그러한 입장에서 우리는 그동안 남북대화를 통하여 북한측에 우리와 함께 유엔에 가입할 것을 설득하여 왔으나 북한은 아직까지도 종래의 입장을 고수하고 있음. 그간의 북한태도를 종합해 볼때 가까운 시일내에 북한이 태도를 바꿀 가능성은 없다고 봄.

o 우리의 유엔가입 실현을 위해서는 안보리 상임이사국인 중국과 소련의 태도가 중요함. 소련과는 이미 수교하였고 금번 노대통령의 방소등으로 양국관계가 급진전되고 있으므로 이제는 중국만이 문제임. 우리는 중국측의 태도 완화를 위해 외교적 노력을 경주하고 있음. 이러한 외교적 노력은 유엔 안보리 상임이사국들의 협조를 얻어 행하는 것이 더욱 효과적이라고 생각하고 있으며, 그러한 차원에서 우방국의 협조를 도모하고 있음.

0004

o 지금까지 중국측은 우리의 유엔가입 문제관련, 남.북한간에 좀더 협의하기를 바라고 있음.

o 우리정부는 유엔 안보리의 사정이 허락되는대로 상임이사국간에 남북한 유엔가입 문제가 건설적으로 협의되기를 희망하며, 앞으로도 중국 및 북한의 태도변화를 유도하기 위한 노력을 계속코자 함.

0005

유엔가입 대책

(1차관보 외신기자회견 자료)

90. 12. 3.
국제연합과

o 우리정부는 가능한한 조속한 시일내에 유엔에 가입하여야 하며, 북한의 유엔가입도 환영함으로써 남.북한이 다같이 유엔에 가입하여야 한다고 믿고 있음. 유엔에 가입하여 국제협력과 주요 국제문제 해결 과정에서 우리의 정당한 몫을 다해야 한다는 것이 우리의 기본입장임.

o 그러한 입장에서 우리는 그동안 남북대화를 통하여 북한측에 우리와 함께 유엔에 가입할 것을 설득하여 왔으나 북한은 아직까지도 종래의 입장을 고수하고 있음. 그간의 북한태도를 종합해 볼때 가까운 시일내에 북한이 태도를 바꿀 가능성은 없다고 봄.

o 우리의 유엔가입(실현)을 위해서는 ~~북한의 태도보다는~~ 안보리 상임이사국인 중국과 소련의 태도가 중요함. 소련과는 이미 수교하였고 금번 노대통령의 방소등으로 양국관계가 급진전되고 있으므로 이제는 중국만이 문제임. ~~따라서~~ 우리는 중국측의 (태도 완화를 위해) ~~우리의 유엔가입에 대해 적극적으로 찬성은 못하더라도 거부권을 행사하지 말도록 다각적인~~ 외교적 노력을 경주하고 있음.

앙 고 개 (90년 12월 3일)	담 당	과 장	국 장
	(서명)	(서명)	(서명)

0006

이러한 외교적 노력은 우리 혼자만 하는것 보다는 미국등 여러 우방국들의 협조를 얻어 하는 것이 더욱 효과적이라고 생각하고 있으며, 그러한 차원에서 우방국의 협조를 도모하고 있음.

o 지금까지 중국측은 우리가 유엔가입을 신청할 경우 이에 대해 거부권을 행사할 것이냐 또는 안할 것이냐에 관해 명백한 태도를 밝히지 않은채, 남.북한간에 현재 진행되고 있는 고위급 회담과 실무회담에서 계속 이 문제에 관해 협의하기를 바라고 있음. 또한 중국측은 북한에 대하여도 우리의 유엔가입 신청시 거부권을 행사할 것인지 여부를 분명하게 밝히지 않은 것으로 보임.

o 금후 우리정부는 각종 계기를 활용, 중국 및 북한의 태도변화를 유도하기 위한 노력을 계속하고자 하며, 이에 따라 내주 서울에서 개최되는 제 3차 고위급회담에서 다시한번 북한측이 유엔 동시가입을 수락하도록 직접 설득하고자 함

1. 장관님께서 12.7 (금) 11:00 소련 TASS 통신 동경지국장과 회견을 하실 예정입니다. 회견 준비에 필요하오니 별첨자료 (11.8, 영국 Daily Telegraph 지 논설위원 면담시 작성)를 12.5 (수) 중으로 보완하여 주시기를 부탁합니다.

2. 동 기자는 대통령 소련 방문에 즈음한 한국특집 기사 취재차 방한중이어서 방소 성과 고양을 위한 좋은 기회가 될 것으로 사료되오니 작성에 관심을 기울여 주시기 바라며 12 .6 (목) 오전에 장관님께 자료를 드리기로 되어 있음을 첨언합니다.

90. 12. 4.

홍보과장 배

동구1과, 동북아2과, 북미, 동남아1과,
[illegible], 국연, 경제2과, 중근동과

0008

韓國의 유엔加入 問題

o 國際平和와 協力을 위한 유엔의 中心的 役割이 더한층 强化되고 있는 오늘날 우리나라는 分明한 加入희망 意思와 充分한 加入資格이 있음에도 不拘하고 유엔에 加入하지 못하고 있는 唯一한 國家임.

o 우리가 유엔에 加入하고자 하는 것은 무엇보다도 大韓民國이 國際社會의 責任 있는 一員으로서 유엔體制下의 國際協力과 諸般 重要 國際問題에 관한 意思 決定에 있어 正當한 몫을 다하고자 하기 때문임.

o 人口, 經濟力, 國際的 位相등 우리의 加入資格에 관하여 異意를 提起할 나라는 한나라도 없으며 實際로 壓倒的인 수의 國家들이 우리나라가 유엔에 加入하여 유엔의 目的에 積極的으로 寄與하기를 希望하고 있음. 이는 今秋 유엔總會의 各國 基調演說 結果에서 克明하게 나타난 바 있음.

o 유엔加入問題는 本質的으로 加入을 希望하는 國家와 유엔間의 問題로서 分斷國의 統一問題와는 無關함. 그간 北韓은 南北韓 유엔加入이 韓半島 分斷을 永久化 또는 合法化한다고 主張하여 왔으나, 이러한 北韓의 主張은 예멘과 獨逸의 統一에서도 볼수 있듯이 전혀 說得力이 없음.

o 우리 政府는 基本的으로 南北韓의 유엔加入이 韓半島에서의 平和定着과 緊張 緩和에 도움을 줄 것이므로 統一이 될때까지의 過度的 暫定措置로서 南北韓이 모두 유엔에 加入하는 것이 바람직하다는 立場임. 그러나 北韓이 아직 유엔에 加入할 意思가 없거나 準備가 되지 않았다면, 유엔會員 資格을 充分히 갖추고 유엔加入을 希望하는 우리나라만이라도 우선 유엔會員國이 되어야 한다는 것임.

o 北韓은 유엔加入問題를 南北高位級會談의 先決課題로 提起하였고 그간 各各 2次에 걸친 高位級會談과 代表接觸에서 소위 "單一議席 加入案"을 主張 하면서, 南北韓間 合意 前에는 어느 一方도 유엔에 加入하지 말것을 主張한 바 있음.

o 우리側은 北韓側案의 諸般 法的問題點과 實現 不可能性을 指摘하고, 南北韓이 함께 유엔에 加入할 것을 積極 勸誘한 바 있음. 앞으로 政府는 國際社會의 祝福속에 하루빨리 南北韓이 함께 유엔에 加入하여 國際社會에서 7,000萬 한民族이 正當한 寄與와 役割을 할 수 있도록 北韓側에 대해 必要한 說得을 할 것이나, 北韓側에 대한 우리의 說得 努力은 無限定일 수 없음.

0011

UN Membership of the Republic of Korea

o While the central role of the United Nations in promoting peace and enhancing cooperation among nations has been further strengthened, the Republic of Korea is the only country that remains outside the United Nations against its explicit wishes and sufficient eligibility for full-fledged membership of the United Nations.

o The Republic of Korea, a responsible member of World community, pursues its admission to United Nations membership, among others, with a view to taking its part in settling the major international issues and promoting international cooperation under the auspices of the United Nations.

o There is no country that is doubtful of the eligibility of Korea for United Nations membership, with regard to its sizes of population and national economy, and its important roles in the international community. In fact, overwhelming number of states express their wishes that the Republic of Korea become a member of the United Nations as soon as possible, and thereby contribute to realizing the aims of the United

0012

Nations. These wishes were eloquently spoken in the majority of keynote speeches addressed by the member states during the current regular session of the United Nations General Assembly.

o United Nations membership is essentially a matter between the applicant state and the United Nations, and is not directly related to the issue of unification of devided countries. North Korea has contended that the entry of the two Koreas to the United Nations would perpetuate and legalize division of the Korean Peninsula. But, this contention of North Korea was undoubtedly denied by the fact of recent unification of the two Yemens and the two Germanies.

o The Government of the Republic of Korea has a basic position that the admission of both Koreas to the United Nations, as an interim measure pending reunification, would help increase chances for peaceful settlement and reduce tensions on the Korean Peninsula. However, if North Korea is neither willing nor ready, the Republic of Korea, fully eligible for and long desiring a United Nations membership, should be able to join the United Nations first.

0013

- o North Korea brought up the issue of United Nations membership as one of the priority matters to be settled at the inter-Korean high level talks. During the recent two rounds of High Level Talks and representatives' meeting between South and North Korea respectively, North Korea insisted a formula so-called "single seat membership in the United Nations" and contended that both sides should not join the United Nations until the mutual agreement on this issue is reached.

- o The Republic of Korea pointed out the legal problems and infeasibility of the North Korean formula, and strongly advised North Korea to join the United Nations together with us. The Government of the Republic of Korea will exert every effort for persuading North Korea to accept its proposal for the early admission of the two Koreas into the United Nations under the blessing of international community, which will enable 70 million Korean nation to carry on its proper role and contribution in the international community. However, our efforts for persuading North Korea to accept our proposal will not be indefinite.

0014

12/6
홍보관 송부.
(장관님의 TASS 통신회견 자료)

韓國의 유엔加入 問題

o 國際平和와 協力을 위한 유엔의 中心的 役割이 더한층 强化되고 있는 오늘날 우리나라는 分明한 加入희망 意思와 充分한 加入資格이 있음에도 不拘하고 유엔에 加入하지 못하고 있는 唯一한 國家임.

o 우리는 南北韓이 統一될때까지의 暫定措置로서 유엔에 함께 加入하여 國際社會의 責任 있는 一員으로서 유엔體制下의 國際協力과 諸般 重要 國際問題에 관한 意思 決定에 있어 正當한 몫을 다하여야 한다고 믿고 있으며, 이는 貴國도 支持하고 있는 유엔의 普遍性原則에 따라 當然한 것임.

o 또한 우리政府는 東北亞情勢 安定에 絶對的인 韓半島에서의 平和와 安定을 確保하기 위해서는 南北韓의 유엔加入이 緊要하다고 보며, 南北韓의 유엔加入을 통하여 유엔體制내에서 南北韓間 交流와 協力을 增進시키는 것이 窮極的인 韓半島 平和統一에도 寄與할 것으로 믿고 있음.

앙 고 재	90년 12월 6일	담 당	과 장	국 장
		(signature)	(signature)	(signature)

0015

o 이러한 見地에서 우리는 그간 南北韓 高位級會談등을 통하여 北韓側에 우리와 함께 유엔에 加入할 것을 繼續 勸誘해 왔으나, 유감스럽게도 北韓側은 전례도 없고 많은 法的 問題點을 갖고 있는 非現實的인 單一議席案을 固執할 뿐, 전혀 態度의 變化 可能性을 보이지 않고 있음.

o 유엔加入問題는 本質的으로 加入을 希望하는 國家와 유엔間의 問題로서 分斷國의 統一問題와는 無關함. 그간 北韓은 南北韓 유엔加入이 韓半島 分斷을 永久化 또는 合法化한다고 主張하여 왔으나, 이러한 北韓의 主張은 예멘과 獨逸의 統一에서도 볼수 있듯이 전혀 說得力이 없음.

o 우리는 南北韓이 國際社會의 祝福속에서 하루빨리 유엔에 함께 加入하여 國際社會에서 우리 民族의 正當한 寄與와 役割을 다하고, 南北韓間의 交流와 協調를 增進하여 韓半島에서 平和와 安全 維持에 寄與할 수 있게 되길 바라고 있음. 이지역의 平和와 安全에 많은 關心을 가지고 있는 蘇聯政府도 南北韓이 함께 유엔에 加入할 수 있도록 建設的인 役割을 積極 遂行해 줄 것을 期待함.

0016

UN Membership of the Republic of Korea

o In today's world where the central role of the United Nations in promoting international peace and cooperation has been further strengthened, the Republic of Korea is the only country that remains outside the world body against its strong desire to become a full member.

o The Republic of Korea firmly believes that both Koreas should join UN membership as a temporary measure pending reunification so that the two Koreas could take their due part as responsible members of the World community, in settling the major international issues and promoting international cooperation under the auspices of the United Nations. Our position for the entry into the UN completely conforms to the letter and spirit of the Charter and the principle of universality which is ever-increasingly upheld by the Member States including the Soviet Union.

0017

o The ROKG is of the view that the entry of both Koreas into the UN is essential to securing peace and stability in the Korean peninsula which has directly related to the stability of Northeast Asia. The admission of both Koreas to the United Nations would help increase chances for peaceful settlement and reduce tensions in the Korean peninsula, thus would eventually contribute to the peaceful reunification of South and North Korea.

o Accordingly, the ROKG has been endeavoring to persuade the North to join UN membership together with the South at the inter-Korean meetings. Regrettably enough, however, North Korea has been incessantly alleging its so-called "Single-seat UN Membership formula", which is not only unprecedented in the history of the United Nations, but also filled with various legal and practical problems.

o United Nations membership is essentially a matter between an applicant state and the United Nations, and is not directly related to the issue of unification of devided countries. North Korea has contended that

0018

the entry of the two Koreas to the United Nations would perpetuate and legalize division of the Korean peninsula. But, this contention was eloquently disproved by the fact of recent reunifications of the Yemens and the Germanys.

o It is the ROK's strong wish that both Koreas should join UN membership at the earliest possible date so that the Koreans could make a right and proper contribution to and play a required role in the international community. The separate admission of both Koreas will bring peace and security in the Korean peninsula by promoting inter-Korean exchanges and mutual cooperation under the UN system.

o In this connection, it is highly expected that the Soviet Union, which has a keen interest in maintaining peace and security in Northeast Asia, should play a more active and constructive role in persuading the North into joining UN membership together with the South as early as possible.

0013

3. 유엔 加入問題

가. 그간 狀況 評價

o 올해는 우리의 유엔加入 努力에 있어 뜻깊은 한해였다고 評價함.

- 第 45次 유엔總會에서 우리의 유엔加入이 당연하다는 國際的 共感帶가 形成된데 이어, 이제 中國側도 南北韓의 유엔加入 問題에 대해 直接的인 關心을 우리側에 表明해 오기에 이르렀음.

- 한편, 北韓이 지난 5月 提案한 소위 "單一議席 加入案"에 대한 國際的 支持는 全無하였음.

나. 最近 重點 措置事項 및 그 結果

o 지난 11.16. 懇談會時 說明드린 바와 같이 政府는 우리의 說得努力에 의한 北韓의 態度變化 可能性이 稀薄하다는 考慮下에 問題解決을 위한 유엔 安保理의 役割을 摸索하는 것이 바람직하다는 判斷을 하게되었고 이를 위해 우선 中國의 態度變化를 위한 多角的 外交努力을 傾注하여 왔음.

0020

다. 向後 推進方案

o 우리의 유엔加入問題가 安保理 常任理事國間의 協議 對象으로 進展되는 狀況이므로, 安保理의 움직임을 지켜보겠으며, 中國態度의 완화를 위한 多角的 外交 努力을 強化해 나갈 計劃임.

0021

(質疑時 答辯資料)

o 今年內 加入申請 與否는?

- 이미 말씀드린 바와 같이 우리의 유엔加入問題는 유엔安保理 常任理事國 間의 協議 對象으로 옮겨가는 狀況에 있음.

- 잘 아시다시피 最近 安保理는 이락의 쿠웨이트 侵攻에 따른 페르샤灣 事態 處理에 골몰하고 있는 바, 이시점에서 우리 問題를 提起하는 것은 적절치 않다고 보고있음.

- 安保理는 特定한 會期가 있는 것이 아니므로, 앞으로 北韓의 態度, 中國의 立場과 유엔의 諸般狀況을 充分히 勘案하여, 推進해 나가겠음.

0022

(참고)

그간 記者懇談會時 유엔加入問題 關聯 長官님 言及內容

11.2. (CSM의 單獨加入案 提出 報道 關聯 質疑)

- 유엔加入案 提出時期 未決定
- 國內에 여럿 見解 存在 알고 있음. 早速加入 實現 希望하는 基本方針 不變이나, 諸般狀況 愼重 檢討中

11.9. (이홍구 特補의 年內 加入 難望 發言 關聯 質疑)

- 加入與否 未決定
- 北韓 意圖 說明. 但 加入案 提出與否 言及 不可

11.16. (立場 說明)

- 우리의 早速 加入希望에 관한 基本方針 說明
- 友邦國 協調로 中國.蘇聯 態度變化 努力 展開中
- 中國의 最近 態度 說明 (拒否權 行使 / 不行使 不明確)
- 年內 加入申請案 提出 與否 未定 (愼重 態度 堅持 必要性 說明)

0023

대언론 장관님 말씀자료 12/7

質問5) 유엔加入對策

o 우리政府는 조속한 시일내에 南北韓이 다같이 유엔에 加入하여 유엔體制下에서 國際協力과 重要 國際問題에 관한 意思決定에 있어 正當한 몫을 다하여야 한다고 믿고있음.

o 政府는 이러한 立場에 따라 그간 우리의 加入 實現을 위해 꾸준히 努力하여 왔으며 이러한 우리의 立場에 대하여는 지난 유엔總會 各國의 基調演說에서 나타난 바와 같이 壓倒的 支持를 받고 있음. 우리의 유엔加入이 더이상 遲延되어서는 안된다는 國際的 共感帶가 形成되었다고 봄.

o 그러나 우리의 유엔加入 實現을 위해서는 5個 安保理 常任理事國으로부터 反對가 없어야 하며 中國의 態度가 重要한데, 현재 中國側은 南北韓이 유엔加入問題에 관해서 좀더 協議를 계속하기를 희망하고 있음.

o 잘 아시는 바와 같이 지난 9月이후 우리는 南北韓 高位級會談등을 통하여 北韓側이 提案한 單一議席加入案안은 前例도 없고 많은 法的 問題點을 갖고 있는 非現實的인 提案임을 指摘하고, 北韓側에게 우리와 함께 유엔에

0024

加入하는 것이 바람직함을 누차 勸誘해 왔으나, 전혀 態度의 變化可能性을 보이지 않고 있음. 周知하시는 바와 같이 금차 總會 各國 基調演說에서는 그들의 單一議席 加入案을 支持發言한 나라는 한나라도 없었음.

o 이러한 狀況下에서, 최근 우리의 加入問題에 대해 유엔安保理 常任理事國間에도 관심이 제기되고 있어 이를 注視하면서 政府는 앞으로 友邦의 協助를 얻어 北韓이 우리와 함께 하루빨리 유엔에 加入하도록 다각적인 外交努力을 傾注할 생각임.

0025

나. 유엔加入 推進方向

o 앞에서도 말씀드린 바와 같이 우리의 유엔加入 問題에 관하여는 大多數 유엔會員國이 支持立場을 밝히고 있고 安保理 常任理事國間에도 關心이 提起되고 있음. 이에 따라 우리는 友邦國과의 緊密한 協議下에 유엔加入을 實現시키기 위해 多角的인 努力을 傾注하여 나갈 것임.

o 한편 北韓에 대해서도, 진지한 姿勢로 임할 경우 第 3次 高位級會談에서 統一이 될때까지의 暫定的 措置로서 우리와 함께 하루빨리 유엔에 加入할 것을 다시한번 說得할 것임.

0026

기 획 보 도 실
PD: 이 성 완

오늘의 문제
한반도, 격변의 1년

방송일시: 12/9(日) 08:30
녹화일시: 12/7(金) 17:30

소 제 목	시 간	VIDEO	AUDIO	비 고
타이틀			시그널	
오프닝		이길영 부본부장	금년 1년은 한반도를 포함한 동북아 정세가 숨가쁘게 돌아간 한해였다고 생각됩니다. 지난 6월 샌프란시스코에서의 한소정상의 만남, 10월에는 86년만의 한소 수교, 그리고 지난달에는 중국과의 무역대표부 설치 또 남북간에는 총리급 고위회담이 두차례나 서울과 평양을 오가며 열리는등 1990년 한해는 어지러울 정도로 변화의 소용돌이 속으로 빠져들고 있지않나 하는 생각도 들게 됩니다. 그래서 "오늘의 문제" 이 시간에는 우리의 지난 1년동안의 북방외교를 결산하고 앞으로를 전망해보는 시간을 마련해 봤습니다. 지금 이자리에는 북방외교의 실무책임을 맡았던 최호중 외무부장관을 모셨습니다.	
		김봉규 기자 구성물	그럼 먼저 금년 1년간의 북방외교 과정을 구성물로 살펴보고 얘기를 나눠 보도록 하겠습니다.	
			질문1) 13일로 예정된 노태우 대통령의 소련방문이 너무 서둘러 잡은것이 아니냐는 일부의 지적이 있는데, 장관께서는 어떻게 생각하십니까?	
			질문2) 이번 한소 정상회담에서는 어떤 문제가 주로 논의될 예정입니까? 지난 88년 유엔 연설에서 제의한 동북아 평화협의회 추진방안도 협의 됩니까?	0027

기 획 보 도 실

PD :

방송일시 :

녹화일시 :

소 재 목	시 간	VIDEO	AUDIO	비 고
			질문3) 최근 일부 보도에 따르면 한.소 경협 규모가 30억불이라고 하는데 사실인지요. 일부에서는 어려운 우리 경제 현실에 비춰 한소관계 발전에 집착한 나머지 너무 무리하게 추진하는 것이 아니냐는 지적도 있는데 어떻게 생각하십니까?	
			질문4) 한소 수교와 관련해 북한이 소련에 대한 비난이 거센것으로 알려지고 있는데 한반도 주변 국가들의 역학관계와 관련해 어떤 변화가 예측되는지 말씀해 주시죠.	
		√	질문5) 우리가 유엔에 가입하지 못했던것은 소련과 중국이 반대했기 때문이었습니다. 그러나 한소 수교이후 소련은 호의적으로 변했고 중국이 사실 문제였는데 중국과도 무역대표부 설치등 관계개선으로 이제 어려움이 없으리라 생각되는데 어떻게 전망하십니까?	
			질문6) 이번 대통령의 방소를 통해 우리가 얻을수 있는 것은 구체적으로 무엇이라고 생각하십니까?	
			질문7) 이번 소련방문이 남북고위급회담 일정과 일부 겹쳐서 앞으로 남북대화에 부정적 영향을 주지 않겠느냐고 우려하는 시각도 있습니다. 장관께서는 어떻게 보십니까?	0028

2

기 획 보 도 실

PD :

방송일시 :

녹화일시 :

소 제 목	시 간	VIDEO	AUDIO	비 고
			질문8) 노대통령의 소련방문은 북한에게는 상당한 충격으로 받아지리라 생각됩니다. 한소 접근이후 북한은 일본과의 관계개선을 급진전 시키고 있는데 북한의 대외정책 변화에 대한 전망을 어떻게 보십니까?	
			질문9) 동북아 지역의 안정과 평화를 위해 한소 양국간 협력이 앞으로 어떠한 방향으로 추진되어야 한다고 보십니까? 또 한반도의 평화적 통일을 달성하는데 있어 소련이 취해야 할 역할은 무엇이라 보십니까?	
			질문10) 한국과 소련간에 있었던 불행한 과거 즉, 6,25와 KAL기 격추사건등의 문제에 대해선 어떻게 하실것인지 말씀해 주시죠.	
			질문11) 한국과 소련과의 급속한 증진이 우리의 전통 우방국들 특히, 미국과의 기존 우호관계에는 어떠한 영향을 미칠 것으로 보십니까? 혹시 무역압력 같은것을 받을 염려는 없는지요.	
			질문12) 북방외교 추진으로 우리의 기존 대외정책과 상치되는 경우도 있을수 있는데, 예를들면 한반도 비핵지대화 문제등에서 처럼 이러한 문제는 어떻게 해결해 나가시겠습니까? 또 이와관련 미국등이 한·소 관계의 급격한 개선에 우려를 표명해 온것은 없는지요.	0029

3

기 획 보 도 실			방송일시 :
PD :			녹화일시 :

소 제 목	시 간	VIDEO	AUDIO	비 고
		✓	(질문 13) 노대통령의 방소로 북방외교의 제1단계가 마무리 된다고 볼수도 있겠는데 앞으로의 외교관계 즉, 한국과 중국간의 관계 정상화와 유엔가입은 어떤 방향으로 추진할 계획입니까? 또, 장관께서는 지난번 한소 수교 당시 뉴욕에서의 기자회견에서 91년도에는 베트남등 모든 미수교국과 관계를 수립하겠다고 하셨는데 어느정도 자신이 있으십니까?	
			(질문 14) 남북 정상간의 회담에 대한 성사여부와 이루어 진다면 언제쯤으로 전망할수 있습니까?	
클로징		이길영 부본부장		
끝		타이틀	시 2 얼	0030

4

유엔가입에 관한 국민여론 조사 보고

o 조사기관 : KBS (원단 특별기획 「'91 국민의식조사」) 91.1.2. 방송

MBC (MBC 뉴스데스크) 90.12.31. 방송

o 조사결과 개요

- 유엔가입논의에 대한 의견 (KBS)
  - · 남한 단독으로라도 가입해야 : 54.1%
  - · 단일의석으로 가입해야 : 44%
- 유엔가입에 대한 남북한 주장의 타당성 평가 (MBC)
  - · 남북 동시가입 : 60.9%
  - · 남북 단일의석가입 : 20.5%
  - · 모르겠다 : 18.6%
- 남한만의 단독가입 신청 계획에 대한 찬반 질의 (MBC)
  - · 매우 찬성 13.9% ┐ 55.9%
  - · 대체로 찬성 42.0% ┘
  - · 대체로 반대 17.1% ┐ 21.4%
  - · 매우 반대 4.3% ┘
  - · 모르겠다 22.8%

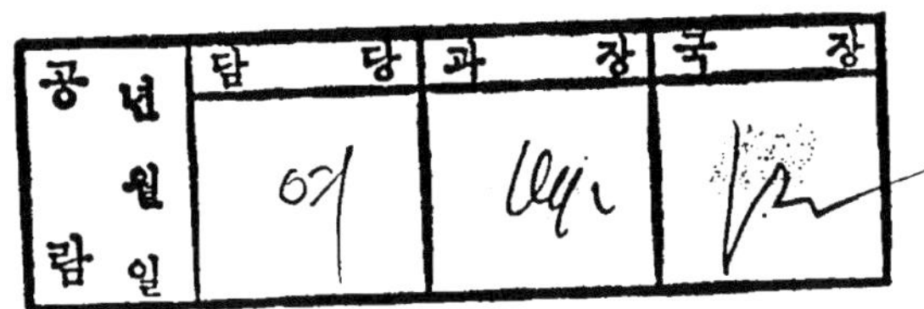

0031

FAX: 720-2686

외무부 유엔과 여승배 앞

MBC 1/2 放送 '91

4. 남북한의 유엔 가입

4-1. 유엔가입에 대한 남북한 주장의 타당성 평가(문6)

문) 현재 남한은 남.북한이 유엔에 동시에 가입하자고 주장하고, 북한은 남.북합의에 의한 단일의석의 가입을 주장하고 있습니다. 어느쪽의 주장이 더 타당하다고 생각하십니까?

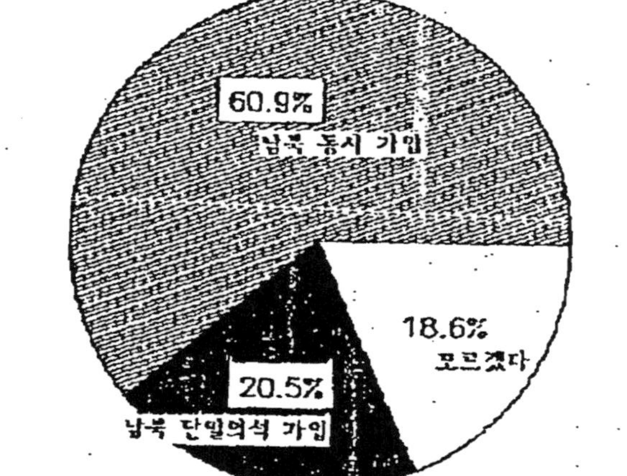

- 전체의 60.9%가 남한측 주장인 남북동시 가입안이 더 타당하다고 응답하였으며, 20.5%는 북한측 주장인 남북 단일의석 가입안이 더 타당하다고 평가하였다. 나머지 18.6%는 모르겠다고 응답하였다.

- 배경변수별로 살펴보면, 남한측안이 더 타당하다는 응답은 30대 연령층(65.4%), 대구/경북(77.7%)지역, 중졸 학력층(66.8%), 그리고 경영/전문직(66.0%)과 자영업자(64.5%)에서 각각 많이 나타났으며, 북한측 주장인 남북 단일의석 가입안이 더 타당하다는 응답은 연령이 낮을수록(20대초반 25.8%, 20대 후반 22.5%), 교육수준이 높은층(대재이상 24.8%)에서, 그리고 대전/충청지역(26.4%)과 사무/기술직(25.4%)에서 더 많이 나타났다.

- 23 -

0032

표6. 유엔 가입에 대한 남북한 주장의 타당성 평가

배경변수	응답자수	남북 동시 가입		남북 단일의석 가입		모르겠다	
	사례수	사례수	(%)	사례수	(%)	사례수	(%)
전체	1200	731	(60.9)	246	(20.5)	223	(18.6)
성별							
남자	606	389	(64.2)	136	(22.4)	81	(13.4)
여자	594	342	(57.6)	110	(18.5)	142	(23.9)
연령별							
20대 초반	240	135	(56.3)	62	(25.8)	43	(17.9)
20대 후반	231	143	(61.9)	52	(22.5)	36	(15.6)
30대	321	210	(65.4)	66	(20.6)	45	(14.0)
40대	242	150	(62.0)	41	(16.9)	51	(21.1)
50대	166	93	(56.0)	25	(15.1)	48	(28.9)
지역별							
서울	310	193	(62.3)	71	(22.9)	46	(14.8)
인천/경기	194	122	(62.9)	39	(20.1)	33	(17.0)
강원	50	30	(60.0)	11	(22.0)	9	(18.0)
대전/충청	125	70	(56.0)	33	(26.4)	22	(17.6)
대구/경북	148	115	(77.7)	18	(12.2)	15	(10.1)
부산/경남	212	99	(46.7)	50	(23.6)	63	(29.7)
광주/전라	161	102	(63.4)	24	(14.9)	35	(21.7)
권역별							
수도권	504	315	(62.5)	110	(21.8)	79	(15.7)
중.동부권	175	100	(57.1)	44	(25.1)	31	(17.7)
동남권	360	214	(59.4)	68	(18.9)	78	(21.7)
서남권	161	102	(63.4)	24	(14.9)	35	(21.7)

0033

- 93 -

배 경 변 수	응답자수	남북 동시 가입		남북 단일의석 가입		모르겠다	
	사례수	사례수	(%)	사례수	(%)	사례수	(%)
전 체	1200	731	(60.9)	246	(20.5)	223	(18.6)
지역규모별							
대도시	576	371	(64.4)	113	(19.6)	92	(16.0)
중소도시	318	191	(60.1)	65	(20.4)	62	(19.5)
읍면지역	306	169	(55.2)	68	(22.2)	69	(22.5)
교육수준별							
국졸이하	164	75	(45.7)	30	(18.3)	59	(36.0)
중졸	196	131	(66.8)	28	(14.3)	37	(18.9)
고졸	522	323	(61.9)	109	(20.9)	90	(17.2)
대재이상	318	202	(63.5)	79	(24.8)	37	(11.6)
응답자 직업별							
농/임/어업	124	69	(55.6)	21	(16.9)	34	(27.4)
자영업	124	80	(64.5)	29	(23.4)	15	(12.1)
판매/서비스직	124	74	(59.7)	24	(19.4)	26	(21.0)
기능/작업직	118	73	(61.9)	22	(18.6)	23	(19.5)
사무/기술직	205	131	(63.9)	52	(25.4)	22	(10.7)
경영/전문직	53	35	(66.0)	13	(24.5)	5	(9.4)
가정주부	311	187	(60.1)	52	(16.7)	72	(23.2)
학생	99	59	(59.6)	24	(24.2)	16	(16.2)
무직	42	23	(54.8)	9	(21.4)	10	(23.8)
가구소득별							
29만원이하	67	37	(55.2)	11	(16.4)	19	(28.4)
30-49만원	180	110	(61.1)	28	(15.6)	42	(23.3)
50-69만원	312	192	(61.5)	61	(19.6)	59	(18.9)
70-99만원	332	203	(61.1)	69	(20.8)	60	(18.1)
100-149만원	192	113	(58.9)	46	(24.0)	33	(17.2)
150만원이상	117	76	(65.0)	31	(26.5)	10	(8.5)

- 99 -

0034

4-2. 남한만의 단독 가입 신청 계획에 대한 찬반(문7)

문) 현재 정부에서는 남북한 유엔가입방안 합의를 위해 판문점에서 수차에 걸쳐 남북인락관 회의를 가졌으나 합의점을 찾지못하여 남한만의 유엔 단독가입을 신청할 수도 있다고 합니다. 이에 대해서는 어떻게 생각하십니까?

	응답자	%	
매우 찬성	167	13.9	55.9
대체로 찬성	504	42.0	
대체로 반대	205	17.1	21.4
매우 반대	51	4.3	
모르겠다	273	22.8	
계	1200	100.0	

- 남한만의 유엔 단독가입 추진에 대해서는 과반수 이상인 55.9%가 찬성(매우 찬성 13.9%, 대체로 찬성 42.0%)하는 것으로 나타났으며 반대하는 응답도 21.4%나 나왔으며, 22.8%는 모르겠다는 입장이었다.

- 배경변수별로 살펴보면, 찬성한다는 입장은 40대 연령층(61.6%), 강원(78.0%)과 대구/경북(70.9%)지역, 중졸 학력층(62.8%), 그리고 기능/작업직(64.4%)과 사무/기술직(62.0%)에서 더 많이 나타났으며, 특히 강원지역에서는 36.0%가 매우 찬성한다고 응답하여 상대적으로 매우 높았다. 한편, 반대한다는 입장은 연령이 낮을수록(20대 초반 28.3%, 20대후반 24.2%), 교육수준이 높을수록(대재이상 32.4%), 그리고 지역규모가 클수록(대도시 23.6%) 뚜렷하게 많이 나타났으며, 지역별로는 서울(30.3%)과 광주/전라(28.1 직업별로는 학생층(39.4%)과 경영/전문직(30.2%)에서의 반대가 상대적으로 뚜렷하였다.

- 21 -

0035

표7. 남한만의 유엔 단독가입 신청 계획과 주장에 대한 찬반 입장

배 경 변 수	응답자수	1)매우 찬성		2)대체로 찬성		1) + 2)		3)모르겠다		4)대체로 반대		5)매우 반대		4) + 5)	
	사례수	사례수	(%)	사례수	(%)	사례수	(%)	사례수	(%)	사례수	(%)	사례수	(%)	사례수	(%)
전 체	1200	167	(13.9)	504	(42.0)	671	(55.9)	273	(22.8)	205	(17.1)	51	(4.3)	256	(21.3)
성별															
남자	606	99	(16.3)	253	(41.7)	352	(58.1)	104	(17.2)	116	(19.1)	34	(5.6)	150	(24.8)
여자	594	68	(11.4)	251	(42.3)	319	(53.7)	169	(28.5)	89	(15.0)	17	(2.9)	106	(17.8)
연령별															
20대 초반	240	27	(11.3)	93	(38.8)	120	(50.0)	52	(21.7)	56	(23.3)	12	(5.0)	68	(28.3)
20대 후반	231	28	(12.1)	104	(45.0)	132	(57.1)	43	(18.6)	41	(17.7)	15	(6.5)	56	(24.2)
30 대	321	45	(14.0)	139	(43.3)	184	(57.3)	74	(23.1)	50	(15.6)	13	(4.0)	63	(19.6)
40 대	242	43	(17.8)	106	(43.8)	149	(61.6)	47	(19.4)	36	(14.9)	10	(4.1)	46	(19.0)
50 대	166	24	(14.5)	62	(37.3)	86	(51.8)	57	(34.3)	22	(13.3)	1	(.6)	23	(13.9)
지역별															
서울	310	45	(14.5)	113	(36.5)	158	(51.0)	58	(18.7)	75	(24.2)	19	(6.1)	94	(30.3)
인천/경기	194	23	(11.9)	95	(49.0)	118	(60.8)	50	(25.8)	16	(8.2)	10	(5.2)	26	(13.4)
강원	50	18	(36.0)	21	(42.0)	39	(78.0)	4	(8.0)	5	(10.0)	2	(4.0)	7	(14.0)
대전/충청	125	9	(7.2)	63	(50.4)	72	(57.6)	26	(20.8)	24	(19.2)	3	(2.4)	27	(21.6)
대구/경북	148	23	(15.5)	82	(55.4)	105	(70.9)	20	(13.5)	17	(11.5)	6	(4.1)	23	(15.5)
부산/경남	212	31	(14.6)	75	(35.4)	106	(50.0)	72	(34.0)	30	(14.2)	4	(1.9)	34	(16.0)
광주/전라	161	18	(11.2)	55	(34.2)	73	(45.3)	43	(26.7)	38	(23.6)	7	(4.3)	45	(28.0)
권역별															
수도권	504	68	(13.5)	208	(41.3)	276	(54.8)	108	(21.4)	91	(18.1)	29	(5.8)	120	(23.8)
중.동부권	175	27	(15.4)	84	(48.0)	111	(63.4)	30	(17.1)	29	(16.6)	5	(2.9)	34	(19.4)
동남권	360	54	(15.0)	157	(43.6)	211	(58.6)	92	(25.6)	47	(13.1)	10	(2.8)	57	(15.8)
서남권	161	18	(11.2)	55	(34.2)	73	(45.3)	43	(26.7)	38	(23.6)	7	(4.3)	45	(28.0)

0036

배 경 변 수	응답자수	1)매우 찬성		2)대체로 찬성		1) + 2)		3)모르겠다		4)대체로 반대		5)매우 반대		4) + 5)	
	사례수	사례수	(%)	사례수	(%)	사례수	(%)	사례수	(%)	사례수	(%)	사례수	(%)	사례수	(%)
전 체	1200	167	(13.9)	504	(42.0)	671	(55.9)	273	(22.8)	205	(17.1)	51	(4.3)	256	(21.3)
지역규모별															
대도시	576	85	(14.8)	229	(39.8)	314	(54.5)	126	(21.9)	109	(18.9)	27	(4.7)	136	(23.6)
중소도시	318	36	(11.3)	134	(42.1)	170	(53.5)	83	(26.1)	47	(14.8)	18	(5.7)	65	(20.4)
읍면지역	306	46	(15.0)	141	(46.1)	187	(61.1)	64	(20.9)	49	(16.0)	6	(2.0)	55	(18.0)
교육수준별															
국졸이하	164	21	(12.8)	56	(34.1)	77	(47.0)	67	(40.9)	19	(11.6)	1	(.6)	20	(12.2)
중졸	196	35	(17.9)	88	(44.9)	123	(62.8)	47	(24.0)	19	(9.7)	7	(3.6)	26	(13.3)
고졸	522	80	(15.3)	231	(44.3)	311	(59.6)	104	(19.9)	87	(16.7)	20	(3.8)	107	(20.5)
대재이상	318	31	(9.7)	129	(40.6)	160	(50.3)	55	(17.3)	80	(25.2)	23	(7.2)	103	(32.4)
응답자 직업별															
농/임/어업	124	26	(21.0)	48	(38.7)	74	(59.7)	34	(27.4)	14	(11.3)	2	(1.6)	16	(12.9)
자영업	124	22	(17.7)	42	(33.9)	64	(51.6)	28	(22.6)	23	(18.5)	9	(7.3)	32	(25.8)
판매/서비스직	124	20	(16.1)	50	(40.3)	70	(56.5)	27	(21.8)	23	(18.5)	4	(3.2)	27	(21.8)
기능/작업직	118	21	(17.8)	55	(46.6)	76	(64.4)	20	(16.9)	17	(14.4)	5	(4.2)	22	(18.6)
사무/기술직	205	22	(10.7)	105	(51.2)	127	(62.0)	27	(13.2)	39	(19.0)	12	(5.9)	51	(24.9)
경영/전문직	53	7	(13.2)	22	(41.5)	29	(54.7)	8	(15.1)	12	(22.6)	4	(7.5)	16	(30.2)
가정주부	311	40	(12.9)	132	(42.4)	172	(55.3)	97	(31.2)	36	(11.6)	6	(1.9)	42	(13.5)
학생	99	6	(6.1)	30	(30.3)	36	(36.4)	24	(24.2)	31	(31.3)	8	(8.1)	39	(39.4)
무직	42	3	(7.1)	20	(47.6)	23	(54.8)	8	(19.0)	10	(23.8)	1	(2.4)	11	(26.2)
가구소득별															
29만원이하	67	16	(23.9)	24	(35.8)	40	(59.7)	21	(31.3)	4	(6.0)	2	(3.0)	6	(9.0)
30-49만원	180	23	(12.8)	71	(39.4)	94	(52.2)	48	(26.7)	32	(17.8)	6	(3.3)	38	(21.1)
50-69만원	312	50	(16.0)	129	(41.3)	179	(57.4)	67	(21.5)	54	(17.3)	12	(3.8)	66	(21.2)
70-99만원	332	36	(10.8)	149	(44.9)	185	(55.7)	80	(24.1)	54	(16.3)	13	(3.9)	67	(20.2)
100-149만원	192	25	(13.0)	81	(42.2)	106	(55.2)	33	(17.2)	39	(20.3)	14	(7.3)	53	(27.6)
150만원이상	117	17	(14.5)	50	(42.7)	67	(57.3)	24	(20.5)	22	(18.8)	4	(3.4)	26	(22.2)

0037

21. 최근 활발히 논의되고 있는 우리나라의 유엔가입 문제에 대하여 귀하는 어떻게 생각하십니까?

	(N)	남한 단독으로라도 가입하여야 한다	북한과 단일의석으로 가입하여야 한다	무응답	계
		%	%	%	%
전 체	(1513)	53.2	45.1	1.7	100.0
성 별					
남	(752)	54.4	44.4	1.2	100.0
여	(761)	52.0	45.8	2.2	100.0
연 령 별					
20 대	(478)	45.6	53.5	.9	100.0
30 대	(395)	52.9	45.2	2.0	100.0
40 대	(261)	62.2	35.3	2.5	100.0
50대이상	(379)	57.0	41.2	1.9	100.0
교육수준별					
국졸이하	(437)	48.6	46.8	4.7	100.0
중 학 교	(239)	56.3	43.3	.3	100.0
고등학교	(528)	58.7	40.3	1.0	100.0
전 문 대	(145)	46.0	52.1	1.9	100.0
대재이상	(339)	49.2	49.5	1.2	100.0
직 업 별					
전문행정관리직	(149)	57.1	40.9	1.9	100.0
사 무 직	(236)	51.8	46.3	1.9	100.0
자영업주	(118)	53.4	46.3	.3	100.0
생산기능서비스	(249)	56.5	41.6	2.0	100.0
농어업등종사자	(206)	52.4	44.2	3.4	100.0
학 생	(93)	34.4	64.8	.8	100.0
주 부	(414)	56.2	42.6	1.2	100.0
기타/무직	(42)	51.1	43.9	5.1	100.0
계 층 별					
중 상 계층	(45)	65.4	34.6		100.0
신중간계층	(340)	52.3	45.5	2.1	100.0
구중간계층	(133)	56.0	44.0		100.0
근 로 계층	(182)	51.2	47.4	1.4	100.0
하 류 계층	(51)	62.3	36.2	1.5	100.0
자영농어민층	(158)	54.8	42.0	3.2	100.0
영세농어민층	(47)	43.5	52.4	4.0	100.0
가구소득별					
50만원 미만	(490)	51.4	46.7	1.9	100.0
50-99만원	(718)	52.9	45.4	1.7	100.0
100-149만원	(195)	55.7	43.3	1.0	100.0
150만원 이상	(102)	58.4	40.0	1.5	100.0
지 역 별					
서 울	(367)	55.4	43.0	1.6	100.0
경 기	(257)	59.0	40.3	.7	100.0
강 원	(56)	67.1	32.9		100.0
대전·충청	(170)	52.0	45.2	2.8	100.0
광주·전라	(224)	34.0	62.0	4.0	100.0
대구·경북	(182)	64.0	34.4	1.7	100.0
부산·경남	(256)	51.2	48.4	.4	100.0
지역 규모별					
대 도 시	(711)	58.4	40.3	1.4	100.0
중소도시	(388)	49.8	47.9	2.3	100.0
읍면이하	(414)	47.5	50.8	1.7	100.0

0038

報 告 畢

長官報告事項

1991. 1. 4.
國際機構條約局
國際聯合課(83)

題 目 : 유엔加入 關聯 國民輿論調査 報告

'90年度末 KBS와 MBC에서 實施한 유엔加入에 관한 國民輿論調査 結果를 아래 要約 報告드립니다.

1. 調査機關

o KBS, 元旦 特別企劃 「'91 國民意識調査」 (91.1.2. 방송)

o MBC, MBC 뉴스데스크 (90.12.31. 방송)

2. 調査結果 主要內容

가. 유엔加入論議에 대한 意見(KBS)

- 全體 調査對象 1,513名
- 南韓 單獨으로라도 加入해야 : 53.2%
- 北韓과 單一議席으로 加入해야 : 45.1%

0033

나. 유엔加入에 대한 南北韓 主張의 妥當性 評價 (MBC)

- 全體 調査對象 1,200名
- 南北 同時加入 : 60.9%
- 南北 單一議席加入 : 20.5%

다. 南韓만의 單獨加入 申請計劃에 대한 贊反 質疑 (MBC)

- 全體 調査對象 1,200名
- 매우 贊成 : 13.9% ┐
  55.9%
- 대체로 贊成 : 42.0% ┘
- 대체로 反對 : 17.1% ┐
  21.4%
- 매우 反對 : 4.3% ┘

3. 調査 結果 分析

가. 全體의 過半數 以上이 우리側 立場인 南北 同時加入 또는 우리만의 單獨加入이 妥當하다고 應答함.

나. KBS의 調査結果는 南北同時加入 問項이 없기 때문에 MBC의 調査結果에 비해 相對的으로 單一議席加入案에 대한 支持가 많았다고 評價됨.

0040

발 신 전 보

분류번호	보존기간

번 호 : WUN-0014 910104 1916 DY 종별 : 암호송신

수 신 : 주 유엔 대사. 총영사

발 신 : 장 관 (국연)

제 목 : ~~유엔가입문제 관련 국민여론조사~~

~~작년도말~~ 연두기획물로 KBS와 MBC에서 실시한 국민여론조사 결과중 유엔가입문제에 관한 사항을 다음 통보하니 참고 바람.

1. KBS측이 서울대 인구문제연구소에 의뢰한 조사결과 전체조사대상 (1,513명)의 53.2%가 남한만의 단독가입을, 45.1%는 북한과의 단일의석가입을 지지함.

2. MBC측의 조사 내용은 전체대상(1,200명)의 60.9%가 남북 동시가입을, 20.5%가 남북 단일의석 가입을 지지함. 또한 남한만의 단독가입 신청계획에 대한 찬반문의에 대하여는 55.9%가 찬성을, 21.4%가 반대를 표시함.

3. 상기 조사결과 ~~전체의 과반수 이상이 우리 입장인 유엔동시가입 또는 우리만의 단독가입을 지지하는 것으로 나타났음. 다만~~ KBS의 ~~조사 결과는~~ 남북동시가입문항이 없는 ~~이유로~~ 단일의석안에 대하여 ~~다소~~ 많은 지지가 나왔다고 평가됨. 끝.

(국제기구조약국장 문동석)

보안통제	

앙고재	년월일	유엔과	기안자 성명		과장		국장		차관	장관

외신과통제

0041

2/22/91
공보 기자간담회 자료
(재외안)
새로운 것으로 대체할

4. 유엔 核心友邦國 會議開催

o 政府는 今年度 우리의 主要 外交目標의 하나인 유엔加入 實現을 위하여 多角的인 外交努力을 展開하고 있음.

o 이러한 努力의 一環으로 지난 2.20(수) 뉴욕에서 美.英.佛等 우리와 가까운 友邦 7個國 關係官들이 모여 우리의 유엔加入 推進과 關聯한 細部 對策을 協議하였음.

(主要協議內容)

- 今年內 우리의 加入實現 立場 說明 및 友邦國들의 協調와 支援 要請에 대하여 友邦國들은 年內加入 推進이 時期的으로 適切하다는 評價와 繼續 積極的으로 支援할 것을 約束

- 最近 北韓의 ~~對西方國 接觸~~ 유엔내 動向에 관한 意見交換

  · 北韓側이 우리의 年內加入 方針을 의식, 이에 대한 ~~西方側 見解~~ 우리 友邦의 입장 탐문 目的으로 評價

* 核心友邦國 會議 構成國 : 미, 영, 불, 일, 카, 벨지움, 한국

* 91年度 安保理 非常任理事國 : 벨지움, 오지리, 루마니아, 인도, 에쿠아돌, 자이르, 코트디브와르, 예멘, 짐바브웨, 쿠바

앙 고 재	년 원 일	담 당	과 장	국 장
		(서명)	(서명)	(서명)

0042

(豫想 質疑答辯)

1. 核心友邦國會議는 언제부터 開催되었는지?

   o 今番 2.20. 會議가 今年들어서는 처음 열린 것임.

   o 政府는 昨年 3月 核心友邦國會議를 結成, 평균 월 1회 정도로 核心友邦國間 協議를 繼續해 왔음.

2. 同 會議의 主要 協議內容은 무엇인지?

   o 具體的으로 밝히기는 어렵지만 한마디로 우리의 유엔加入 實現問題와 關聯한 모든 問題에 대해 相互 意見을 交換하고 關聯對策을 協議하여 왔음.

3. 우리의 유엔加入問題에 最大 關鍵이라할 수 있는 中國의 最近 態度는 어떠한지? ~~(비보도 전제)~~

   ~~o 中國側은 昨年에 우리가 加入申請을 保留한 것에 대하여 고맙게 생각하고 있음.~~

   o ~~또한 中國側은~~ 유엔加入問題 關聯, 北韓의 立場이 融通性이 없다는 점을 認識하기 ~~시작한 것으로 判斷됨.~~

   o ~~現在~~ 進行中인 外交問題인만큼 우리로서는 向後 中國側의 肯定的 態度確保를 위하여 ~~適切한~~ 外交的 措置를 취하고 있다는것 이상 說明드리기 어렵다는 점을 이해해 주기바람.

0043

공보관실
91.2.20

장관님 정례 기자 간담회 준비

(91.2.22. 금. 09:30 시)

장관 언급사항

1. 독일 대통령 방한의 의의 (서구1과)
2. 제 3차 APEC 각료회의 준비 현황 (정특반)
   가. 중국가입 문제 협의 추진내용(비보도 조건)
   나. 고위 실무급 회의(SOM) 개최 계획
3. 북한의 최근 대외 동향 (배경 설명) (정보2과) 취합
   가. 대일 관계개선 노력 (동북아1과)
   나. 아프리카 외교망 재정비 (아프리카 1.2과)
4. 유엔 핵심 우방국회의 개최 (유엔과)
5. 걸프지역 정세조사단 파견 계획 (중동1과)
   가. 구성, 주요일정 및 목적 (정세파악) 등
   나. 전후대책 검토 (비보도 조건)
6. 주 쿠웨이트 대사 사우디 출장 계획 (중동1과)
7. 영국에 대한 재정지원 검토 내용 (비보도 조건) (안보과)

주요 예상질의

1. 북한의 고위급회담 연기 조치에 대한 주요 우방국 반응 (북미과, 동북아1과)
2. 고르바쵸프 대통령의 방한 추진 현황 (동구1과)
3. 한.미.일 3국간 정책협의회 추진 여부 (북미과, 동북아1과)
4. UAE와 주둔군 지위협정체결 교섭 현황 (중동1과)
5. 대미 재정지원 내역 (안보과)

0044

분류기호 문서번호	공보751-10	협조문용지 ( )	결재	담 당		공보관
시행일자	1991. 2.26.					
수 신	수신처 참조	발 신	공 보 관 (서명)			
제 목	장관 인터뷰 자료 준비					

금번 장관님의 코리아 헤럴드지와의 특별회견을 위한 서면 질문서를 별첨 송부하니, 귀실.국 소관 사항에 대한 답변 자료를 영문으로 작성하여 2.28(목)까지 공보관실로 보내주시기 바랍니다.

첨 부 : 상기 질문서 1부. 끝.

수신처 : 각 실.국장, 외교안보연구원장, 정특반장

0045

질문서

1. 한·소 외교관계 수립은 우리 외교에 획을 긋는 커다란 사건으로 받아들여지고 있습니다. 그러나 소련과의 새로운 관계는 우리 외교에 새로운 도전과 과제를 안겨주었고 그중 가장 중요한 것은 한·미 / 한·소 관계의 균형인 것 같습니다. 장관께서는 어떻게 이 문제를 해결해야 한다고 보시는지요?

2. 장관께서는 취임직후 북방외교에 가려 상대적으로 미흡하였던 한미관계의 개선에 외교노력을 집중하겠다고 말씀하신바 있습니다. 걸프전 이후 우리의 미국에 대한 자세가 너무 저자세이지 않느냐는 지적이 있는데 장관님이 보시는 한·미관계의 바람직한 방향은? 그리고 구체적인 문제점으로 부각되고있는 issues들, 특히 그중 한미 통상 마찰을 어떻게 해결하실 계획인지요?

3. 걸프전 이후 예상되는 세계 질서 개편에 대한 장관님의 청사진은?

4. 한반도 핵무기에 관해 북한은 물론 소련까지도 문제를 삼고 있습니다. 유럽에서의 냉전의 종식등 세계 흐름은 한반도 군축의 본격적인 논의를 예상하게 하고 있습니다. 한반도 군축의 방향

5. 우리 정부는 미국이 주도하는 다국적군에 대한 재정지원을 발표하며 그 동기중 하나가 걸프전 이후 중동 재개발 사업 참여라고 했습니다. 그 전망과 계획은?

6. 한·중 관계가 새로운 국면으로 들어가고 있는 느낌입니다. 올해안에 수교가 되리라고 보시는지요? 현재 우리 노재원 대표와 다른 대표부 직원들에 대한 중국의 대접은 어떤지요?

7. 한국은 아·태 각료회의 의장국으로서 중국. 대만. 홍콩의 참여를 위한 협상을 맡고 있습니다. 이들 세 국가와의 협상은 어느정도 진전이 되고 있는지요? 올 10월 서울에서 예정된 회의때 중국이 참여할 것으로 보시는지요?

0046

8. 정부는 올해 UN 가입안을 낼 계획입니까? 유엔

9. 북한과 일본이 수교교섭을 계속하고 있고 그 과정 도중 일본은 여러번 우리 정부와의 약속을 어긴바 있습니다. 앞으로도 비슷한 일이 일어나지 않으리라는 보장이 없는데 우리 정부의 대응책은? 또 일부에서는 그때마다의 정부의 대응방법이 조잡하고 진부하다는 지적도 하고 있습니다. 장관님의 견해는?

10. 어려운 북한 경제를 돕기 위해 외교적으로 간접적 노력을 할 계획은 없으신지요?

11. 일부에서는 한국 외교관들이 아직 냉전시대 사고방식에서 벗어나지 못하고 있어 새로운 시대에 맞도록 사고의 대전환을 필요로 한다는 지적이 있습니다. 특히 남·북 관계에서 그 필요성은 더욱 절실하다는 지적입니다. 장관님의 견해는 어떠신지요?

12. 냉전시대의 퇴조는 우리나라의 아프리카 국가 및 제 3세계국가에 대한 외교의 전면적인 재검토의 필요성을 느끼게 하고 있습니다. 특히 북한마저 몇몇 아프리카 공관을 철수한다는 보도는 그 필요성을 더욱 긴박하게 합니다. 외무부의 대처방안은?

13. 노대통령은 작년 카나다와 멕시코 방문을 연기했습니다. 올해 다시 추진될 계획이 있는지요?

14. 고르바쵸프 소련대통령은 언제 서울에 올 것인지요?

15. 아키히토 일왕 방한에 가장 중요한 걸림돌은 무엇입니까?

0047

분류기호 문서번호	국연 2031- 53	협 조 문 용 지 ( )	결재	담당	과장	국장
시행일자	1991. 2. 28.			[signature]	[signature]	[signature] (서명)
수 신	공 보 관	발 신	국제기구조약국장			
제 목	장관 인터뷰자료					

대 : 공보 751-10

대호 장관님의 코리아헤럴드지와의 특별회견을 위한 서면

질문서중 당국 소관사항에 대한 답변자료를 별첨 송부합니다.

첨 부 : 표제자료 (8번항목 : 유엔가입관련, 영문) 1부. 끝.

0048

1505 - 8 일 (1)
85. 9. 9 승인 "내가아낀 종이 한장 늘어나는 나라살림"
190㎜×268㎜ (인쇄용지 2급 60g / ㎡)
가 40-41 1989. 11. 14

Will the Government of the Republic of Korea submit the application for its UN membership in this year?

o We believe that the admission of both Koreas to the UN, as an interim measure pending reunification, should be realized at an earliest possible date, so that South and North Korea may assume their legitimate roles as responsible members of the international community.

o The vast majority of the States Members of the UN are supporting our position concerning Korea's UN membership in recognition of the principle of universality of the UN and of the Republic of Korea's standing in the world community. This support was eloquently demonstrated during the general debate of the 45th session of the UN General Assembly last year.

o We have made every effort in good faith to persuade North Korea to join the UN together with us during the course of all inter-Korean meetings and contacts, even though UN membership is a matter between the UN and the states wishing to join, and therefore not an inter-Korean issue.

o Despite our exhaustive endeavor, however, North Korea has shown no sign of change in its adherence to the so-called "Single Seat Membership" formula. Furthermore, to our deepest regret, North Korea has abruptly cancelled the fourth South-North High Level Talks scheduled to be held in Pyongyang last month, and even recently slandered our postion concerning Korea's UN membership by circulating its Foreign Ministry's Aide-Memoire at the UN. The attitudes of North Korea not only make the continuation of our patient pursuit of simultaneous membership practically impossible, but also run counter to the wishes of the international community.

0043

o In the case North Korea is unwilling or not yet ready to join the UN together with us, we will exercise our sovereign right to seek UN membership independently before or during the 46th session of the UN General Assembly this year.

0050

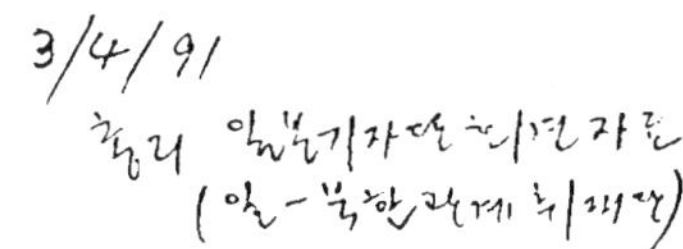

유엔加入問題

o 유엔 加入問題에 대한 韓國政府의 基本立場은 南北韓이 國際社會의 祝福 속에서 다함께 유엔에 加入하여 責任있는 國際社會의 一員으로 正當한 役割을 遂行하는 것이 바람직하다는 것임.

o 이러한 見地에서 우리는 北韓側에 대해서 昨年 9月이래 南北韓 高位級會談 및 實務代表 接觸等 일련의 南北對話를 통하여 우리와 함께 유엔에 加入할 것을 積極 說得하였으나, 北韓側은 유감스럽게도 繼續 非妥協的인 姿勢를 보이고 있음.

o 우리로서는 北韓이 加入할 意思가 없거나 準備가 되어 있지 않다면, 우리의 유엔加入 問題에 대한 유엔會員國들의 壓倒的인 支持 雰圍氣等에 비추어 向後 北韓의 加入을 歡迎한다는 前提下에 今年中에는 우리가 먼저 유엔加入을 實現하고자 함. 우리가 유엔에 加入하는 경우, 北韓도 諸般 對內外 與件上 우리와 함께 또는 연이어 유엔에 加入하게 될 것이며, 이러한 南北韓의 유엔 加入은 韓半島 및 東北아시아 情勢의 安定에 크게 寄與하게 될 것으로 봄.

안 고 재	91년 3월 2일	담 당	과 장	국 장
		(서명)	(서명)	(서명)

0051

豫想 質疑答辯

1. 政府에서 4月中에 유엔加入을 申請할 豫定이라는 說도 있는데 이에 대한 立場은?

   o 政府로서는 유엔加入 申請時期를 어느 特定한 時點에 못박아 놓은 것은 아님. 우리로서는 年內 어느 時期라도 우리의 加入을 위한 모든 與件이 成熟되었다고 判斷되는 그런 時期를 택하여 加入을 위한 具體的 措置를 취할 것임.

2. 46次 유엔總會에서 우리의 유엔加入 實現을 契機로 大統領의 유엔 演說이 計劃되고 있는지?

   o 이와 같은 計劃은 檢討된 바 없음. 現在 政府로서는 今年內 유엔加入 實現을 위하여 最善의 努力을 다한다는 方針뿐임.

3. 核心友邦國 모임에 관하여 說明해 주시기 바람.

   o 우리의 加入實現을 위하여 友邦國들의 協調와 支援은 必須不可缺하며, 그간 많은 友邦國들이 直接.間接으로 우리의 加入與件 造成을 위하여 努力해 왔음.

0052

o 이렇게 많은 友邦國들이 돕고 있는 過程에서 우리와 빈번히 만나고, 또한 폭넓게 協議하는 나라들도 있을 수 있다는 점만 말씀 드리는 것을 諒解해 주시기 바람.

4. 유엔加入 問題에 대한 中國의 最近 態度는?

o 基本的으로 中國은 유엔加入 問題가 南北韓間 協議에 의하여 解決되었으면 좋겠다는 希望을 가지고 있는 것으로 알고 있음. 한편 그간 우리가 南北高位級會談을 包含한 모든 可能한 機會를 活用하여 유엔加入問題에 관해 北側과 誠意있게 對話해온 事實도 잘 알고 있을줄 믿고 있음.

o 昨年에는 中國의 立場도 考慮하여 우리가 加入申請을 하지 않았으나 中國은 우리의 유엔加入이 더이상 지체되어서는 안된다는 國際社會의 輿望을 잘 알고 있으리라고 믿고 있음.

0053

유엔加入 問題關聯 說明資料

o 유엔加入 問題와 관련하여 記者團에 說明드리고자 함. 유엔加入을 推進하는데 있어서 政府와 友邦國의 努力도 重要하지만, 특히 現時點에 있어서는 言論의 協調가 매우 重要하다고 생각함.

o 우리의 유엔加入 推進과 關聯하여 여러분들도 대략 알고 계실 것으로 봅니다만, 우선 〈關聯國 態度〉에 관하여 한번 살펴보고자 함.

o 北韓의 境遇, 잘 아시는 바와 같이 그들은 유엔加入 問題가 民族內部 問題라는 主張을 繼續하면서 最近에 와서는 이 問題를 南北對話의 進展 및 不可侵宣言 採擇과 連繫시켜 우리의 加入을 遲延시키려 하고 있음. 또한 北韓은 아직도 國際社會가 外面하고 있는 "單一議席 加入案"을 固執하면서 우리의 加入을 遲延시키기 위한 수단으로서 우리가 유엔加入을 強行할 경우, 韓半島에 緊張이 激化되고, 民族은 戰爭危險에 直面한다고 主張하는등 우리 內部의 國論分裂을 겨냥한 心理戰도 驅使하고 있는 狀況임.

0054

o 그리고 中國의 경우, 유엔加入問題 관련, 그간 우리가 誠意있게 對北韓 說得 努力을 해온 事實을 잘 알고 있을줄 믿고 있음. 基本的으로 中國은 유엔加入 問題가 南北韓間 協議에 의하여 解決되었으면 좋겠다는 希望을 가지고 있다고 보나, 우리의 유엔加入이 더 이상 지체되어서는 안된다는 國際社會의 輿望도 잘 알고 있으리라고 생각함.

o 한편, 蘇聯의 경우에 있어서는 우리의 加入立場에 대해 깊은 理解를 表明 하고 있다는 것은 여러분도 잘 아시는 바와 같음.

o 또한 우리의 友邦國家들은 우리의 年內 유엔加入 推進이 時期的으로 適切 하다고 보고 있으며, 또한 이의 實現을 위하여 積極 支援하겠다는 立場을 밝히고 있음.

<以下 非報道 條件>

o 年內加入을 위한 細部 推進計劃으로서는, 앞으로 3月末부터 유엔 安保理 理事國을 對象으로 實務交涉團을 派遣하여 節次問題 및 本質問題에 대한 諸般 協調와 支援을 要請할 豫定이며, 또한 4月末-5月中에는 아시아, 中東, 아프리카, 中南美, 東歐를 包含한 유럽地域 主要 國家들을 對象으로 特別 交涉使節을 派遣하여 우리의 유엔 加入에 대한 支持立場을 다시한번 다지고 可能한 協調 方案도 摸索해 나갈 것임.

0055

o 이미 本部 訓令에 따라 지난 2月初부터 各國 首都와 유엔에서 우리 立場에 대한 支持交涉 活動을 施行하고 있으며, 앞으로 開催될 公館長 會議에서도 그간의 活動에 대한 分析도 해보고, 現地 公館長들의 意見도 수렴하여 效果的인 推進對策을 樹立, 施行해 나갈 計劃임.

o 또한 今年中에 여러나라로부터 首相, 外相等 政府高位級 人士들이 訪韓할 豫定인데, 이러한 機會도 積極 活用할 計劃임.

o 이 機會에 또한 말씀드리고자 하는 것은 몇몇 主要 非同盟國家들은 和解와 協力을 追求하는 最近의 國際的 雰圍氣와 韓國의 國際的 位相, 그리고 유엔의 새로운 役割等을 감안하여, 우리의 加入問題에 대한 그들의 立場이 再檢討 되어야 한다는 認識이 고조되고 있다는 報告도 받고 있음.

o 위에서 말씀드린 우리의 유엔加入 努力은 友邦國들과의 緊密한 協調下에 推進되어 나갈 것이며, 또한 政府內에도 實務對策班을 構成하여 綜合的으로 對處해 나갈 豫定임.

0056

(맺 음 말)

o 다시한번 付託드리지만 今年中 우리의 유엔加入 實現을 위하여는 무엇보다 國民的 理解와 支援이 重要하다고 믿고 있으며, 이러한 見地에서 우리 한집안 식구인 記者團 여러분들의 각별한 協調를 期待함. 특히 우리의 유엔加入 問題와 관련, 中國 關聯事項은 時期的으로 매우 민감한 問題이므로 報道에 있어서 特別히 愼重을 기해 주길 付託드림.

0057

유엔加入問題에 관한 外務部長官 言及內容

(定例記者會見, 1991.3.8.)

o 最近들어 北韓은 유엔加入 問題와 關聯하여, 우리의 立場을 歪曲하고 非難하고 있음. 그들은 勞動新聞 論評(2.19. 및 3.2.字) 및 유엔 安保理文書로 配布된 外交部 備忘錄(2.20자)等을 통하여 單一議席 加入案을 固執하면서, 우리의 유엔加入 推進努力을 分斷 固着化 策動이라고 非難하고 있으며, 심지어 우리가 유엔에 加入하는 것은 獨逸式 吸收統一을 하자는 것으로서 韓半島가 戰爭의 危險에 直面할지 모른다고 威脅的인 言辭를 使用하였음.

o 우리는 이러한 北韓의 言動이 國際社會에서 通用되지 않는 극히 非正常的인 反應으로서 심히 유감스럽게 생각하는 바임.

o 주지하는 바와 같이 北韓의 '南北韓 單一議席 加入案'은 무엇보다도 우선 加入에 관한 유엔憲章의 規定(제 4조)에 違背되어 法的인 問題点이 있는 것은 말할것도 없고, 現實的으로도 實現不可能한 것임은 구태여 詳細하게 言及할 必要도 없을 것임.

0058

ㅇ 또한 北韓이 유엔加入은 分斷을 固着化한다고 主張하는 것은 昨年 分斷國이었던 예멘이나 獨逸이 統一을 達成한 예를 보더라도 아무런 說得力이 없는 것임. 우리가 南北韓이 함께 유엔에 加入하자는 것은 유엔의 普遍性 原則에 부합될 뿐만 아니라, 國際社會의 責任있는 一員으로서 응분의 役割을 하자는데 그 目的이 있지만, 우리가 分斷된 國家라는 特殊한 事情을 감안할때 오히려 함께 加入하는 것이 統一을 促進할 것이며 統一을 妨害한다는 것은 근거가 없음. 우리의 統一 努力이라는 側面에서 본다면 "統一하기 위해서도 南北韓이 함께 유엔에 加入하자 "는 이야기가 合當하다고 봄.

ㅇ 또한 우리가 유엔加入을 통하여 獨逸式 吸收統一을 기도하고 있다는 北韓의 非難과 관련, 우리가 유엔에 들어가 國際社會에서 韓半島에서 우리이외의 存在를 否定하겠다는 것이 아님에도 不拘하고, 北側이 그렇게 말하고 있는 것은 妥當치 않음. 우리가 北韓과 함께 유엔에 加入하려는 것은 무엇보다도 南北韓이 現實을 土臺로 유엔의 目的과 精神을 尊重하는 가운데 交流와 協力을 增進시키고 信賴를 쌓아, 窮極的으로 平和的 統一 달성에 寄與해 나가자는 것임. 이와관련, 우리는 이미 南北韓이 유엔에 加入한 以後에도 統一指向的인 協力方案을 摸索해 나갈 것을 具體的으로 提案한 바 있음을 상기할 필요가 있음.

0053

o 이 機會에 다시한번 우리의 立場을 分明히 하고자 함. 우리는 今年內 北韓이 우리와 함께 유엔에 加入할 것을 希望하고 있으며, 앞으로도 이의 實現을 위해 모든 可能한 努力을 다하고자 함. 北韓은 터무니없는 主張과 事實 歪曲을 中止하고 유엔加入 問題에 관해 하루빨리 現實的인 立場을 취해 주기를 촉구하는 바임.

o 政府로서는 北韓側이 계속 反對할 경우에는 우리가 먼저 加入하는 것이 北韓의 加入도 促進하는 契機가 될 것으로 믿고 있음.

0060

Remarks by H.E. LEE Sang-Ock, Foreign Minister of the Republic of Korea, on Korea's United Nations Membership Issue at the Weekly Press Conference on March 8, 1991

o North Korea has recently distorted and even slandered our position on Korea's United Nations membership issue through its Foreign Ministry's Aide-Memoire dated February 20 as well as the commentaries on its state-run newspaper Rodong shinmun dated February 19 and March 2 respectively. With its adherence to the single seat membership formula, North Korea continues to allege that our effort to join the UN is a ploy to perpetuate the division of Korea, and even goes so far as to threaten that there could be a danger of war on the Korean peninsula if the ROK is admitted to the UN. Moreover, North Korea contends that South Korea plans to achieve UN membership with a scheme of realizing its dream of a "reunification by absorption of the North."

o It is with deep regret to note that North Korea still maintains such an unreasonable attitude, which, without any doubt, can not be accepted in the international community.

o It does not need any further elaboration that the single seat membership formula proposed by North Korea, incompatible with the provisions of the Charter of the UN, not only contains many legal problems but is unrealistic and unworkable.

0061

o North Korea has long alleged that both Koreas' admission to the UN is to perpetuate the division of Korea. However, this allegation was irrefutably disproved in the unifications of Germany and Yemen which were accomplished last year. In conformity with the principle of universality, both Koreas should be admitted to the UN. The primary purpose of the Republic of Korea to seek UN membership together with North Korea is to enable both Koreas to assume legitimate roles as responsible members of the international community. Moreover, in light of the unique situation on the divided Korean peninsula, the entry of both Koreas to the UN would facilitate reunification process rather than hamper it. Accordingly, we regard it appropriate to say "Let's join the UN in order to expedite the process of reunification of the nation."

o North Korea's allegation that the South is attempting to realize a "reunification by absorption" is totally groundless as we do not have any intention to deny the North Korea's entity in the international community. In our view, parallel membership will enable the two Koreas to cooperate with each other, by facilitating mutual contacts and exchanges between them, on the basis of objectives and principles of the United Nations Charter, thereby contributing to the realization of peaceful reunification of the Korean peninsula. In this regard, it should be reminded that the ROK has already proposed specifically to develop modalities of cooperation as they participate in the work of the UN after both Koreas have been admitted to the UN.

0062

o Taking this opportunity, we wish to clarify once again our position unequivocally. We hope that North Korea enters the United Nations together with us. We continue to spare no efforts to realize the parallel membership. In this connection, we urge North Korea to refrain from its groundless allegation and distortion and to take a more realistic stance on the question of UN membership.

o The Government of the Republic of Korea will do its utmost to enable South and North Korea to join the UN during this year. In case North Korea is not forthcoming, it is our firm belief that our admission to UN membership will facilitate North Korea's joining the United Nations.

0063

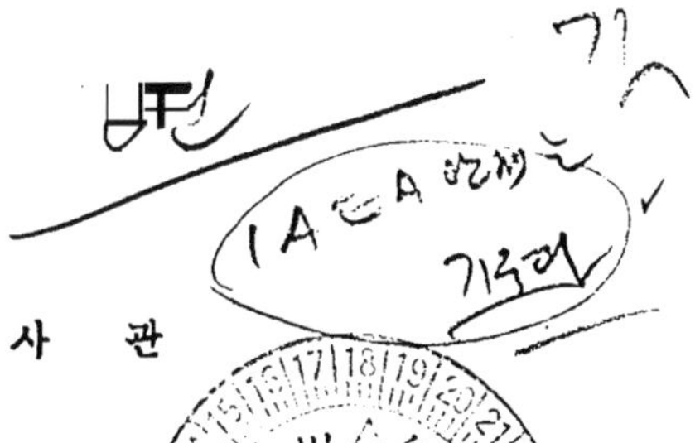

주 포 르 투 갈 대 사 관

주폴(정)700- 67

수신 : 장 관

참조 : 정보문화국장, 국제기구조약국장, 해외공보관장

제목 : 연합통신 활용 홍보

당관은 91.2.27자 유엔가입 문제 관련한, 아국정부의 설명문 및 91.2.26자 관련 연합통신 보도, 그리고 아국의 북한에 대한 IAEA 핵안전 시찰 촉구와 관련한 연합통신 보도를 별첨과 같이 홍보자료로 편집, 주재국 정계 및 언론계 요로에 배포하고, 참고토록 하였기 보고합니다.

첨부 : 관련 배포처 리스트 및 배포자료 1부. 끝.

주 포 르 투 갈 대 사 대 리

선 결			결재(공람)		
접수일시	1991.3.19	번호		5332	
처리과					

0064

91.03.05

STATEMENT OF MINISTRY OF FOREIGN AFFAIRS
OF REPUBLIC OF KOREA ON KOREA'S U.N. MEMBERSHIP
(With YONHAP News Report)

Distribution List

1. António Botelho da Silva
   Journalist

2. Jorge Reis
   Journalist

3. Prof. Doutor Marco Antônio Andrade Leão
   Journalist

4. Dr. Jorge Wemans
   Assistant Director of "PÚBLICO"

5. Mr. Mário Alves
   Journalist of "O DIA"

6. Mr. José Pedro Barreto
   Journalist of "SEMANÁRIO"

7. Mr. Benjamim Formigo
   Head of International Section of "EXPRESSO"

8. Mr. Iqbal Ahmed
   Journalist

9. Mr. Henrique Antunes Ferreira
   Editor-in-Chief of "DIÁRIO DE NOTÍCIAS"

10. Mr. José Gabriel Viegas
    International Editor of "SÁBADO" Magazine

11. Dr. João Pedro Martins
    LUSA News Agency

0065

12. Mr. António Devesa de Sá Pereira
Honorary Consul of the Republic of Korea

13. PSD

14. PS

15. PRD

16. CDS

17. Engª. Maria de Lourdes Pintasilgo

18. Dr. Mário Raposo
President of the Luso-Korean Friendship Association

19. Dr. Jorge de Abreu
President of the Luso-Korean Chamber of Commerce & Industry

20. Deputado Pedro Roseta
President of the Foreign Affairs Committee, Parliament

21. Deputada Manuela Aguiar

22. Dr. António Martins da Cruz
Diplomatic Advisor to the Prime Minister

23. Dr. Ricardo Passos de Gouveia
Diplomatic Advisor to the President of the Republic

24. Mr. Sérgio de Andrade
Director of "JORNAL DE NOTÍCIAS"

0066

STATEMENT OF THE MINISTRY OF FOREIGN AFFAIRS OF THE REPUBLIC OF KOREA ON KOREA'S U.N. MEMBERSHIP

February 27, 1991

In connection with North Korea's recent attempts to distort and even slander the position of the Republic of Korea concerning Korea's United Nations membership, the Government of the Republic of Korea wishes to restate unequivocally its position as follows:

It is our firm belief that the admission of both Koreas to the United Nations, as an interim measure pending reunification, should be realized at an earliest possible date, so that the South and the North may assume their legitimate roles as responsible members of the international community. However, in the case North Korea is unwilling or not yet ready to join the United Nations, the Republic of Korea intends to seek United Nations membership during this year in anticipation of subsequent admission of North Korea. The vast majority of the states members of the United Nations have expressed their full support for the Republic of Korea's position. This support, in recognition of the principle of universality of the United Nations and of the Republic of Korea's standing in the World Community, was eloquently demonstrated during the general debate of the 45th session of the United Nations General Assembly in 1990.

The Government of the Republic of Korea has made every effort in good faith to persuade the North to accept simultaneous United Nations membership, making use of available occasions and channels, including Prime Ministers' talks. We have further proposed a means of cooperation between the South and the North, during their participation in the work of the United Nations after both have been admitted to the United Nations.

Despite our exhaustive efforts, North Korea, through its Foreign Ministry's aide-memoire circulated as Security Council Document S/22253 dated 22 February 1991, continues to adhere to its "single seat membership" formula, which has already been proven to be unrealistic and unworkable. North Korea also insists that neither Korea can submit application for membership until an agreement is reached between the two Koreas, despite the fact that United Nations membership is clearly and essentially a matter between the United Nations and the states seeking membership. North Korea has even gone so far as to threaten that "no one can predict what sort of events may happen on the Korean peninsula" if the Republic of Korea is admitted to the United Nations. This attitude of North Korea not only makes the continuation of our patient pursuit of simultaneous membership practically impossible, but also runs counter to the wishes of the international community.

The Government of the Republic of Korea once again urges North Korea to abandon its irrational and unrealistic position and join the United Nations with the Republic of Korea. We take this opportunity to state clearly that, if North Korea remains deaf to our just call, we will exercise our sovereign right to seek United Nations membership independently, before or during the 46th session of the United Nations General Assembly.

YONHAP NEWS REPORT

SOUTH KOREA CALLS ON NORTH TO SIGN
INTERNATIONAL ATOMIC ENERGY AGENCY'S
NUCLEAR SAFEGUARDS AGREEMENT

26-27 February 1991

0063

¾3⁄4YON488
U IBX 26-02 00181
YON
.

SOUTH-NORTH NUCLEAR

SOUTH CALLS ON NORTH TO SIGN IAEA NUCLEAR SAFEGUARDS AGREEMENT

SEOUL, FEB. 26 (YONHAP) -- SOUTH KOREA ANNOUNCED TUESDAY THAT IT HAS SENT U.N. SECRETARY-GENERAL JAVIER PEREZ DE CUELLAR AN OFFICIAL LETTER CALLING FOR NORTH KOREA TO SIGN THE INTERNATIONAL ATOMIC ENERGY AGENCY'S NUCLEAR SAFEGUARDS AGREEMENT AND HAS ASKED HIM TO CIRCULATE IT TO MEMBER NATIONS AND THE SECURITY COUNCIL PAPER.

ACCORDING TO A FOREIGN MINISTRY ANNOUNCEMENT, THE LETTER STRONGLY CALLS FOR NORTH KOREA TO FULFILL THE OBLIGATIONS OF THE NUCLEAR NON-PROLIFERATION TREATY (NPT) AND TO VOLUNTARILY REMOVE THIS STUMBLING-BLOCK FOR THE PROGRESS OF INTER-KOREAN RECONCILIATION AND CONFIDENCE-BUILDING BY SIGNING THE SAFEGUARDS AGREEMENT AS SOON AS POSSIBLE.

"OUR GOVERNMENT WANTS TO DRAW ATTENTION TO THE FACT THAT NORTH KOREA HAS NOT SO FAR CARRIED OUT THE OBLIGATION OF SIGNING THE IAEA NUCLEAR SAFEGUARDS AGREEMENT EVEN THOUGH FIVE YEARS HAVE PASSED SINCE IT JOINED NPT IN DECEMBER 1985," MINISTRY SPOKESMAN CHUNG EUI-YONG SAID.

NPT MEMBER NATIONS ARE OBLIGED TO SIGN THE AGREEMENT WITHIN 18 MONTHS OF JOINING.(MORE) YONHAP 0709 GMT 022691

26/02/91 08-12G

0070

?434YON489
U IBX 26-02 00204
YON
.
SEOUL-SOUTH-NORTH NUCLEAR 2
THE LETTER EXPRESSED SERIOUS CONCERN ABOUT THE POSSIBILITY OF NORTH KOREA DEVELOPING NUCLEAR WEAPONS, AND WARNED THAT NORTH KOREA'S ATTEMPTS TO LINK ITS REFUSAL TO SIGN THE AGREEMENT WITH POLITICAL ISSUES AND TO JUSTIFY ITS POSITION MIGHT ENDANGER BOTH INTERNATIONAL NUCLEAR NON-PROLIFERATION AND THE SECURITY OF NORTHEAST ASIA.

"THE SUGGESTION WE ARE MAKING IN THE LETTER IS FOR THE UNITED NATIONS TO COPE WITH NORTH KOREA'S RECENT PREPOSTEROUS INSISTENCE ON GLOSSING OVER ITS OBJECTION TO JOINING THE NUCLEAR SAFEGUARDS AGREEMENT," A SENIOR GOVERNMENT OFFICIAL SAID.

NORTH KOREA CLAIMED IN A LETTER TO THE SECURITY COUNCIL ON NOV. 21 LAST YEAR THAT ITS REFUSAL TO SIGN THE AGREEMENT WAS NOT BECAUSE OF A DISPUTE WITH IAEA BUT BECAUSE OF DIFFERENCES WITH THE UNITED STATES, HE SAID, SPEAKING ON CONDITION OF ANONYMITY.

THE LETTER CAN BE SEEN AS A COUNTERATTACK AGAINST NORTH KOREA'S RECENT DEMAND FOR SIMULTANEOUS INSPECTION OF NUCLEAR FACILITIES IN BOTH KOREAS.

THE UNITED STATES, JAPAN, CANADA, AUSTRALIA AND POLAND SUBMITTED APPEALS FRIDAY TO PEREZ DE CUELLAR CALLING FOR NORTH KOREA TO SIGN THE NUCLEAR SAFEGUARDS AGREEMENT. NEITHER KOREA IS A MEMBER OF THE UNITED NATIONS.(END) YONHAP 0722 GMT 022691

26/02/91 08-26G

0071

?4?4YON523
U IBX 27-02 00199
XYON YON
.

SEOUL HITS N.K. (1)
SEOUL HITS N.K. FOR DELAYING N-SAFETY ACCORD

SEOUL, FEB. 27 (KPS)--THE GOVERNMENT HAS ACCUSED NORTH KOREA OF REFUSING TO SIGN A NUCLEAR SAFEGUARDS AGREEMENT FOR OVER FIVE YEARS, AND EXPRESSED SERIOUS CONCERN ABOUT THE COMMUNIST REGIME'S DEVELOPMENT OF NUCLEAR WEAPONS.

A STATEMENT, WHICH THE FOREIGN MINISTRY PRESENTED TO U.N. GENERAL ASSEMBLY SECRETARY-GENERAL JAVIER PEREZ DE CUELLAR MONDAY, POINTED OUT THAT PYONGYANG SIGNED THE TREATY ON THE NON-PROLIFERATION OF NUCLEAR WEAPONS IN DECEMBER 1985 WHICH STIPULATES THAT A SIGNATORY COUNTRY CONCLUDES A SAFEGUARDS ACCORD WITH THE INTERNATIONAL ATOMIC ENERGY AGENCY WITHIN 18 MONTHS OF ITS ACCESSION.

THE DELAY, THE STATEMENT SAID, IS A "CLEAR VIOLATION OF THE FUNDAMENTAL OBLIGATIONS REQUIRED UNDER THE TREATY AND POSES A THREAT TO THE INTERNATIONAL NON-PROLIFERATION REGIME."

THE FOREIGN MINISTRY SAID IT REQUESTED CUELLAR TO CIRCULATE THE STATEMENT TO U.N. MEMBER STATES AS A DOCUMENT OF THE U.N. SECURITY COUNCIL.

THERE ARE NO PROVISIONS IN THE TREATY WHICH JUSTIFY "ANY LINKAGE BETWEEN THE FAILURE OF NORTH KOREA TO CONCLUDE THE SAFEGUARDS AGREEMENT AND OTHER POLITICAL ISSUES OR EXTRANEOUS FACTORS AS IT INVOKES," THE STATEMENT SAID.(END) YONHAP 0000 GMT
000000

27/02/91 08-13G

0072

YONHAP NEWS REPORT

SOUTH-NORTH KOREA REITERATE POSITIONS ON U.N. ENTRY

27 February 1991

0073

¾4¾YON507
U IBX 27-02 00223
YON
.

NORTH KOREA-U.N.

SOUTH, NORTH KOREA REITERATE POSITIONS ON U.N. ENTRY

SEOUL, FEB. 27 (YONHAP) -- SOUTH KOREA DEMANDED AGAIN WEDNESDAY THAT NORTH KOREA JOIN THE UNITED NATIONS THIS YEAR, SIMULTANEOUSLY BUT SEPARATELY, AND GIVE UP ITS "UNREASONABLE AND UNREALISTIC" ARGUMENT FOR SHARED MEMBERSHIP.

IN A STATEMENT AFTER A NORTH KOREAN AIDE-MEMOIRE WAS CIRCULATED TO THE U.N. SECURITY COUNCIL IN NEW YORK, THE FOREIGN MINISTRY SAID HERE THAT THE NORTH'S FAILURE TO ANSWER THE SOUTH'S DEMAND WOULD RESULT IN AN EFFORT BY SEOUL FOR UNILATERAL U.N. MEMBERSHIP.

"NORTH KOREA IS THREATENING THAT UNILATERAL U.N. MEMBERSHIP WOULD PROVOKE UNPREDICTABLE EVENTS ON THE KOREAN PENINSULA, BUT SUCH AN ATTITUDE RUNS COUNTER TO OUR EFFORTS ON THE MEMBERSHIP ISSUE AND THE MAJORITY OF U.N.-MEMBER NATIONS," IT SAID.

IN AN AIDE-MEMOIRE DATED FEB. 20, PARK GIL-YON, CHIEF OF NORTH KOREAN OBSERVER MISSION TO THE UNITED NATIONS, WARNED THAT UNILATERAL MEMBERSHIP WOULD STRAIN INTER-KOREAN RELATIONS "TO THE EXTREMES" AND IT WOULD BE BEST FOR THE TWO KOREAS "TO ENTER THE UNITED NATIONS UNDER A SINGLE STATE-NAME AFTER REUNIFICATION THROUGH CONFEDERATION."

"BUT IF IT IS ON CONDITION THAT THE NORTH AND THE SOUTH ENTER THE UNITED NATIONS WITH A SINGLE SEAT, IT WILL HAVE NO OBJECTION TO HOLDING UNITED NATIONS MEMBERSHIP EVEN BEFORE REUNIFICATION," PARK SAID.(MORE) YONHAP 0204 GMT 022791

27/02/91 03-08G

0074

34334YON508
U IBX 27-02 00113
YON

SEOUL-NORTH KOREA-U.N. 2

SAYING U.N. MEMBERSHIP CAN BE FAIRLY SETTLED ONLY BY AGREEMENT BETWEEN SOUTH AND NORTH KOREA, PARK SAID HE COULD NOT TELL WHAT EVENTS WOULD STRIKE KOREA IF THE SOUTH WON UNILATERAL MEMBERSHIP.

"NO ONE CAN PREDICT WHAT SORT OF EVENTS MAY HAPPEN ON THE KOREAN PENINSULA IF THE 'UNILATERAL UNITED NATIONS MEMBERSHIP' OF SOUTH KOREA IS FORCIBLY ADMITTED WHEN THE POLITICAL AND MILITARY CONFRONTATION BETWEEN THE NORTH AND THE SOUTH GROWS MORE ACUTE THAN EVER BEFORE OWING TO THE 'TEAM SPIRIT '91' JOINT MILITARY EXERCISES BEING STAGED BY THE UNITED STATES AND THE SOUTH KOREAN AUTHORITIES," HE SAID.(END) YONHAP 0209 GMT 022791

27/02/91 03-09G

0075

¾4¾YON534
U IBX 27-02 00232
XYON YON
.

KOREA'S U.N. MEMBERSHIP (8)

SEOUL, FEB. 27 (KPS)--FOLLOWING IS THE FULL TEXT OF STATEMENT ISSUED TODAY BY THE MINISTRY OF FOREIGN AFFAIRS ON KOREA'S U.N. MEMBERSHIP:

IN CONNECTION WITH NORTH KOREA'S RECENT ATTEMPTS TO DISTORT AND EVEN SLANDER THE POSITION OF THE REPUBLIC OF KOREA ON KOREA'S UN MEMBERSHIP, THE GOVERNMENT OF THE REPUBLIC OF KOREA FEELS OBLIGED TO REITERATE ITS POSITION IN AN UNEQUIVOCAL MANNER AS FOLLOWS.

IT IS OUR FIRM BELIEF THAT THE ADMISSION OF BOTH KOREAS TO THE UN, AS AN INTERIM MEASURE PENDING REUNIFICATION, SHOULD BE REALIZED AT AN EARLIEST DATE SO THAT THE SOUTH AND THE NORTH CAN PLAY THEIR LEGITIMATE ROLES AS RESPONSIBLE MEMBERS OF THE INTERNATIONAL COMMUNITY. HOWEVER, IN CASE NORTH KOREA IS UNWILLING OR NOT YET READY TO JOIN THE UN, THE REPUBLIC OF KOREA WANTS TO SEEK UN MEMBERSHIP FIRST IN THIS YEAR IN ANTICIPATION OF SUBSEQUENT ADMISSION OF NORTH KOREA. THE VAST MAJORITY OF THE STATES MEMBERS OF THE UN HAVE EXPRESSED THEIR UNSWERVING SUPPORT FOR THE REPUBLIC OF KOREA'S POSITION IN RECOGNITION OF THE PRINCIPLE OF UNIVERSALITY SET FORTH IN THE UN CHARTER AND OF THE REPUBLIC OF KOREA'S STANDING IN THE WORLD COMMUNITY. THEIR SUPPORT WAS ELOQUENTLY DEMONSTRATED IN THEIR KEYNOTE SPEECHES DURING THE GENERAL DEBATE OF THE 45TH SESSION OF THE UN GENERAL ASSEMBLY IN 1990.(MORE) YONHAP 0000 GMT
000000

27/02/91 09-01G

0076

¾¾¾YON535
U IBX 27-02 00212
XYON YON

KPS--KOREA'S U.N. MEMBERSHIP--TWO (9)

THE GOVERNMENT OF THE REPUBLIC OF KOREA HAS MADE EVERY EFFORT IN GOOD FAITH TO PERSUADE THE NORTH INTO ACCEPTING THE SIMULTANEOUS UN MEMBERSHIP DURING THE COURSE OF ALL INTER-KOREAN MEETINGS AND CONTACTS INCLUDING PRIME MINISTERS' TALKS. WE HAVE FURTHER PROPOSED A CONCRETE MODE OF COOPERATION BETWEEN THE TWO KOREAS IN THE FRAMEWORK OF THE UN SYSTEM AFTER BOTH KOREAS BEING ADMITTED TO THE UN.

DESPITE OUR EXHAUSTIVE EFFORTS, NORTH KOREA, THROUGH ITS FOREIGN MINISTRY'S AIDE-MEMOIRE CIRCULATED AS SECURITY COUNCIL DOCUMENT S/22253 DATED 22ND FEBRUARY 1991, CONTINUES TO STICK TO THE SO-CALLED "SINGLE SEAT MEMBERSHIP" FORMULA WHICH ALREADY PROVED UNREALISTIC AND IMPRACTICABLE. NORTH KOREA ALSO INSISTS THAT NEITHER KOREA CAN FILE AN APPLICATION UNTIL AN AGREEMENT IS REACHED BETWEEN THE TWO KOREAS. EVEN THOUGH IT IS CLEAR THAT UN MEMBERSHIP IS ESSENTIALLY A MATTER BETWEEN THE UN AND THE STATES WISHING TO JOIN. NORTH KOREA EVEN THREATENS THAT "NO ONE CAN PREDICT WHAT SORT OF EVENTS MAY HAPPEN ON THE KOREAN PENINSULA." IF THE REPUBLIC OF KOREA IS ADMITTED TO THE UN. THESE UNJUSTIFIABLE ATTITUDES OF NORTH KOREA NOT ONLY MAKE OUR ENDEAVOUR MEANINGLESS BUT ALSO RUN COUNTER TO THE ASPIRATION OF THE INTERNATIONAL COMMUNITY.(MORE) YONHAP 0000 GMT 000000

27/02/91 09-05G

0077

¾4¾4YON536
U IBX 27-02 00098
XYON YON
.

KPS--KOREA'S U.N. MEMBERSHIP--THREE (10)

REITERATING ITS HOPE THAT NORTH KOREA ABANDON, SOONER THAN LATER, SUCH AN IRRATIONAL AND UNREALISTIC POSITION, THE GOVERNMENT OF THE REPUBLIC OF KOREA URGES NORTH KOREA ONCE AGAIN TO ACCEPT THE SIMULTANEOUS ADMISSION TO THE UN RESPONDING TO THE WISHES OF THE WORLD SOCIETY.

WE WISH TO TAKE THIS OPPORTUNITY TO MAKE CLEAR THAT, IF NORTH KOREA CONTINUES TO REFUSE OUR LEGITIMATE PROPOSAL, WE WILL SEEK UN MEMBERSHIP FIRST BEFORE OR DURING THE 46TH SESSION OF THE UNITED NATIONS GENERAL ASSEMBLY.(END) YONHAP 0000 GMT 000000

27/02/91 09-06G

0078

유엔가입에 따르는 아국활동

(주유엔대사님 기자회견자료)

91. 3. 11.
국제연합과

I. 개 요

o 국제사회의 구성원으로서 누려야 할 모든 권리.의무의 완전 향유

- 발언권, 투표권, 결의안 제출권, 피선거권
  - 그간 총회 기조연설 불가능, 주요기관 진출 불가능(안보리, 경사리등)
- 유엔소재국(미국)으로 부터의 외교관 특권, 면제권한
  - 그간 대표부 직원은 총영사관 소속으로 등록
- 미가입 유엔기관 (ICJ / 국제사법재판소) 및 유엔전문기구(ILO / 국제노동기구)의 자동가입
- 유엔사무국 직원 진출 증대
- 정상적인 유엔분담금 지불
  - 그간 비회원국 할인율(15%) 적용

o 다른 국가와 대등한 입장 확보

- 그간 비회원국으로서의 외양상 절름발이 인상 불가피

o 남북한 관계 발전계기 가능

o 우리의 외교적 부담 대폭 감소

- 각국과 순수한 양자차원의 상호 국익 증진 추구 가능

0079

Ⅱ. 구체적 사례

1. 국제평화와 안전유지에 적극 참여

- o 국제평화와 안전유지에 관한 유엔의 역할이 점차 증대해가고 있음에 따라 유엔체제에 의한 분쟁의 평화적 해결활동(정치적 또는 사법적 해결)과 집단안전 조치에 의한 분쟁해결 활동이 더욱 활발해질 전망
- o 걸프사태에서도 나타난 바와 같이 안보리의 결의안이 갖는 국제정치적, 심리적 영향력은 절대적이며, 아국이 유엔에 정식 가입하면 국제평화와 안전유지를 위한 유엔의 의사 결정과정에 우리의 국력에 상응하는 영향력을 행사할 수 있음은 물론이고, 특히 안보리 비상임이사국으로 선임될 경우 국제평화와 안전유지에 매우 중요한 역할을 담당하게 됨.

2. 유엔의 각종 의사결정 과정에의 참여

- o 유엔의 활동은 정치, 경제, 사회, 문화 분야는 물론 인류의 제반활동 영역 전반에 거쳐 이루어지고 있으며, 이중에는 우리와 직접적으로 관련되어 있는 사안이 매우 많음.
- o 유엔의 영향력이 때로는 초강대국의 힘의 논리보다 약할수는 있으나 현 국제질서하에서 유엔이 행사하는 영향력은 막대함. 그러나 유엔 체제밖에 있는 한국의 국익을 유엔에서 대변해줄 나라는 없음. 우리는 유엔에 가입함으로써, 또한 각종 회의, 주요기관, 전문기구의 임원 또는 이사국으로 진출하여 우리의 국력에 상응한 영향력을 유엔내에서 행사할 수 있게 될 것임.
- o 유엔내 각종 선거에도 투표권을 행사하여 각종 이사국 피선교섭, 결의안 채택 과정등에서 타국과의 give and take식의 협상이 가능케됨. (현재는 투표권 부재로 결의안 제출이 매우 제약되어 있을뿐 아니라 각종 유엔직속, 전문기구에 이사국으로 진출시 일방적으로 부탁만하고 있는 형편임)

0080

o 이와 관련, UR이 좋은 예임. 우리나라가 미국과 같이 UR을 주도할 수는 없으나 UR 협상과정에서 우리는 국력에 상응하는 역할을 하고 있는 바, 이는 우리가 GATT 체제밖에 머물고 있다고 상정할 경우 불가능한 역할임. GATT에의 참여와 비참여로 인하여 국익에 끼치는 결과는 유형, 무형으로 엄청나다고 할 수 있음. (유엔의 경우 무형의 영향 및 장기적으로 끼치는 영향이 더욱 크다고 봄.)

3. 유엔을 통한 국제사회에의 아국인 진출

o 유엔회원국으로 가입하면 유엔사무총장을 비롯 국제사법재판소 재판관등 유엔내 각종 직위에 한국인이 진출할 수 있음. 이는 한국인의 국제사회에 대한 참여 기회의 확대를 의미하며 각종 직위에의 적극 진출을 통한 한국인의 이미지 고양, 유엔의 의사결정 과정에의 영향력 증대로 이어질 것임.

* 아국은 유엔가입 이후 사무국내 약 20여명의 한국국적인을 진출시킬 수 있음. (유엔 비회원국은 원칙적으로 유엔사무국내에 진출 불가능함. 현재 유엔직속기구 또는 전문기구에는 소수의 한국국적인이 근무하고 있으며 사무국에는 한국계 외국인이 소수 근무중임.)

4. 기 타

o 우리의 경제력 향상에 부응하는 정치적 역량 증대를 위해서는 국제여론 형성의 중심 Forum인 유엔내에서의 활동 매우 중요

o 유엔이 40여년간 축적해온 각종 정보에의 접근이 보다 용이해짐.

0081

이

'소득은 정당하게, 소비는 알뜰하게'

주인도대사관

인도(공)3526- 186　　　　　　　　　　　　　　　1991.3.15.

수신 : 공보처장관

사본 : 외무부장관

참조 : 해외공보관장, 정보문화국장

제목 : 프레스 릴리즈 발간

당관은 3.8 이상옥 외무장관의 UN가입에 관한 정례(주간)기자회견 내용을 별첨과 같이 프레스 릴리즈 발간, 정부.언론등 250처에 배포한 바 참고 하시기 바랍니다.

반송 1991. 3. 15 주인도대사관

첨부 : 프레스 릴리즈 1부. 끝.

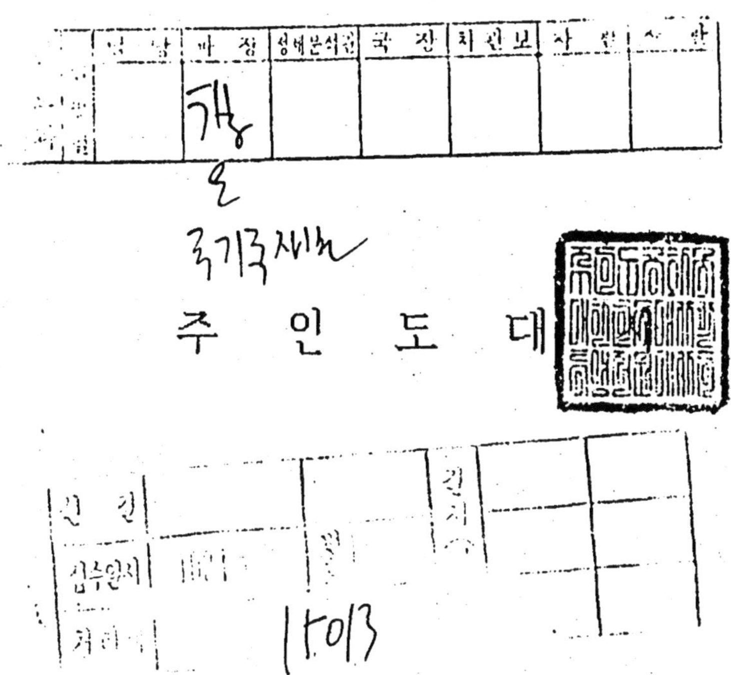

주 인 도 대

0082

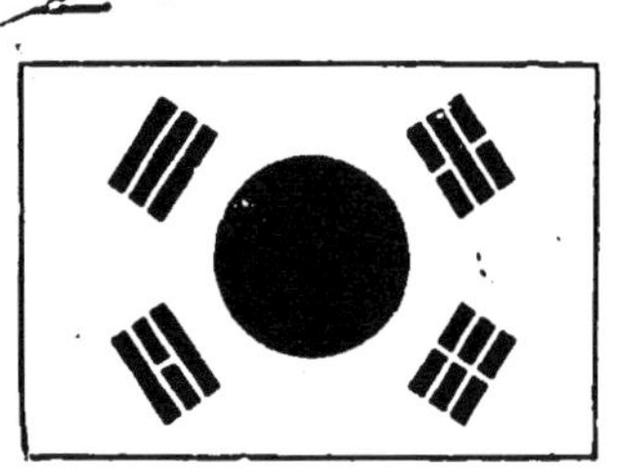

Korea Press Service

EMBASSY OF THE REPUBLIC OF KOREA
9, Chandragupta Marg, Chanakyapuri Extn.
New Delhi-110021 Phone . 601601

March 12,1991

UN entry of both Koreans will promote unification

The Foreign Minister,Mr. Lee Sang Ock,has said that the two Koreas' simultaneous entry into the United Nations is an interim step towards their unification.

The Minister has refuted the contention of North Korea, that the entry of both Koreas into the U.N. would stand in the way of their unification,by referring to the unification of Germany and Yemen which were accomplished last year while both Yemens and Germanys were separate members of the world body.

The Foreign Minister has pointed out that North Korea's single seat membership formula is incompatible with the provisions of the U.N. Charter,besides being unrealistic and unworkable. He appealed "Let's join the UN in order to expedite the process of reunification".

Following are the remarks by the Foreign Minister at the weekly Press Conference in Seoul on March 8:

North Korea has recently distorted and even slandered our position on Korea's United Nations membership issued through its Foreign Ministry's Aide-Memoire dated February 20 as well as the commentaries on its Staterun Newspaper Rodong Shinmun dated February 19 and March 2 respectively.

Contd.....

0083

With its adherence to the single seat membership formula, North Korea continues to allege that our effort to join the UN is a play to perpetuate the division of Korea, and even goes so far as to threaten that there could be a danger of war on the Korean peninsula if the ROK is admitted to the UN membership with a scheme of realizing its dream of a "Reunification by absorption of the North."

It is with deep regret to note that North Korea still maintains such an unreasonable attitude, which,without any doubt,can not be accepted in the international community.

It does not need any further elaboration that the single seat membership formula proposed by North Korea, incompatible with the provisions of the charter of the UN, not only contains many legal problems but is unrealistic and unworkable.

North Korea has long alleged that both Koreans'admission to the UN is to perpetuate the division of Korea. However, this allegation was irrefutably disproved in the unifications of Germany and Yemen which were accomplished last year. In conformity with the principle of universality, both Koreas should be admitted to the UN.The primary purpose of the Republic of Korea to seek UN membership together with North Korea is to enable both Koreas to assume legitimate roles as responsible members of the international community. Moreover, in light of the unique situation on the divided Korean peninsula,the entry of both Koreas to the UN would facilitate reunification process rather than hamper it. Accordingly,we regard it appropriate to say "Let's join the UN in order to expedite the process of reunification of the Nation."

North Korea's allegation that the South is attempting to realise a "Reunification by absorption" is totally groundless as we do not have any intention to deny the North Korea's entity in the international community.

Contd.....

0084

In our view, parallel membership will enable the two Koreas to cooperate each other, by facilitating mutual contracts and exchanges between them on the basis of objectives and principles of the United Nations Charter, thereby contributing to the realization of peaceful reunification of the Korean peninsula. In this regard, it should be reminded that the ROK has already proposed specifically to develop modalities of cooperation as they participate in the work of the UN after both Koreas have been admitted to the UN.

Taking this opportunity, we wish to clarify once again our position unequivocally. We hope that North Korea enters the United Nations together with us. We continue to spare no efforts to realize the parallel membership. In this connection, we urge North Korea to refrain from its groundless allegation and distortion and to take a more realistic stance on the question of UN membership.

The government of the Republic of Korea will do utmost to enable South and North Korea to join the UN during this year. In case North Korea is not forthcoming, it is our firm belief that our admission to UN membership will facilitate North Korea's joining the United Nations.

****

0085

주 제 네 바 대 표 부

제네(정) 730-275　　　　　　　　　　　　1991. 3.15

수신 : 장관

참조 : 정보문화국장

제목 : 프레스릴리스 발간

대 : AM-0060

연 : GVW-0429

당관은 아국의 유엔가입문제 관련 외무장관이 3.8 기자간담회에서 언급한 내용에 관해 별첨과 같이 프레스릴리스를 발간, 당지 주요대표부, 국제기구 및 언론기관에 배포하였는바, 동 사본을 별첨 송부합니다.

첨부 : 상기 프레스릴리스 사본 1부. 끝.

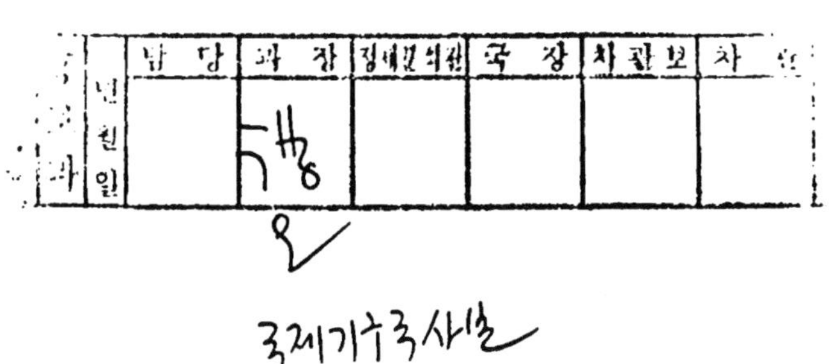

년월일	담 당	과 장	심의관	국 장	차관보	차 관

국제기구국사본

주 제 네 바 대 사

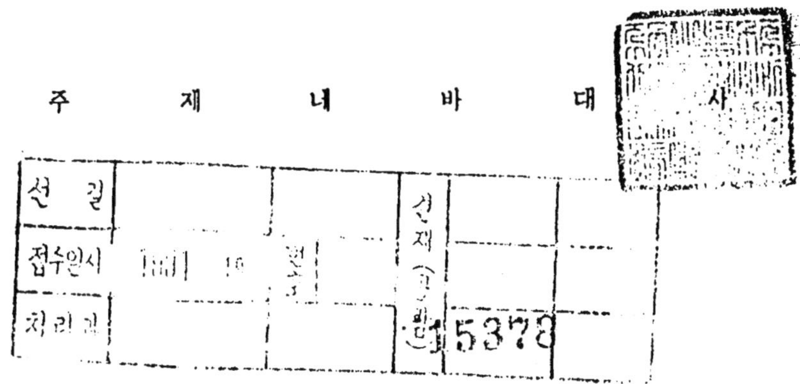

선 결			결재	
접수일시	1991 ...			
처리과				15378

0086

NEWS RELEASE

PERMANENT MISSION OF THE REPUBLIC OF KOREA
20, route de Pré-Bois
1216 Cointrin, GENEVA
Tel. (022) 91 01 11

March 11, 1991

FOREIGN MINISTER LEE SANG-OCK DISMISSES PYONGYANG'S ALLEGATION THAT THE SIMULTANEOUS ADMISSION OF BOTH KOREAS TO THE UNITED NATIONS IS A PLOY TO PERPETUATE THE DIVISION OF THE KOREAN PENINSULA, AND REITERATES SEOUL'S INTENTION TO JOIN THE WORLD BODY THIS YEAR.

FOLLOWING IS THE FULL TEXT OF MINISTER LEE'S STATEMENT MADE AT A WEEKLY NEWS CONFERENCE IN SEOUL, MARCH 8, 1991

North Korea has recently distorted and even slandered our position on Korea's United Nations membership issue through its Foreign Ministry's aide-memoire dated February 20 as well as the commentaries on its state-run newspaper Rodong Shinmun dated February 19 and March 2 respectively.

With its adherence to the single seat membership formula, North Korea continues to allege that our effort to join the United Nations is a ploy to perpetuate the division of Korea, and even goes so far as to threaten that there could be a danger of war on the Korean Peninsula if the Republic of Korea is admitted to the United Nations. Moreover, North Korea contends that South Korea plans to achieve United Nations membership with a scheme of realizing its dream of a reunification by absorption of the North.

It is with deep regret to note that North Korea still maintains such an unreasonable attitude, which, without any doubt, can not be accepted in the international community.

It does not need any further elaboration that the single seat membership formula proposed by North Korea, incompatible with the provisions of the charter of the United Nations, not only contains many legal problems but is unrealistic and unworkable.

North Korea has long alleged that both Koreas' admission to the United Nations is to perpetuate the division of Korea. However, this allegation was irrefutably disproved in the unifications of Germany and Yemen which were accomplished last year. In conformity with the principle of universality, both

0087

Koreas should be admitted to the United Nations. The primary purpose of the Republic of Korea to seek United Nations membership together with North Korea is to enable both Koreas to assume legitimate roles as responsible members of the international community. Moreover, in light of the unique situation on the divided Korean Peninsula, the entry of both Koreas to the United Nations would facilitate the reunification process rather than hamper it. Accordingly, we regard it appropriate to say let's join the United Nations in order to expedite the process of reunification of the nation.

North Korea's allegation that the South is attempting to realize reunification by absorption is totally groundless as we do not have any intention to deny North Korea's entity in the international community. In our view, parallel membership will enable the two Koreas to cooperate with each other, by facilitating mutual contacts and exchanges between them, on the basis of objectives and principles of the United Nations Charter, thereby contributing to the realization of peaceful reunification of the Korean Peninsula. In this regard, it should be reminded that the Republic of Korea has already proposed specifically to develop modalities of cooperation as they participate in the work of the United Nations after both Koreas have been admitted to the United Nations.

Taking this opportunity, we wish to clarify once again our position unequivocally. We hope that North Korea enters the United Nations, together with us. We continue to spare no efforts to realize the parallel membership. In this connection, we urge North Korea to refrain from its groundless allegation and distortion and to take a more realistic stance on the question of United Nations membership.

The Government of the Republic of Korea will do its utmost to enable South and North Korea to join the United Nations during this year. In case North Korea is not forthcoming, it is our firm belief that our admission to the United Nations will facilitate North Korea's joining the United Nations.

0088

APR 15 '91 13:36 B.H. (FOREIGN AFFAIRS) 770-0295

수신: 유엔과 (723-3505)
발신: 청와대 외교 (770-0295)

[illegible] 會見 질문 요지 (계2매)

-2363-

1. 남북한 관계

가. 동방 유럽국가들에 있어서의 공산주의의 몰락은 한반도에 어떤 의미를 주고 있습니까? 각하는 북한의 경제적 어려움으로 볼 때 김일성의 생존중에 북한에서 혼란상황이 벌어질 것으로 예견하십니까?

나. 한국정부는 북한관리들과의 대화를 위해 학자, 종교계 인사들과 기타 민간단체 지도자들이 북한에 입국하는 것을 반대해왔습니다. 대만 사람들은 자유로이 중국을 방문하고 있습니다. 한국이 비슷한 여행을 허락할 수 없는 이유는 무엇입니까?

2. 국내정치

가. 각하께서는 군출신 인사들과 친인척이 대권 경쟁에 참여하지 못하게 하겠다고 하셨습니다. 여당의 차기 대권주자는 어떤 자질을 지녀야 한다고 생각하십니까?

나. 군을 정치로 부터 격리시키는 데 성공한 각하의 업적이 인정을 받고 있습니다. 각하께서는 한국군이 정치로부터 졸업했다고 생각하십니까? 헌법 수호자로서의 군과 민간인에 의한 정부의 지배 사이에는 어떤 관계가 있습니까?

다. 대통령의 퇴임후에 어떤 계획을 가지고 계십니까?

0083

3. 외교정책

가. 각하께서 UN가입을 너무 서두르고 계시다고 비판가들은 주장하고 있습니다. UN에 가입하게 되면 어떤 이익과 불이익이 있으리라고 생각하십니까?

UN課

나. 걸프전 이후에 새로이 부상하고 있는 세계의 신질서를 어떻게 보십니까? 이것이 한국과 같은 국가들에 주는 의미는 어떤 것이 있겠습니까? 각하는 일본과 통일 독일이 UN안보리의 새로운 상임이사국이 되는 것을 지지하십니까?

※ 4.16(화) 오후까지 편찬요망
각 질문별 답변은 1page 정도.

0090

언론자료
(대통령)

가. 유엔가입 추진노력

o 우리의 유엔가입 노력은 1948년 우리정부가 수립된 이래 일관되게 추진되어온 우리의 우선적 외교목표중의 하나임.

o 우리는 그동안 5차례에 걸쳐 직접 유엔가입을 신청한 바 있으나, 우리의 유엔가입 노력은 냉전논리의 희생양으로 번번히 실패하였음.

o 우리가 유엔에 가입코자 하는 것은 무엇보다 우리가 국제사회의 일원으로서 정당한 권리와 의무를 다하기 위함임.

o 따라서 우리의 유엔가입 노력은 이익, 불이익의 차원이라기 보다는 국제사회내에서 대한민국이 점하고 있는 위상에 상응하는 정당한 책입과 역할을 맡는다는 차원에서 평가되어야 할 것임.

나. 일본, 독일의 안보리 상임이사국 문제

o 우리는 아직 정식 유엔회원국이 아니므로 이 문제에 대한 입장을 밝히는 것은 적합하지 않다고 봄.

o 다만 창설된후 45년이 경과되는 동안 많은 국제환경의 변화가 있어 이에 상응한다는 측면에서 유엔내 여러기관 및 기구의 개편문제가 거론될 수 있다고 보나, 모든 기구에서 그렇듯이 제도개편도 중요하지만, 또 한편 기존체제내에서 구성멤버의 실질적인 기여와 공헌을 강화하는 것도 중요하다고 봄.

앙고재	국제연합과	91년 4월 15일	담 당	과 장	국 장	차관보	차 관	장 관
			(서명)	(서명)	(서명)		(서명)	

0091

회 견 요 록

1. 일　　시 : 1991.3.29(금) 14:50 - 15:15

2. 장　　소 : 제1차관보실

3. 회 견 자

이정빈 제1차관보 ─────── Damon Darlin
미국 Wall Street Journal
서울 특파원

* 기록 : 김규현 북미과 사무관

4. 회견요지

가. 유엔가입 문제에 관한 한국정부 기본 입장은 ?

- 북한이 원할 경우, 남.북한이 유엔에 같이 가입하도록 함.
- 만일 북한이 동시 가입을 원하지 않을 경우에는 금년내에 우리만이라도 우선 유엔에 먼저 가입을 추진할 예정임.

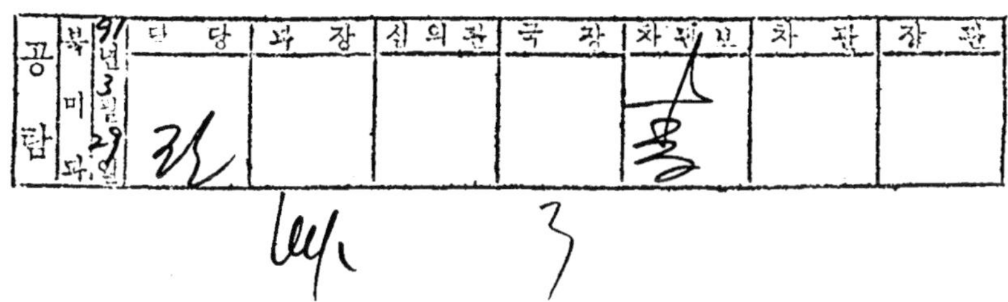

공람	북미과	91년 3월 29일	담당	과장	심의관	국장	차관보	차관	장관

0092

나. 한국정부가 금년도에 유엔가입을 추진키로 한 배경은 ?
쏘련의 국내정세 불안정과의 연관성 여부는 ?

ㅇ 어느 국가의 유엔가입 문제는 유엔가입 신청국과 유엔간의 문제일 뿐 제3국이 간여할 문제가 아닌 바, 남.북한 어느 일방이 타방의 유엔 가입을 대신 신청해 줄 수는 없음.

ㅇ 우리 정부는 기본적으로 남.북한의 유엔 동시 가입을 추진하여 오고 오고 있음.

ㅇ 이에 따라 작년도에 북한이 단일 의석하의 남.북한 유엔 가입이라는 제안을 해 왔을때 남.북 고위급회담 예비회담이나 본 회담에서 북한측의 주장과 논리를 들어 보았던 것임.

ㅇ 그러나 단일 의석하의 남.북한 유엔가입 제안은 유엔헌장이나 관행에 비추어 보나 현실적으로도 도저히 수용할 수 없는 제안으로서 유엔 회원국중 단 1개국도 북한측의 주장을 받아들이지 않고 있음. 심지어 쏘련과 중국도 북한측 제안을 지지하지 않고 있음.

ㅇ 우리는 우리의 우방국들을 통하여 북한을 설득해 오고 있으나 북한은 아직도 남.북한 유엔 가입이 한반도의 분단을 고착화 한다는 구실을 내세워 반대하고 있음.

ㅇ 따라서 우리는 우리의 유엔가입 추진을 더 이상 연기할 필요가 없다는 판단하에 금년내에 우리만이라도 유엔에 가입코자 하는 것임.

ㅇ 아울러, 걸프사태를 해결 과정에서의 유엔의 역할 증대는 한반도 및 동북아지역의 평화와 안정유지를 위해서는 우리의 유엔가입이 조속히 이뤄져야 한다는 점을 더욱 분명히 하고 있음.

0093

o 그러나 우리의 금년도 유엔가입 추진이 쏘련의 내부정세 불안 또는 보수 강경파의 집권 가능성을 고려한 끝에 나온 것은 결코 아님.

다. 한국의 유엔가입 문제에 대한 쏘련의 입장은 ?

o 한.쏘 외교관계 수립시 우리의 유엔가입 문제에 대해 쏘련이 확실한 언질을 준 바는 없음.

o 쏘련은 한국의 유엔가입 문제는 보편성의 원칙에 따라야 할 것이라는 입장을 견지하고 있음.

o 또한 북한의 단일 의석하의 유엔가입 방안에 대해서는 문제점을 지적하고 있음.

o 위와같은 쏘련측의 기본입장에 비추어 쏘련이 우리의 유엔가입에 대해 최소한 반대 입장은 취하지 않을 것임.

- 현재 우리의 유엔가입 신청이 유엔의 의제에 올라있는 상황이 아니므로 쏘련 정부의 정확한 공식 입장을 알수는 없으나 여러 경로를 통해 우리의 유엔가입에 반대하지 않을 것이라는 시사를 해 오고 있음.

라. 한국의 유엔가입 문제에 대한 중국의 입장은 ?

o 이 시점에서 중국의 입장에 대해 추측은 하거나 예단을 하는 것은 외교적으로 바람직하지 않다고 봄.

0094

o 다만, 중국은 한국의 유엔가입 문제에 대한 회원국들의 지지 입장과 북한의 단일의석 유엔가입 제안에 대한 국제사회의 부정적 평가, 또한 한국이 남.북한의 유엔가입 관련, 지금까지 북한을 설득하기 위해 경주해 온 노력, 그리고 남.북한 유엔가입이 한반도 및 동북아의 평화와 안정에 미치는 영향등 여러 측면을 감안하여 최종적 입장을 정할 것으로 예상됨.

o 또한 중국은 세계의 지도적 국가의 하나로서 냉전의 유물로 남아있는 남.북한의 유엔가입 문제를 어떻게 처리하는 것이 한반도 및 동북아 지역의 평화와 안정에 기여하는 것인지 잘 알고 있으리라 믿고 있음.

o 한편, 중국은 걸프사태와 관련한 유엔안보리 결의 채택 과정에서 보여 준 바와같이 그들의 최종 입장을 최후의 순간까지 밝히지 않을 가능성이 매우 높다고 봄.

마. 북한의 입장에 대한 한국정부의 평가는 ?

o 북한은 현재 자신들이 설정한 정책의 도그마에 빠져 유엔가입 문제에 대한 탄력적인 대처능력을 상실하고 있는 것으로 보임.

- 북한은 유엔가입 문제를 통일문제와 연계시키므로써 남.북한 유엔 동시가입 또는 단독가입을 한반도 분단 고착화 조치로 해석하고 있음.
- 그러나 현재 북한은 유엔의 11개 전문기구에 가입하고 있고 세계 90개국과 남.북 동시 수교관계를 갖고 있음.
  이러한 북한이 단지 유엔가입 문제에 대해서만 분단 고착화 논리를 주장하는 것은 논리적 모순이며 자가 당착적인 것임.

0095

o 위와 같은 북한의 입장은 북한 자신뿐 아니라 중국의 입장을 곤경에 처하도록 하고 있음.

o 우리는 우리가 우선 유엔에 가입하는 것이 어떤 면에서는 북한이 지금까지의 주장을 버리고 유엔에 가입하는 것을 도와주는 효과도 있을 수 있다고 봄.

바. 현재 한국정부가 생각하고 있는 유엔가입 절차는 ?

o 현 단계에서 유엔가입 절차라는 기술적 문제를 구체적으로 언급할 수는 없음.

o 우리는 1949년 이래 몇차례 유엔가입 신청을 낸바 있으므로 기술적으로 말하면, 한국의 유엔가입 문제는 유엔의 현안중의 하나라고 할수 있음.

o 따라서 가입절차 문제는 우방국과의 협의와 유엔의사 규칙등을 검토하여 앞으로 결정하게 될 것임.

사. 한국의 유엔가입이 좌절될 가능성은 ?

o 지난 40여년간 냉전의 유물로 존속되어 온 우리의 유엔가입 문제에 대하여 우리 정부가 구체적 조치를 취할 때에는 이 문제가 성공적으로 달성되리라는 기대를 가지고 하게 될 것임.

o 따라서 우리는 사전에 필요한 모든 노력을 경주하여 우리의 유엔가입이 금년에 반드시 성취될 수 있도록 할 것이며, 우리의 유엔가입이 좌절되는 불행한 사태는 발생하지 않을 것으로 봄. 끝.

0096

외신회견 91-4-2

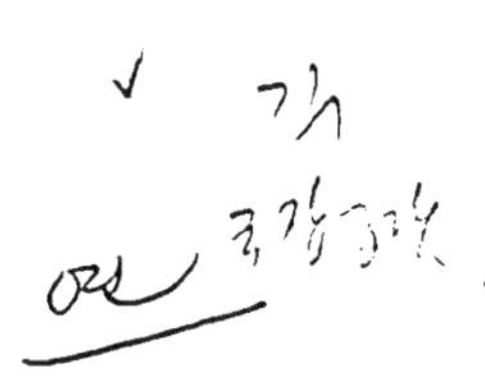

이정빈 차관보 외신 회견요록

기록 : 조병재 사무관

1. 일 시 : 1991. 4. 2(화), 14:00-14:40

2. 장 소 : 제1차관보실

3. 회견언론 : Voice of America(동경지국장 Edward Conley)

4. 회견요지

Conley : - ESCAP 총회 참석차 중국 외무차관이 방한하게 되고, 이상옥 외무장관과 면담을 하는등 금번 행사가 한.중관계 발전에 중요한 계기가 된다고 보는데, 어떻게 생각하시는지?

차관보 : - 유차관이 현재까지 방한한 중국측의 최고위 인사이나, 동인의 방한목적은 ESCAP 총회 참석이며, 외무장관은 총회의장 자격으로 만나시는 것임

- 언론에서 여러가지 추측을 많이하고 있으나, 아측으로서는 중국측의 입장을 어렵게 할 생각이 없음. 물론, 면담에서 양자 문제가 거론될 것이나, 주의제는 ESCAP이 될 것임. 중국은 내년도 총회를 북경에서 개최할 예정임

Conley : - 한국은 유엔 가입을 위해서는 중국의 승인(approval)이 필요한데, 이번 기회에 중국측의 협조를 적극 요청할 계획이신지?

차관보 : - 유엔가입에 필요한 것은 중국의 승인(approval)이 아니라 안보리의 동의(consent)임

0097

- 중국이 어떠한 행동이나 태도를 취할지 현 시점에서 추측하는 것은 현명하지 않다고 생각함
- 중국 정부는, 대다수 유엔 회원국들의 생각이 어떠하고, 유엔의 지배적 분위기가 어떤지 잘 알고 있으며, 남.북한의 유엔가입이 중국의 대한반도 정책 목표의 하나인 평화와 안정 유지에 긍정적인 영향을 미칠지 부정적인 영향을 미칠지 잘 알고 있으리라 봄. 나아가서, 중국은 한국의 유엔가입을 지지하는 다수 회원국과의 관계도 심각하게 고려하면서 이해득실을 잘 형량하여 태도를 결정할 것이라고 봄
- 또한, 중국은 국제문제에 대한 주도국가로서, 외교정책의 신뢰도 문제를 감안해야 할 것인바, 냉전시대의 유일한 유산인 한국의 유엔가입이 중국의 비협조로 실패한다면, 강대국으로서의 중국의 역할은 의심받게 될 것이며, 국제적인 신뢰도도 크게 손상될 것임. 사실, 중국은 지난 걸프전쟁 관련 10여차례의 안보리 결의 채택 과정에서 한번도 반대투표를 한 바가 없으며, 독일과 예멘의 경우 동시 가입이 통일에 장애가 되지 않았다는 점도 감안할 것으로 믿음

Conley : - 한.중간에는 최근 무역대표부가 교환되었으나 공식 외교관계는 없는 상태인데, 한국측은 어떤 접촉 경로를 통하여 중국측에 입장전달을 하고 있는지?

차관보 : - 한국은 유엔가입 문제와 관련한 입장을 숨기지 않고 있으며, 여러가지 경로를 통하여 우리의 입장을 전달해 오고 있음
- 그러나, 어떠한 경로를 통하는지를 상세히 설명할 입장이 아님

0098

Conley : - 중국측이 기권을 할 경우에도, 한국의 유엔가입 목적에 기여를 하게 되는지?

차관보 : - 그러함

Conley : - 한국은 금번 ESCAP 총회 주최로 유엔 가입을 위한 기반이 단단해졌다고 생각하는지? 사실, 유엔 비회원국인 한국이 유엔 회의를 주최하는 것이 좀 특별한 경우 같기도 합니다만.

차관보 : - 노대통령께서 직접 총회개최식에서 아국의 유엔가입 의사를 밝힌 바 있음

- 그러나, 금번 ESCAP 총회의 의미를 우리의 유엔가입에 국한해서는 안될 것임. 한국은 금번 총회를 통하여 회원국의 경제 발전을 위한 협력, 생활 수준 향상등 보다 광범위한 역내 협력에 기여하기를 원함
- 유엔 비회원국의 입장에서 한국이 유엔회의를 주최하는 것이 다소 이상스럽게 들리겠지만, 한국의 유엔가입이 지금까지 거부된 것 자체가 비정상적인 것임
- 한국은 이미 모든 유엔 전문기구에 가입하고 있으며, 11개 기구에는 남.북한이 공동 가입하고 있음. 또한 한국의 146개 수교국과 북한의 105개 수교국중 90개국이 남.북한 양측과 동시 수교를 하고 있음
- 이러한 상황에서 유엔만을 예외로 취급하는 북한의 입장은 논리적이지 못하며, 북한이 제시한 「단일의석 가입안」은 지난 총회에서 이미 그 부당성이 입증되었음
- 한국의 유엔가입은 자충수에 빠져있는 북한에게 오히려 유엔에 가입할 수 있는 길을 열어줄 것임

Conley : - 유엔 가입을 위한 일정 계획이 있는지, 그리고, 회원국들의 지지 확보에도 자신이 있는지?

0099

차관보 : - 여러 우방국들과 협의중이며, 9월까지는 시간이 있으므로 서둘지 않고 있음

- 총회에서의 지지 획득에는 전혀 문제가 없다고 봄. 대부분의 국가가 아국 가입을 지지하고 있음
- 한국은 북한과 동시 가입을 원하고 있으나, 북한이 원하지 않을 경우에는 단독가입을 하는 수 밖에 없음
- 하여튼, 유엔 가입 문제는 금년중 결말을 낼려고 함

Conley : - 이번 방한한 중국 외교차관이, 현재까지 방한한 인사중 최고위급으로 생각되는바, 한.쏘 수교와 비교하여 향후 한.중 관계를 어떻게 진전시킬려고 하는지?

차관보 : - 외교차관이 공식 방한 인사로서 최고위급이기는 하나, 양국간에는 이미 작년 9월 유엔 총회시 아.태지역 외무장관 만찬 간담회등 다자적 배경에서 고위급 접촉이 있어 왔음

- 한.쏘 수교의 경험을 한.중관계에 적용할 수는 없을 것임. 한.쏘 수교는 쏘련의 신사고 외교와 한국의 북방외교가 맞아 떨어진 경우이며, 한.중관계는 배경이 다름
- 중국도 한국과의 수교 필요성을 잘 알고 있을 것으로 보나 북한과의 소위 혈맹관계가 장애가 되고 있음. 그럼에도 불구하고 한.중간에도 이미 90년도 기준 38억불 규모의 교역과 5만명이상의 인적 교류가 이루어지고 있으며, 이러한 교류의 확대가 언제라고 말할 수는 없지만 수교를 가져오는데 도움이 될 것임
- 또한 중국의 한국 유엔 가입지지가 수교와 직결되거나 동일한 것은 아님. 유엔 가입지지는 다자관계의 한 측면이며, 수교는 양자 문제임. 물론, 중국이 한국의 유엔가입을 지지한다면 수교에는 도움은 될 것임

0100

Conley : - 마지막 질문임. 금년 가을 유엔가입을 낙관하시는지?

차관보 : - 낙관함

- 끝 -

0101

관리 번호	91 −2349

	분류번호	보존기간

발 신 전 보

번 호 : WUS−1496 910412 1515 FL 종별 :

수 신 : 주 수신처 참조 대사. 총영사

WUN -0902 WUK -0696
WFR -0756 WJA -1695
WHK -0579

발 신 : 장 관 (국연)

제 목 : 유엔가입문제 관련 홍보활동

연 : WUN-0741, WUS-1340, EM-0011

1. 4.19. 고르바쵸프 대통령 방한, 이봉 중국총리의 방북설, 남북한간 최초의 대규모 직교역 합의, 북한의 최고인민회의 개최 및 IPU 평양총회 개최등 일련의 한반도 주변정세 발전은 귀지 언론의 큰 관심사로 부각될 것으로 보며, 한반도문제에 관한 사설 또는 해설 기사가 게재될 가능성이 크다고 봄.

2. 상기에 따라, 귀지 언론에서 사설등을 통하여 한반도문제를 다룸에 있어 우리의 금년 유엔가입추진 결정 사실도 포함하여 이에 대한 언론의 입장이 표명될 가능성이 있다고 사료되는 바, 주재국 언론의 여사한 보도(특히 일간지 사설 게재)에서 유엔가입문제에 있어서 연호 정부각서 내용이 충분히 반영될 수 있도록 주요언론인에 대한 입장설명등 사전 홍보활동을 시행하기 바람. 끝.

예 고 : 91.12.31. 일반

검토필(91.6.30) (장 관) 이상옥

수신처 : 주미, 유엔, 영국, 불란서, 일본대사, 주홍콩총영사

보 안 통 제	

정보분리 3과

앙 고 재	91년 4월 11일	유엔과	기안자 성 명		과 장		국 장	1차보	차 관	장 관
			김성진							

외신과통제

0102

면 담 요 록

1. 일시 및 장소 : 91.5.2(목) 15:00-16:15, 제1차관보실

2. 면 담 자

   o 이정빈 제1차관보 (기록 : 국제연합과 송영완 사무관)

   o Le Monde 지 Patrice de Beer 특파원

3. 면 담 내 용

Beer : Rocard 수상으로부터 불란서는 한국의 유엔가입을 확고히 지지함을 설명들은 바 있어 불란서 정부의 입장은 잘 알고 있음. 한국정부의 공식입장을 알고 싶은 바, 금년내 유엔에 가입신청서를 제출키로 결정하였는가?

차관보 : 우리는 91.4월초 가입문제에 관한 정부각서를 안보리문서로 회람시킨 바, 전세계 대다수국이 우리의 입장을 적극 지지하고 있음. 우리는 중국의 건설적 역할 유도를 위하여도 다각적으로 노력하고 있는 바, 우리의 가입추진 노력은 순조로이 진행중임.

제 46차 유엔총회는 91.9월 개최되는 바, 가입신청서를 언제, 어떠한 방식으로 낼것인가는 좀더 검토해서 결정할 예정이나 금년중 가입을 실현코자 하는 아국의 의지는 확고함.

Beer : 가입신청시 중국이 취할 태도에 대한 평가는?

차관보 : 중국의 태도를 미리 추측함은 부적절하다고 봄. 다만, 우리의 우방국들은 중국이 보다 건설적인 태도를 취하도록 노력중이며 우리의 공동노력이 순조로이 진행되고 있다고 봄.

91 5 6 송영완

0103

Beer : 이틀전 Dumas 외상이 이붕 총리와 면담한 바, 동 면담이 한국의 유엔가입에 도움이 되었다고 보는가?

차관보 : 우리의 입장을 중국측에 잘 전해준 것으로 알고 있음. 불정부의 적극적 협조에 감사함.

Beer : 유엔가입문제에 관한 북한의 태도변화 가능성은? 그들이 서서히 변화하고 있다고 ~~있다고~~ 보는가?

차관보 : 우리는 직접 또는 중국을 통해 북한에게 우리와 함께 유엔에 가입할 것을 계속 설득하고 있음. 그 결과는 아직 두고봐야 함. 다만, 북측이 주장하는 소위 "단일의석안"이 국제사회에 의해 배척되고 있고 중국조차도 동 방안의 문제점을 지적중이라 함. 유엔가입에 관한 북측의 논리에 많은 문제점이 있으나 2가지만 지적하면,

- 북측은 유엔가입 문제와 통일문제를 연관시켜서 남북한 동시 가입이 분단을 고착화한다고 주장하나 이 논리는 소련을 포함 대다수 국가가 불인정하고 있음.
- 또한 남한은 148개국, 북한은 105개국과 각각 외교관계를 맺고 있고 그중 90개국과는 동시수교 관계에 있으며 양측은 유엔전문기구를 포함한 다수의 유엔산하기구에 각각 별도로 가입하고 있는 바, 유독 유엔에만 개별가입이 불가하다고 함은 모순임.

그럼에도 불구하고, 북한은 독단에 빠져 북한 주민을 호도하고 있는 바, 유엔가입문제에 관하여 스스로 어려운 처지를 자초함. (self-imposed quagmire). 우리는 북한으로 하여 이러한 난관을 극복할 수 있도록 하는 명분을 제공하기 위하여 동시가입을 계속 설득하고 있으며 이에 응하는 것이 북측으로서 택할 최선의 방책임. 또한 우리는 유엔 동시가입이 그들을 국제사회에 개방토록 하는 방안이 될 것으로 봄.

0104

Beer : 일본의 대북정책에 대한 평가는? 일본은 남북한간의 분단상태 지속을 선호하는 것이 아닌가?

차관보 : 일본은 그러한 의견을 부인하고 있으며 남북대화를 지지하고 있음. 또한 한반도의 평화와 안전은 일본, 중.소를 포함 모두에게 바람직하다고 봄. 우리의 주변강국이 남북한간의 긴장상태가 계속되는 것을 바란다고는 보지 않음.

Beer : 한반도 정세안정과 관련, 김일성 체제가 계속되는 것이 안정에 도움이 된다고 보는가?

차관보 : i) 김일성은 한국전쟁을 경험한 바 있어 그 비참함을 잘 알고 있으므로 전쟁보다 안정을 원할 가능성이 있고 김정일은 김일성보다 aggressive 하다는 견해와,

ii) 김정일은 보다 현실적이고 개방지향적 성향을 갖고 있다는 견해가 있음.

개인적으로는 북한의 대남정책에 있어서 때때로 strategic change는 있으나 basic change는 없을 것으로 보며 세계와 너무나 오래 격리되어 있었으므로 북한의 극소수층이 여론을 계속 지배하는한 김일성 정권은 당분간 유지될 것으로 봄. 우리는 계속 대화를 강조하고 잇으며 그들은 서서히 개방으로 유도하고자 노력하고 있음. 그들 스스로 변화하기를 기대하기는 당분간 어려울 것으로 봄.

Beer : 대화 계속, 개방유도를 언급했는데 독일의 예를 잘 알고 있는 북측이 이를 받아들이겠는가? 일종의 German shock이 지배하지 않을까?

0105

차관보 : 북측은 독일의 예가 결코 한반도에서 재현되어서는 안된다고 볼 것임. 우리는 독일의 예를 잘 연구하여야 한다고 봄.

우리는 언제 통일을 달성할 수 있을지 모르나 남북간의 평화 공존 기초하에 화해와 협력을 증진하고 점진적으로 통일로 향하도록 꾸준히 노력해야 한다고 봄. 유엔 가입 문제도 이러한 노력의 일환인 바, 남북한의 유엔동시가입을 통하여 UN context내에서 상호간의 교류와 협력이 촉진될 것으로 봄.

Beer : 북한의 핵개발관련 최근 진전사항은?

차관보 : 북한은 1985년도 NPT에 가입하여 동 조약상의 의무에 따라 핵안전 협정에 서명하여야 함에도 불구하고 이를 미국의 대북 핵무기사용 포기와 연계하고 있고 또한 핵사찰은 남북한 모두에게 시행되어야 한다고 주장하고 있음. 이는 그들이 스스로의 의무를 저버리기 위한 구실에 불과함. 우리는 국제사회가 북한으로 하여금 핵안전협정에 서명토록 계속 압력을 행사하길 바라며 북한은 결국 이를 받아들일 것으로 봄.

Beer : 한국측이 유엔가입을 추진하고 있는데 대해 북측이 위협을 가하고 있지는 않은가?

차관보 : 북측은 우리가 유엔가입을 계속 추진하면 한반도에 긴장이 고조될 것이라고 얘기하나 이는 우스운 짓임. (ridiculous) 우리의 유엔가입 추진노력은 평화적 행위(peaceful course of action) 임.

Beer : 국제사회는 한국의 유엔가입 문제가 냉전시대최후의 현안(last frontier of cold war)으로 보고 있는데?

0106

차관보 : 미.소를 포함 안보리 상임이사국 모두는 국제사회에 화해와 협력이 지배하길 희망하고 있고 유엔이 제기능을 발휘하게 되기를 원하고 있음.

독일.예멘의 통일에 이어 이제 한반도문제도 해결되어야 하는 바, 안보리는 국제평화와 안전에 1차적 책임을 지고 있으므로 우리문제를 해결해야 할 도덕적 의무(moral obligation)가 있으며 상임이사국의 일원인 중국도 예외가 아님. 중국은 북한과의 양자 관계 때문에 우리의 유엔가입 문제에 대하여 veto를 사용해서는 안되며 주요 강대국으로서 모든 문제를 종합 검토하여 결정해야 할 것인 바, 우리는 그들이 국제사회의 기대에 어긋나지 않을 것으로 믿음.

Beer : 모든 상황이 한국에 유리하게 전개되고 있는 바, 북한이 걱정(scared) 하고 있지 않을까? 그들이 혹시 자기들의 안위에 대하여 일종의 보장같은 것을 바라지 않을까?

차관보 : 그들이 걱정할 바는 없음. 북한은 우리의 합리적 제안을 받아 들임으로써 결국 더 많은 기회를 갖게 될 것임. 불행히도 북한은 너무 오랜 1인 독재체제의 지속으로 모든 분야에서 합리성을 잃고 있음. 그러나 민주화는 세계적 추세이며 북한이 이를 막을 수는 없음. 우리는 북한을 개방으로 유도코자 하나 북한은 2중접근방식(two-track contacts)을 쓰면서 책임있는 당국자간의 접촉을 무시하고 people-to-people contact를 강조하고 있음. 우리는 북한을 대화와 개방으로 유도하기 위한 노력을 계속할 것임.

Beer : 상세한 설명에 감사드림. 끝.

0107

3.28. 09:30까지

공보관실 기사 V
91.3.27. 김치

장관 정례 기자간담회 자료 준비

지 급

(1991.3.29.(금) 09:30시)

장관님 언급사항

1. 유엔 가입 대책
   - 특사 파견 계획 (비보도조건)
2. 에스캅 총회 준비 상황
   - 주요 수석대표 개별 면담 계획 (비보도조건)
3. 외무부 직제 개편 내용
4. 국제협력단 총재 임명
5. 걸프전비 지급 계획
6. 몽골 정부 연수단 방한 결과

주요 예상 질의

1. 일.북한 관계
2. 한.중 관계
   - 북경주재 대표부 직원 활동 제한
   - 한.중 항공로선 개설 문제
3. KAL기 격추사건 진상 규명
4. 대월남 수교 계획

※ 국.한문 혼용 A4용지 확대체로 작성하여 3.28(목)아침 9:30시 공보관실로 송부해 주시기 바랍니다.

0108

유엔加入對策 (非報道 條件)

o 3月初에 여러분들과 가진 懇談會에서 이미 概略的으로 說明드린바 있습니다만, 이자리를 빌어 今年度 유엔加入對策의 一環으로 準備中인 特別交涉 使節團 派遣 計劃과 關聯하여 非報道條件으로 몇가지 말씀드리고자 함.

o 政府는 4月末~5月初에 유엔安保理 非常任理事國 8個國과 구라파, 亞.太地域, 中東.아프리카등 각지역의 中心國家 25個國등 總 33個國을 對象으로 大統領 特使를 派遣할 準備를 하고있음. 今番 特別交涉使節團은 유엔加入에 관한 우리의 立場을 說明, 우리의 今年中 유엔加入 實現을 위한 派遣國들의 支援과 協助를 當付하는 同時에 訪問國과의 兩者關係 强化 方案에 관하여도 協議할 豫定임.

o 7-8個 特別交涉使節團은 派遣國들의 特性을 감안하여 이들 國家들의 支援과 協助를 最大한 確保할 수 있는 重量級 人士들로 構成코자 하는 바, 노신영 전총리, 박동진, 이원경, 최광수 前 外務長官과 기타 言語特性을 감안 한우석, 김창훈 本部大使를 派遣키로 하였음을 參考로 말씀드림.

o 今番 特別交涉使節團 派遣 計劃을 非報道 條件으로 說明드리는 것은 아직까지 派遣에 따른 接受國과의 協議가 이제 막 始作된 段階라서 特使派遣計劃이 미리 알려질 경우 여러가지 否定的인 餘波가 豫想되기 때문이므로 여러분들께서 잘 理解해 주시기 바람.

0109

유엔加入對策 (非報道 條件)

ㅇ 3月初 에 여러분들과 가진 懇談會에서 이미 概略的으로 說明드린바 있습니다만, 이자리를 빌어 今年度 유엔加入對策의 一環으로 準備中인 特別交涉 使節團 派遣 計劃과 關聯하여 非報道條件으로 몇가지 말씀드리고자 함.

ㅇ 政府는 4月末~5月初에 유엔安保理 非常任理事國 8個國과 구라파, 亞.太地域, 中東.아프리카등 각지역의 中心國家 25個國을 對象으로 大統領特使를 派遣할 豫定임. 特別交涉使節團은 大統領 親書를 派遣國 國家元首에게 手交하고, 유엔加入에 관한 우리의 立場을 說明, 우리의 今年中 유엔加入 實現을 위한 派遣國들의 支援과 協助를 當付할 豫定임.

ㅇ 7-8個 特別交涉使節團은 派遣國들의 特性을 감안하여 이들 國家들의 支援과 協助를 最大한 確保할 수 있는 重量級 人士들로 構成코자 하는 바, 대략 노신영 전총리, 박동진, 이원경, 최광수 前 外務長官과 기타 言語特性을 감안 本部大使를 考慮하고 있음을 參考로 말씀드림.

ㅇ 今番 特別交涉使節團 派遣 計劃을 非報道 條件으로 說明드리는 것은 特使 派遣計劃이 미리 알려질 경우 北韓으로부터의 妨害工作등 여러가지 否定的인 餘波가 豫想되기 때문이며, 우리의 유엔加入 實現을 위한 外交努力에 중대한 支障을 招來할 수 있을 것이라는 생각에서 不可避함을 여러분들께서 理解해 주시기 바람.

앙고재	91년 3월 28일	담 당	과 장	국 장
		김선혜	(서명)	(서명)

0110

장관님 KBS TV 회견자료

(1991.4.21. 오늘의 문제)

1991.4.18.
국제연합과

1. 유엔가입에 대한 정부의 기본입장

o 남북한이 다함께 유엔에 가입할 것을 희망

o 그간 북한에 대하여 우리와 함께 가입할 것을 권유

- 북한은 유감스럽게도 단일의석가입안 고집

o 앞으로도 북한 설득노력 계속

o 그러나 끝내 북한이 우리 노력에 호응치 않을 경우 우리만의 연내 선가입 실현

- 우리의 선가입은 북한의 가입 촉진예상

2. 금년도 유엔가입추진 이유, 특히 북한의 반대에도 불구 왜 이시점에 추진하는가?

o 지난 43년간 일관된 주요외교 목표의 하나

- 어제 오늘 추진할 것이 아님. 특히 1949-75년간 5회에 걸쳐 직접 신청

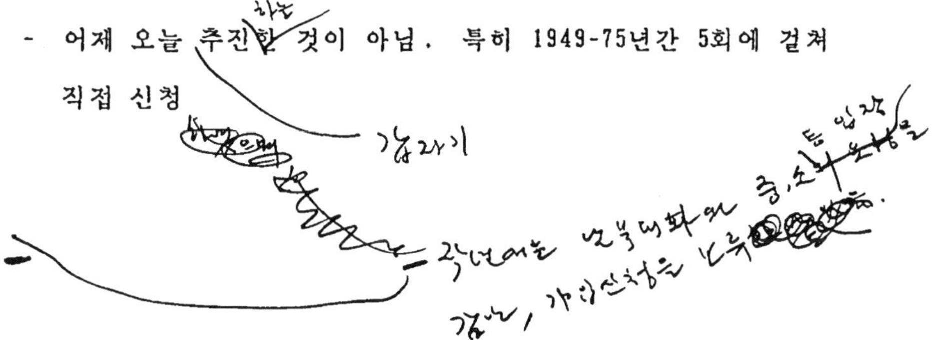

0111

o 유엔의 역할과 위상 고양

- 걸프사태 처리에서 유감없이 발휘

o 우리의 국제적 위상과 국력에 합당한 역할을 다해야

- 148개국과 수교, 제11위의 무역국가, 올림픽개최

o 탈냉전의 새로운 국제정세하에서 북방외교의 결실을 통한 가입실현 여건 조성

o 유엔내 아국가입 지지분위기 압도적

- 작년도 총회 기조연설 결과 우리의 가입 지연 불가라는 공통 인식

o 북한이 반대한다고 해서 무조건 따를수야

- 가입문제는 통일문제가 아님

- 북측 반대논리에 아무런 타당성, 합리성이 없음.

(분단고착화, 단일의석안, 남북 합의시까지 불가)

- 한·소 수교시에도 극렬 반대

- 따라서 반대하기 위한 반대에 불과

o 북한의 진정한 반대 이유

- 대내 통치차원에서 문제

- 유엔헌장상의 의무(분쟁의 평화적 해결)와 대남적화노선과의 상충

o 따라서 우리가 북한반대를 의식, 가입을 머뭇거린다면 이는 북한의 고립을 조장하고, 대남혁명 통일노선을 방치해두는 결과

- 북한이 스스로 설정한 억지논리를 깨주어야

0112

3. 유엔가입에 따른 실익과 남북한관계에 미치는 영향

o 국가로서의 떳떳한 역할 수행 : 국제적 지위 향상

- 주요 국제문제 결정에 있어서 완전한 참여
- 국제기구, 진출 증대 사무국
- 투표권, 발언권, 피선거권 제약 탈피

o 보다 정상적인 남북한관계 조성에 기여

- 우리의 선가입은 궁극적인 북한가입 촉진, 실현
- 유엔체제내에서 상호 교류와 협력 증진
- 신뢰조성, 궁극적인 평화통일에 기여

o 대외관계에 있어서 새로운 도약 발판 마련

- 비정상적인 일방적 부탁 외교 청산
- 무형의 가입지지에 유형의 댓가론 탈피

o 새로운 동북아 질서 구축에 능동적 참여

- 이지역 질서개편 과정에서 입지 강화
- 한·중 수교 촉진

o 물론 북측이 끝까지 반대할시 단기적인 남북한관계 악화 불가피

- 40여년이상 유사관계
- 불과 반년전에야 고위급회담 개최 가능

o 그러나 장기적 측면에서 평화공존, 공영관계를 위한 불가피한 ~~단계~~ 과정

0113

가입(언론)

長官님 KBS TV 會見資料

(1991.4.21. 오늘의 問題)

1991.4.18.
國際聯合課

1. 유엔加入에 대한 政府의 基本立場

   o 南北韓이 다함께 유엔에 加入할 것을 希望

   o 그간 北韓에 대하여 우리와 함께 加入할 것을 勸誘

     - 北韓은 유감스럽게도 單一議席加入案 固執

   o 앞으로도 北韓 說得努力 繼續

   o 그러나 끝내 北韓이 우리 努力에 呼應치 않을 경우 우리만의 年內 先加入 實現

     - 우리의 先加入은 北韓의 加入 促進豫想

2. 今年度 유엔加入推進 理由, 특히 北韓의 反對에도 不拘 왜 이 時點에 推進하는가?

   o 지난 43年間 一貫된 主要外交 目標의 하나

     - 어제 오늘 갑자기 推進하는 것이 아님. 특히 1949-75年間 5回에 걸쳐 直接 申請

     - 昨年에는 南北對話와 中·蘇등 立場 勘案, 加入申請을 保留

0114

o 和解와 協力의 新國際秩序下 유엔의 役割과 位相 高揚

- 걸프事態 處理에서 遺憾없이 發揮

o 우리의 國際的 位相과 國力에 合當한 役割을 다해야

- 148個國과 修交, 第11位의 貿易國家, 올림픽開催

o 脫冷戰의 새로운 國際情勢下에서 北方外交의 結實을 통한 加入實現 與件 造成

- 現在의 非正常的 狀況을 正常化시켜야

o 유엔內 我國加入 支持雰圍氣 壓倒的

- 昨年度 總會 基調演說 結果 우리의 加入 遲延 不可라는 共通 認識
- 또한 南北韓의 유엔加入이 그들의 統一에 障碍가 되지 않는다는 認識 一般的

o 北韓이 反對한다고 해서 무조건 따를수야

- 加入이 統一을 沮害하지 않음.
- 北側 反對論理에 아무런 妥當性, 合理性이 없음.
  (分斷固着化, 單一議席案, 南北 合意時까지 不可)
- 韓·蘇 修交時에도 極烈 反對
- 따라서 北韓은 反對하기 위한 反對

* 北韓의 진정한 反對 理由

- "하나의 조선" 論理
- 對內 統治次元에서 問題
- 유엔憲章上의 義務(紛爭의 平和的 解決)와 對南赤化路線과의 相衝]

0115

3. 유엔加入에 따른 實益과 南北韓關係에 미치는 影響

o 國家로서의 떳떳한 役割 遂行 : 國際的 地位 向上

- 主要 國際問題 決定에 있어서 完全한 參與
- 國際機構, 事務局 進出 增大
- 投票權, 發言權, 被選擧權 制約 脫皮

o 보다 正常的인 南北韓關係 造成에 寄與

- 우리의 先加入은 窮極的인 北韓加入 促進, 實現
- 유엔體制內에서 相互 交流와 協力 增進
- 信賴造成, 窮極的인 平和統一에 寄與

o 對外關係에 있어서 새로운 跳躍 발판 마련

- 非正常的인 一方的 付託 外交 淸算
- 無形의 加入支持에 有形의 댓가론 脫皮

o 새로운 東北亞 秩序 構築에 能動的 參與

- 이地域 秩序改編 過程에서 立地 强化
- 韓·中 修交도 促進

o 물론 北側이 끝까지 反對할시 短期的인 南北韓關係 惡化 不可避

- 40餘年以上 유사관계
- 불과 반년전에야 高位級會談 開催 可能

o 그러나 長期的 側面에서 平和共存, 共榮關係를 위한 不可避한 過程

0116

4. 問題의 核心이라고 할수 있는 中國의 態度는?

o 中國은 우리의 加入이 더이상 遲延되어서는 안된다는 國際社會의 一般的 支持雰圍氣를 認識하고 있는 것으로 豫想

- 長期的 觀點에서 南北韓의 유엔加入이 韓半島 情勢安定 및 南北關係의 正常化 契機 認識

- 유엔 및 國際機構의 普遍性原則 支持 立場

o 따라서 우리는 中國이 安保理常任理事國으로서 責任있고 建設的인 方向으로 役割을 할 것으로 期待

0117

분류기호 문서번호	국연 2031-150	협 조 문 용 지 ( )	결재	담당	과장	국장
시행일자	1991. 4. 19.					
수 신	정보문화국장	발 신	국제기구조약국장 (서명)			
제 목	외국기자 회견자료					

대 : 정홍 20501-67, 70

대호 당국 소관자료를 별첨 송부합니다.

첨 부 1. Far Eastern Economic Review - 장관님 답변자료

2. 헝가리일간지 - 차관님 답변자료. 끝.

0118

1505 - 8 일 (1)
85. 9. 9 승인 "내가아낀 종이 한장 늘어나는 나라살림"

190㎜×268㎜(인쇄용지 2급 60g / ㎡)
가 40-41 1990. 7. 9.

(Far Eastern Economic Review - 장관님 답변자료)

South Korea is pushing for entry into the United Nations this year, yet here again, China's position as a permanent member of the Security Council raises the risk of a veto vote. Do you still think the risk is worth taking?

o As a matter of fact, UN membership has been consistently one of our main foreign policy objectives since my Government was inaugurated under the auspices of the United Nations in 1948.

o The principle of universality requires the admission of any eligible sovereign state that wishes to join the United Nations. We are ready to make due contribution to the work of the United Nations in a manner commensurate with our standing in the international community. Furthermore, we believe that our entry into the UN, together with or followed by North Korea, will help enhance peace and security in the Korean peninsula.

0119

o I am glad to see that it has become the sense of the international community that our admission to the UN should be realized without further delay. It is also encouraging to ^note^ ~~us~~ that China's attitude towards Korea's UN membership is evolving ~~positively~~ in harmony with the stream of world opinion on this issue.

o We hope that China, as a permanent member of the Security Council, will play a constructive role to contribute to the stability and cooperation in and around the Korean peninusla.

0120

(Far Eastern Economic Review - 長官님 答辯資料)

韓國은 今年 유엔加入을 推進하고 있으나 安保理 常任理事國인 中國의 拒否權行使 可能性이 尙存하고 있음. 그럼에도 不拘하고 유엔加入을 推進할 必要가 있는가?

o 유엔加入은 우리政府가 유엔의 後援下에 1948年 樹立된 이래 繼續 主要 外交 目標의 하나였음.

o 유엔의 普遍性原則에 따르면 유엔加入을 希望하는 모든 資格있는 主權國家는 當然히 유엔에 加入할 수 있음. 우리는 유엔에 加入하여 우리의 國際的 地位에 相應하는 役割과 寄與를 다할 준비가 되어 있음. 또한 우리는 南北韓 同時 加入 또는 우리의 加入에 뒤이은 北韓의 加入으로 韓半島에 平和와 安定을 增進시킬 수 있다고 믿고 있음.

o 우리의 유엔加入이 더이상 늦추어져서는 안된다는 國際的 雰圍氣가 成熟되어 있음. 이 같은 國際的 雰圍氣와 一致하는 方向으로 中國도 態度를 發展시키고 있는 것은 고무적인 事實임.

o 우리는 中國이 安保理 常任理事國으로서 韓半島 및 東北亞地域의 安定과 協力 增進에 寄與하는 建設的 役割을 다할 것을 期待함.

0121

(헝가리 일간지 - 차관님 답변자료)

The Republic of Korea intends to join the United Nations. Are there any obstacles in the way of joining ?

o I am sure you share my view that my country is a peace-loving state willing and able to carry out all obligations set forth in the UN Charter, and therefore, fully qualified for membership in the United Nations.

o My country is the world's twelfth largest trading nation and maintains almost universal diplomatic relations. We are ready to make due contribution to the work of the United Nations in a manner commensurate with our standing in the international community.

o I must say that there is no obstacle in the way of our entry into the United Nations in light of the principle of universality cherished by the United Nations.

o One thing I would like to add is that we sincerely hope North Korea will also join the United Nations together with us.

0122

o First because we hope that North Korea will also assume its due responsibilities in the work of the august world body. Second because we believe that parallel UN membership of both Koreas would constitute a powerful confidence building measure insofar as it will represent a firm commitment to the provisions and principles of the UN Charter.

o To our disappointment, Pyongyang still insists that separate UN membership would serve to perpetuate or legitimize Korea's national division. It still remains to be seen how they can possibly defend their argument against the very fact that the peaceful unification of Germany and Yemen was preceded by their separate UN membership.

o We will continue to make every possible effort to induce Pyongyang to take a more realistic stance on this issue. However, I want to make clear that Pyongyang's intransigence cannot stop our sincere endeavor to assume the rightful place in the United Nations.

o In this connection, we hope that China, as a permanent member of the Security Council, will play a constructive role to contribute to the stability and cooperation in and around the Korean peninsula.

0123

(헝가리 日刊紙 - 次官님 答辯資料)

韓國은 유엔에 加入하려고 하고 있음. 同 加入에 障碍要素가 있는가?

o 우리나라는 平和愛好國으로서 유엔憲章上의 義務를 遂行할 意思와 能力이 있으며 따라서 유엔에 加入할 充分한 자격이 있음.

o 우리나라는 世界 12大 貿易國이며 世界 거의 모든나라와 外交關係를 맺고 있음. 우리는 유엔에 加入하여 우리의 國際的 地位에 相應하는 役割과 寄與를 다할 準備가 되어 있음.

o 유엔의 普遍性原則에 비추어 우리의 유엔加入에는 장애물이 없다고 봄.

o 한가지 덧붙이고 싶은 점은 우리는 北韓도 우리와 함께 유엔에 加入하기를 진정으로 希望하고 있다는 것임.

o 우리는 北韓도 世界普遍機構인 유엔에서 應分의 責任을 다해야 한다고 생각함. 또한 南北韓의 유엔同時加入은 그들이 유엔憲章上의 規定과 原則을 遵守케 함으로써 韓半島內에 하나의 強力한 信賴構築 措置가 될 것임.

0124

o 그러나 北韓은 아직도 南北韓의 유엔加入이 分斷을 永久化 내지는 正當化 한다고 主張하고 있음. 우리는 유엔에 각각 加入하고서도 平和的 統一을 達成한 獨逸과 예멘의 歷史 事實이 엄연히 있음에도 不拘하고 어떻게 北韓이 그들의 分斷固着化 論理를 지탱할 수 있을지 疑問임.

o 우리는 北韓이 보다 現實的인 立場을 취하도록 誘導하기 위하여 최선의 努力을 다할 것임. 한편, 北韓이 繼續 非妥協的인 立場을 견지하더라도 이것이 유엔에서 正當한 자리를 차지하려는 우리의 努力을 沮止할 수는 없는 것임.

o 이와 관련, 우리는 中國이 安保理 常任理事國으로서 韓半島 및 東北亞地域의 安定과 協力增進에 寄與하는 建設的 役割을 다할 것을 期待함.

0125

분류기호 문서번호	정홍20501- 67	협조문용지 (720-2339)	결재	담당	과장	국장
시행일자	1991. 4. 12					
수신	수신처참조	발신	정보문화국장 (서명)			
제목	면담자료 협조					

홍콩 Far Eastern Economic Review 지는 아국의 6공화국 출범 3주년을 계기로 "Focus on Korea" 제하의 아국관련 특집을 제작, 91.5월중 보도할 예정으로 있으며, 장관님과 동 잡지 Philip Bowring 주필간의 면담이 아래와 같이 개최될 예정이오니 별첨 질문사항중 귀 실.국 해당사항에 대한 장관님 답변자료 (국.영문 작성, 1개 질문사항에 대해 2페이지 분량) 와 관련 참고사항 (국문) 을 4.16까지 당국으로 송부하여 주시기 바랍니다.

- 아 래 -

1. 면담요청인사 : Mr. Philip Bowring, FEER 지 주필
2. 방 한 기 간 : 4.22 (월) - 25 (목), 3박 4일
3. 방 한 목 적 : 6공화국 출범 3주년 계기 아국 특집제작
4. 면 담 일 시 : 91.4.23 (화), 15:00

첨부 : 1. 질문사항
2. 인적사항
3. FEER 지 개황. 끝.

0126

수신처 : 기획관리실장, 구주국장, 아주국장, 국제기구조약국장

人的事項

o 生年月日 : 1942 (49歲)

o 所屬 및 職位 : Far Eastern Economic Review 誌 主筆

o 學 歷 : 英國 Cambridge 大 (歷史學 專攻, 文學碩士)

o 經 歷 :

- 1971- 濠州에서 Far Easterm Economic Review 誌 入社
- 1973- Far Eastern Economic Review 經濟部長
- 1977- Asian wall Street Journal 지 經濟部長
  英國 Financial Times 동남아시아 特派員
- 1981-88 Far Eastern Economic Review 誌 編輯副局長
- 1988-현재 Far Eastern Economic Review 誌 主筆

0127

Far Eastern Economic Review 槪況

o 創刊年度 : 1946.10

o 發 行 人 : Thomas Eglinton

o 發 行 地 : 홍콩

o 發行週期 : 週間

o 發行部數 : 75,000部

o 報道性向 : 中立, 穩健

o 參考事項 :

- 經濟時事問題를 다루는 時事週刊誌로 美國 다우존스社에서 株式을 所有하고 있음.

- 讀者層은 事業家, 會社員, 政府中堅管理層이며 홍콩 등 아시아 全地域에 配布됨.

0128

Asia's Leading Business News Weekly
Far Eastern Economic
REVIEW

Mr. Sol Kyong Hun,
Ministry of Foreign Affairs
Seoul, Korea.

6 April 1991

Dear Mr. Sol,

Regarding our telephone conversation this morning on our proposed meeting with Foreign Minister Lee on 24 April, as suggested by Korea Overseas Information Service, Mr. Bowring and I hope to take up following topics. Minister Lee, of course, can take up any other questions of his own choice. Please let us know if there are any difficulties regarding these topics.

1) The success of Northern diplomacy has raised the need for South Korea to conceptualise its foreign policy goals in a more coherent philosophy on a global scale. Do you have such a conception? If so, what is it?

2) South Korea has made a formal opening to the East Bloc by establishing full relations with the Soviet Union. And yet, you have come under criticisms for being too hasty in pushing for substantial economic cooperation with Moscow. Given the political and economic uncertainties now governing the internal developments in the Soviet Union, what is the basis of your optimistic approach to the regime of Mikhail Gorbachov? 구주국

3) You are vigorously courting China's diplomatic recognition at a time when Peking remains ambivalent over its commercial ties with South Korea? How do you see the evolution of South Korea's official relationship (or the lack of it) over the next few years? 아주국

4) South Korea is pushing for entry into the United Nations this year, yet here again, China's position as a permanent member of the Security Council raises the risk of a veto vote. Do you still think the risk is worth taking? 국제기구조약국

5) To meet the growing diversity of your relations with rest of the world, we hear the Foreign Ministry is undertaking an organisational restructuring. Can you tell us departments, divisions and posts being newly created to deal with your changing requirements? How do you train language and area specialists? Are you going to establish the portfolio dealing with long- and mid-term policy and strategic plannings? 기획관리실

6) Does South Korea have a position on Malaysia's proposal for a new North Asian trade bloc? How important 아주국

Far Eastern Economic Review Limited GPO Box 160 Hongkong
Editorial: 6/F, Centre Point, 181 Gloucester Road, Hongkong. Telephone: 5-8936688 Fax: 5-8932702 (GE II/III)
Telex: 75297 ECWEK HX Cables: REVIEW HONGKONG [ABC] *member of the Audit Bureau of Circulations, London*

0129

in Asean to South Korea's economic and strategic interests?

ends topic.

Shim Jae Hoon
Seoul Bureau Chief
Far Eastern Economic Review
Tel. 733-3696, 732-7354.

Limited GPO Box 160 Hongkong
Telephone: 5-8930088 Fax: 5-8932762 (GE II/III)
Circulations, London

0130

분석관

분류기호 문서번호	정홍20501- 10	협조문용지 (720-2339)	결 재	담 당	과 장	국 장
시행일자	1991. 4. 15					
수 신	수신처참조	발 신	정보문화국장 (서명)			
제 목	헝가리 언론인 회견 자료					

연 : 정홍 20501-64 (국제기구조약국 제외)

주헝가리대사는 헝가리 Nepszabadsag 지의 차관님 회견 (91.4.24, 오후)을 위한 별첨 질문서를 송부하여 왔는 바, 동 질문내용중 귀국 해당사항에 대한 차관님 답변자료 (국.영문 작성) 및 관련 참고사항을 당국에 송부하여 주시기 바랍니다.

첨 부 : 질문서. 끝.

수신처 : 구주국장, 국제기구조약국장 (사본 : 정보2과장)

0131

(구주국)

- What do the changes in Central and Europe mean for the Korean Foreign Policy ?
- How would you evaluate the state relations between the Republic of Korea and Hungary ?
- To what extend can the politics influence the trade and commerce between the two countries ?

(정보2과)

- What are the perspectives of the talks between the South and the North about the unification of the country ? what are the main differences between the standpoints ?
- How is the unification influenced by the presence of American troops on the Korean peninsula ?

(국기국)

- The Republic of Korea intends to join the United Nations. Are there any obstacles in the way of joining ?

0132

공보관실
91.4.21.

외무부장관 KBS - TV 인터뷰 내용

(91.4.21,일, 08:20 - 09:10, " 오늘의 문제 - 한.소 정상회담의 성과 ")

대 담 자 : 이청수 해설위원장

"고르바쵸프" 소련 대통령의 역사적인 첫 한반도 방문을 통해 이루어진 제주도 한.소 정상회담은 한반도의 평화와 통일, 그리고 새로운 아시아. 태평양 시대의 개막을 위해서 두 나라가 모든 힘을 결집해 나가기로 합의하고 어제 끝났습니다.

"고르바쵸프" 대통령은 1박 2일간의 한국 방문을 마치고 어제 귀국을 했고 또 우리의 흥분도 어느 정도 가라앉긴 했습니다만, 한.소 정상회담의 성과와 합의사항에 대한 앞으로의 실천방안을 어떻게 세워나가야 할 것인가 하는 것이 과제라 하겠습니다.

그래서 "오늘의 문제"는 한.소 정상회담의 성과를 주제로 해서 그 실천방안을 알아 보도록 하겠습니다.
이 자리에는 이번 한.소 정상회담의 실무주역이셨던 이상옥 외무장관이 나와 계십니다.

문 : 이번 한.소 정상회담에서 우리가 미쳐 예상하지 못했던 것 중의 중요한 하나가 한.소 우호조약을 맺도록 앞으로 양국이 협의해 나가기로 했다는 것인데, 한.소 우호협력조약이 체결될 경우 한반도를 비롯한 동북아 질서에 상당한 변화가 오지 않겠느냐는 생각이 듭니다.

답 : 한.소 우호협력조약 체결 문제는 어제 있었던 한.소 양국간의 확대 정상 회담에서 "고르바쵸프" 대통령이 제기를 했습니다.

"고르바쵸프" 대통령은 작년 12월 노대통령께서 모스크바를 방문하셨을때 양국 정상간에 합의되어 발표했던 이른바 모스크바 선언, 즉 양국관계의 일반원칙에 관한 선언이 채택되어 발표되었지만 이제 선언보다는 좀 더 확고한 형태로 양국관계를 발전시키기위해 한.소간에 선린 협력조약 체결 문제를 한번 검토해 보는것이 어떻겠는냐고 제의했습니다.

이에대해 우리 대통령께서는, 그 문제는 여러가지 고려해야 될 사항도 있고 하니 앞으로 양국간의 외교경로를 통해서, 특히 이번 제주도 회담에서 양국 외무장관이 정기적으로 만나서 협의를 하자는데 합의를 보았으니 앞으로 양국 외무장관간의 협의를 통해서 이 문제를 논의 해보자고 말씀 하셨습니다.

따라서 아직 조약체결 자체에 대해 합의한것은 아닙니다. 또 조약내용에 관한 구체적인 제안이 나오고 그 내용에 관한 상당한 검토를 거친 연후에만 조약으로 체결할 것인가를 결정할 수 있는 것입니다.

이번 소련측의 선린 협력조약안은 일단 제기된 사항인만큼 앞으로 이 문제를 신중이 검토해 나가고자 합니다.

문 : 그렇다면 양국간에 합의가 이루어져 조약이 체결된다 하더라도 그렇게 되기 까진 상당한 시일이 걸릴것 같은데요?

답 : 물론입니다. 아직 구체적인 안도 나오지 않은 상태입니다. 또한 한.소 간에 선린 협력조약을 체결한다는 것은 여러가지 각도에서 검토해야할 사항이 많다고 생각합니다.

2

0134

문 : 만일 조약이 체결된다면 일반 관례로 봐서 대충 어떤 내용들이 들어가는 겁니까?

답 : 일반적으로 우호협력 또는 선린협력 조약이라는 이름으로 체결되는 각국의 조약체결 내용을 보면 형태가 서로 다르기 때문에 획일적으로 이런것이다 라고 말할 수는 없다고 봅니다.

따라서 "고르바쵸프" 대통령이 제안한 선린협력조약이 어떤 형태의 것인지는 알 수 없으며, 아직 앞으로 소련측으로부터 구체적인 안을 받아봐야 알 수 있을것 같습니다.

문 : 소련은 적극적인데 그 반대로 우리는 좀 신중하거든요. 이것은 아마도 성격은 좀 다르지만 우리가 이미 30년전에 미국과 체결한 한.미우호 통상 항해조약을 갖고 있기 때문이 아닙니까?

한.소간에도 조약을 체결하게 되면 양국민은 서로 최혜국 대우를 해야하고 또 내국민 대우를 해야하는데 여기에 또 소련과 우호조약을 체결하게 되는 경우, 소련과 미국이 한국에서 서로 대등한 위치에 서게 된다고 봅니다.

바로 이러한 점때문에 우리가 신중을 기하는것이 아닌가 하는 추측도 있는데 말씀이죠.

답 : 지금 한.미간에 체결되어있는 우호통상항해조약은 소련이 제의한 것과는 성격이 다릅니다. 소련이 제의한 우호 협력조약은 보다 더 정치적인 성격이 강한 형태를 의미하는것이 아닌가하는 생각이 듭니다.

앞으로 소련측의 구체적인 제안을 받은 연후에 검토해야 할것으로 생각합니다.

문 : 두나라 정상은 앞으로 몇년내 라고는 하지 않았지만 양국간의 통상규모가 약 1백억달러 수준으로 확대되었으면 하는 희망을 피력했는데 이번 소련측의

우호 협력조약 체결제의는 양국간의 경제협력 활성화 문제와도 연관이 있는 것이겠지요?

답 : 이번 정상회담과 병행해서 외무장관 회담과 경제장관 회담이 각각 개최되었습니다. 한.소 양국간 교역량은 작년만 하더라도 약 9억불로 급속히 신장된 바 있고, 이런 속도로 나간다면 금년에는 15억불 선은 되지 않겠느냐는 이야기도 나왔습니다. 따라서 앞으로 90년대 중반까지는 1백억불까지 양국간의 교역량을 확대하자는데 합의 하였습니다.

문 : 양국간 교역량의 증가는 우호조약의 체결여부와는 상관없이 신장되는 것이겠지요?

답 : 그렇습니다. 한.소 양국간의 경제적 상호 보완성에 비추어 양국간의 교역이나 경제 관계는 앞으로 계속 확대와 신장을 계속할것입니다.

문 : 그리고 우리가 이번 정상회담에서 가장 기대를 걸었던 것이 한국의 선유엔 가입에 대한 "고르바쵸프" 대통령의 지지표명 문제인데 이것은 발표된 것 보다는 상당히 강한 확고한 "고르바쵸프" 대통령의 지원다짐이 있었던 것으로 알고 있는데 어느 정도입니까?

답 : 유엔 가입문제는 양국 정상간은 물론 외무장관 회담에서도 중점적으로 다룬 사항중의 하나였습니다. 소련도 기본적으로 남.북한이 같이 유엔에 가입하는것이 바람직하다는 입장을 가지고 있습니다.

그러나 유엔의 보편성 원칙에 입각해서, 유엔에 가입할 자격이 있는 모든 나라가 가입되어야 한다는 원칙에 대해서도 확고한 지지를 표명하고 있습니다. 따라서 우리는 남.북한이 같이 유엔에 가입하기 위한 노력을 계속하겠지만, 그렇다고 언제까지나 기다릴 수만은 없다는 입장을 표명해서 소련측으로부터 상당한 이해를 받았다고 생각합니다. 우리의 유엔가입에 대한 소련의 건설적인 역할을 기대하고 있습니다.

4

0136

문 : 그리고 "고르바쵸프" 대통령의 설명에 따르면 중국도 한국의 선 유엔가입 문제에 대해 상당히 긍정적이라는 이야기이고, 북한의 단일의석 가입안은 오히려 비현실적이라는 태도를 표명했다는 것을 우리한테 전달해 오지 않았습니까?

답 : 유엔 가입문제와 관련해서 많은 우방국, 비동맹국들과 접촉을 해왔습니다만, 그 과정에서 중국측도 북한이 제의한 단일의석 가입안은 비현실적인 것이라는 반응을 보이고 있는것으로 파악되고 있습니다.

다만 이문제에 관한한 중국은 아직까지도 남.북한이 가능한한 협의를 해서 합의에 도달하게 되길 바란다는 공식적인 입장을 고수하고 있습니다.

우리는 중국이 안보리 상임이사국이라는 위치에 맞게 책임있는 태도를 취하여 줄것을 기대하고 있습니다.

문 : 잘되면 우리의 방침대로 올해안으로 우리의 유엔가입이 실현될수 있다고 봐도 됩니까?

답 : 올 가을에 개최되는 유엔총회에서 우리의 유엔가입을 실현하고자 하는 확고한 의지를 가지고 있습니다.

문 : 또 하나 중요한 문제가 북한의 핵 안전조치에 관한 협정체결 문제인데, 이것은 "고르바쵸프" 대통령도 북한에 대해 수용하도록 촉구하겠다는 말을 일본에서 한것으로 알고 있습니다. 한.소 정상회담에서는 더 높은 강도의 다짐이 있었을것이라는 추측들을 하고 있는데 어느 정도이었습니까?

답 : 이번 정상회담에서 북한의 핵안전협정 체결문제도 심도있게 다룬 사안중의 하나였습니다. 북한이 핵비확산조약에 가입하고 있으면서도 조약당사국의 기본적인 의무인 핵안전협정을 체결하지 않고 있는것은 국제법에도 위배되는 것입니다.

우리로서는 기본적으로 북한이 핵비확산조약의 당사국으로서 하루 빨리 국제원자력기구와 핵안전협정을 체결하도록 촉구하고 있습니다. 소련도 이번 제주도 정상회담에서 우리의 그러한 입장에 대해 확고한 지지를 표명했습니다. 소련측은 또한 북한이 핵안전협정 체결과 관련없는 사항들을 결부시켜서 협정 체결을 지연하고 있는것은 부당하다는 인식도 함께 보여 주었습니다.

문 : 다시말해서 한국에 배치되어 있을지도 모르는 주한 미군의 핵무기 철수 문제와 자기들의 핵안전협정 수용문제를 결부시키는것이 이치에 맞지 않는다는 말씀이시죠?

답 : 핵비확산조약의 규정에 의하면 이 조약에 가입한후 18개월 이내에 국제원자력기구와 핵안전협정을 체결해서 자국내의 핵시설에 대한 사찰을 받도록 되어 있습니다.

그런데 북한은 핵비확산조약에 가입한지 6년이 지났습니다만, 핵안전협정 체결을 아직도 지연시키고 있는 것입니다. 핵비확산조약에 의하면 안전협정 체결은 협정 당사국으로서의 당연한 의무이지 이를 다른문제와 결부 시킬 수는 없는 것입니다.

북한이 비핵지대화 운운하고 있는것은 기본적인 국제적 의무를 기피하기 위한 하나의 구실에 지나지 않는 것입니다.

문 : 북한이 핵안전조치를 수용하지 않을 경우, 북한에 대한 소련의 핵원료 제공이라든지 기술지원을 중단하겠다고 "이그나텐코" 대통령실 대변인은 말을 했거든요. 그런데 왜 "고르바쵸프" 대통령은 그러한 말을 직접 하지 않았는지요?

6

0138

답 : 저도 보도를 봤습니다만, 소련 정부차원에서는 그러한 발표를 하지 않았습니다. 소련내 연구기관에서 그러한 의견을 제시한것이 아닌가 생각합니다.

문 : IMEMO 소장이라든지 그러한 사람이 이야기한것이다 라는 말씀이시군요. 그런데 우리는 물론 핵안전협정에 가입하고 있는데 북한이 핵무기를 꼭 개발하겠다고 한다면 우리는 어떻습니까? 우리의 과학기술 능력으로 자체적인 핵개발을 할 수 있는건지요?

답 : 우리는 핵비확산 조약에 가입한후 기한내인 18개월 이내에 국제원자력기구와 핵안전협정을 체결하여 우리가 보유하고 있는 핵개발시설에 대한 사찰을 정기적으로 받고 있습니다. 그리고 우리는 기본적으로 핵무기를 생산하지 않는다는 방침을 이미 밝힌 바 있습니다. 다만 핵비확산조약에 가입하면 핵비보유국은 핵보유국가로부터 일반적인 핵우산의 보호를 받도록 되어 있습니다.

문 : 그런데 이번 소.일 정상회담이 끝나고 나서 아사히 신문이 보도한 것을 보니까 핵비확산조약에 가입하고서도 핵안전조치협정을 체결하지 않은 나라에 대해서는 어떤 나라든 유엔안보리가 제재를 가하도록 하자, 정치적인 압력 뿐만 아니라 경제적 제재조치를 취해서 핵안전협정 체결에 응하도록 하자는 방안을 일본정부가 추진하고 있다는 보도를 했었습니다. 그러한 가능성에 대해서는 어떻게 보십니까?

답 : 핵비확산조약에 가입하고서도 핵안전협정체결을 거부하는 국가에 대해서는 강력한 외교적 제재조치가 취해져야 한다는 국제여론이 앞으로 점증할 것으로 보고 있습니다. 만일 북한이 계속 현재와 같은 거부태도를 고수한다면 북한에 대한 외교적 압력 및 국제여론의 압력이 더욱 커질 것으로 봅니다.

문 : 그리고 한가지 문제는, 소련도 상당히 많은 관심을 갖고 있는데 만일 북한이 핵안전협정에 가입하고, 남한에서도 핵무기가 있다면 이를 철수해서 한반도를 비핵지대화 한다는 것입니다. 이렇게 해도 일본이 핵비보유국 이면서 미국의 핵보호를 받고 있는만큼 우리도 자연히 미국의 핵 우산아래 놓이게 되어 한반도가 비핵지대화 되어도 문제가 없다는 견해가 있는데 어떻게 보십니까?

답 : 핵문제는 매우 민감한 문제이기 때문에 미국은 어느 특정지역의 핵무기 존재사실에 대해 시인도 부인도 하지 않는 방침을 고수하고 있습니다.

이를 전제로 해서 요즈음 비핵지대화 문제가 많이 거론되고 있습니다. 기본적으로 비핵화, 또는 비핵지대화 문제는 그 지역의 전체적인 안보상황과 연계시켜 생각해 볼 필요가 있습니다. 비핵지대화 문제는 그 지역의 관련 당사국간의 합의와 그 지역의 안보적 특수성등 여러가지 사항을 감안해서 고려되어야 할 것입니다.

한반도의 비핵지대화는 한반도의 현 안보적 상황에 비추어 볼때 현실적인 방안이라기 보다는 일부에서 정치선전의 의도하에서 제기하고 있는것이 아닌가 생각합니다.

물론 우리도 핵의 공포에서 해방되어야 한다는 절실한 염원을 가지고 있습니다. 그러나 핵이 전쟁억지의 기능도 사실상 해 왔기때문에 핵문제에 대해서는 전체적 안보상황을 고려, 신중히 대처해야 할 것으로 봅니다. 조금전 말씀드린것처럼 미국 스스로가 핵무기의 존재 여부에 대해 시인도 부인도 하지 않고 있는 것은 핵무기의 전쟁억지 기능을 염두에 두고 있기 때문입니다.

8

0140

문 : 남.북간의 현안문제 및 주변정세 문제가 해결되기 위해서는 남.북한간의 대화가 먼저 이루어져야 된다고 생각하는데 지금 남.북 총리회담이 중단 상태에 있지 않습니까? 따라서 이 회담의 재개문제라든지 북한의 개방 문제등을 지원하기 위해 "고르바쵸프" 대통령이 영향력을 행사하겠다는 다짐은 없었는지요?

답 : 이번 정상회담에서 한반도의 긴장완화와 평화정착, 그리고 이것이 궁극적으로 한반도의 평화통일까지 연결될 수 있도록 하는 문제들에 관해 양 정상간에 깊이있는 의견교환이 있었습니다.

우리는 소련이 한반도의 평화정착과 궁극적으로 평화통일을 위해 상당히 중요한 역할을 할 수 있는 나라라는 인식을 가지고 있습니다.
앞으로 소련이 한반도에서 전쟁의 위험을 제거하고, 또 냉전시대의 유일한 유산의 하나인 한반도 문제해결에 있어 좀더 건설적인 역할을 해줄 것으로 믿고 있습니다.

문 : "고르바쵸프" 대통령이 곧 서울을 다시 방문하겠다는 의사를 표명하고 북한방문에 대해서는 분명히 이야기를 하지 않았는데, 앞으로 남.북한을 함께 방문해서 양 당사자 사이의 중재자 역할을 할 의사가 있다는 이야기는 없었습니까?

답 : 이번에 그 정도로까지는 이야기가 나오지 않았습니다.
"고르바쵸프" 대통령의 북한 방문은 "고르바쵸프" 대통령 자신이 결정할 문제이고, 또한 그것은 북한과 소련간의 문제입니다. 우리가 무어라고 이야기하는 것은 온당치 못하다고 생각합니다만, 만일 "고르바쵸프" 대통령이 북한을 방문한다면 그것이 또한 한반도의 평화와 안정에 도움을 줄 수 있으리라 봅니다.

다만, 이번 정상회담에서 노태우 대통령께서 "고르바쵸프" 대통령에게 적당한 기회에 서울을 한번 방문해 주도록 초청을 했고, "고르바쵸프" 대통령은 시간을 봐서 서울을 방문하겠다는 의사를 표시했습니다.

문 : 그렇게 되면 그것은 국빈방문(state visit) 이라든지 공식방문(official visit)의 형태가 되겠지요?

답 : 아무래도 좀 더 격식을 갖추는 형식이 될 것입니다.

문 : 이번 제주도 방문은 급하게 이루어지다 보니까 그런 격식을 갖추지 못해 다소 섭섭해 하는 사람들도 있는데 말씀이죠?

답 : 이번 제주도 방문도 우리로서는 상당한 의미가 있는 것이었습니다. 아시다시피 "고르바쵸프" 대통령이 일본 방문의 바쁜 일정을 마치고 제주도에 들렀기 때문에, 사실 처음에는 1박도 못하고 몇 시간만 있다가 갈 계획이었습니다.

그러나 1박을 하고 또 우리와도 충분한 협의를 할 수 있는 충분한 시간을 갖게 되어 매우 다행스러웠다고 생각합니다. 또 이번 양 정상간의 회담은 매우 뜻깊은 기회였으며, 양국간의 관계발전은 물론, 전체적인 한반도와 동북아의 평화와 안정을 위해서 커다란 기여를 하게 될 것으로 봅니다.

문 : 앞으로 "고르바쵸프" 대통령의 서울 국빈방문, 또는 공식방문이 이루어 진다면 그 시기는 언제쯤이 될것으로 예상하십니까?

답 : 구체적인 방한 시기는 앞으로 외교경로를 통해서 서로 협의를 해야할 것입니다. 현재로서는 언제가 될것이다라고 말하는 것은 다소 성급한 것 같습니다.

문 : 북한의 입장에서 보면 자기의 기존 우방인 소련이 한국과 아주 가까와지는 것을 지켜보며 자기들로서도 우리와 교류를 트고 싶은데 그렇게는 할 수 없으니까 우리의 우방인 미국이나 일본과 가까와 지도록 해야 겠다는 생각을 할 수 있으리라 여겨지는데, 그건 어떻게 보십니까?

답 : 잘 아시는 바와 같이 지금 북한은 일본과 국교를 정상화 하기 위한 교섭을 진행하고 있습니다. 또 미국에 대해서도 관계를 개선하기 위한 여러가지 시도를 하고 있습니다.

그러나 우리가 볼때 아직도 북한은 기본적으로 종래의 경직된 사고방식에서 벗어나지 못하고 있습니다. 북한은 아직도 일본과의 국교 정상화나 미국과의 관계개선을 진실로 추구하고, 또 한반도의 현실을 인정하면서 자기들도 개방과 개혁의 노선으로 정책을 전환할 기미는 전혀 보이고 있지 않습니다.

우리로서는 특히 최근 북한과 일본의 관계개선 시도에 대해서 전혀 반대하지 않고 있습니다. 다만 일본과 북한의 수교 교섭에 있어서는 조금전에도 말씀드린 바와 같이 북한의 핵 안전협정 체결 문제라든지 그러한 기본적인 몇 가지 사항들을 염두에 두고 신중히 추진을 해야 한다는 이야기를 하고 있습니다. 우리로서는 북한이 하루빨리 대외정책에 있어 현실감각을 가지고 급변하는 국제정세에 적응할 수 있는 그런 정책적응을 해야 한다고 보고 있습니다.

문 : 미국의 일부 언론이나 전문학자들의 말에 의하면 북한이 당장 미국이 바라는 조건에 부응해 오지 않더라도 한국이 소련과 상당히 가까와져 가는 것 같고 또 북한을 빨리 개방시켜야겠고 해서 다소 미흡하더라도 북한과 수교를 한다든지, 서로 교류를 많이 갖도록 해야 한다는 의견을 제시하고 있는데 이에 대해서는 어떻게 생각 하십니까?

답 : 우리가 7.7 선언에서 우리 우방들의 북한과의 관계개선을 도와줄 용의가 있다고 하는 아주 포용력 있는 정책을 제시한 바 있습니다.

문제는 북한에 있는 것입니다. 북한이 좀 더 현실적인 방향으로 정책을 전환한다면 미국이나 일본과의 관계개선도 그렇게 어려운 일은 아닐 것입니다. 따라서 문제는 북한 자신에 있습니다.

북한이 하루빨리 경직된 사고에서 벗어나서 현실에 바탕을 둔 정책을 추구하는 것이 급선무라고 생각합니다.

문 : 자꾸 북한쪽에 조건을 달지 말고 북한과의 관계개선을 시도해 보라는 미국내 일부 여론을 미국정부는 받아들이지 않겠군요?

답 : 국제관계에 있어 국교를 정상화하기 위해서는 여러가지 거쳐야 할 과정이 있고, 또 이에 따른 교섭이 있어야 하는 것입니다. 또한 국가간의 관계 조정에 관한 기준 같은 것도 이러한 관행과 기준에 맞춰야지, 맞추지 않고 구호로만 국교 정상화나 관계개선을 부르짖어 보아야 설득력이 없습니다. 하루빨리 북한이 실제 행동면에서 국제사회의 일원으로서 책임있는 행동을 하는 것이 바람직하다고 생각합니다.

문 : 아시아.태평양 안보협력 문제는 소련과 우리의 입장, 그리고 우리 우방국들의 입장 간에 다소 차이가 있는 것 같은데 이번 회담에서도 거기에 관한 논의가 있었습니까?

답 : 이번에 "고르바쵸프" 대통령이 아시아.태평양 안보협력 문제에 대해 관심을 표명하고, 또 소련의 구상의 일부를 설명했습니다.

우리들이 볼 때 아직은 아시아.태평양 지역은 구라파 지역과는 여러가지 면에서 다른 점이 많다고 봅니다. 구라파에서 성공한 안보협력 구상이 그대로 아시아.태평양 지역에 적용될 수 있는 여건이 아직은 조성되어 있지 않다고 봅니다.

이 문제는 앞으로 중장기적인 연구과제로서 꾸준히 검토를 하고 연구를 해야 할 과제입니다. 지금 당장 아시아.태평양 지역에 집단안보 구상이라든가 안보협력 구상을 적용하기에는 갖추어야 할 여건 조성이 안되어 있다고 봅니다.

12

0144

문 : "고르바쵸프" 대통령이 일본과의 정상회담 결과 발표에서 아시아.태평양 집단안보 구상에 대한 이야기를 하면서 왜 남.북한은 빼고서 미국, 소련, 중국, 일본, 인도 만을 지칭했는가 하는데 대해 의구심을 갖게 되는데, 이것이 무슨 특별한 의미가 있는 것입니까?

답 : 일본 국회 연설에서 "고르바쵸프" 대통령이 제안한 내용을 봤습니다만, 93년에 아.태 지역 전체의 외상회담 제안에 관한 이야기를 한 바 있고, 또 아.태 지역 경제협력 증진에 관한 구상도 이야기 한 바 있습니다. 그러나 "고르바쵸프" 대통령이 집단안보 구상에 대한 언급에서 어떤 맥락에서 한반도는 빼고 5개국 만을 지칭했는지 그 의도를 잘 알 수는 없습니다. 기본적으로 우리들은 한반도 문제에 있어서 만큼은 어디까지나 직접 당사자인 남.북한 간의 협상과 합의가 가장 중요하다는 인식을 가지고 있습니다.

문 : 이번 한.소 정상회담에서 실질적인 합의 가운데 하나가 사할린의 유전 개발 및 시베리아 삼림 개발을 위해 한국이 합작투자와 공동개발에 참여 한다는 것인데 정부차원의 한.소 경제교류 전망은 어떻습니까?

답 : 지금 한.소 간의 경제협력에 관해서는 양국간 경제협력의 잠재력을 개발하기 위한 여러가지 구상들이 많이 나오고 있는 것으로 알고 있습니다. 기본적으로 한.소 양국은 경제적으로 상호 보완성을 갖고 있기 때문에 우리 정부와 기업이 노력한다면 양국간의 경제관계를 개발하고, 확대하고 발전시킬 수 있는 여지가 많다고 봅니다.

그런 의미에서 이번 제주도 회담에서도 양 정상 간에, 그리고 경제장관회담에서 양국간의 실질적인 경제협력을 증진시키기 위한 여러가지 논의가 있었습니다.

문 : 한.소 정상회담을 통해서 양국간의 관계가 발전되어 나가는 것은 좋은데 이 기회에 과거 양국간에 응어리져 있던것을 풀고서 넘어가야 한다는 여론들도 있거든요. 예를들어서 지난 83년 KAL기 격추사건에 대한 소련측의 사과가 국가원수 차원에서 분명히 나와야 되지 않느냐는 이야기입니다.

답 : 불행했던 대한항공기 사건에 관해서는 이번에 제주도 회담에서 우리측이 다시 강력히 거론했습니다. 소련측으로부터 그간 언론에 보도된 사건에 관한 사항들에 대해서 소련 당국의 조사 결과가 판명되는대로 우리에게 알려주겠다는 입장을 다시 재확인 받았습니다.

그리고 유가족들이 희망했던 사고현장 방문은 역시 소련정부가 호의적으로 검토해서 실현되도록 협조하겠다는 입장 표명도 있었습니다.

문 : 한.소 정상회담을 통해서 우리의 국제적 입지가 강화되는 것은 좋은데, 우리가 어느 한쪽으로만 치우치는 것은 곤란하다고 생각합니다.
약 1세기전에 아관파천이라는 역사적인 사건이 있었는데 이때 우리 국왕이 러시아 공관에 가서 1년동안이나 왕권을 의탁하다시피 해서 친로가 되고, 또 10년쯤 후에는 을사보호조약으로 친일로 기울어지고, 다음에는 분단으로 인해 한쪽은 친미가 되고 또 다른 한쪽은 친소가 되곤했던 불행한 역사가 되풀이 되어 왔습니다. 이럴때일수록 우리는 균형된 외교전략으로 나가야 되지 않겠느냐는 말씀인데 어떻게 생각하십니까?

답 : 옳으신 말씀입니다. 그러나 우리가 한가지 분명히 짚고 넘어가야 할것은 그동안 우리의 북방외교가 상당한 성과를 거두었는데, 그것은 미국이나 일본과 같은 우방국들과의 확고한 유대관계의 바탕위에서 가능하였다는 사실입니다. 그러한 우방국들과의 확고한 협조와 유대관계를 토대로 해서만이 우리 북방외교가 성공할 수 있었다는 것을 다시 강조하여 말씀드리고 싶습니다.

14

0146

그리고 이제 말씀하신 바와같이 현대 외교가 흔히들 말하는 전방위 외교 시대로 확대됨에 따라 외교전체의 균형과 조화가 매우 중요한 과제입니다. 따라서 정부로서도 다각적인 외교시대로 접어들면서 전체 외교의 조화와 균형을 위해서 각별한 노력을 기울일 방침입니다.

대담자의 끝 맺음말 :

"고르바쵸프" 소련 대통령의 첫 한국방문 결과는 앞으로 한반도를 포함한 주변정세의 변화와 재편에 결정적인 영향을 미치게 되는 계기가 될것입니다. 우리는 이러한 새로운 변화에 대해 어느 한쪽으로 치우치지 않고 균형있게, 그리고 슬기롭게 대처해 나감으로써 한반도의 평화통일, 그리고 새로운 아시아. 태평양 시대의 개막을 제대로 이룩하도록 해야 할것 같습니다.

오늘 바쁘신 중에 시간을 내주셔서 감사합니다. 끝.

7. 한.소 정상회담이후 우리의 유엔가입을 위한 대중국 외교교섭은 순항중인지?

ㅇ 우리는 그동안 직.간접적인 방법을 통하여 중국측과 꾸준히 대화를 갖고 있음.

ㅇ 우리는 중국도 유엔가입 문제에 대한 북한의 입장이 비현실적이라는 점을 잘 알고 있다고 믿고 있으며 우리의 유엔가입이 더이상 늦추어 져서는 안된다는 국제사회내 인식도 잘 알고 있으므로 안전보장이사회 상임이사국으로서 장기적인 견지에서 한반도 및 동북아의 안정에 기여 하는 방향으로 대처해 나갈 것으로 기대하고 있음.

0148

17. 연내 한국의 유엔가입 성사가능성

ㅇ 최근의 탈냉전시대를 맞이하여 유엔의 역할과 위상이 그 어느때보다 높아지고 있음에 비추어 우리는 하루빨리 유엔에 가입하여 우리의 국제적 지위에 합당한 책임과 역할을 다하여야 함. 또한 우리는 화해와 협력의 새로운 국제환경하에서 남북한이 다같이 유엔에 가입함으로써 한반도의 평화와 협력관계 조성에 기여하고, 동북아지역 정세 뿐 아니라 세계정세의 안정에도 공헌하여야 한다고 믿고 있음.

ㅇ 따라서 정부는 연내 우리의 유엔가입을 실현시키겠다는 확고한 의지를 갖고 우방과의 긴밀한 협조하에 다각적인 외교노력을 전개하고 있음. 이 기회에 한가지 말씀드리고자 하는 것은 우리의 유엔가입은 유엔의 보편성원칙에 비추어서도 너무도 당연한 것이며, 또한 유엔에 가입함으로써 우리가 국제사회내 응분의 역할과 책임을 다해야 한다는 분명한 인식을 우리 모두가 가지는 것이 매우 중요함.

0149

협 조 요 청

1. 별첨은 장관님과 주간 한국과의 서면 회견을 위한 질문서 입니다.

   주간 한국측은 내일 (4.23) 오후 3시에 장관님과 회견 예정이며, 동 서면 회견은 다음주 월요일 (4.29) 발간되는 호에 실릴 예정이라하니 질문서에 대한 답변내용을 금일 오후내로 작성해 주시기 바랍니다.

2. 답변 내용작성시 장관님께서 KBS-TV "오늘의 문제"에서 답변하신 내용을 참고해 주시기 바랍니다.

첨 부 : 1. 질문서

2. KBS-TV "오늘의 문제" 좌담 기록

0150

이상옥 외무장관과의 인터뷰<질문요지>

1. *한. 소 정상간의 3번째 만남인 이번 제주회담의 의미와 결과를 어떻게 평가 하십니까.

2. *소련의 입장에서 제주회담은 동경회담의 연장선상에 있었던만큼 한소간의 쌍무적인 시각과는 별도로 대일관계를 감안한 '한국카드'라는 시각 또한 적지않은데.

3. *다소 논란이 일고있는 고르바쵸프 소련대통령의 우호협력조약체결제의에 대한 우리측 입장을 보다 선명하게 밝힌다면.

4. *위의 문제에 대해 발표과정에서 혼선이 있었던것 같은데, 이수정 청와대대변인의 발표내용은 사전에 충분한 협의를 거친게 아닌지.

5. *고르바쵸프대통령은 우리의 유엔가입문제에대해 예의 보편성의 원칙은 든어 기대만큼의 명시적인 지지입장을 내비치진 않았습니다. 이에대해 우리측이 "만족한다"고 했던것은 발표이상의 대화가 오갔음을 의미하는지.

6. *당초 3~4시간정도의 일정에서 1박2일로 체한일정이 전격 변경된 배경은.

7. *결국 한소정상회담이후 우리의 국제연합가입은 초읽기에 돌입한 인상인데 이를 위한 대중국 외교교섭은 순항중인지.

8. *한소간의 급속한 관계개선이 미일등 기존 우방국과의 관계에 악영향을 미칠지도 모른다는 지적이 적지않습니다. 우리의 북방외교에 대한 미국의 표면적 지지와 속사정은 다른게 아닙니까.

9. *대소 경협 30억불은 걸프전 전비로 우리가 분담한 액수에 비해 훨씬 높은 수준인데 이같은 점등이 기존 한미관계를 소원하게 만드는 요인이 되진 않을지.

—11—

0151

APR 22 '91 11:56

P.1

10. *우리의 대북방 외교노력과 맞물려 전개될 미일의 대북한 관계개선의 전망은..

11. *바야흐로 전방위 외교를 수행중인 한국외교는 몇년사이 훨씬 성숙해졌다는 평가가 있는반면 여전히 치밀하지 못하고 우왕좌왕한다는 비판도 있는데.

12. *고르바초프의 매우 전격적인 외교 스타일로 인해 이번 회담을 전후해 우리측이 당황한 경우는 없는지. 아울러 고르비의 외교행태와 그의 소련내 입지에 대한 분석을 한다면.

13. *외교사령탑을 맡은 이래 눈코뜰새 없는 나날을 보내고 계신데 24일부터의 일미 방문은 전격적으로 결정된 느낌도 있습니다. 목적은.

14. *제주회담 후속조치로서의 한소 외무장관회담을 전망한다면.

15. *현시점에서 재외공관에 대해 당부하고 싶은 우리 외교관의 자세와 지향목표를 말하신다면.

16. *이장관의 외교스타일은 치밀하고 실무적이라는게 주된 평가인 것같습니다. 외교사령탑으로서의 외교철학과 향후 한국외교의 청사진을 소개한다면.

17. *끝으로 한국의 연내 유엔가입 성사가능성에 대해 장관의 보다 선명한 예견을 제시한다면.

(이상은 대략의 질문요지만을 간추린 것입니다. 장관께서 특히 강조하고 싶은 말씀이 계시다면 질문여부에 관계없이 밝혀 주십시오.
성의있는 답변내용을 기대합니다.)

1991년 4월 22일 정진석 拜

-2-

0152

P.2 APR 22 '91 11:51

관리 번호	91 -3876

	분류번호	보존기간

발 신 전 보

번 호 : WUN-1788 910627 1812 FO 종별 :

수 신 : 주 유엔 대사. ~~총영사~~

발 신 : 장 관 (국연)

제 목 : 언론보도

연 : WUN(F)- 112

금후 유엔내에서 남북 접촉관계, 가입문제 처리방안 및 중국의 태도등 민감한 사항에 관한 대외언급시에는 본부와의 사전 협의를 거쳐 보조를 맞추는 것이 좋을 것인 바, 이점 ~~유의~~ 참고바람. 끝.

예 고 : 1991.12.31. 일반에 의거 일반문서로 재분류됨

(국제기구조약국장 분통서)
~~(장 관 이상옥)~~

검토필(1991.6.30.)

보안 통제	

앙 고 재	91년 6월 27일	유엔과	기안자 성명		과 장		국 장		차 관	장 관

외신과통제

0153

/

7. 한.소 정상회담이후 우리의 유엔가입을 위한 대중국 외교교섭은 순항중인지

o 우리는 그동안 직.간접적인 방법을 통하여 중국측과 우리의 연내 유엔가입 문제를 협의하여 왔음.

o 그간 파악한 바에 의하면, 중국은 북한의 단일의석 가입안이 비현실적이라고 보고 있으며, 한반도 분단고착화등 북측의 논리가 설득력이 없다는 것도 잘 알고 있다고 판단됨. 따라서 중국측은 내심 현시점에서 가장 바람직한 방안으로는 남북한이 각각 유엔에 가입하는 것이며, 북한측이 이를 받아들이기를 바라고 있는 것으로 보여짐. 다만 대외적으로 중국은 유엔가입문제가 남북한간에 협의를 통하여 원만히 해결되기를 기대하면서, 남북한 서로가 받아들일 수 있는 방안이 마련되기를 바라고 있다고 언급하고 있음.

o 중국이 우리의 가입신청에 대하여 어떠한 태도를 취할 것인가 하는 점은 현시점에서 단정적으로 말씀드리기는 곤란함. 그러나 중국은 우리의 유엔가입에 대한 압도적인 국제사회내 지지분위기를 잘 알고 있으므로 안전보장이사회 상임이사국으로서 장기적인 견지에서 한반도 및 동북아의 안정에 기여하는 방향으로 대처할 것이므로 이 문제 해결에 있어 건설적인 역할을 해나갈 것으로 믿음.

앙 고 재 (91년 4월 23일)	담당	과장	국장
	(서명)	(서명)	(서명)

0154

17. 연내 한국의 유엔가입 성사가능성

ㅇ 우리의 유엔가입 추진노력과 관련, 이 기회에 한가지 분명히 말씀드리고자 하는 것은 우리의 유엔가입 추진이 최근 2-3년내에 결정된 것이 아니며, 1948년 우리정부 수립이래 대한민국정부의 일관된 중요 외교목표중의 하나였다는 점임.

ㅇ 최근의 탈냉전시대를 맞이하여 유엔의 역할과 위상이 그 어느때보다 높아지고 있음에 비추어 우리는 하루빨리 유엔에 가입하여 우리의 국제적 지위에 합당한 책임과 역할을 다하여야 함. 또한 우리는 화해와 협력의 새로운 국제환경하에서 남북한이 다같이 유엔에 가입함으로써 한반도에도 대결과 반목이 아닌 평화와 협력관계가 하루빨리 확립되어, 동북아지역 정세 뿐 아니라 세계정세의 안정에도 기여하여야 한다고 믿고 있음.

ㅇ 따라서 우리의 유엔가입 문제를 논의하는데 있어서 금년내 가입실현 여부도 매우 중요하겠으나, 그 이전 우리의 유엔가입은 너무도 당연한 것이며, 또한 그렇게 함으로써 우리가 국제사회내 역할과 책임을 한다는 인식에 대한 국민적 공감의 형성이 더욱 중요하다고 봄.

ㅇ 앞에서도 언급한 바와 같이 금년도 우리의 유엔가입을 실현시키기 위하여는 중국의 긍정적 태도를 확보하는 것이 현실적인 과제인 바, 우리는 중국이 우리의 유엔가입에 대한 압도적인 국제적 지지분위기를 잘 알고 있으며, 안전보장이사회의 상임이사국으로서 이 문제에 대해 현실적이고 건설적인 입장을 취할 것으로 믿고 있음.

0155

제1차관보, 외신기자 회견자료(91.7.9)

- 유엔가입문제 -

1991.7.2.
국제연합과

1. 가입신청서 제출시기

o 우리의 국내절차 완료후 유엔의 제반 절차규정에 맞게 가입신청서 제출예정, 대략 8월초로 예상

2. 안보리 및 총회 처리방안

o 안보리 및 총회에서의 각종 가입신청 처리관행 및 제반절차규정을 참고하는 한편, 우리 우방국들과의 긴밀한 협의를 거쳐 처리코자 함.
- 동.서독 가입시 선례가 많이 참고될 것으로 예상함.

3. 남북한대사 협의문제

o 지난 5.27. 우리측이 북측에 제의한 바 있는 남북대사간 협의가 현재까지 이루어지지 않고 있음.

o 우리로서는 남북대사간 협의문호를 언제나 개방하고 있으며, 북측이 우리측 제의에 응해온다면 언제든지 북측과 만나 유엔가입과 관련한 제반문제를 허심탄회하게 협의할 용의가 있음.

4. 유엔가입후 북측태도 전망

o 현시점에서 이를 단정적으로 언급하기 곤란함.

o 다만 우리로서는 남북한의 유엔가입이 금후 남북한 관계의 새로운 이정표를 확립하는 계기가 되기를 희망하며, 또한 그러한 방향으로 나아갈 수 있도록 최선의 노력을 경주해 나갈 예정임.

앙 고 재	91년 7월 3일	담 당	과 장	국 장
		(서명)	(서명)	(서명)

0156

7/6/91
차관 기자간담회자료.

유엔가입 추진현황

1991. 7.

외 무 부

0157

목　　차

1. 절차관련 문제

2. 가입신청서 제출시기

3. 안보리 및 총회에서의 처리방향

4. 주유엔 남북대사 회담 추진현황

5. 가입승인 당일 행사내용

6. 제 46차 유엔총회 기조연설 시행

0158

1. 절차관련 문제

o 국회에서 유엔헌장 수락에 관한 동의절차가 완료되는 데로

- 가입신청서(Application)

- 선언서 (Declaration)를 작성,

o 주유엔대표부로 송부, 주유엔대사로 하여금 유엔사무총장에게 제출토록 할 예정

* 유엔가입에 따라 자동적으로 ICJ의 규정 당사국이 됨.

2. 가입신청서 제출시기

o 상기 국내절차 완료 및 현지사정 (총장면담), 안보리의장국 순서를 종합적으로 감안, 우방과의 협의를 거쳐

- 신청서를 제출케 될 것으로 보고 있음.

(늦어도 8.9까지 제출)

0159

※ 북한측의 제출예상시기

o 7월중순이후 제출할 것으로 보임.

- 주동적 조치임을 강조하려는 차원

- 안보리의장국 순서도 감안

3. 안보리 및 총회에서의 처리방향

o 이와 같이 남북한은 각기 가입신청서를 별도 제출할 것이나, 안보리에서는 일괄 처리될 것으로 전망됨.

o 다만, 안보리에서 동서독의 예와 같이 하나의 결의안으로 처리될지, 아니면 별개의 결의안으로 처리될지 상금 미정임.

o 금후 북한측의 입장 및 그간의 관례등을 검토하여 우방과의 협의를 거쳐 안보리에서의 처리희망 방안을 결정할 것임.

o 총회의 경우에는 안보리에서의 처리결과에 따라 가입승인정 결의안의 형태(단일 또는 별개)가 좌우된 것이 그간의 관례였음.

0160

* 가입신청처리 절차

- 사무총장에게 가입신청
- 사무총장은 안보리에 회부
- 안보리는 처리후 동 결과(가입권고 결의)를 사무총장에게 통보
- 사무총장은 통보내용을 총회 문서로 배포
- 동 문서배포 이후 회원국은 신규 신청국 가입을 결정하는 결의(안) 제출

4. 주유엔 남북대사 회담 추진현황

o 5.27. 아측이 제의한 바 있는 유엔주재 남북대사간 회담제의가 북한의 유엔가입 신청결정 발표후에도 계속 유효함을 북측에 상기시켜주고, 이에 호응해 올 것을 북측에 수차 권유

o 북측의 희망에 따라, 6.19. 유엔주재 남북한 참사관급 접촉이 있었는 바, 북측은 이미 유엔가입 신청결정한 현시점에서 남북대사간 특별히 논의할 사항이 없지 않겠느냐는 반응을 일단 보임.

o 그러나 북측이 가입신청 처리방식등과 관련 주요 관련국의 입장 및 유엔내 분위기등에 관해 지대한 관심을 갖고있는 것으로 파악됨에

0161

따라, 앞으로 그들의 내부입장이 정해지는대로 우리와의 직접협의 또는 제3자를 통한 간접적인 방법으로라도 협의를 하려할 것으로 전망됨.

5. 가입승인 당일 행사내용

o 총회에서 신규회원국의 가입이 결정되면, 유엔의전장은 신규회원국 대표단을 의석에 안내, 착석

o 각지역대표 (6개지역) 및 미국(Host 자격)의 가입축하 연설

o 한국대표의 감사연설

o 상기 총회내에서의 행사가 종료되면 옥외에서 국기게양식을 가짐.

* 한편, 국내적으로 가입을 경축하기 위한 행사 (전통예술단 공연, 기념우표 발행등)가 추진되고 있음.

- 또한 가입시 유엔에 기념물 증정건도 검토중임.

6. 제 46차 유엔총회 기조연설 시행

o 9.17.(화) 개막되는 제46차 유엔총회는 각위원회 임원국 선출 및 의제 배정등으로 첫주를 보내고,

0162

o 9.23(월)부터 약 10.10.까지 각국대표의 기조연설을 듣는 것으로 본격 활동을 시작

- 노대통령께서 회원국으로서 최초의 기조연설을 행하시도록 추진중

0163

유엔加入申請書 提出에 즈음한 政府代辯人 聲明(案)

1991.7.13.
國際聯合課

o 政府는 우리의 유엔加入申請을 위한 소정의 國內節次를 完了하고 91.8. XX.( ) 00:00시 (뉴욕現地時刻 : 서울時刻은 8. XX. 00:00時) 노창희 駐유엔大使를 통하여 「페레즈 데 꾸에야르」 유엔事務總長에게 유엔加入 申請書를 提出하였다.

o 돌이켜보면 우리나라만큼 유엔과 깊은 인연을 가진 나라는 없다. 1948년 8월 15일 大韓民國 政府의 수립으로부터 1950년 6월 북한의 南侵으로부터 國權을 守護하는데 있어, 그리고 戰後에는 우리經濟의 부흥과 개발 노력에 있어, 또한 40년 가까이 韓半島에서 唯一한 平和維持裝置로서의 休戰協定 體制를 維持, 履行함에 있어, 유엔의 役割과 寄與는 재론의 여지가 없다.

o 오늘날 유엔은 크게 변모하고 있다. 새로운 國際秩序下에서 유엔은 1945년 유엔創設者들이 "샌프란시스코"에 모여서 구상했던 國際平和와 安全을 恒久的으로 보장하고, 人類의 繁榮과 福祉를 增進시키고자 했던 꿈을 실현시키기 위해 그 중심적 役割을 더욱 强化하고 있다.

앙고재	국제연합과	91년 7월 일	담 당	과 장	국 장	차관보	차 관	장 관

0164

o 이와같이 유엔의 國際的 位相과 役割이 제고되고 있는 시점에 우리나라가 북한과 함께 유엔에 加入할수 있게 된것은 매우 의미있는 일이다. 남북한이 유엔에 가입할 수 있게된데에는 6共和國 출범이후 노태우 대통령께서 信念을 가지고 온국민들의 끊임없는 關心과 聲援을 바탕으로 새로운 國際潮流를 능동적으로 활용하면서 꾸준히 推進해오신 積極的인 對外政策의 結實이다.

o 政府는 앞으로 유엔會員國이 됨으로써 國際社會의 당당한 一員으로서의 맡은 바 任務와 責任을 다해 나갈 것이며, 특히 國際平和와 安全의 維持 및 人類共同의 繁榮과 發展을 위한 유엔의 고귀한 目標達成에 最大한 寄與해 나가고자 한다.

o 政府는 오늘 우리의 유엔加入 申請書를 유엔事務總長에게 提出함에 있어 그간 누차에 걸쳐 밝힌 바와 같이 우리의 유엔加入이 統一時까지의 暫定措置임을 다시한번 분명히 하며, 南北韓의 유엔加入이 韓半島의 緊張緩和와 平和定着에 寄與하고, 나아가 궁극적인 祖國의 平和的 統一을 促進하는데 크게 寄與할 것으로 期待한다. 끝.

0165

관리 번호 91-757

외 무 부

종 별 :

번 호 : UNW-1868 일 시 : 91 0719 1820

수 신 : 장관(해기,공보관,문홍) 사본:노창희대사

발 신 : 주 유엔 대사대리

제 목 : 취재협조

대:WUN-1903,1823

1. 대호 KBS 특집반(4 명) 당지 취재관련 유엔 공보실등 협조 다음과같이 지원중임.

0. 미.영. 독 . 에쿠아돌 등 안보리이사국대사, V.SAFRONCHUK 안보리 담당사무차장등 유엔관계자 및 IZVESTIA 지국장등 회견주선

0. 총회, 안보리등 유엔관련 회의장 촬영협조

0. 사무총장회견은 협조중인바 결과추보

2. 또한 MBC 특집취재 선발팀 (3 명)의 활동도 지원중임.끝

(대사대리 신기복-관장)

19 에 예고문에 의거 일반문서로 재분류됨 예고:91.7.31. 까지

공보처 공보 국기국 문협국

PAGE 1

91.07.20 09:04

외신 2과 통제관 BS

0166

KBS 제작협조.
91. 7. 23.

특별기획 다큐멘터리
「 좌절과 희망의 UN 46년 」

현대사발굴 특집반

PD: 금 웅 명

ITEM	Video	Audio	REMARK
	TITLE	SIGNAL MUSIC	
1	남북한 UN가입 안보리 심사일, 8월 16일의 UN동정은?	(1991. 8. 16(금) 안보리에서 SK, NK UN 가입신청서를 심사, 단일의제로 채택하는 날의 UN 안보리 현장을 응시 취재함) . 상임이사국 미.영.불.중.소 (5개국) . 비상임이사국 (10개국) 쿠바, 예멘, 루마니아, 코트디브와르, 자이르 (90-91) 오스트리아, 벨지움, 에콰돌, 인도, 짐바브웨 (91-92) ※ 상임이사국 5개국을 포함한 9개국 이상의 찬성이 필요함. . 15개국 가입국 대표들 중 15개국의 안보리대표가 참석한 이날, SK, NK의 UN 동시가입을 두고 머리를 맞대고 있다.	
2	UN의 탄생은? . 2차대전 막바지 . DUMBARTON OAKS 회의 (현지취재) . YALTA 회담 . SANFRANCISCO 회담	(2차대전의 막바지에서 1945년 UN의 탄생때 까지) . 1944. 8. - 10. 미.영.소.중 4개국 대표 「일반국제기구의 설립에 관한 제안」 작성 . 1945. 2.11. 미.영.소. 정상회담 . 1945. 6.26. UN 헌장 서명 (51개국)	0167

특별기획 다큐멘터리
「좌절과 희망의 UN 46년」

현대사발굴 특집반

PD:

ITEM	Video	Audio	REMARK
3	오늘의 UN 기구는? - 총회장	. 매년 9월 3번째 화요일에 개회, 12월 20일경까지 계속 . 1국 1표제 . 매년 개회와 동시에 의장과 7명의 상임위원장, 21명의 부위원장 선출 . 총회의장은 알파벳 순서로 아시아, 아프리카, 유럽, 라틴아메리카, 대양주를 포함한 기타지역에서 순번제로 차지 . 각국 대표는 기조 연설 통해 세계 정치에 대한 자기나라의 불안과 입장을 설명	
	- 안보리 회의장 - 경제사회 이사회 - 신탁통치 이사회 - 국제사법 재판소 - 사무국 ※ 견학자 통로 안내자 설명	. 5개의 상임이사국 (미.영.프.소.중)과 각 지역 대표하는 10개 일반 이사국으로 구성 . 왼쪽에서 시계방향으로 한달에 한번씩 자리 이동하며 회의 . 이사회 열리는 달에 가운데 앉은 대표가 의장이 되어 회의 주재 . 일반 이사국이 된다는 자체가 그 나라의 이익에 미치는 영향이 커서 이사국 선출시 경쟁 치열 (79년 라틴 아메리카에 배당된 한자리 놓고 13일 동안 155회의 비밀투표 실시) . 지금까지 (86년) 소련이 115회, 미국이 37회, 영국 22회, 프랑스 15회, 중국이 4회 거부권 행사 . UN의 보편성에 어긋난다는 지적도 나오고 있음.	
4	UN과 한국관계는? - UNTCOK	미.소는 45. 2, 모스크바 협정을 체결, 미.소 공동위원회를 통해 통일된 한국정부를 수립하려 했으나 무위로 돌아가자, 미국은 47. 9.17, '한국의 독립문제를 UN에 이관, UNTCOK 구성. UN 감시하 남북 총선거 실시 하려함	
	- 한국전쟁 중 UN군 파견		
	- UNCURK (유엔 한국통일 부흥 위원단)	. 50. 10. 7 총회에서 UNTCOK를 UNCURK로 대체 결의, 한반도에 통일된 민주정부 수립하기 위해 '모든 필요한 조치' 취한 권능 부여 . 78년 28차 총회에서 UNCURK 해체 결의	
	※ UN FILM LIBRARY 이용		0168

- 2 -

특별기획 다큐멘터리
「좌절과 희망의 UN 46년」

현대사발굴 특집반

PD:

ITEM	Video	Audio	REMARK
5	UN이 한 일들 - UN의 역사적 변천		
	50년대	미.소 냉전체제 계속 (중국의 UN 안보리 가입을 위한 인도의 결의안, 미국이 봉쇄) 한국전쟁때 UN군 파견 50. 11, '평화를 위한 단결' 결의안 통과 일본 가입 (56년)	
	60년대	60 - 62년 콩고 평화유지 임무 성공적으로 수행 AA 제국의 가입, 발언권 강화 인도네시아의 탈퇴의사, 번복 (65, 66년)	
	70년대	중국 대표권 인정 (71년) 동.서독 가입 (73, 9.18) 72년 여름 일본은 중화민국과 단교, 중국과 복교 미.소의 양극체제에서 미.소.중국.일본의 4극 체제로 변화 공산 베트남 가입 (77. 9.20) DETENTE MOOD, 미-중국의 관계 개선 (72. 2, 닉슨 중국 방문)	
	80년대	미.소 정상회담 (MALTA), 군비 축소	
	90년대	독일 통합 가입 (90.10.30) GULF전때의 다국적군 파견	0163

특별기획 다큐멘터리
「좌절과 희망의 UN 46년」

현대사발굴 특집반

PD:

ITEM	Video	Audio	REMARK
6	UN 전문 기구 - 경제사회 이사회 (WASH. D. C. 세계은행, IMF취재) - 신탁통치 이사회	. 16개의 산하 전문기구, 북한은 73년 WHO 가입 후 UN본부에 상주 대표부 파견 ※ IAEA(국제 원자력 기관, 총회 산하기관)	
7	UN의 사람들과 재정 - 사무국 - UN재정문제, 국가별 분담금 - 국제 공무원으로서의 신분상 특징 - UN내에서 소련, 미국, 아프리카의 영향력 - 통일 독일 사람들 - SK, NK 대표부 활동 (오브저버국)	아프리카는 51개 회원국 보유하는 대륙	
8	UN의 현주소와 한계는?	. 국제적 문제 해결의 능력이 없다는 비판 . 83년 UN은 평화유지 결의안 채택했으나 분쟁 당사자국에 의해 결의안 이행 외면 당함 . 아프리카의 기아, 질병문제 해결 조짐 없음. . 이러한 한계속에서도 세계 평화유지와 인류복지 증진을 위해 중지를 모아 분쟁 당사자국간의 중재와 예방, 경제 사회질서 커다란 공헌	0170

관리번호	91-787

외 무 부

종 별 :

번 호 : UNW-1914 일 시 : 91 0724 1700

수 신 : 장 관(해기,국연,공보관,문홍)

발 신 : 주 유엔 대사

제 목 : 취재협조

연:UNW-1868

1. KBS 특집반은 7.24 중국 XINHUA 통신지국장 QIAN WENRONG, 소련국영 TV AND RADIO 지국장 VLADIMIR ZVYAGIN , 영국 BBC 방송 CHRISTOPHER GUNNESS 및 미국 ABC 방송 THOMAS OSBORNE 등 유엔특파원과의 그룹 인터뷰를 갖고, 유엔의 현안관심사, 업적평가, 기능강화등 유엔관련 문제와 남북한 유엔가입 의의, 한반도정세면담, 한국의 역할등 관련 특집프로그램을 녹화했음.

2. 또한 본직회견과 함께 일본및 예멘대사, CYRUS VANCE, WILLIAM GLEYSTEEN, RICHARD HOLBROOKE 등 미국무성 전직관리및 FRANCOIS GIULIANI 유엔사무총장대변인등과의 회견을 주선 및 협조했음. 끝

(대사 노창희-관장)

예고:91.7.31 까지

공보처 공보 국기국 문협국

PAGE 1

91.07.25 07:08

외신 2과 통제관 BS

0171

관리번호	91-821

외 무 부

종 별 :

번 호 : UNW-1986 일 시 : 91 0731 1930

수 신 : 장관(해기,국연,문홍,기정)

발 신 : 주 유엔 대사

제 목 : 홍보지원요원 파견

대:AM-0158

연:UNW-1914

1.8.5 아국 유엔가입 신청서 제출및 후속 안보리 심의 , 권고결의안 채택등아국유엔가입 관련 취재보도를 위해 KBS 및 MBC 는 40 여명의 취재팀(각사 20 여명)을 당지에 특파하며 워싱턴 특파원다수도 취재차 당지방문 예정임.

2. 또한 KBS 는 TV 다큐멘터리 "유엔 46 년 "취재팀을 8 월중 별도 당지에 파견하며 NIPPON TV 등 일본및 각국 유엔특파원들의 취재요청도 쇄도하고 있을 뿐아니라 46 차 총회개막을 앞두고 대규모 취재팀의 당지방문이 예상되고 있음.

3. 이와관련 유엔관계기관과의 사전협조 및 각종문의에 대한 처리, 회견주선 및 촬영협조 등 공보관의 지원업무가 급격히 증가됨에 따라 홍보지원요원의 파견이 요청되오니 조속 조치되도록 배려바라며, 필요한 소요예산도 지원바람. 끝

(대사 노창희-관장)

예고:91.12.31.까지

공보처 국기국 문협국 안기부

PAGE 1

91.08.01 10:35

외신 2과 통제관 FE

0172

安保理 加入勸告 決議案 採擇에 즈음한 外務部長官 聲明

1991. 8. 1.
국제연합과

o 政府는 91.8. XX 00:00時(뉴욕現地時刻 : 서울時刻은 8. XX 00:00時) 유엔安全保障理事會에서 우리의 유엔加入 申請이 理事國 全員의 贊成을 얻어 오는 9.17. 開幕되는 제46차 總會에 加入勸告키로 決議案이 採擇된데 대하여 만족하며, 특히 南北韓의 유엔加入 申請이 安保理에서 一括處理된 것을 매우 뜻깊게 생각한다.

o 우리는 유엔會員國이 됨을 契機로 國際平和와 安全의 維持 및 人類의 繁榮과 發展을 위한 유엔의 고귀한 目標達成에 더욱 寄與하고자 하며, 또한 南北韓 關係의 改善과 發展을 도모키 위하여 努力코저 한다.

o 온국민과 더불어 오는 9.17. 제46차 유엔總會의 개막일에 國際社會의 축복속에서 정식으로 유엔會員國이 될 것을 고대하면서, 정부는 그간 우리의 加入努力에 諸般支援과 協調를 아끼지 않은 友邦을 위시한 全世界 平和愛好國들에게 感謝한다. 끝.

0173

Foreign Minister's Statement
on the occasion of the Security Council's
Adoption of a Resolution for ROK's UN Membership

o The Government of the Republic of Korea notes with satisfaction that the Security Council adopted a resolution at 00:00 on 0 August local time (at 00:00 on 0 August Seoul time) to recommend ROK's admission to the United Nations through unanimous consent, which would be finally approved on 17 September, the opening day of the 46th General Assembly of the United Nations. In particular, the Government attaches great significance to the fact that North and South Korea's applications for UN membership have been settled under a single resolution by the Security Council.

o As the Republic of Korea joins the UN, we intend to make as much contribution as we can towards the United Nations' lofty causes of international peace and security as well as human development and prosperity. We also intend to double our efforts in improving inter-Korean relations and accelerating the process of peaceful reunification of our homeland.

o The Government of the Republic of Korea, together with all the Korean people, looks forward to becoming a full-fledged member of the UN with the blessing of the whole international community at the beginning of the 46th General Assembly. We are deeply grateful to our close allies and all other peace-loving countries in the world for their unwavering support and assistance given to our hitherto campaign for UN membership.

0174

Foreign Minister's Statement on the occasion of the Security Council's Adoption of a Resolution for ROK's UN Membership

o The Government of the Republic of Korea is pleased to note that the Security Council unanimously adopted a resolution at 00:00 on 0 August local time (at 00:00 on 0 August Seoul time) recommending ROK's admission to the United Nations. The resolution will be approved finally on 17 September, the opening day of the 46th General Assembly of the United Nations. In particular, the Government attaches great significance to the fact that North and South Korea's applications for UN membership were settled under a single resolution by the Security Council.

o As the Republic of Korea joins the UN, we intend to contribute as much as we can towards the lofty United Nations' ideals of international peace and security as well as towards human development and prosperity. We also intend to redouble our efforts to improve inter-Korean relations and to accelerate the process of peaceful reunification of our homeland.

o The Government of the Republic of Korea, together with all Korean people, looks forward to becoming a full-fledged member of the UN at the beginning of the 46th General Assembly with the blessing of the whole international community. We are deeply grateful to our close allies and all other peace-loving countries in the world for the staunch support and assistance they gave to our campaign for UN membership.

0175

영국TV (VIS) 인터뷰 요청

91. 8. 1.
국제연합과

1. VIS 인터뷰 요청내용

- o 인터뷰 일시 : 8.2(금)중 2-3분간 (시간은 아측이 결정)
- o 방 영 : 8.6(화)중 영국등 유럽TV에서 방영예정
- o 질문요지
  - - 유엔가입이 남북한간의 정치적 미래에 어떤 영향을 미칠 것인가?
  - - 유엔가입이 한국 국내정치에 미치는 영향
  - → 유엔가입이 남북한관계에 미치는 영향, 유엔에서의 한국의 역할

2. 공보관실측 의견

- o 외국TV의 인터뷰 요청시 통상 차관보 또는 국장이 인터뷰에 응해왔음.
- o 질문내용이 부적절할시 VIS와 협의, 변경할 수 있음.

3. VIS TV 개요

- o 영국소재 TV프로그램 제작사로서 유럽내 주요 TV방송국에 프로그램 판매 (미국의 CNN과 유사)

4. 검토의견

- o 상기 인터뷰에 차관보가 응하는 것이 좋을 것으로 사료되나, 시간이 너무 급박하므로
  - - 녹화일시를 8.3(토) 오후 또는 8.5(월) 오전으로 변경토록 함.

→ 8.3. 11:00로 확정

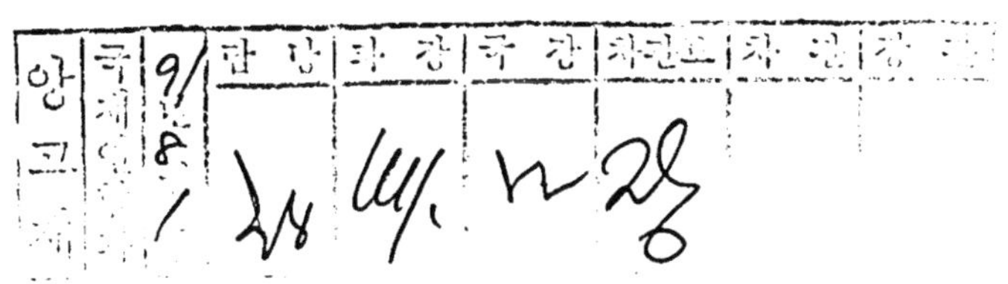

0176

영국TV (VIS) 인터뷰 답변자료

91.8.3(토) 11:00
- 제 1차관보실 -

Q 1. What changes do you expect in inter-Korean relations in the wake of both Koreas' entry into the UN?

o As you know, North Korea had long been against the entry into the UN, contending that it would perpetuate national division. North Korea's turnabout on UN policy was exactly what we hoped to see and the direct result of our consistent diplomatic efforts. Owing to the successful drive of our "Northern Policy" and the worldwide tendency of pragmatism in the post-Cold War era, Pyongyang can no longer be assured of unconditional diplomatic support from the Soviet Union and even China.
The dissolution of bipolarity and the emerging new international order of cooperation and reconciliation are now pushing Pyongyang to take a more realistic stance on inter-Korean relations as well as other international affairs.

o Although it is too early to conclude that North Korea's decision to join the UN is a genuine prelude to a fundamental shift in their external and inter-Korean policies, we believe that better conditions are now made for abating the rigidity of inter-Korean hostility and strengthening a durable peace in the Korean peninsula. Since the United Nations is an excellent forum for political dialogue, both Koreas' UN membership will help them to develop more stable and

0177

conciliatory bilateral relationship. We hope that increased contacts between North and South Korea will help build up mutual trust and eventually accelerate the process of peaceful reunification of our homeland.

o Further, North Korea, like all other UN member states, will have an obligation to uphold the principles of the UN Charter, which I believe would induce North Korea to act as a responsible member of the world community. On our part, we will try as best as we can to carry forward this newly developed momentum in the Korean peninsula in a way to enhance peace and stability not only in the peninsula but throughout the Northeast Asian region as well.

0178

Q 2. What do you expect of political role of South Korea in the UN?

o My country is ready to make its due contribution to the work of the United Nations as a full-fledged member and in a manner commensurate with its standing in the international community. I am pleased in particular that we will be able to take part in the UN process of decision-making on major world issues, at this important time when the United Nations assumes an increasingly vital role for world peace and security in the aftermath of the Gulf war.

o Besides the growing relevance of the UN in a post-Cold War world, a new category of issues has emerged to grip the attention of the international community. These are so-called global issues such as environmental degradation, the drug threat, poverty and debt and so on. Recognizing that the common characteristics of these issues require an unprecedentedly intense international effort, we wish to play our part in hammering out consensus in the UN on how to deal with these global issues.

o My country has created a dynamic economic system in the past few decades. What we would like to do is to share our experience of national development with other developing countries for the sake of world prosperity through active participation in a wide range of activities of the United Nations.

0179

유엔가입 신청서 제출

(제1차관보 외신기자 회견자료)

o Ambassador Chang Hee ROE in the United Nations had a meeting with Secretary-General of the UN, Mr. Perez de Cuellar at 15:30 on 5 August local time (at 04:30 on 6 August Seoul time) and submitted directly to him our application for UN membership and declaration to accept all the obligations set forth in the UN Charter.

o As was explained in the press release already circulated, our application will soon be referred to the Security Council. The Security Council is expected to examine it together with North Korea's application which was submitted on 8 July and to adopt a resolution by the end of this week to recommend North and South Korea's admission to the United Nations.

o Based on the recommendation of the Security Council, the General Assembly is expected to pass a resolution to approve both Koreas' admission on 17 September, the opening day of the 46th General Assembly of the United Nations.

o We are prepared to make our due contribution to the work of the UN as a full-fledged member. We also believe that both Koreas' UN membership will facilitate mutual contacts and cooperation and therefore contribute to strengthening a durable peace in the Korean peninsula and in the Northeast Asian region as well.

0180

유엔가입신청서 제출

(제1차관보 외신기자 회견자료)

ㅇ 뉴욕현지시각으로 8.5(월) 15:30 노창희 주유엔대사가 쿠에야르 사무총장을 면담하여 유엔가입신청서와 유엔헌장의무 수락서(Declaration)를 제출하였음. (서울시각 : 8.6(금) 04:30)

ㅇ 이미 배포된 보도자료에서 설명한 바와 같이 우리의 가입신청서는 곧 안전보장이사회에 회부될 것이고, 안보리는 우리의 가입신청서를 7.8. 제출된 북한의 가입신청서와 함께 심의하여, 금주말까지는 남북한의 유엔 가입을 권고하는 단일결의를 채택할 것으로 예상됨.

ㅇ 이와같이 안보리에서의 소정의 남북한 유엔가입절차가 완료되면, 유엔총회는 안보리의 가입권고 결의에 따라 제46차 총회 개막일인 9.17(화) 남북한의 유엔가입을 승인하는 결의를 채택할 것으로 예상됨.

ㅇ 우리는 유엔의 평화애호국으로서 유엔의 활동에 적극 기여할 준비가 되어있음. 우리는 또한 남북한의 유엔가입이 상호교류와 협력을 촉진시킴으로써 한반도의 통일이 항구적인 평화를 공고히 할 것으로 믿고있음.

앙고재	[illegible]	담당	과장	국장

0181

예상질의 및 답변자료

1. 유엔가입신청서 처리전망

   o 안보리, 금주말(8.9)까지 남북한 유엔가입신청 심의 및 가입권고 단일결의 채택 예상

   o 총회, 안보리 가입권고 결의에 의거 9.17(화) 개막일에 남북한의 유엔가입 결의 채택 예상

2. 유엔가입승인 계기 한국대표단 파견계획

   o 가입승인 당일 외무장관이 유엔총회에 참석, 가입수락연설 예정

3. 대통령의 유엔총회 기조연설 계획

   o 대통령께서 가급적 기조연설기간의 초반부에 연설을 행하시도록 추진중

   * 각국 기조연설 9.23부터 약 2주간 시행예정

4. 북한대표단과의 접촉 전망

   o 가입수락연설 및 기조연설을 누가할지 모름.

   o 만나게 되면 피할 생각 없음~~으나, 일부러 만나려고 애쓰지도 않을 것임.~~

5. 남북한 유엔가입이 남북관계에 미칠 영향 전망

   (영문자료 참조)

6. 유엔에서의 한국의 역할 전망

   (영문자료 참조)

0182

장관님 기자회견 자료

(8.2(금) 14:00, 공항 귀빈실)

예상 질의

1. 김일성 주석의 일.조 우호의원연맹 대표단에 언급한 현실적인 정책 추진 발언 내용에 대한 논평

2. 한.미 정상회담(91.7.2)시 한반도 비핵지대화 논의 여부

3. 노태우 대통령 유엔 기조연설시 한반도 비핵지대화 선언 여부

4. 북한의 한반도 비핵지대화 제안 관련 정부 입장

5. 안보리 심의 등 앞으로의 유엔가입 절차

6. 향후 ASEAN PMC와 APEC의 역할 조정 및 조화 방안

7. 제4차 일.북한 수교교섭 시기 연기 경위 및 의미

※ 동 기자회견 자료는 장관님께 전문으로 타전할 예정이니 가급적 간략하게 국문으로 작성, 7.31까지 공보관실로 제출 바랍니다.

0183

안보리심의등 앞으로의 유엔가입절차

91. 7. 30.
국제연합과

o 뉴욕시간 8.5(월) 오후에 주유엔대사가 유엔 사무총장을 면담, 가입 신청서 및 헌장의무수락선언서를 직접 제출예정

* 북한은 7.8. 가입신청서 제출

o 남북한의 가입신청은 동서독의 예와 같이 안보리 및 총회에서 일괄 처리될 것으로 전망됨.

* 가입신청 처리절차

- 사무총장은 가입신청을 안보리에 회부
- 안보리는 심의후 동결과(가입권고 결의)를 사무총장에게 통보
- 사무총장은 동내용을 총회문서로 배포
- 동문서 배포이후 회원국은 신규신청국 가입을 위한 결의(안) 제출

0184

노태우대통령 유엔기조연설시 한반도 비핵지대화 선언여부

91. 7. 31.
국제연합과

o 유엔총회기조연설은 제반 국제문제에 대한 해당국가의 기본 입장을 밝히는 내용으로 이루어지는 것이 일반적임.

- 우리의 경우 분단상황과 동북아에서의 국제질서 재편 상황 조감

o 대통령의 평화철학을 천명하는 계기가 될 것임.

- 7.7.성명, 북방정책 추진의지등을 일관되게 밝힘.
- 한반도 및 동북아에서의 평화와 안정 추구 강조 예정

o 단, 현재 기조연설의 윤곽 및 내용을 구상하는 중이므로 구체적 내용을 밝히기는 어려움

0185

관리번호	91-820

원 본

외 무 부

종 별 :

번 호 : UNW-2009　　　　일 시 : 91 0802 1830

수 신 : 장관(국연,해신,문홍,기정)

발 신 : 주 유엔 대사

제 목 : 유엔가입홍보

연:UNW-1986

본직은 8.2. 일본 NIPPON TV 요청으로 JUSABURO HAYASHI 지국장과 아국 유엔가입 전반에 관한 녹화회견을 가졌으며, 아국 특파원과 오찬간담을 갖고 신청서 제출및 후속안보리 처리전망등 관련 설명하였음. 끝

(대사 노창희-관장)

예고:91.9.30 까지

19 . . 에 예고문에 의거 일반문서로 재분됨

국기국 문협국 안기부 공보처

PAGE 1

91.08.03 07:51

외신 2과 통제관 CA

0186

외 무 부

종 별 :

번 호 : YMW-0427 일 시 : 91 0803 0900

수 신 : 장 관(문홍,국연)

발 신 : 주 예멘 대사대리

제 목 : KBS 취재팀 방예

1. KBS 취재팀(파리 총국 박원훈,이상만특파원)이 아국의 유엔 가입 신청을 계기로 주재국의 통일전 남.북예멘 유엔 가입 신청경위와 유엔 가입이 통일에 미치는 영향등을 취재하기 위해 8.2 당지에 도착함.

2. 동 취재팀은 3-4일간 당지에 체류하면서 주재국 각계 인사(외무장관,학자,언론인등)와 인터뷰를 가질 예정임을 참고 바람.끝.

(대사대리 이 정재-국장)

문협국 중아국 국기국

PAGE 1

91.08.04 06:13 FN

외신 1과 통제관

0187

Press Release

Background Information on

Korea's Relations with the United Nations

1. Establishment of Korean Government

At the second session of the U.N. General Assembly on November 14, 1947, the U.N. adopted a resolution calling for free general elections to establish a unified government to the Korean Peninsula and creating the United Nations Temporary Commission on Korea (UNCOK) to supervise them.

At the third session of the U.N. General Assembly, on December 12, 1948 the U.N. adopted a rolustion recognizing the Government of the Republic of Korea as the sole, lawfully-elected Government on the Korean Peninsula and establishing the U.N. Commission on Korea to replace UNTCOK.

2. U.N. Support for ROK during Korean War

On June 25, 1950, the U.N. Security Council, which was called to discuss the North Korean invasion of South Korea, adopted a resolution, defining the North's attack as a breach of the peace and called for the immediate cessation of hostilities and the withdrawal of North Korean forces.

On June 27, 1950, the U.N. Security Council adopted a resolution urging all member nations to "furnish such assistance to the Republic of Korea as may be necessary to repel the armed attack and to restore international peace and seurity in the area." The United Nations thus took the very first step to repel aggression in the name of the United Nations by the use of military force.

At the session of the fifth U.N. General Assembly, on October 7, 1950, the U.N. adopted a resolution, urging general elections in Korea for the establishment of a unified government and establishing the United Nations Commission for the Unification and Rehabilitation of Korea (UNCURK).

At the seventh session of the U.N. General Assembly on August 28, 1953, the U.N. adopted a resolution accepting the Korean Armistice Agreement.

~~8. Efforts for Affiliaton with the U.N.~~ The ROK Government applied for admission into the U.N. five times--in January 1949, December 1951, ~~May~~ 1961, July 1975, and September 1975--but all applications were unsuccessful due to veto by ~~the Soviet Union.~~

Resolutions on Korea's behalf were introduced three times--in December 1955, september 1957 and December 1958--by friendly nations, but were also unsuccessful due to veto by ~~the Soviet Union.~~

North Korea directly applied for ~~affiliation with the U.N.~~ twice--in February 1949 and in January 1952--but they were either rejected or ignored by the ~~U.N.~~ ~~Secretariat.~~

Two resolutions submitted by the Soviet Union on behalf of North Korea--in September 1957 and in December 1958--were turned down by the Security Council.

facing North Korean intransigent adherence to its unrealistic and unworkable policy to join the world body with the South with a single seat.

and overwhelming support for its UN membership shown by the international society,

Meanwhile, encouraged by the successful implementation of its Northern Policy, the Korean Government decided to join the U.N. this year ~~even unilaterally, if North Korea continued to adhere to its policy to jointly affiliate with the world body with the South in a single revolving seat~~. Armed with this determination, the ROK Government launched a multifaceted diplomatic campaign. On April 5, 1991, the Government submitted to the UN Security Council a memorandum, clarifying its intent to join the U.N. as a (U.N.) fullfledged member within the year.

" single-seat UN membership" formula

Apparently influenced by the ROK Government's firm determination and diplomatic efforts, the North on May 28, 1991 announced that it would no longer stick to the ~~joint affiliation plan~~ but would submit an application for U.N. membership this year. Its announcement was followed by a statement of the Ministry of Foreign Affairs of the Republic of Korea, welcoming the change in the North's stance.

In view of the decision of North Korea to independently join the U.N., it is highly probable that both South and North Koreas will be admitted to the U.N. when the 46th session of General Assembly opens on September 17, 1991.

4. Status of Affiliations with U.N. Organizations

As of June 1991, the ROK was affiliated with two U.N. organizations--the Economic and Social Commission for Asia and the Pacific (ESCAP) and the United nations Conference on Trade and Development (UNCTAD), while the North and joined only the UNCTAD. In the case of the specialized U.N. organizations, the ROK joined 15, including the World Health Organization (WHO), the Food and Agriculture Organization (FAO), the International Monetary Fund (IMF) and the World Meteorological Organization (WMO). On the other hand, the North has membership in 11 specialized organizations, including WHO and FAO.

0190

5. United Nations Command in Korea

The United Nations Command in Korea was established in accordance with Resolution No. 84 of the Security Council adopted on July 7, 1950. Previously, on June 25, 1950, the Security Council adopted Resolution No. 82 which defined the armed attack of the North on the South as a breach of peace and urged the North to promptly suspend hostilities and withdraw its forces to north of the 38th parallel. On June 27, 1950, the Security Council adopted Resolution No. 83, requesting U.N. member nations to furnish all necessary assistance to the ROK to restore and maintain peace and security in the South. On July 7, 1950, the Security Council urged member countries to furnish military forces and other support to a unified command under the U.S. The Resolution also allowed the unified command to use the flag of the United Nations and required the United States to submit reports to the Security Council on the activities of the U.N. Command in Korea.

Consequently, sixteen member nations--the United States, Britain, Australia, Belgium, Canada, Colombia, Ethiopia, France, Greece, Luxemburg, the Netherlands, New Zealand, the Philippines, Thailand, Turkey and South Africa--dispatched military forces to the ROK, while five others--Denmark, India, Italy, Norway and Sweden--sent medical teams.

The United Nations Command was a party to the Armistice Agreement concluded on July 27, 1953, has participated in the Military Armistice Committee and has exercised its authority to name members of the Neutral Nations Supervisory Committee on behalf of the United Nations. Ten countries -- Korea, the United States, Britain, France, Australia, Canada, Thailand, the Philippines, Colombia and New Zealand still have representatives in the U.N. Command.

0191

6. Other Contributions

The Republic of Korea has contributed a total of US$7 million to 31 organizations of the United Nations, including US$1 million to the United Nations Development Program, US$600,000 to the United Nations International Children's Emergency Fund (UNICEF), US$723,000 to the (FAO), US$625,000 to the United Nations Educational, Scientific and Cultural Organization (UNESCO), US$254,000 to the World Civil Aviation Organization and US$652,000 to the (WHO)

A total of 163 Koreans were working with 20 organizations of the United Natons as of the end of 1990, including five at UNICEF, eight at WHO, 25 at IMF and 87 at the World Bank.

Recently, Korea also contributed to the coalition efforts to check the unprovoked aggression of Iraq against Kuwait. The Government pledged a total of US$500 million in cash, goods and transport service to help meet the needs of the coalition forces and provide economic and relief aid to countries neighboring Iraq. In addition, ffive C-30 transport aircraft to aid rear-area military transport and a military medical team were dispatched to Saudi Arabia.

0192

August 5, 1991

Military Confrontation Likely To Ease

After the Two Koreas' Entry into the U.N.

The Government ~~on August 5~~ filed an application for membership in the United Nations. The U.N. Security Council is expected to combine the bid with the North Korean application for U.N. membership already submitted on July 8 into a single motion calling for simultaneus admission of the two Koreas and to refer it to the U.N. General Assembly, which in turn, is expected to unanimously pass it when it convenes in September this year.

Looking back, the United Nations endeavored to help establish a single independent government for the whole of Korea after the land was divided into a U.S.-occupied South and a Soviet-occupied North as a military expedient at the end of World War II. Having failed in this because of a Soviet boycott, the U.N. decided to hold, under its supervision, general elections in the South only in May 1948 to form a Constituent Assembly and set the stage for establishing a government for South Korea. Thus, the Government of the Republic of Korea was founded on August 15, 1948. On December 12, 1948, the U.N. General Assembly adopted a resolution recognizing the ROK Government as the only lawfully-elected government in Korea.

On June 25, 1950, less than two years later, the Soviet-aided Communist North launched a full-scale surprise attack on the Republic, whose meager defense crumbled almost overnight.

0193

Thereupon, the U.N. Security Council voted to take collective security action to help repel the aggressors and defend the Republic of Korea. In response, 16 nations, including the United States, joined under the United Nations Command to send expeditionary forces to fight in the Korean War. The Republic of Korea was thus saved but the land remained divided under an armistice agreement signed in July 1953. The U.N. also made significant contributions to the rehabilitation and reconstruction of the war-ravaged South.

In spite of such special ties with the United Nations, as well as of the U.N. principle of universal membership the Republic of Korea was shut out of the world body for decades. This was because the Soviet Union and the People's Republic of China, both staunch allies of North Korea until recently, stood ready to exercise their veto power in the U.N. Security Council to block the Republic's membership as part of their Cold War strategy. For its part, North Korea also persistently opposed Korea's membership in the U.N. before unification. Thus, the Republic's very reasonable proposal for both Koreas to seek simultaneous entry into the U.N. long remained thwarted.

More recently, however, the Cold War has wound down and the Republic has succeeded in establishing full diplomatic relations with the Soviet Union and most East European countries and exchanged trade offices with consular functions with China. Such developments assured that neither Moscow nor Beijing would block the Republic's U.N. membership even if North Korea continued to oppose it. Thereupon, the North reversed its adamant position and announced a decision to seek separate U.N. membership.

In submitting an application for U.N. membership today, the Government of the Republic of Korea said it is pleased that both South and North Korea are finally going to be admitted into the world organization together. It expressed the hope that the two Koreas, both as responsible members of the international community, will actively participate in U.N. endeavors to promote world peace, security and

prosperity, while also engaging in serious dialogue with each other with the goal of building mutual trust and cooperation and securing durable peace on the Korean Peninsula so that the unification process can be speeded up as so strongly desired by all Koreans.

North Korea still adheres to a "one Korea" policy and has stated that it is "only reluctantly" applying for parallel U.N. membership because this can perpetuate Korean division. Still, it is obvious that even North Korea, the last refuge of hardline Communism, has begun to realize that it cannot remain in self-isolation much longer in a world of cataclysmic change. There is thus more than an even chance that more changes will occur in the North in the coming months.

The two Koreas' parallel U.N. membership can have major implications for inter-Korean relations, long marked by confrontation, enmity and distrust. This is because the U.N. Charter provides for, among other things, the non-use of military force and peaceful resolutions of disputes among its members.

Although in actuality there have often been wars between U.N. members, the accession of both Koreas to the U.N. Charter will still put considerable moral pressure on them to ease tension on the Peninsula and find a new modus vivendi. In view of the fact that South and North Korea are merely under a cease-fire pact and still technically at war, there will arise increasing pressure to replace the 38-year-old Korean War Armistice Agreement with a peace treaty or some other similar arrangement designed to ensure peace on a permanent basis.

In such an event, there will also arise the question of what to do with the United Nations Command, which was established under Security Council Resolution 84, dated July 7, 1950, to direct a multinational force in military action to beat back the North Korean aggressors and which signed the Armistice Agreement with North Korea and China on July 27, 1953. (China became involved in the Korean War when it sent a huge "volunteer army" to save North Korea from total defeat). Should the UNC be disbanded if a Korean peace treaty is signed because its mission to repel aggression and restore peace in Korea would have been completed?

Answers to such still-academic questions will depend to a large extent on whether progress can be made in the on-going series of high-level meetings between Seoul and Pyongyang to find ways to end confrontation and near-total separation and promote exchanges and cooperation leading to eventual unification. So far, little substantive has come out of on-and-off-again inter-Korean dialogue. But the fourth round of South-North Prime Ministers talks, scheduled to be held on August 27-29 in Pyongyang, may yet produce some tangible result, in that it will take place shortly after both Koreas applied for U.N. membership.

검 토 의 견

o 유엔가입 처리절차 (para 1해당)

- 안보리는 권고(recommend), 총회는 이를 결정(decide)하는 결의 (Resolution)을 채택함으로써 가입절차가 완료됨.

o 아국의 유엔가입 미실현 부당성 지적(para 5해당)

- 아국의 국제적 위상 제고 및 국력신장에 비추어 그간 유엔에 가입 하지 못했던 것은 국제적 냉전체제의 산물임을 보완 필요

o 아국의 유엔가입 실현배경 (para 6해당)

- 화합과 협력의 새로운 국제질서하에서 탈냉전시대가 도래함과 아울러 정부의 적극적인 북방외교 추진으로 동구권국가와 소련과의 수교 및 한.중 무역대표부 상호 교환설치 실현함.
- 북한의 유엔가입 결정은 중.소의 태도변경 뿐만 아니라 대내적인 요인(국제적 고립탈피, 일본 및 서방과의 관계개선을 통한 경제적 난국 타개등)도 작용했음.

o 남북한의 긴장완화 가능성에 대한 설명(para 9-11해당)

- 유엔헌장상의 무력불사용 및 분쟁의 평화적 해결의무에 대한 남북한의 수락 언급내용과 함께
- 유엔가입을 계기로 유엔 Context내에서 남.북한간의 교류와 협력증진, 상호 신뢰구축, 한반도 및 동북아지역내 긴장완화가 더 용이해 질 것임을 설명함으로써 남북한의 유엔가입이 남북간의 군사적 대결을 완화시킬 수 있는 국제적 여건조성이 가능할 것이라는 점 추가 설명 필요

0197

o 결론 (para 12해당)

- 휴전협정의 평화협정으로의 대체문제 및 UNC 해체문제에 대한 설명은 남북고위급회담 진행을 구체적으로 예시하기 보다는
- 유엔가입이후 남북간의 교류.협력관계가 증진되어, 상호 신뢰 바탕 위에 한반도의 항구적인 안정과 평화 유지를 위한 보장장치가 선행되어야 하고, 남북고위급회담에서의 이에대한 진지한 협의를 통하여 남북간에 공존공영 관계를 조성키 위한 노력여하에 따라 자연히 해결될 수 있을 것이라는 내용으로 수정함.

0198

Comments: 배경 Q1. 올해 찬그하시기 비판

The Prospects of Two Korea's Relations
After Their Admission to the U.N.

Now that the ROK Government has submitted an application for membership to the U.N. and North Korea did the same earlier, it is likely that both applications will be approved at the 46th session of the General Assembly opening in September. This being the case, it is instructive to review what impact the spearate and simultaneous membership of the two Koreas will have on relations bewteen the divided halves of the Peninsula or on ultimate reunification.

North Korea has recently shown signs of change: its decision to seek separate membership in the U.N. instead of sharing a single membership with the South and Kim Il-sung's recent remarks indicating that he understood the democratic changes in East Europe.

These signs of changes notwithstanding, North Korea has yet to substantially ease its propaganda war against the South. In view of such duplicity on the part of the North, it is still too early to interpret the nature of the signs of change.

In fact the South has yet to find correct answers to a series of questions: North Korea has abruptly decided to go along with South Korea's plan to separately join the United Nations. Does this mean the North is now ready to recognize that there are two sovereign states on the Korean Peninsula, dropping its previous stand that Korea is one. Does it mean that the North will henceforth try to coexist with the South and promote substantial and expanded exchanges?

North Korea, which believes that any change in its political system will automatically spell the collapse of its regime, has come to "recognize

(12)

0193

democratic changes in East Europe" and is now "ready to behave according to changes in the earth of which it is a part." Do these changes mean that North Korea will eventually undertake democratic reforms and implement an open door policy? Or are these changes strategic tacts, as in the past, designed to help improve relations with Japan and the United States?

It is generally believed that North Korea now differs from the past. This is because of the tide of changes that is sweeping across the world. North Kroea cannot forever defy such worldwide changes, coupled with the collapse of ties with its former socialist allies due to the successful implementation of the South's Nrorothern Policy, North Korea's economic woes and political problems arising from Kim Il-sung's attempt to pass over political power to his son, and the gradual but steady challenge against the regime by those of the elite who know what is going on on the outside.

It is probable that North Korea has been assuming a two-faced attitude in an attempt to minimize the adverse impact on the people of North Korea of the ongoing events, including simultaneous membership in the United Nations with the South, its efforts to normalize diplomatic ties with Japan and the United States, the South's establishment of diplomatic ties with the Soviet Union and East European countries and the improvement of ties between the South and China. It may be also said that such contradictory behavior reflects serious conflict between two major policies: one supporting the status quo and the other calling for adaptation to the changes in the international situation.

It is believed, therefore, that North Korea will inevitably change but ever so slowly, and it will be better for the South to wait for such changes with forbearance. ?

It should be noted in this connection that national unification will be facilitated, following United Nations membership, if both sides

0200

endeavor to promote coexistence and coprosperity and thus build up mutual credibility and trust and restore national homogeneity. North Korea is likely to adhere to its original demand with respect to national unification, at least for the time being. It will gradually change its stance, however, in favor of national reconciliation. Such predictions will be tested at the forthcoming fourth high-level South-North talks slated for August 27 in Pyongyang.

0201

Q 1. What changes do you expect in inter-Korean relations in the wake of both Koreas' entry into the UN?

o As you know, North Korea had long been against the entry into the UN, contending that it would perpetuate national division. North Korea's turnabout on UN policy was exactly what we hoped to see and the direct result of our consistent diplomatic efforts. Owing to the successful drive of our "Northern Policy" and the worldwide tendency of pragmatism in the post-Cold War era, Pyongyang can no longer be assured of unconditional diplomatic support from the Soviet Union and even China. The dissolution of bipolarity and the emerging new international order of cooperation and reconciliation are now pushing Pyongyang to take a more realistic stance on inter-Korean relations as well as other international affairs.

o Although it is too early to conclude that North Korea's decision to join the UN is a genuine prelude to a fundamental shift in their external and inter-Korean policies, we believe that better conditions are now made for abating the rigidity of inter-Korean hostility and strengthening a durable peace in the Korean peninsula. Since the United Nations is an excellent forum for political dialogue, both Koreas' UN membership will help them to develop more stable and

0202

conciliatory bilateral relationship. We hope that increased contacts between North and South Korea will help build up mutual trust and eventually accelerate the process of peaceful reunification of our homeland.

o Further, North Korea, like all other UN Member States, will have an obligation to uphold the principles of the UN Charter, which I believe would induce North Korea to act as a responsible member of the world community. On our part, we will try as best as we can to carry forward this newly developed momentum in the Korean peninsula in a way to enhance peace and stability not only in the peninsula but throughout the Northeast Asian region as well.

0203

Background Information on

Korea's Relations with the United Nations

1. Establishment of Korean Government

At the second session of the U.N. General Assembly on November 14, 1947, the U.N. adopted a resolution calling for free general elections to establish a unified government on the Korean Peninsula and creating the United Nations Temporary Commission on Korea (UNTCOK) to supervise them.

At the third session of the U.N. General Assembly, on December 12, 1948, the U.N. adopted a resolution recognizing the Government of the Republic of Korea as the sole, lawfully-elected Government on the Korean Peninsula and establishing the U.N. Commission on Korea to replace UNTCOK.

2. U.N. Support for ROK during Korean War

On June 25, 1950, the U.N. Security Council, which was called to discuss the North Korean invasion of South Korea, adopted a resolution, defining the North's attack as a breach of the peace and called for the immediate cessation of hostilities and the withdrawal of North Korean forces.

On June 27, 1950, the U.N. Security Council adopted a resolution urging all member states to "furnish such assistance to the Republic of Korea as may be necessary to repel the armed attack and to restore international peace and security in the area." It thus took the very first step to repel aggression in the name of the United Nations by the use of military force.

At the fifth session of the U.N. General Assembly, on October 7, 1950, the U.N. adopted, a resolution, urging general elections in Korea for the establishment of a unified government and establishing the United Nations Commission for the Unification and Rehabilitation of Korea (UNCURK).

At the seventh session of the U.N. General Assembly, on August 28, 1953, the U.N. adopted a resolution accepting the Korean Armistice Agreement.

3. Efforts to Seek U.N. Membership

The ROK Government applied for admission into the U.N. five times--in January 1949, December 1951, April 1961, July 1975, and September 1975--but all applications were unsuccessful due to veto by a permanent member of the Security Council.

Resolutions on Korea's behalf were introduced three times--in December 1955, September 1957 and December 1958--by friendly nations, but were also unsuccessful due to veto by a permanemt member of the Security Council.

North Korea directly applied for U.N. membership twice--in February 1949 and in January 1952--but they were either rejected or ignored by the U.N. Security Council.

Two resolutions submitted by the Soviet Union on behalf of North Korea--in September 1957 and in December 1958--were also turned down by the Security Council.

Meanwhile, encouraged by the successful implementation of its Northern Policy and overwhelming support for its U.N. membership shown by the international community, the Korean Government decided to join the U.N. this year, defying North Korean intransigent adherence to its unrealistic and unworkable policy to join the world body with the South with a single seat. Armed with this determination, the ROK Government launched a multifaceted diplomatic campaign. On April 5, 1991, the Government submitted to the U.N. Security Council a memorandum, clarifying its intent to join the U.N. as a fullfledged member within the year.

Apparently influenced by the ROK Government's firm determination and diplomatic efforts, the North on May 28, 1991 announced that it would no longer stick to the single-seat U.N. membership formula but would submit an application for U.N. membership this year. Its announcement was followed by a statement of the Ministry of Foreign Affairs of the Republic of Korea, welcoming the change in the North's stance.

In view of the decision of North Korea to independently join the U.N., it is highly probable that both South and North Koreas will be admitted to the U.N. when the 46th session of General Assembly opens on September 17, 1991.

4. Status of Affiliations with U.N. Organizations

As of June 1991, the ROK was affiliated with two U.N. organizations--the Economic and Social Commission for Asia and the Pacific (ESCAP) and the United Nations Conference on Trade and Development (UNCTAD), while the North had joined only the UNCTAD. In the case of the specialized U.N. organizations, the ROK joined 15, including the World Health Organization (WHO), the Food and Agriculture Organization (FAO), the International Monetary Fund (IMF) and the World Meteorological Organization (WMO). On the other hand, the North has membership in 11 specialized organizations, including WHO and FAO.

5. United Nations Command in Korea

The United Nations Command in Korea was established in accordance with Resolution 84 of the Security Council adopted on July 7, 1950. Previously, on June 25, 1950, the Security Council adopted Resolution 82 which defined the armed attack of the North on the South as a breach of peace and urged the North to promptly suspend hostilities and withdraw its forces to north of the 38th parallel. On June 27, 1950, the Security Council adopted Resolution 83, requesting U.N. member states to furnish all necessary assistance to the ROK to restore and maintain peace and security in the South. On July 7, 1950, the Security Council urged member countries to furnish military forces and other support to a unified command under the U.S. The Resolution also allowed the unified command to use the United Nation flag and required the United States to submit reports to the Security Council on the activities of the U.N. Command in Korea.

Consequently, sixteen member nations--the United States, the United Kingdom, Australia, Belgium, Canada, Colombia, Ethiopia, France, Greece, Luxemburg, the Netherlands, New Zealand, the Philippines, Thailand, Turkey and South Africa--dispatched military forces to the ROK, while five others--Denmark, India, Italy, Norway and Sweden--sent medical teams.

The United Nations Command was a party to the Armistice Agreement concluded on July 27, 1953, has participated in the Military Armistice Committee and has exercised its authority to name members of the Neutral Nations Supervisory Committee on behalf of the United Nations. Ten countries--the Republic of Korea, the United States, the United Kingdom, France, Australia, Canada, Thailand, the Philippines, Colombia and New Zealand--still have representatives in the U.N. Command.

6. Other Contributions

The Republic of Korea has been contributing annually a total of US$7 million to 31 organizations of the United Nations, including US$1 million to the United Nations Development Programme (UNDP) US$600,000 to the United Nations Children's Fund (UNICEF), US$723,000 to the Food and Agriculture Organization (FAO), US$625,000 to the United Nations Educational, Scientific and Cultural Organization (UNESCO), US$254,000 to the Interna-tional Civil Aviation Organization (ICAO) and US$652,000 to the World Health Organization (WHO).

A total of 163 Koreans were working with 20 organizations of the United Natons as of the end of 1990, including five at UNICEF, eight at WHO, 25 at IMF and 87 at the World Bank.

Recently, Korea also contributed to the efforts of the United Nations to check the unprovoked aggression of Iraq against Kuwait. The Government pledged a total of US$500 million in cash, goods and transport services to help meet the needs of the coalition forces and to provide economic and relief aid to countries neighboring Iraq. In addition, five C-30 transport aircraft to aid rear-area military transport and a military medical team were dispatched to Saudi Arabia.

5

0208

일본 NHK 회견 답변자료

- 91.8.5(월) 10:30, 제1차관보실 -

1. 유엔가입 추진배경 및 의의
2. 유엔가입과 한반도 긴장완화 (유엔가입이 남북한관계에 미치는 영향)
3. 유엔가입시 실익
4. 유엔가입시 아국이 부담해야 하는 의무

국제기구조약국

0203

유엔가입이 남북한관계에 미치는 영향

o 유엔가입관련 북한입장 변화의 배경

- 우리외교에 대한 국제적 지지기반 확산, 특히 북방외교의 성공적 추진결과
- 동.서 냉전논리의 후퇴와 화해와 협력의 새로운 국제질서 형성 움직임
- 우리의 일방적인 유엔가입으로 인한 그들의 외교적 고립 심화가능성 우려

o 북한의 유엔가입을 그들의 대외정책 또는 대남정책의 근본적 수정이라고 보기는 시기상조임. 그러나 남북한의 동시 유엔가입으로 한반도 긴장 완화와 평화증진을 위한 유리한 분위기가 조성되고 있는 것으로 믿고 있음.

o 남북한은 유엔테두리내에서 상호 교류와 협력을 증진시킴으로써 남북한의 제반문제를 점진적으로 해결하는데 기여하고 더나아가 평화적인 통일과정을 촉진시킬 것으로 기대함.

0210

o 또한 유엔가입으로 남북한은 유엔헌장의 목적과 원칙을 존중해야 하며 유엔헌장상 분쟁의 평화적 해결의무와 무력불사용의 의무를 짐. 이는 남북 상호간의 신뢰구축에 기여할 것임.

o 우리로서는 한반도 상황의 새로운 변화가 한반도의 평화정착 그리고 동북아에서의 새로운 협력의 장을 열어가는 전기가 될 수 있도록 최선의 노력을 경주할 것임.

0211

KBS 제1라디오회견 질의답변 자료

(8.6(화) 07:10- : 약 10-13분간)

(프로명 : '안녕하십니까' (06:00-08:00))

(인사말씀)

o 우리나라는 1948년 정부수립이래 일관된 외교목표중의 하나로 유엔가입을 추진해 왔으며, 이제 우리의 적극적 외교노력과 우방국의 협력을 바탕으로 오는 9.17. 제46차 유엔총회 개막일에 우리의 유엔가입이 실현되게 될 전망임. 이 자리를 빌어 그동안 국민여러분께서 정부의 유엔가입정책에 대해 아낌없는 지지와 성원을 보내주신데 대해 깊은 감사를 드리는 바임.

(질문 1) 가입신청서 제출이후 처리일정

o 이미 보도된 바와 같이, 뉴욕시각으로 8.5 15:30 (서울시각 : 오늘 새벽 04:30) 노창희 주유엔대사가 쿠에야르 유엔사무총장에게 유엔가입 신청서를 유엔헌장 의무수락서와 함께 제출하였음.

앙 고 재	91년 8월 5일	담 당	과 장	국 장
		김성련	(서명)	(서명)

0212

KBS 제1라디오회견 질의답변 자료

(8.6(화) 07:10- : 약 10-13분간)

(프로명 : 안녕하십니까 (06:00-18:00))

(인사말씀)

○ 우리나라는 1948년 정부수립이래 일관된 외교목표중의 하나로 유엔가입을 추진해 왔으며, 이제 우리의 적극적 외교노력과 우방국의 협력을 바탕으로 오는 9.17. 제46차 유엔총회 개막일에 우리의 유엔가입이 실현되게 될 전망임. 이 자리를 빌어 그동안 국민여러분께서 정부의 유엔가입정책에 대해 아낌없는 지지와 성원을 보내주신데 대해 깊은 감사를 드리는 바임.

(질문 1) <u>가입신청서 제출이후 처리일정</u>

○ 이미 보도된 바와 같이, 뉴욕시각으로 8.5 15:30 (서울시각 : 오늘 새벽 04:30) 노창희 주유엔대사가 쿠에야르 유엔사무총장에게 유엔가입 신청서를 유엔헌장 의무수락서와 함께 제출하였음.

0213

o 이에 따라 유엔사무총장은 곧 우리의 가입신청서를 안보리에 회부하게 될 것이며, 안보리에서는 우리의 가입신청서와 지난 7.8. 이미 제출된 북한의 유엔가입 신청서를 일괄 심의하여 처리할 것으로 예상됨. 현재로서는 늦어도 금주말인 8.9(금) 까지는 안보리 가입심사위원회에서의 가입심사 및 본회의에서의 가입권고결의가 채택될 것으로 예상됨.

o 이와 같은 안보리의 남북한 유엔가입 권고에 따라, 유엔총회는 오는 9.17.(화) 제46차 총회개막일에 남.북한의 가입을 결정하는 단일결의를 채택함으로써 우리나라는 북한과 함께 유엔에 가입하게 될 것으로 예상됨.

(질문 2) 유엔가입의 의의

o 우리가 유엔에 가입하게 되면 국제사회에서 많은 유형.무형의 자산을 얻을 수 있으며, 남북한 관계에 있어서나, 한반도 및 동북아 정세에도 긍정적 영향을 미칠 것으로 봄. 좀더 자세하게 말씀드리면,

o 먼저, 우리는 지난 걸프전 이후 유엔의 역할이 그 어느때보다 더욱 고양되고 있는 오늘날, 유엔에서 다루어지는 모든 주요 국제문제의

0214

의사 결정에 있어서 주권국가로서의 정당한 몫을 다하게 됨으로써 우리의 국제적 지위가 크게 향상될 것임.

- 실례로 금후 유엔안보리에서의 이사국으로도 진출할 수 있게 되고, 경제사회이사회등 주요기관 및 유엔산하기구의 중요한 참가국으로서의 지위뿐 아니라, 유엔사무국등 주요기구의 보직에도 한국인이 진출할 수 있게 됨으로써 국제사회에서 우리의 능력과 국제적 위상에 합당한 역할과 기여를 다하게 될 것임.

o 그리고 남북한은 유엔테두리내에서 상호 교류와 협력을 축적시켜, 상호 신뢰를 증대시켜 나감으로써 궁극적으로 한반도의 평화적 통일을 촉진시킬 수 있는 유리한 환경을 조성할 수 있게 될것으로 기대함.

o 또한 남북한은 과거 40여년간 국제사회에서 지속되어온 소모적 대결 외교를 청산할 수 있게 됨으로써 대외관계에 있어서 보다 정상적인 활동을 수행할 수 있을 것이며, 나아가 국제사회에서 7천만 한민족의 이익을 도모할 수 있는 소중한 발판을 마련하게 될것임.

0215

o 그밖에 앞으로 남북한의 유엔가입을 계기로 한반도정세가 보다 안정되고, 이에 따라 동북아지역에서도 화합과 협력을 바탕으로 한 새로운 질서의 형성이 촉진될 것으로 예상됨. 이러한 과정에서 남북한은 각기 국력과 국제적 위상에 합당한 역할을 하게 될것으로 전망됨.

(질문 3) <u>유엔가입후 우리에게 주어질 권리와 의무</u>

o 우리가 유엔에 가입하게 되면 유엔회원국으로서 유엔헌장에 규정된 모든 권리와 의무를 행사하고 또한 부담하게 되는 것은 당연하지요.

o 즉, 우리는 유엔회원국으로서,

- 먼저, 유엔내 각종 회의에서 발언권, 투표권, 결의안 제출권, 피선거권등 모든 권리를 누리게 될 것이며,

- 유엔안보리, 경제사회이사회등 주요기관과 여타 유엔산하의 많은 전문기구에도 이사국으로 진출할 수 있게 되어 우리의 국익을 더욱 증진시켜 나갈 수 있을 것이고,

0216

- 또한 유엔에서 중점적으로 다루고 있는 국제경제협력, 환경보호, 마약퇴치, 인권보호등 모든 주요국제문제에 대한 의사결정 과정에도 적극적으로 참여할 수 있게 될 것임.
- 그밖에 국제사법재판소(ICJ) 및 국제노동기구(ILO)에도 가입할 수 있는 자격을 갖게 될것임.

o 한편, 우리는 유엔헌장상의 모든 의무를 준수하여야 하는 바, 즉
- 무력불사용의 의무, 분쟁의 평화적 해결의무 그리고 국제평화와 안전의 유지 및 분쟁의 악화방지를 위하여 유엔이 취하는 제반 조치에 협력할 의무등을 지게 되고,
- 그리고 유엔의 운영경비중 일정비율의 회원국 분담금을 납부하는 의무도 지게되는데, 이와같이 우리가 부담해야 할 분담금의 구체적 액수는 유엔에 가입한 이후 우리나라의 GNP 및 인구등 지불능력을 감안하여 산정될 예정임.

(질문 4) 남북한 협력관계에 대한 전망

o 남북한이 유엔에 가입하게 되면 앞서 말씀드린 바와 같이 유엔회원국으로서 무력불사용과 분쟁의 평화적 해결 의무를 지게되며, 이는

0217

결과적으로 한반도 에서의 긴장완화와 평화유지에 유리한 국제적 환경 조성에 기여하게 될 것으로 봄.

o 그리고 유엔은 남북한이 대화를 자연스럽게 가질 수 있는 가장 적절한 '대화의 장'인 바, 앞으로 남북한이 유엔테두리내에서 서로 허심탄회 하게 대화를 하면서, 남북간의 교류와 협력을 쌓아나가고, 상호 신뢰를 증대시킴으로써 서로 돕고 도움을 받는 공존공영의 관계를 조성해 나가는데 기여할 수 있을 것으로 바라고 있음.

o 정부는 이와같은 남북한의 유엔가입을 계기로, 한반도에서의 긴장 완화와 평화유지에 유리한 주변환경이 조성되고, 남북한간의 교류와 협력이 증진되어 궁극적으로는 남북한의 평화적 통일이 앞당겨 질수 있을 것으로 기대하며, 또한 이를 위해 적극 노력할 것임.

o 우리는 앞으로 북한이 유엔에 가입한 이후 국제사회에서 책임있는 일원 으로서 맡은 바 역할과 책임을 다하기를 간절히 바람. 또한 그들이 남북한관계를 상호 신뢰에 바탕을 둔 공존공영의 관계로 발전시키고자 하는 우리의 노력에 적극적으로 동참해 오기를 기대하고 있음.

0218

(맺는말씀)

o 끝으로 우리의 유엔가입은 우리의 대외지향적인 경제구조, 남북분단의 특수한 안보상황등을 고려할때 우리의 국익을 한 차원 높게 증진시켜 나갈 수 있는 중요한 계기가 될 것임. 우리가 다가오는 21세기에 세계 중심국가의 하나로 발전하는데도 튼튼한 기틀을 마련해 줄 것으로 믿고 있음. 그동안 정부의 유엔가입 정책에 대해 많은 관심을 갖고 아낌없는 성원을 보내주신 국민여러분께 다시한번 깊은 감사를 드리는 바임.

- 끝 -

0213

관리번호	91-641

외 무 부

종 별 : 지 급

번 호 : USW-3899 일 시 : 91 0805 2049

수 신 : 장 관(해기,문홍)

발 신 : 주 미국 대사

제 목 : 유엔가입홍보

대:WUS-3437

대호 지시에 따라 UN 공보관및 뉴욕 문화원과 협의 앞으로 추진코저하는 사업의 윤곽을 일차 보고함.(진전사항은 개별 추보하겠으며 C-SPAN 카바는 유엔에서 별도 보고 조치함)

1. 메디어 홍보

가. NYT, WP, WSJ 등 주요 신문의 기사 유도

나. 주요 신문의 사설, 해설 유도

다. TIME, NEWSWEEK 의 특집기사 (COVER STORY 포함)

라. ABC 의 WORLD NEWS TONIGHT 에서 대통령 회견 보도 (사전 회견)

마. NBC-TV 의 TODAY SHOW 대사 출연

바. ABC TV 의 NIGHTLINE 출연

사. WSJ 간부진 조찬회

아. NYT 회견

자. 외무장관 기자회견

2. 메디아 접촉

-NEW YORK TIMES:

(1) ARTHUR OCHS SULZBERGER JR.(DEPUTY PUBLISHER)

(2) LESLIE GELB(COLUMNIST) OR JACK ROSENTHAL (EDITORIAL PAGE EDITOR)

(3) BERNARD GWERTZMAN(외신부장)

(4) PAUL LEWIS(UN 출입기자)

(5) LEON SEGAL(논설위원), DAVID UNGER(논설위원)

- WALL STREET JOURNAL:

공보처 국기국 문협국

PAGE 1 91.08.06 18:38

외신 2과 통제관 BS

0220

(1) PETER KANN (CHAIRMAN)
(2) KAREN HOUSE(VICE PRESIDENT)
(3) NORMAN PEARLSTINE(EXECUTIVE EDITOR)
(4) ROBERT BARTLEY(EDITOR, 논설페이지)
(5) LEE LESCAZE(외신부장)
(6) PAUL GIGOT (논설위원)
-WASHINGTON POST
(1) STEPHEN ROSENFELD(논설위원)
(2) DAVID IGNATIUS(외신부장)
(3) DON OBERDORFER(외교담당)
(4) LAURIE GOODSTEIN(UN 출입기자)
- TIME
(1) JASON MCMANUS(EDITOR IN CHIEF)
(2) HENRY MULLER(MANAGING EDITOR)
(3) KARSTEN PRAGER(INTERNATIONAL EDITOR)
(4) BONNIE ANGELO(UN 출입기자)
(5) CHRIS OGDEN (국무성 담당)
-NEWSWEEK
(1) RICHARD SMITH(EDITOR IN CHIEF)
(2) KENNETH AUCHINCLOSS(MANAGING EDITOR)
(3) PETER MCGRATH(FOREIGN NEWS)
(4) TONY CLIFTON(UN 담당)
(5) MARGARET WARNER(국무성)
-U.S.NEWS AND WORLD REPORT
(1) MORTIMER ZUCKERMAN(CHAIRMAN)
(2) DAVID GERGEN(EDITOR AT LARGE)
(3) MARY LORD (아시아담당)
-ABC NEWS
(1) PETER JENNINGS(ABC NEWS ANCHOR)
(2) TED KOPPEL(NITELINE)

(3) WALTER PORGES (NEWS PRACTICES, VICE PRESIDENT)

- NBC NEWS

(1) TIMOTHY RUSSERT (WASHINGTON BUREAU CHIEF)

(2) TOM BROKAW(NEWS ANCHOR)

(3) KAREN CURRY(TODAY SHOW, FOREIGN MANAGING PRODUCER)

- CBS NEWS

(1) DON DECESARE(뉴스담당 부사장)

(2) TOM BETTAG(EVENING NEWS PD)

- CNN

(1) WILLIAM HEADLINE (WASHINGTON BUREAU)

(2) TED TURNER(CNN 사장)

(3) JEANNE MOOS(UN 기자)

- MACNEIL/LEHRER NEWS HOUR(PBS NEWS)

(1) MIKE MOSETTING (PRODUCER)

(2) APRIL OLIVER(PD)

이하계속있음.

/ 긴

관리 번호	91 -842

외 무 부

종 별 : 지 급

번 호 : USW-3900 일 시 : 91 0805 2001

수 신 : 장관(해기,문홍)

발 신 : 주 미 대사

제 목 : USW-3899 의계속

3. 주요인사 접촉

0 RALPH CLOUGH(SAIS)

0 PAUL KREISBERG(CARNEGIE)

0 HELMUT SONNENFELDT(BROOKINGS)

0 GASTON GIGUR(G.W.UNIV.)

0 DAVID ABSHIRE(CSIS)

0 ED FEULNER(HERITAGE)

0 JEANE KIRKPATRICK(AEI)

0 ROBERT OXNAM(ASIA SOCIETY)

0 ALAN ROMBERG(COUNCIL ON FOREIGN RELATIONS)

0 DON ZAGORIA(HUNTER 대학)

0 ROBERT SCALAPINO(BERKELEY 대학)

0 CHARLES WILLIAM MAYNES(FOREIGN POLICY)

0 GERALD CURTIS(COLUMBIA 대학)

0 WILLIAM GLEYSTEEN (전 주한대사)

0 ZBIG BRZEZINSKI(SAIS)

0 HENRY KISSINGER

0 PETER TARNOFF(CFR)

0 RICHARD HOLBROOKE (전 국무차관)

4. 배경설명회

0 CFR 설명회 (조찬 또는 오찬회)

- 일시:91.9.18

공보처 국기국 문협국

PAGE 1 91.08.06 18:39

외신 2과 통제관 BS

0223

- 주관:COUNCIL ON FOREIGN RELATIONS
- 연사: 외무부장관 또는 주미대사
- 대상:CFR 회원 중심 20 명 내외

0 유엔 대사, 기자단 설명회

- 일시: 9 월초
- 대상: 유엔 출입기자
- 내용: 유엔가입과 대통령 방문

0 외무부장관 기자회견

- 일시및 장소:9.17 . 유엔
- 대상: 유엔 기자단
- 계기: 수락 연설후

5. AEA 활용

가. 인원: DARYL PLUNK, KEN SCHEFFER 등 7 명

나. 지역: 뉴욕

다. 주요활동:자료준비, 브리핑, 언론접촉 활동 및 주선

라. 사전 준비활동:

0 미국언론 TARGET LIST 작성 활용

0 PRESS RELEASE 제작 배포

0 브리핑 자료준비(질의응답)

0 주요인사 신문, 방송 인터뷰 주선

0 라디오 방송 및 TV 보도 내용 심층 분석

0 언론 대책 관련 자문

0 마. 기간중 홍보 활동

0 프레스 센타 운영지원

0 외신에 대한 INQUIRY SERVICE 제공

0 주요수행인사에 대한 외신 인터뷰 주선 및 조정

0 일일 일정 배포(DAY BOOK)

0 일일 보도 자료 작성배포

0 언론보도내용 모니터 분석 보고

6. 관련행사

0 한국의날 설포

- 일시:9.17 또는 9.24

- 방법:DINKINS 뉴욕시장 명의로 KOREA DAY 선포, 경우에 따라서는 함마슐드 광장에서 간단한 선포행사

- 우리측 희망:NY 중심가에 태극기 게양

0 경축 PARADE 개최

- 일시:9.21 (9.22 로 변경 교섭)

- 주관:한국일보, 한인회

- 방법:브로드웨이 43 가에서 23 가로 행진, 공연단, 꽃마차, 관련 단체 참가, PARADE 코스 변경교섭, 농악대등 파견 추진

0 경축 공연

- 일시:9.25. 20:00 (1 회 공연)

- 장소:CARNEGIE HALL

-공연: 소리여, 천년의 소리여

0 ASIA SOCIETY 한국영화 주간

-추진:뉴욕 문화원

- 장소:AS 강당

7. ASIA SOCIETY 한반도 관련 회의

0 일시및 장소: 9.11-13. WESTFIELDS 회의장(D.C 교외)

0 주제:GLOBAL-REGIONAL TRENDS AND THE KOREAN PENINSULA

0 참가: 주미대사

(공사 박신일-관장)

예고:91.12.31까지

수신 : UN과 황사무관
발신 : 해외공보관 외신과

PRESS RELEASE

KOREAN OVERSEAS INFORMATION SERVICE

Foreign News Division
Seoul, Korea
Phone: 720-4728, 2396
FAX: 733-2237

August 6, 1991

The Prospects for Relations Between the Two Koreas After Admission to the U.N.

Now that the ROK Government has submitted an application for membership to the U.N. and North Korea did the same earlier, it is likely that both applications will be approved at the 46th session of the General Assembly opening in September. This being the case, it is instructive to review what impact the separate and simultaneous membership of the two Koreas will have on relations between the divided halves of the Peninsula or on ultimate reunification.

North Korea has recently shown signs of change: its decision to seek separate membership in the U.N. instead of sharing a single membership with the South and Kim Il-sung's recent remarks indicating that he understood the democratic changes in East Europe. These signs of changes notwithstanding, North Korea has yet to substantially ease its propaganda war against the South. In view of such a duality on the part of the North, it may be still too early to interpret the nature of the signs of change.

It is generally believed that North Korea now differs from the past. This is because of the tide of changes that is sweeping across the world. North Korea cannot forever defy such worldwide changes, coupled with the collapse of ties with its former socialist allies due to the successful implementation of the South's Northern Policy, North Korea's economic woes and political problems arising from Kim Il-sung's attempt to pass over political power to his son, and the gradual but steady challenge against the regime by those of the elite who know what is going on on the outside.

0226

It is probable that North Korea has been assuming a dualistic attitude as a ploy to minimize the damage to its credibility by cushioning as far as possible the shock waves from the following developments: parallel membership in the United Nations with the South, its efforts to normalize diplomatic ties with Japan and the United States, the South's establishment of diplomatic ties with the Soviet Union and East European countries and the improvement of ties between the South and China. It may be also said that such contradictory behavior reflects serious conflict between two major policies: one supporting the status quo and the other calling for adaptation to the changes in the international situation.

It should be noted that national unification will be facilitated, following United Nations membership, if both sides endeavor to promote coexistence and coprosperity and thus build up mutual credibility and trust and restore national homogeneity. North Korea is likely to adhere to its stance, at least for the time being. However, it will gradually become positive and cooperative and will join the effort for national reconciliation. Such predictions could be tested at the forthcoming fourth high-level South-North talks slated to begin on August 27 in Pyongyang.

0227

南北韓 UN同時加入 관련 弘報論理 (案)

1991. 8.

公　　報　　處

0228

목 차

1. 남북한 UN 동시가입의 의의

(1)43년 숙원과제를 해결한 6공화국 최대의 외교업적

(2)서울 올림픽의 성공적 개최와 북방정책의 일대개가

(3)남북한 유엔가입은 통일시까지의 잠정조치

남북한 평화통일 기반구축의 출발점 마련

(4)고립무원의 궁지에서 어쩔수 없었던 북한의 선택

(5)지나친 흥분이나 성급한 기대는 금물

(6)세계로 시야넓히는 국민의식 진작계기 돼야

2. 예상되는 논쟁점에 대한 대응 논리

(1)헌법의 영토조항은 선언적 규정

(2)북한정권에 대한 "반국가 단체" 정의 문제

(3)한국은 UN이 승인한 『유일합법정부』 논리문제

(4)UN사와 『휴전협정』의 지위변경 문제

(5)어느 체제가 민족의 미래를 위한 최선의 체제인가

0229

1

1. 남북한 UN동시가입의 의의

■ 43년 숙원과제를 해결한 6공화국 최대의 외교업적

ㅇ 한국은 1948년 정부수립에서 한국전쟁, 현재의 유엔군 사령부에 의한 휴전협정체제의 유지에 이르기까지 유엔과는 특수한 관계를 맺고있는 나라이다. 그리고 유엔헌장이 규정한 유엔가입 자격요건을 충분히 갖추었음에도 불구하고 냉전체제하에서 유엔안전보장이사회의 상임이사국인 중국과 소련의 반대입장때문에 유엔회원국이 되지 못하고 계속 옵저버 자격으로만 머물러 있어야 했다.

ㅇ 우리나라는 4천만의 인구, 세계 제12위의 무역거래와 세계 제17위의 GNP규모, 제24회 올림픽 개최국가로서 전세계 148개국과 외교관계를 맺고 있으며, 유엔산하 15개 전문기구에도 가입하고 있는 사실 등에 비추어 볼 때 한국이 유엔가입을 실현하지 못한 것은 "유엔헌장상의 의무를 이행할 능력과 의사를 가진 평화애호국에 문호를 개방한다"는 헌장 제4조의 보편성 원칙에도 명백히 어긋나는 것이었다.

ㅇ 따라서 이번의 남북한 유엔동시가입 실현은 북방외교의 성과와 함께 과거 43년동안 역대정권이 해내지 못한 우리 외교의 숙원 과제를 이룩해낸 역사상 최대의 외교적 성과의 하나로 평가된다. -

0230

2

▣ 서울올림픽의 성공적 개최와 북방정책의 일대 개가

○ 남북한이 유엔에 동시 가입하게 된 결정적 요인은 노태우 대통령의 북방정책 결실의 필연적 산물이라고 평가하지 않을 수 없다. 『7.7선언』과 서울올림픽의 성공을 통해 조성된 동서화합의 무드는 우리의 북방정책방향과 연결되어 한.소수교, 한.중관계 개선을 가져옴으로서 우리의 유엔가입의 사실상의 장애요인이었던 중.소의 한국 유엔가입 입장을 변화시킨 것이다.

○ 7.7선언과 서울올림픽의 성공적 개최로 한국은 동구 사회주의 국가들과 국교를 텄고, 마침내 사회주의의 종주국이라 할 수 있는 소련과도 수교를 했다. 뿐만 아니라 작년 6월 샌프란시스코에서 처음으로 한소 정상회담을 가진 이래로 불과 10개월만에 노태우 대통령이 모스크바를 방문하고, 고르바쵸프 소련 대통령이 제주도를 방문하면서 한소관계는 실질적 협력관계로 발전, 급기야 고르바쵸프 소련대통령은 유엔의 보편성 원칙에 따라 한국의 유엔가입 입장을 지지하기에 이르렀다.

○ 또한 북한과 혈맹관계인 중국도 최근 한.중간에 실질협력 관계를 증진해 왔으며 급기야는 우리의 유엔가입을 더 이상 늦출 수 없다는 국제적 분위기를 올바로 인식하여 북한의 유엔 단일의석 가입안에 지지를 유보하기까지에 이른 것이다.

○ 여기에 또 하나의 중요한 요인은 미.일 및 유럽등 전통 우방들의 적극적인 협력과 지지 뿐만 아니라 국내적으로는 일부 재야급진세력들의 반대에도 불구하고 우리의 언론이나 국민들이 정부의 유엔동시가입 방침을 적극적으로 뒷받침 한데서 고무된 바 매우 크다고 하겠다.

○ 이와같이 남북한의 유엔동시 가입실현은 정부의 전방위 외교와 국민적 성원이 이끌어낸 장엄한 드라마적 쾌거라고 할 수 있을 것이다.

0231

3

■ 남북한 유엔가입은 통일시까지의 잠정조치
남북한 평화통일 기반구축의 출발점 마련

○ 북한이 유엔에 가입하는 이상 유엔헌장을 준수하고 유엔회원국으로서의 의무를 성실히 이행해야할 입장에 서게되므로 북한은 싫든 좋든 한국을 사실상의 실체로 인정할 수 밖에 없을 것이다. 『1민족 2체제』라는 형태가 통일될때까지의 『잠정조치』(modus vivendi)로서 정착되게 되는 것이다. 이는 결과적으로 한반도에서의 긴장완화와 평화유지에 유리한 국제적 환경조성에 기여하게 될 것이라는 점에 큰 의의가 있다고 하겠다.

○ 또한 남북한이 유엔 테두리 내에서 상호교류와 협력을 쌓아 상호신뢰를 증대시켜 나가면 궁극적으로 평화통일을 촉진시키는데 기여하게 될 것이다. 따라서 남북한 유엔동시가입은 앞으로 남북한 관계를 분명히 새로운 차원으로 발전할 수 있는 전기가 될 수 있다는 점에 또한 큰 의미가 있다고 하겠다.

○ 특히 유엔이 걸프전을 계기로 이락에 공동제재를 가하는등 유엔의 위상과 역할이 점차 증대되고 있는 새로운 국제질서가 형성되는 정황에 비추어 볼때 유엔이란 무대를 통해 남북한간의 평화공존체제의 틀을 구축해 나가는데 기대를 더해주고 있다고 볼 수 있는 것이다.

○ 따라서 현시점에서의 남북한 유엔동시가입은 남북평화공존,공영시대를 여는 필요충분조건은 아니라 하더라도 그 출발점이 되는 최소한의 필요조건을 확보한 것이라 할 수 있겠다.
즉 통일될때까지의 『잠정조치』로서의 1차적 여건이 갖춰졌다는 의미로 평가될수 있으며, 평화통일의 기반을 구축할 수 있는 계기가 마련되었다고 풀이할 수 있을 것이다.

0232

4

■ 고립무원의 궁지에서 어쩔 수 없었던 북한의 선택

ㅇ 북한은 작년 5월 김일성이 최고인민회의에서 제안한 『단일의석 가입안』을 계속 고집하면서 우리측의 『유엔동시가입안』을 이른바 『분단고착화』의 논리로 철저하게 반대해 오다가 유엔가입이란 정책으로 180도 전환하게된 배경은 단일의석 가입안이 국제사회에서 아무런 지지도 받지 못했고 북한의 맹방인 소련과 중국 조차도 이를 외면함에 따라 고립무원의 궁지에서 어쩔 수 없었던 선택이었다고 볼 수 있다.

ㅇ 북한이 그동안 우리의 유엔가입을 반대하는 명분으로 내세웠던 이른바 "남북한 유엔가입=분단고착화"라는 논리는 그동안 유엔에 함께 가입 활동해왔던 동.서독과 남북예멘이 결국은 작년에 통일을 달성한 사실로 미루어 보아서도 그 설득력을 찾을 수가 없었다. 뿐만 아니라 북한이 1949년과 1952년 2차례에 걸쳐 직접 UN 가입신청을 한 적이 있었고, 또 1957년과 1958년에는 소련을 앞세워 동시가입권고 결의안을 제출했던 사실에 비추어 볼 때 남북한 유엔동시가입이 분단 고착화라는 북한의 주장은 명백한 모순이 아닐수 없었다.

ㅇ 북한의 『단일의석 가입안』 주장은 유엔헌장의 규정과 유엔 및 그 전문기구의 제반 관행에도 배치될 뿐만 아니라 실현가능성도 없는 것이었기 때문에 작년도 제45차 유엔총회에서 대다수 국가들은 우리나라의 조속한 유엔가입을 지지했었고 반면에 북한의 『단일의석 가입안』은 모든 유엔 회원국으로부터 철저하게 외면을 당했다.

0233

5

ㅇ 그간 우리의 유엔가입은 현실적으로 안보리 상임 이사국인 중.소의 반대입장에 따라 실현되지 못하였으나, 작년도 유엔총회시 한국의 유엔가입을 확고히 지지한다는 부쉬 미국대통령의 연설에 이어, 이 문제에 대한 고르바쵸프 소련대통령의 우리측 입장지지 표명은 중국측으로 하여금 이 문제에 관한 국제여론을 새롭게 인식케하는 계기가 되었고, 나아가 남북한의 유엔가입문제에 대하여 보다 현실적이고 건설적인 역할을 모색하게 되어 북한에 대해 거부권 행사와 관련한 약속을 할수 없었던 것으로 보여진다.

ㅇ 특히 노태우 대통령이 금년 연두기자회견(1.8), 외무부업무 보고시(1.24), 그리고 4월 서울에서 개최된 ESCAP 총회에서 우리의 연내 유엔가입 실현 의지를 거듭 천명하였고, 또 4월 8일에는 금년중 유엔가입을 실현하고자 하는 우리의 의지를 밝히는 각서를 유엔 안전보장이사회 공식문서로 유엔 전회원국에 배포하여 유엔 회원국들의 적극적인 지지와 성원을 이끌어 냈고 국내에서도 언론을 비롯한 각계각층의 지지분위기가 고조됨에 따라 북한의 입장은 초조하지 않을수 없었던 것이 사실이었다.

ㅇ 이러한 제반 사실에 비추어 북한은 우리의 『유엔 선가입』이 실현되면 자신들의 외교적.경제적 고립이 더욱 심화될 것으로 우려하지 않을수 없게 되었고, 이에 따라 우리와 함께 금년내 유엔에 가입하는 것만이 그들 스스로 자초한 국제적 고립을 탈피함과 아울러 일본과의 수교와 대서방 관계개선등 실리에도 맞는 선택이라고 판단하게된 것으로 보인다.

0234

6

■ 지나친 흥분이나 성급한 기대는 금물

○ 이제 남북한이 유엔에 동시가입하게 됨으로써 지금까지의 대결시대를 청산하고 평화공존 시대를 맞이하는 것으로 볼 수 있을 것인가 이 문제는 우리가 흥분을 가라앉히고 차분히 생각하지 않으면 안될 중요한 문제인 것이다.

○ 남북한 유엔동시가입이 곧바로 남북한 공존시대의 개막을 의미하는 것으로 이해하는 것은 성급한 판단이라고 봐야 옳을 것이다. 아직 남북한간에는 법적으로나 군사.안보적 측면에서 평화를 보장할 그 어떤 장치도 마련된 것이 없다. 유엔 동시가입이란 남북공존시대를 열어가기 위한 최소한의 필요조건인 것이며, 이제 그 출발점을 확보했다는데 실질적인 의미를 찾아야 할 것이다.

○ 더군다나 북한이 유엔에 가입신청서를 내면서까지 『하나의 조선』 논리를 포기한 것이 아니라고 공언하고 있는 이상, 말하자면 북한이 『평화』와 『대남전복』이란 두개의 얼굴을 갖고 있는 이상 『남북공존시대』라고 선언하기에는 시기상조가 아닐 수 없다. 따라서 우리는 대북경계심을 계속 늦추지 말고 북한의 대남정책과 태도변화를 계속 촉구해 나가면서 북한을 개방과 개혁으로 이끌어 나가야 할 것이다.

0235

7

■ 세계로 시야넓히는 국민의식 진작계기 돼야

○ 남북한 유엔동시가입으로 남북한은 과거 40여년간 국제사회에서 지속되어 온 소모적 대결외교를 청산할 수 있게됨으로써 대외 관계에 있어서 보다 정상적인 활동을 수행할 수 있을 것이며, 나아가 7천만 한민족의 이익을 도모할 수 있는 소중한 발판도 마련될 수 있을 것이다.

○ 실례로 남북한은 앞으로 유엔안전보장이사회의 이사국으로 진출할 수도 있을 것이며, 유엔의 세계평화 유지와 관련된 의사결정에 참여함으로써 국제평화와 안전증진에도 크게 기여할 수 있게 될 것이다. 또한 유엔가입으로 경제사회이사회 등 주요기관 및 유엔산하기구의 중요한 참가국으로서의 지위 뿐만 아니라, 유엔사무국 등 주요기구의 보직에도 한국인이 진출할 수 있게 된다.

○ 따라서 우리는 남북한 관계에 있어서나 한반도 및 동북아지역의 질서개편에 능동적인 참여가 가능하게 되는등 국제사회에서 각기 능력과 국제적 위상에 합당한 역할과 기여를 다하게 될 것이며 이를 통하여 국제적 지위가 크게 향상될 것이므로 우리 국민들도 『남북한 유엔동시가입 시대』를 맞아 시야를 밖으로 돌리는 『세계속의 한국인』으로서의 미래지향적이고 국제지향적인 자세를 갖춰 나가야 할 것이다.

0236

2. 예상되는 논쟁점에 대한 대응논리

■ 헌법의 영토조항은 선언적 규정

○ 우리헌법 제3조의 『영토조항』은 사실상 법적 실효성 문제와는 전혀 성격을 달리하는 『정치 선언적 규정』인 것이다.
제헌당시부터 이 『영토조항』을 규정한 기본취지는 첫째, 일본으로부터의 국권(영토)회복이라는 『제헌정신』을 담자는 뜻과
둘째, 우리국민의 『평화통일염원』을 상징화한 통일지향의 정치적 선언인 것이다.
따라서 우리의 통치력이 미치느냐 못미치느냐 하는 법적 실효성 차원의 문제로 보아서는 안될 성격인 것이다.

○ 또한 북한도 헌법 제5조와 노동당 규약전문에 남한까지 적화통일 시키겠다는 영토통일의 의지를 담은 규정을 두고 있으므로 이 『영토조항』문제는 남북한간의 상호주의 원칙에 입각해서도 비교.검토돼야할 문제라고 봐야 할 것이다.

* 북한헌법(제5조) : "...북반부에서 사회주의의 완전한 승리를 이룩하며 전국적 범위에서 외세를 물리치고 민주주의적 기초우에서 조국을 평화적으로 통일하며 완전한 민족적 독립을 달성하기 위하여 투쟁한다"

* 노동당규약(전문) : "...전국적 범위에서 민족해방과 인민민주주의의 혁명과업을 완수하는데 있으며 최종목적은 온 사회의 주체사상과 공산주의 사회를 건설하는데 있다"

0237

9

○ 따라서 앞으로 남북한간에도 동서독의 경우처럼 통일될때까지의 『잠정적 조치』(modus vivendi)로서 『기본조약』을 체결하면 영토조항 문제는 자연 남북한의 합의에 따라 해결될 수 있을 것이다. 그러므로 남북한이 유엔에 동시가입한다고 해서 현 단계에서 헌법 3조의 영토조항을 개정할 이유는 없는 것이다.

0238

10

▣ 북한정권에 대한 "반국가 단체" 정의문제

ㅇ 북한이 한국과 함께 유엔에 가입하면 북한은 당연히 유엔의 회원국으로서 유엔의 평화를 지향하는 헌장을 준수하게 될것이고 남북한간에도 상호 적대국이라는 정형으로부터 벗어나게 될터인데, 그렇게 되면 북한을 더이상 "반국가 단체"로 규정할 수 없을 것이므로 관련 국내법규(국가보안법)도 마땅이 개정되거나 폐지돼야 하지 않겠느냐 하는 일부의 주장은 법리상으로나 유엔의 본질적 성격을 이해하는 측면에서나 모두 그 논리가 박약한 것이다.

ㅇ 먼저 국내법상 "반국가단체"의 개념을 살펴보면 북한이란 지역에 북한정권이 존재하기 때문에 규정되어진 개념은 결코 아니라는 점이다. 국가보안법 제2조의 "반국가 단체" 개념은 "우리의 자유민주체제를 전복시키려 하거나 위해를 가할 목적으로 행동을 기도하는 국내외의 결사나 집단"으로 규정하여 지역이 아닌 행위내용을 근거로 하고 있다.

ㅇ 따라서 설령 북한이 아닌 우리와 국교를 맺고 있는 제3국이라도 만약 우리의 체제전복을 기도하는 행동을 한다면 그들도 당연히 "반국가단체"로 규정되어질 것이다. 따라서 현재의 북한이 대남전복 전략을 포기하고 평화지향의 공존정책으로 전환하는 명백한 증거가 확인된다면 북한정권을 더이상 "반국가 단체"로 규정할 이유는 없는 것이다.

ㅇ 다음으로 북한이 유엔에 가입한다고 해서 당연히 "반국가 단체"의 개념으로부터 벗어난다는 것은 논리적 비약이 아닐수 없다.
지난번 걸프전에서 본바와 같이 유엔은 이락도 같은 유엔회원국이지만 쿠웨이트를 불법으로 강점했기 때문에, 침략불법 단체로 규정하고 응징차원에서 제재를 가했다.

0239

마찬가지 논리로 북한이 유엔 회원국이 된다고 해도 북한이 대남전복전략을 포기하지 않고 계속 해서 한국의 체제전복을 기도한다면 "반국가단체" 의 개념을 벗어날수가 없을 것이다.

ㅇ 따라서 "반국가단체"라는 개념의 본질은 북한이 유엔에 가입하느냐의 여부에 있는 것이 아니라 북한이 과연 대남전복전략을 완전히 포기하고 평화공존체제로 전환하느냐의 여부에 달려있는 문제인 만큼 현 단계에서 이 문제와 관련하여 국가보안법을 개정하거나 폐지해야할 이유는 없는 것이다.

0240

12

■ 한국은 UN이 승인한 『유일합법정부』 논리 문제

o 한국이 1948년 12월12일 유엔총회의 결의로 한국에 있어서의 유일합법정부로 승인 받은 역사적 사실은 북한이 한국과 더불어 유엔에 동시가입한다고 해서 우리의 정통성에 변화가 초래되는 것은 결코 아니다.

o 한국이 유엔으로부터 합법적으로 승인을 받기까지의 일련의 과정과 북한이 6.25남침을 감행하여 유엔으로부터 불법침략자로 낙인찍혔던 역사적 사실을 재음미해보면 이 문제는 쉽게 이해될 문제라고 본다

o 1945년 8월15일 세계제2차대전이 종전된 이후 같은해 12월 미.영.소 3국 외상은 모스크바에서 『한국문제에 관한 모스크바 협정』을 발표하였다.
이 협정의 주요내용은 ①한국임시정부수립 ②임시정부수립을 지원하기위한 미.소공동위원회 설치 ③미.영.중.소 4개국의 5년간 한국신탁통치안이 바로 그것이다.

o 모스크바협정이 발표되자 한국국민들은 신탁통치안을 결사반대했고 미.소공동위원회도 실패로 돌아감에따라 한국문제는 유엔으로 이관되어 유엔총회는 1947년 9월 23일 한국문제를 정식의제로 채택했다. 그리하여 1947년 11월 14일 유엔총회는 총회결의 제112호 II로 다음과 같은 요지의 결의안을 압도적 다수의 지지로 채택했다. (찬성 43, 반대 9, 기권 6)

① 정부수립문제토의에 참가토록 선거에 의해 선출된 한국국민대표 초청

② 공정한 선거감시를 위해 한국전역에 걸쳐 여행. 감시.협의할 권한이 부여된 9개국대표(호주, 캐나다,중국,프랑스,인도,필리핀,엘살바도르, 시리아,우크라이나)로 구성된 국제연합임시한국위원단(UNTCOK)설치

③ 1948년 3월 1일 이전에 동위원단 감시하에 인구비례에 따라 보통선거원칙과 비밀투표에 의한 선거실시

0241

④ 선거후 대표자들이 국회를 소집하여 정부를 수립하고 동위원단에 통보하는 것이 그 주된 내용이다.

o 이 결의에 따라 한국임시위원단은 남한과 북한을 방문하여 선거실시문제를 협의하고자 했으나 당시 소련군사령관은 동위원단의 입북을 거부함에 따라 사실상 북한지역에의 접근이 봉쇄되자 UN은 1948년 2월 26일 동위원단의 접근이 가능한 남한에서만이라도 선거를 실시해야한다는 결의안을 가결(총회결의 제583호 A)한 것이다.

o 그리하여 1948년 5월 10일 남한에서는 국제연합 한국임시위원단의 감시하에 제헌의회 구성을 위한 선거를 실시하고 1948년 8월 15일 임시정부의 법통을 승계한 대한민국 정부가 수립 선포됐다.

o 이같이 UN이 결의한 바에 따라 대한민국정부가 수립되자 UN한국임시위원단은 1948년 10월 8일 UN총회에 제출할 최종보고서를 채택하고 유엔총회는 1948년 12월 12일 제3차총회에서 총회결의 제195호 III을 채택하였다. 그 내용인 즉

① UN 한국임시위원단의 보고서를 승인하고

② 전 한국 국민의 대다수가 거주하고 있는 한국지역에 대하여 효과적인 통치력과 관할권을 가진 합법정부가 수립되었으며, 동정부가 한국에 있어서의 유일한 합법정부임을 선언하였다.

o 한편 유엔감시하의 선거를 거부한 북한은 유엔결의를 무시한채 1948년 7월 10일 북조선 인민위원회 제5차 회의에서 『조선민주주의 인민공화국』헌법을 채택하고 8월 25일 최고인민회의 대의원선거(남한측의 국회에 해당)를 실시했다.
그런데 이선거는 자유민주주의 국가에서는 생각조차할 수 없는 흑백투표함방식(찬성:백함, 반대:흑함에 투표)으로 이루어졌다. 비밀자유투표가 보장될 수 없는 이 엉터리 선거를 통해 1948년 9월 9일 김일성을 수반으로 하는 『조선민주주의 인민 공화국정부』가 수립 선포됐다.

0242

14

o 이처럼 대한민국정부는 유엔의 결의에 따라 유엔의 감시하에 자유로운 비밀선거를 통해 정부가 수립되고 유엔의 승인을 받은 정통성을 확보한 정부이고, 북한 정권은 처음부터 유엔의 결의를 무시한채 자체적으로 엉터리선거를 통해 탄생된 국제사회의 이단집단인 것이다

o 더욱이 대한민국정부가 수립된지 불과2년이 채 안된 1950년 6월 25일 북한정권은 불법으로 남침을 감행 하여 유엔안전보장이사회는 북한의 군사행동을 평화의 파괴 및 침략행위로 규탄하고 한국에 대한 군사 원조를 결의, 북한침략군을 격퇴한 역사적 사실이 생생히 기록되어 있다.

o 그리고 남북한이 유엔에 동시 가입한다고 해도 이는 유엔과 한국 또한 유엔과 북한간의 관계에 국한되는 것이며, 남북상호간이나 기존 유엔회원국의 남북한에 대한 법률적.묵시적 국가승인의 효력이 자동적으로 발생하는 것은 아니다.

o 따라서 유엔과의 특수관계속에서 정부가 수립된 대한민국의 정통성문제는 남북이 유엔에 동시 가입 한다고해서 지금까지의 역사적 사실이 달라지는 것은 아니며, 문제는 앞으로 북한이 얼마만큼 유엔 회원국 으로서의 의무를 준수할 것인가. 그리고 유엔의 평화지향틀속에서 남북간에 평화기본조약을 체결하여 평화공전시대를 열어갈 것인가 하는 사실적.현실적 문제가 보다 더 중요한 것이라 하겠다.

0243

15

■ UN사와 『휴전협정』의 지위변경 문제

o 남북한의 UN 가입과 UN사와 『휴전협정』의 지위 문제와는 직접적인 관련이 없다.

o 주한 UN군 사령부는 "불법침략자" 북한을 집단적으로 응징하기 위한 UN 안전보장이사회 결의 S/1588호(50.7.7)에 의거 설치된 것이다. 즉 안보리가 ①회원국들이 제공하는 병력 및 기타의 지원을 미국이 주도하는 통합사령부(=UN총사령부) 하에 집결시킬것을 권고 ②미국에게 통합군 사령관을 임명할 것을 위임 ③통합군사령부에게 참전 각국의 국기와 함께 UN기를 사용할 권한을 부여한다고 결의함에 따라 지상군 병력을 한국전에 파견한 16개국(미국.영국.호주.카나다.뉴질랜드.프랑스.네델란드.벨기에.그리스.룩셈부르크.태국.필립핀.터어키.콜롬비아.남아연방.이디오피아)의 군대와 대한민국 군대로 UN군을 편성한 것이다.

o 또한 UN군사는 휴전협정이 조인(53.7.27)된 이후에는 휴전협정에 따라 휴전협정체제를 유지.감시하는 집행자로 그 기능이 바뀐 것인 만큼 유엔이 유엔군사의 해체를 결의하지 않는 한, 또 휴전협정이 존속하는 한 UN 군사의 지위문제는 결코 변경될 수 없는 것이다.

o 그리고 현재의 『휴전협정』 체제도 남북한간에 항구적인 평화장치를 마련하는 명백하고 구체적인 별도 합의가 이루어질 때 까지 마땅히 존속되어야 하는 것이다.

o 그동안 북한은 남북한 문제의 실질적인 당사자인 한국을 배제하고 미국과 『휴전협정』을 『평화협정』으로 대체하는 문제를 협의하자고 주장해 왔다.

0244

o 말하자면 한국은 휴전협정의 당사자가 아닌만큼 미국과 직접 『평화협정』을 체결하겠다는 논리이다. 그러나 이같은 북한의 주장은 한국휴전협정 제60조가 『한국문제의 평화적 해결등의 문제를 교섭하기 위하여 쌍방측(남북한)을 대표하는 고위정치회담을 휴전협정 발표후 3개월 이내에 개최할 것』을 건의하고, 유엔총회는 1953.8.8 총회결의 제711호 VII로써 한국 휴전협정을 승인하고 상기한 제60조에 규정된 정치회담의 개최를 지지했던 역사적 사실에 미추어볼때 한낱 억지 주장에 불과함을 쉽게 헤아릴수 있다. 더욱이 휴전협정과 유엔 총회의 결의에 따라 한국은 1954.4.26~6.15까지 제네바에서 개최된 정치회담에 당사국으로서 그 대표를 파견한 사실이 있었음을 상기할때 북한 주장의 논리적 모순은 더욱 극명하게 드러난다.

o 그러므로 북한이 『휴전협정』을 폐지하고 미.북한간에 『평화협정』을 체결하자는 주장은 유엔의 결의를 무시하는 정치선전공세에 불과함을 쉽게 알수 있는 것이다.

0245

17

어느 체제가 민족의 미래를 위한 최선의 체제인가

o 앞으로 남북한이 통일되면 우리민족이 선택해야 할 체제는 어떤 체제가 되어야 하는가. 이 물음에 대한 답은 자명하다고 하겠다.
즉 민족구성원 전체의 인간다운 삶을 보장하는 체제-, 민족구성원 하나하나의 복지증진, '삶의 질' 향상, 개인의 권리신장, 정치적 참여가 보장되는 이른바 인류가 『공동선』으로 추구하는 체제라야 마땅할 것이다.

o 지역주민의 복지증진과 자유신장을 추구하는 체제가 최선의 체제라는 사실은 피할 수 없는 국제사회의 흐름이며, 세계사적 진행방향이기도 하다. 최근에 이르러 사회주의 국가들의 변혁과정을 보아 알 수 있듯이 체제선택문제는 이제 결론이 난 문제라고 할 수 있다.

o 따라서 남북한 중 어느체제가 민족사적 정통성과 법통성을 갖고 있으며, 민족문화의 계승자인가 하는 문제는 굳이 재론하지 않는다고 해도 한국인 모두의 가슴에 분명하게 새겨져 있다.

o 지금부터 우리가 끈질기게 추구해 나가야 할 바는 남북한간에 교류와 협력을 넓혀 상호 신뢰를 쌓고 민족의 동질성회복을 위해 민족화합의 대장정을 개척하면서 그 실적을 하나하나 축적시켜나가는 것이 무엇보다도 중요하다고 본다.

o 그러기 위해서는 조급하지 않은 너그러운 아량과 자세로 북한의 변화를 유도하고 개방과 민주화를 이끌어 내야만 한다. 바로 그것이 오늘을 사는 우리세대가 해내야 할 과제인 것이다.

0246

보 도 자 료

외 무 부

제91- 호 문의전화 : 720-2408-10 보도일시 : 1991. 8. 6. 05:00

제 목 : 유엔가입신청서 제출

1. 정부는 91.8.5.(월) 15:30시 (뉴욕현지시각 : 서울시각은 8.6(화) 04:30시) 노창희 주유엔대사를 통하여 「페레즈 데 꾸에야르」 유엔 사무총장에게 유엔가입신청서를 제출하였다.

2. 우리의 가입신청서는 곧 안전보장이사회에 회부될 것인 바, 안보리는 우리의 가입신청서를 지난 7.8. 제출된 북한의 가입신청서와 합께 심의, 8.9.경까지는 남북한의 유엔가입을 권고하는 단일결의안을 채택할 것으로 예상된다.

~~3. 이와 같이 안보리에서 소정의 절차를 마치게 되면 유엔총회는 안보리의 가입권고 결의에 의거, 제46차 총회 개막일인 91.9.17(화) 결의채택을 통하여 남북한의 유엔가입을 결정할 것이다.~~

첨 부 : 가입신청서 처리절차. 끝.

앙고재	국제연합과	91년 7월 31일	담 당	과 장	국 장	차관보	차 관	장 관

0247

가입신청서 안보리 처리절차

91. 7. 15
국제연합과

1. 사무총장, 가입신청서 접수

2. 사무총장, 가입신청서 안보리에 회부 (문서형태)

3. 안보리의장, 가입신청서 접수관련 각안보리 회원국과 쌍무협의 및 안보리회의 개최 자 타진 (의장 발의 또는 회원국에 의한 발의)

4. 쌍무 협의 완료후, 의장은 안보리 전회원국이 참석하는 협의 개시
   - o 쌍무협의 결과보고 및 회원국의 의견 수렴
   - o 회원국으로부터 격렬한(violent) 반대가 없는 경우, 의장은 사무국에 가의제 회람 요청
   - o 의장은 공식 회의일자 및 협의일정 제시

5. 안보리 공식회의 개최 (통상 5분이내 처리)
   - o 통상 합의된 날짜의 오전에 개최
   - o 안보리는 가입신청서를 안보리 가입심사위에 회부

6. 가입심사위 개최 (상기 안보리회의 종료직후)
   - o 관례상 안보리 부의장에 의해 진행
   - o 사무국은 가입권고안 포함 보고서안 작성, 가입심사위에 제출
   - o 회원국의 발언가능
   - o 위원장은 가입심사위의 추천에 관한 결정을 내리기 위해 동일 오후 제2차 공식회의 개최 제의

0248

7. 안보리 공식회의 속개 (동일 오후)

- o 사무국은 가입심사 위원회의 보고서를 배포
- o 의장은 가입심사위의 보고서에 주의를 환기하고, 반대가 없을 경우, 보고서에 포함되어 있는 가입권고 결의안에 대한 표결 실시

8. 가입권고 결의안이 채택된 경우, 의장은 신청국에 축의를 표명하고, 발언희망국에 발언기회 제공

9. 공식회의 종료후, 의장은 사무국에 의해 준비된 서한에 서명

- o 동 서한에서 의장은 안보리의 결정사항을 사무총장에게 통보하고 총회에 회부하여줄 것을 요청
- o 사무총장은 가입신청국에 축의 표명 전문발송

10. 사무국은 상기 안보리의 의장 명의 서한을 총회문서로 발간 및 안보리 가입권고 결의를 문서로 발간

0249

보 도 자 료

외 무 부

제 호 문의전화 : 720-2408-10 보도일시 : 1991. 8. .

제 목 : 유엔가입신청서 제출

1. 정부는 우리의 유엔가입신청을 위한 소정의 국내절차를 완료하고 91.8.XX.( ) 00:00시 (뉴욕현지시각 : 서울시각은 8.XX. 00:00시) 노창희 주유엔대사를 통하여 「페레즈 데 꾸에야르」 유엔사무총장에게 유엔가입신청서를 제출하였다.

2. 돌이켜보면 우리나라만큼 유엔과 깊은 인연을 가진 나라는 없다. 1948년 8월 15일 대한민국 정부의 수립에서 시작하여 1950년 6월 북한의 남침으로부터 국권을 수호하는데 있어, 그리고 전후에는 우리경제의 부흥과 개발 노력에 있어, 또한 40년 가까이 한반도에서 유일한 평화유지장치로서의 휴전협정 체제를 유지, 이행함에 있어, 유엔의 역할과 기여는 재론의 여지가 없다.

3. 오늘날 유엔은 크게 변모하고 있다. 새로운 국제질서하에서 유엔은 1945년 유엔창설자들이 "샌프란시스코"에 모여서 구상했던 국제 평화와 안전을 항구적으로 보장하고, 인류의 번영과 복지를 증진 시키고자 했던 꿈을 실현시키기 위해 그 중심적 역할을 더욱 강화하고 있다.

0250

4. 이와같이 유엔의 국제적 위상과 역할이 제고되고 있는 시점에 우리나라가 북한과 함께 유엔에 가입할 수 있게 된것은 매우 의미있는 일이다. 남북한이 유엔에 가입할 수 있게 된데에는 6공화국 출범이후 노태우 대통령께서 신념을 가지고 온국민들의 끊임없는 관심과 성원을 바탕으로 새로운 국제조류를 능동적으로 활용하면서 꾸준히 추진해오신 적극적인 대외정책의 결실이다.

5. 정부는 앞으로 유엔회원국이 됨으로써 국제사회의 당당한 일원으로서의 맡은 바 임무와 책임을 다해 나갈 것이며, 특히 국제평화와 안전의 유지 및 인류공동의 번영과 발전을 위한 유엔의 고귀한 목표달성에 최대한 기여해 나가고자 한다.

6. 정부는 오늘 우리의 유엔가입 신청서를 유엔사무총장에게 제출함에 있어 그간 누차에 걸쳐 밝힌 바와 같이 우리의 유엔가입이 통일시까지의 잠정조치임을 다시한번 분명히 하며, 남북한의 유엔가입이 한반도의 긴장완화와 평화정착에 기여하고, 나아가 궁극적인 조국의 평화적 통일을 촉진하는데 크게 기여할 것으로 기대한다. 끝.

0251

1. 남북한 유엔 동시가입의 의의

□ 43년 숙원과제를 해결한 6공화국 최대의 외교업적

o 우리나라는 1948년 정부수립에서부터 한국전쟁, 전쟁후 복구과정에서는 물론 현재의 휴전협정 체제가 유엔군사령부에 의해 감시.유지되고 있다는 점을 고려할때 유엔과 매우 특수한 관계를 맺고 있는 나라이다. 우리나라는 유엔헌장이 규정한 유엔가입 자격요건을 충분히 갖추었음에도 불구하고 냉전체제하에서 유엔안전보장이사회의 일부 상임이사국의 반대입장 때문에 유엔회원국이 되지 못하고 과거 40여년간 옵서버로 머물러 있어야만 했다.

o 우리나라는 4천만의 인구, 세계 제12위의 무역거래와 세계 제~~17~~15위의 GNP 규모, 제24회 올림픽 개최국가로서 전세계 148개국과 외교관계를 맺고 있으며, 15개의 유엔전문기구를 비롯한 대부분의 유엔산하기구에 가입하고 있다. 이와같은 사실에 비추어 볼때 우리나라가 유엔에 가입하지 못하고 있었던 것은 "유엔헌장상에 규정된 의무를 수락하고, 이러한 의무를 이행할 능력과 의사를 가진 평화애호국 모두에 문호를 개방한다"는 유엔헌장 제4조에 함축된 보편성 원칙에 명백히 어긋나는 것이었다.

o 따라서 이번 남북한이 유엔에 동시에 가입하게 된 것은 제6공화국 출범이후 정부가 심혈을 기울여 온 북방외교의 구체적 성과로서, 이는 과거 반세기에 가까운 기간동안 우리외교가 갖고 있던 숙원과제를 해결한다는 의미에서 뿐 아니라, 앞으로 유엔을 통하여 새로운 국제질서 형성과 동북아질서 재편과정에 우리가 능동적으로 참여할 수 있는 입지를 더욱 강화하고, 우리의 대외관계 발전에 있어서 질적 변화와 새로운 도약의 발판을 마련하는 일대 외교적 성과라고 할 수 있다.

앙고재	국제연합과	91년 8월 7일	담 당	과 장	국 장	차관보	차 관	장 관

0252

□ 북방정책의 일대 개가

o 남북한의 유엔동시가입은 노태우 대통령이 적극적으로 추진해온 북방 정책의 성공적인 결과에 따른 것이라고 평가하지 않을 수 없다.

o 7.7 선언과 서울올림픽의 성공적인 개최로 우리나라는 89.2. 헝가리를 시발로 동구사회주의 국가들과 차례차례 외교관계를 수립하게 되었고, 마침내 사회주의의 종주국이라 할 수 있는 소련과도 90.9.30. 외교 관계를 수립했다. 작년 6월 샌프란시스코에서 처음으로 한.소 정상 회담을 가진 이래 불과 10개월만에 한.소 양국정상은 모스크바와 제주도를 각각 교환 방문하여 양국 관계를 실질 협력관계로 발전시켰고, 이러한 과정에서 고르바쵸프 대통령은 우리의 유엔가입이 유엔의 보편성원칙에 따라 이루어져야 한다고 언급한 바 있다.

o 또한 그간 우리와의 실질협력 관계를 꾸준히 증진해 온 중국은 북한과의 기존 혈맹관계와는 관계없이 우리의 유엔가입이 더이상 늦추어져서는 안된다는 국제적 분위기를 정확히 인식하게 된 것으로 보이며, 특히 북한의 유엔 단일의석 가입안이 실현불가능하다고 지적하기까지 하였다.

o 남북한이 유엔에 가입하게 되는데 있어 또 하나의 중요한 요인으로서는 미.일 및 유럽등 전통우방국들의 적극적인 협력 및 지지와 더불어, 우리의 언론이나 국민들이 정부의 남북한 유엔동시가입 방침을 적극 이해해 주고 강력히 지지해준 점을 빼놓을 수 없다.

o 이상에 비추어 볼때 남북한의 유엔동시가입 실현은 국민적 합의에 바탕을 둔 정부의 전방위 외교가 이끌어낸 외교사에 깊이 남을 쾌거라고 할 수 있을 것이다.

0253

□ 남북한 유엔가입은 통일시까지의 잠정조치
남북한 평화통일 기반구축의 출발점 마련

- 북한은 유엔에 가입하는 이상 유엔헌장을 준수하고 분쟁의 평화적 해결과 무력불사용의 의무를 성실히 이행하여야 하며, 이는 결과적으로 한반도에서의 긴장완화와 평화유지에 유리한 환경조성에 기여하게 될 것이다.

- 또한 남북한이 유엔테두리내에서 상호교류와 협력을 통하여 신뢰를 증대시켜 나가면 궁극적으로 조국의 평화통일을 촉진시키는데 기여하게 될 것이다. 따라서 남북한 유엔동시가입은 앞으로 남북한 간의 관계를 새로운 차원으로 발전시킬 수 있는 전기가 될 수 있다는 점에 또한 큰 의미가 있다고 하겠다.

- 특히 동.서간의 화해와 화합으로 특징지워지는 새로운 국제질서가 형성되어 가는 가운데 걸프전을 계기로 국제평화와 안전을 유지하기 위한 유엔의 위상과 역할이 점차 증대되고 있음을 고려할때, 남북한은 유엔에 동시가입함으로써 유엔체제하에서 통일될때까지의「잠정조치」로서 평화통일의 기반을 구축할 수 있는 계기를 갖게 되었다고 할 수 있다.

0254

□ 북한이 유엔에 가입신청할 수 밖에 없었던 사유

o 북한은 그간 남북한의 유엔가입이 분단을 고착화, 영구화한다고 주장하였고, 작년 5월부터는 남북한이 단일의석으로 유엔에 가입해야 한다고 하였다. 그러나 북측의 「분단고착화」 논리는 작년에 독일과 예멘이 통일을 이룩한 사실에서 나타났듯이 현실적으로 그 설득력을 완전히 상실하고 말았으며, 또한 소위 단일의석 가입안도 유엔헌장 규정에 배치될 뿐만 아니라 선례도 없는 비현실적인 제안에 불과하여 국제사회에서 외면을 당하고, 심지어 그들의 전통적인 우방국인 중국과 소련으로부터도 지지를 받지 못하였던 것은 잘 알려진 바와 같다.

o 한편, 우리정부는 6공화국 출범이래 7.7선언을 통하여 남북한 관계의 새로운 장을 열고자 하는 의지를 천명하였고, 성공적인 서울올림픽을 개최하여 동서화해의 분위기를 조성한 가운데 적극적인 북방외교를 통하여 알바니아를 제외한 모든 동구권국가 및 소련과 외교관계를 맺고, 중국과도 무역대표부를 상호교환 설치할 정도로 외교다변화를 이룩하였다.

o 유엔가입문제와 관련, 노태우 대통령은 연두기자회견(1.8), 외무부 업무보고시(1.24)뿐만 아니라 금년 4월에 서울에서 개최되었던 ESCAP 총회에서도 금년내 우리의 유엔가입실현 의지를 천명하였으며, 정부는 4.8. 유엔가입을 실현코자 하는 우리의 단호한 의지를 밝히는 각서 (4.5자)를 유엔안보리 문서로 배포하여 유엔회원국들의 적극적인 지지와 성원을 이끌어 내었고 이에따라 국내에서도 언론을 비롯한 각계각층의 지지 분위기가 고조된 바 있다.

0255

o 이상과 같은 우리의 대내외적 상황발전을 직시하게 된 북한으로서는 우리의 유엔가입이 매우 임박한 것으로 깨닫게 됨은 물론, 만약 우리만이 먼저 유엔에 가입하게 될 경우 그들이 자초하고 있는 국제 사회에서의 고립이 더욱 심화될 것으로 판단한 것으로 보인다.

o 또한 경제사정이 급격히 악화되고 있는 북한으로서는 최근 소련 및 중국으로부터의 원조가 감소하게 되자 경제난국을 타개하기 위해 일본 및 서방제국으로부터의 협력과 지원을 절실히 필요로 하게 되었고, 이에따라 국제사회의 큰 관심사로 부각된 유엔가입문제와 핵안전 협정 체결문제에 대하여 종래의 태도를 변화하지 않을 수 없는 상황에 이르게 된것으로 판단된다. 북한이 경제난 해소를 더욱 절실히 필요로 하는 이유로는 권력세습문제와도 관련이 있다고 보여진다. 즉 북한으로서는 새로운 지도체제의 원만한 확립을 위해서 주민들의 경제적 고통을 경감시켜야 할 필요성을 통감하지 않을 수 없는 상황 이었다고 분석된다.

o 한편, 우리의 유엔가입문제에 있어 작년에 미국 부쉬 대통령이 최초로 유엔총회 연설에서 우리의 입장을 공개적으로 그리고 단호하게 지지한 것과 함께 특히 북한을 한번도 방문한 적이 없는 소련의 최고지도자가 수교후 불과 반년만인 지난 4월 방한하여 역사적인 제주도 한.소 정상 회담을 가진 것도 북한에게 큰 충격을 준 것으로 보여진다.

o 그밖에 우리와의 실질협력 관계를 증대해 온 중국이 우리의 유엔 가입에 관한 국제적인 지지 분위기를 인식하게 되고, 이에따라 이 문제에 대하여 보다 현실적인 시각을 갖게 되었으며, 이와같은 중국측의 객관적인 현실인식은 북한의 태도변화에 큰 영향을 미쳤을 것으로 판단된다.

0256

□ 유엔가입이후 남북한 관계발전을 위한 우리의 자세

o 이제 남북한이 유엔에 동시가입하게 됨으로써 지금까지의 대결 시대를 청산하고 평화공존시대를 맞이하는 것으로 볼 수 있을 것인가 하는 문제는 차분히 생각하지 않으면 안될 중요한 문제이다.

o 남북한의 유엔가입은 남북한으로 하여금 유엔체제내에서 상호접촉과 교류 및 협력을 증진케 함으로써 남북한간의 관계를 안정적으로 발전 시키는데 기여할 것이며, 그에 따라 궁극적인 평화통일을 촉진할 수 있는 계기를 마련할 수 있을 것으로도 기대된다. 그러나 불행하게 남북한간에는 아직 법적으로나 군사.안보적 측면에서 항구적 평화 보장장치가 마련되지 않았다. 유엔 동시가입이란 남북한이 공존 시대를 열어가기 위한 최소한의 필요조건인 것이며, 이제 그 출발점을 확보했다는데 실질적인 의미를 찾아야 할 것이다.

o 더군다나 북한이 유엔에 가입신청서를 내면서까지「하나의 조선」 논리를 포기한 것이 아니라고 공언하고 있는 이상, 말하자면 북한이 「평화」를 선언하면서도 「대남적화통일」을 추구하고 있는 이상, 「남북간의 평화공존시대」를 선언하기에는 시기상조가 아닐 수 없다. 따라서 우리는 대북 경계심을 계속 늦추지 말고 북한의 대남정책의 태도변화를 계속 촉구해 나가면서 북한을 개방과 개혁으로 이끌어 나가야 할 것이다.

0257

□ 세계로 시야넓히는 국민의식 진작계기 돼야

ㅇ 우리는 유엔가입을 통하여 남북한이 대외관계에 있어서 오랜 소모적 대결상태를 종식할 수 있게 되기를 바라고 있으며 유엔 체제내에서 남북한간 협력관계를 발전시켜 나감으로써 7천만 한민족의 이익을 도모할 수 있는 소중한 계기가 마련될 수 있도록 적극 노력하고자 한다.

ㅇ 남북한은 유엔에 가입함으로써 국제적 지위가 다같이 향상될 것이며, 유엔회원국으로서 평화와 안전유지 및 주요 국제문제에 관한 의사 결정에 참여함으로써 국제평화, 안전증진은 물론 국가간의 협력증진에도 크게 기여할 수 있게 될 것이다. 또한 우리나라는 유엔가입이후 안전보장이사회, 경제사회이사회등 주요기관 및 유엔산하기구의 이사국으로서의 지위를 얻을 수 있을 뿐만 아니라, 유엔사무국등 주요기구의 보직에도 우리국민이 많이 진출할 수 있을 것으로 기대된다.

ㅇ 따라서 남북한 관계의 새로운 장을 여는 "남북한 유엔회원국 시대"를 맞이하여 우리는 한반도 및 동북아지역에서의 질서개편에 능동적으로 참여하고, 또한 국제사회에서 우리의 능력과 국제적 위상에 합당한 역할과 기여를 다하여야 한다. 이를 위하여 우리는 우리의 시야를 밖으로 돌리는, 즉 「세계속의 한국인」으로서의 미래지향적이고 국제지향적인 자세를 갖춰 나가야 하겠다.

0258

수 신 : 정 의 용 외무부 대변인
발 신 : 관훈클럽

제 3회 최병우기자 기념 심포지엄

일 시 : 1991.9.7(토)-8일(일) (1박 2일)

장 소 : 유성관광호텔 회의실(3층)

주 최 : 관훈클럽.한국언론학회 공동주최

주 제 : 남북한 유엔가입과 언론보도

⊙남북한 유엔가입과 한국외교 李相玉 외무부장관

제 1주제 : 남북한 유엔 동시 가입과 남북관계의 발전 전망 具本泰(통일원 통일정책실장)
738-0169 FAX 720-2432

제 2주제 : 남북한 동시 유엔 가입과 한국의 외교 정책 방향 金潤悅(전 유엔본부 총무처장)
780-2406 0331 802-1282 FAX 780-2405

제 3주제 : 남북한 동시 유엔 가입과 동북아 정세의 변화 具宗書(중앙일보 논설위원)
7515-255 FAX 774-6416

제 4주제 : 남북한 동시 유엔 가입과 보도 방향 方廷培(성균관대 신방과교수)
762-5021 FAX 765-9749

참가인원 : 언론인 언론학교수 국회 정부관계자등 70명예상 (언론학회 10실,클럽 20실)

(클럽은 역대총무 26명,91년도 임원 10명,기금임원 4 ,직원 2 , 계 52명)

⊙시 간 배 정 (주제발표 20분,토론 45분,휴식 5분)

9.7(토)		9.8(일)	
11:00	서울역출발(새마을호편)	07:00-08:00	아침식사
12:30	대전도착	08:00-09:10	제3주제발표,토론
12:30-15:00	유성관광호텔도착,식사	09:10-10:20	제4주제발표,토론
15:00-16:00	리셉션	10:20-17:37	휴식 중식 관광
16:00-16:30	이상옥 외무부장관	17:37	대전역출발(새마을호편)
16:30-17:40	제1주제발표,토론	19:07	서울역 도착
17:40-18:50	제2주제발표,토론		※사회:1.2주제 학회,3.4주제 클럽 토론자:학회 4 ,클럽 4
18:50-20:50	만찬 및 휴식		

◆참고사항
⊙연락처 관훈클럽 732-0876.7 FAX 732-0877 언론학회 765-9749 FAX 765-9749
정의용 외무부대변인 720-2687 FAX 730-5076
유성관광호텔 042-822-0811 서울사무소 김종만 273-3379 우림관광 송대리 042-252-9221
⊙주제원고 200자원고지 70매내외,원고마감 91.8.15 ⊙초청장발송 91.8.25

0253

관훈클럽 및 한국언론학회 초청 심포지움 장관님 연설 계획

1. 일시 및 장소 : 91.9.7(토) 16:00-16:30, 유성관광호텔

2. 주 제 : "남북한 유엔가입과 한국외교"

3. 심포지움 관련사항

가. 주 최 : 관훈클럽 및 한국언론학회

나. 행 사 명 : '제3회 최병우기자 기념 심포지움' (9.7-8)

다. 참석범위 : 언론인, 교수, 국회 및 정부관계자 약 70명

라. 주제발표자(4명) 명단

(9.7. 오전)

o 구본태 (통일원 통일정책실장)

- "남북한 유엔동시가입과 남북관계의 발전 전망"

o 김윤열 (전 유엔본부 총무처장)

- "남북한 유엔동시가입과 한국의 외교정책 방향"

(9.8. 오전)

o 구종서 (중앙일보 논설위원)

- "남북한 유엔동시가입과 동북아정세의 변화"

o 방정배 (성균관대 신방과 교수)

- "남북한 유엔동시가입과 보도방향"

* 1인당 20분씩 주제발표후 45분간 토론하는 방식으로 진행

첨 부 : 표제 심포지움시 장관님 연설(안) 요지) 1부. 끝.

심의관: [signature]

앙고재	91년 8월 15일	담 당	과 장	국 장
		김성진	[signature]	[signature]

0260

"남북한 유엔가입과 한국외교"

(요 지)

1. 인사말씀

- o 관훈클럽 및 한국언론학회 초청에 감사 및 심포지움 참석 소감
- o 9.17. 남북한 유엔가입 예정 및 이에 대한 감회
- o 유엔가입신청(8.5)이후 언론보도상 주요논지 언급
- o 연설내용 소개
  - 유엔과 아국간 관계의 특수성, 유엔동시가입 이후 남북한관계와 동북아정세 전망 및 우리외교의 추진 방향

2. 유엔과 아국간 관계의 특수성

- o 1948년 정부수립시 한반도 유일합법정부 승인, 6.25전쟁시 유엔군 파견, 그 이후 한반도 휴전체제 유지(유엔사의 역할), 한국의 경제 부흥을 위한 지원등 아국과 유엔간 특수한 관계로 가능한 상세 기술
- o 최근 유엔의 중심적 역할 강화 상황하에서 남북한 유엔가입의 의미
  - 주요 국제문제 의사결정 과정에 대한 적극적 참여를 통한 국제사회에 대한 기여 및 국익증진 계기

3. 유엔 동시가입이후 남북한관계 전망

- o 남북한 문제는 기본적으로 당사자간의 직접 노력에 의해 해결되어야 한다는 것이 기본입장
  - 유엔가입은 이러한 당사자간의 한반도문제 해결노력을 더욱 고무, 증진시키는 계기
  - 유엔테두리내 남북한 화해.협력의 틀 마련, 한반도 긴장완화 및 궁극적으로 평화적 통일여건 조성에 긍정적 기여 예상

0261

o 남북관계의 실질적 개선을 위한 우리의 노력에 대한 북한의 적극적 호응 기대

- 유엔가입이후 북한도 국제사회에서 유엔회원국으로서 책임과 의무를 다하고, 남북한관계 개선을 위한 우리의 노력에 적극 호응 기대
- 북한의 대외, 대남정책 기조가 단기간내 변화될 것으로 전망하는 것은 시기상조 (북한내부 사정상)
- 그러나 유엔가입이후 북한도 국제사회의 흐름을 보다 정확히 인식, 남북관계에 대한 종래의 정책기조 변경은 불가피 예상 (5.28. 북한의 유엔가입 결정 배경 예시)

o 8월말 남북 제4차 고위급회의 개최결과 및 아국의 남북관계 개선을 위한 대북한 대화노력 의지(여건성숙시 남북 정상회담 개최도 가능시)

o 휴전협정 및 유엔사 지위변경 문제에 대한 기본입장

- 한반도내 항구적 평화보장장치로 대체될때까지 현체제 유지 필요

4. 유엔가입이후 동북아정세 전망

o 동북아지역의 특수한 상황

- 주변국들의 대한반도 시각(배경 및 전망)
- 미.중.소의 대아국관계 및 중국과 북한간 관계 개관
- 최근 일.북한 및 미.북한 수교접촉 동향 및 전망

o 동북아지역내 새로운 질서개편 움직임

- 최근 동북아지역내 국가 정상들간의 연쇄 정상회담 개최는 신질서 개편의 조짐
- 장기적으로 동북아지역의 평화구조 공고화에 기여 예상

o 유엔가입을 계기로 금후 남북한관계가 정상화되면, 동북아지역의 평화안정 추세 가속화 예상

- 남북한 관계개선을 위한 남북한간의 직접 해결노력에 대한 주변국들의 지원도 가능 (일부 언론에서 2+4이나 4+2와 같은 도식적인 접근방식의 비현실성 지적)

o 동북아지역 정세 안정화가 한반도 문제해결에 절대적으로 중요한 것으로 인식

- 미국, 소련, 중국등 주변국과 긴밀한 협조 예정

5. 유엔가입이후 외교추진 방향

o 유엔가입은 우리의 외교사에 남북한의 유엔가입 시대를 여는 하나의 큰 획을 긋는 역사적 사건

- 우리가 국제사회에서 그동안 감수해 왔던 남북간의 경쟁적, 소모적 외교의 부담이 제거되는 계기

o 앞으로 우리외교는 그동안 치중해 왔던 양자 외교활동과 더불어

- 다자간 외교활동도 강화, 국익증진을 위한 총체적 외교 수행 필요
- 즉 군축, 환경, 마약퇴치, 인권신장등 제반 주요국제문제 의사 결정과정에 적극 참여 예정

o 단,다자외교는 점진적으로 차분히 추진 필요

- 필요한 외교역량을 보강, 국제기구에서의 참여 경험 축적, 점진적으로 다자외교 활동폭을 확대해 나갈 예정 (유엔가입이 곧 안보리이사국 피선등 제반 국제기구에 대한 대거 진출로 과장보도하는 일부 언론자세의 부적절성 지적)

o 다자외교 추진을 위한 외교역량 강화 예정

- 국제기구 업무관련 본부 및 해외공관 조직 개편 및 보강, 전문인력보강등 다자외교 역량 강화 추진

6. 맺는말씀

o 남북한의 유엔가입은 정부수립이래 43년만의 외교숙원 과제를 달성한 우리외교사의 획기적인 업적

- 북방외교의 성공적 추진 및 대통령각하의 확고한 연내 유엔가입 실현 의지에 따른 성과
- 대북한과의 교섭에 있어서 원칙에 기초한 외교노력 추진의 결과 (대북정책 추진에 있어서 하나의 좋은 선례 기록)

o 연설내용 종합

- 남북한관계 및 동북아지역 변화상황에 따른 우리의 외교추진 방향

o 외교정책 추진에 있어서 언론 역할의 중요성 강조

- 정부의 유엔가입 정책에 대한 확고한 지지가 성과거양에 큰 기여 (4.5. 정부 각서발표시 언론의 지지사설 게재등)
- 금후 언론이 외교정책에 대한 국민의 여론을 국익증진에 기여하는 방향으로 주도해 주는 것이 긴요

- 끝 -

4

0264

남북한 유엔가입과 한국외교

- 관훈클럽 및 한국언론 학회 주최
"제 3회 최병우기자 기념 심포지움"에서의
이상옥 외무장관 연설문 -

1991. 9. 7.

외 무 부

0265

존경하는 관훈클럽 회원여러분,

그리고 한국 언론학회 김지운 회장님과 회원여러분,

먼저 고 최병우 편집국장님의 업적을 기리는 오늘의 뜻깊은 자리에 저를 초청해 주신데 대해 깊은 감사를 드립니다. 아울러 이렇게 도심을 조금 벗어나서 여러분들과 함께 유익한 시간을 갖게 된 것을 매우 기쁘게 생각합니다.

오늘부터 십여일후인 9월 17일, 제46차 유엔총회가 개막되면 우리나라는 유엔에 정회원국으로 가입하게 됩니다. 실로 정부수립 43년 만의 일로서 깊은 감회를 느끼게 됩니다.

여러분도 잘 아시다시피 유엔 안전보장이사회는 지난 8.8. 남북한의 유엔가입을 총회에 권고하는 결의안을 투표없이 채택하였습니다. 이미 한달전 일이지만 언론에서 남북한 유엔가입 신청서의 안보리 통과에 즈음하여 많은 관심을 보여주신데 대하여 이 자리를 빌어 감사를 드립니다.

저희들은 남북한의 유엔가입이 냉전시대에 종지부를 찍는 것이고, 한반도 통일기반을 조성하는 역사적 사건이며, 또한 우리의 북방외교 성과라고 해주신 우리 언론의 평가를 겸허하게 받아들입니다. 또한 동시에 지나치게 자축분위기에 도취되어 유엔가입이후 우리가 직면하게 될 제반외교 과제에 대한 준비를 소홀히 해서는 않된다는 지적도 마음속 깊이 새깁니다.

사실 그간 몇차례 말씀드린 바 있습니다마는 분명히 유엔가입 자체는 우리 외교의 최종목표가 될수 없습니다. 다만, 우리는 유엔가입을 통하여 우리의 외교지평을 확대하고 남북한 관계의 발전을 위한 새로운 틀을 마련하였다고는 생각합니다. 따라서 우리가 유엔을 어떻게 활용하고, 또한 남북한이 함께 얼마나 잘 활용하느냐에 따라 유엔가입이 7,000만 한민족에게 가져다 줄 많은 자산의 효용도가 결정되리라 생각합니다.

오늘 모처럼의 귀중한 시간을 빌어 저는 우선 우리나라와 유엔과의 관계를 한번 정리하여 보고, 유엔가입이후에 남북한관계와 동북아지역 정세가 어떠한 방향으로 변화할 것인지, 그리고 보다 적극적인 차원에서 유엔가입 이후 우리외교가 나가야 할 방향에 대해서 주제발표를 겸하여 몇말씀 드리고자 합니다.

2

0267

(유엔과 한국간의 특수한 관계)

유엔과 우리나라의 관계는 한마디로 매우 독특하다고 할수 밖에 없습니다. 우리정부는 1948년 유엔총회의 결의에 의하여 실시된 총선거를 통하여 수립되었으며, 또한 정부수립 직후 유엔은 총회결의를 통하여 대한민국 정부가 한반도의 유일한 합법정부라고 인정하였습니다.

1950년 북한의 불법남침으로 발발한 3년간의 한국전쟁시 유엔은 안보리의 결의로 유엔군을 파병, 북한의 침략을 격퇴하고, 우리의 자유와 정의를 지켜주었습니다.

또한 유엔은 1950년 10월 총회결의를 통하여 '유엔 한국통일 부흥 위원단'(UNCURK)을 설치, 전쟁으로 폐허가 된 우리나라의 부흥에 힘써주었고, 그 밖에 유엔산하 많은 기구들도 우리에게 적지않은 도움을 주었습니다. 지금도 지난 1950년 7월 구성된 유엔군사령부는 한반도의 휴전체제를 지켜가는데 중요한 역할을 하고 있습니다.

3

0268

우리와 유엔과의 인연은 또 다른 측면에서도 남다른 바 있습니다. 우리가 40여년이 넘도록 유엔에 가입하지 못한 것도 어떻게 보면 특별한 인연입니다. 또한 50년대이후 70년대 중반에 이르기까지 유엔의 정치위원회를 중심으로 거의 매년 격론을 불러일으켰던 한국문제가 유엔역사상 동서냉전의 대표적인 사례로서 손꼽히고 있다는 점도 부인할 수 없습니다.

이와같이 우리와 특별한 관계를 맺어온 유엔은 오늘날 그 위상이 크게 변화하고 있습니다. 이것은 무엇보다 소련의 개혁.개방이후 새로운 국제정세하에서 미국과 소련 양대국이 유엔의 권능을 존중하면서 주요 국제문제 해결에 있어서 유엔의 중심적 역할이 강화될 수 있도록 노력하는데 그 까닭이 있습니다. 이와 관련 지난번 소련의 구데타로 파급될 여러가지 국제적 영향중 뉴욕에서는 유엔이 과거 냉전시대에서와 같이 무용지물화 하는 것이 아닌가가 가장 큰 관심거리였다는 점은 놀라운 일이 아닙니다.

오늘날 유엔은 과거 국제문제해결에 실질적 도움을 주지 못한채 "설전의 장"으로 밖에 불리지 못하던 오명을 씻었습니다. 유엔은 1945년 창설당시 창설자들이 희원했던 국제평화의 유지와 인류복지의 증진이라는 임무를 할 수 있게 되었으며, 나아가 이제는 하루가 다르게 "국제협력의 장"으로서 그 면모를 쇄신하고 있습니다.

이와같이 유엔이 주요 국제문제의 해결에 있어 중심적 역할을 강화해 나가고 있는 차제에 우리나라가 유엔에 정회원국으로 가입, 유엔활동에 적극 참여하게 된 것은 유엔의 역할 강화를 위해서도 참 잘된 일입니다.

(남북한관계 전망 및 대응)

관훈클럽과 한국언론학회 회원여러분,

우리는 남북한이 유엔에 가입하게 되면 무엇보다도 유엔테두리내에서 대화를 통하여 남북한관계를 발전시켜 나가는데 기여하게 되기를 바랍니다.

사실 유엔이상 남북한관계자들이 자연스럽게 대화를 갖기에 좋은 장소는 없을 것입니다. 앞으로 남북한은 유엔이 다루고 있는 주요 국제 문제중 7,000만 한민족의 공통 관심사항에 대하여 협의와 협력을 통하여 분단 반세기가 가져온 어쩔 수 없는 상호 불신을 해소해 나가는데 애써야 합니다.

5

0270

어느 학자에 의하면 국제기구는 다음 세가지의 정치적 기능을 할 수 있다고 합니다. 다소 부정적인 기능이지만 첫번째로는 어느 강대국가, 또는 특정그룹의 주도에 의하여 국제기구가 도구화되는 경우가 있고, 두번째로는 어떠한 과정을 통하던 국제적인 문제점에 관한 대화의 통로로써 이용되는 것, 그리고 어떤 문제에 대한 집단적 결정과 대책수립 과정에서 국가간의 상호 의존성이 증진되게 하는 것이 세번째입니다. 따라서 앞으로 우리에게 주어진 사명은 두말할 나위 없이 두번째의 기능 - 대화의 장으로서 유엔을 활용하여, 나아가 세번째 적극적인 기능으로서 남북한이 서로 돕고 도움을 받는 공존공영 관계를 발전시킬 수 있는 장소로 만들어 내는 것입니다.

물론 46년간 지속된 분단상황으로 그 골이 더욱 깊어진 남북한간 불신, 대립관계가 일시에 정상화될 수 없는 것은 자명합니다. 또한 한반도 문제는 북한이라는 상대와 함께 풀어나가야 할 문제이며, 우리의 일방적인 노력 만으로는 소기의 성과를 거둘 수 없습니다. 따라서 최소한의 실질적인 성과가 얻어지기 위하여는 우선 북한이 국제사회에서 유엔회원국으로서 책임과 의무를 다하고, 남북한관계 정상화를 위한 우리의 노력에 호응해 나와야 합니다.

우리는 보름전 소련사태를 지켜보면서 자유와 민주주의라는 고귀한 인류정신을 재음미하는 시간을 가질 수 있었습니다. 인류정신의 장전이라고 할 수 있는 유엔헌장을 성실히 준수하겠다고 선언한 북한도 소련사태를 통하여 평화와 번영, 그리고 인간의 존엄성을 드높히기 위한 유엔헌장정신을 다시한번 되새기는 계기가 되었기를 바랍니다.

우리는 지난 2월 북한측에 의해 일방적으로 중단된 바 있었던 제4차 남북고위급회담의 재개문제에 대한 최근 북한측의 태도를 일별함으로써 남북대화를 보는 그들의 본심을 쉽사리 알 수 있습니다. 또한 그들의 유엔가입 신청서 제출사실과 유엔안보리 통과 사실은 크게 보도하면서도, 우리의 가입문제에 대하여는 일언반구 보도를 하지 않는 태도에서 그들의 심성을 새삼 짐작해 봅니다.

물론 그들의 최근 대남전략이 무엇보다도 북한내 통치의 명분을 유지할 필요성과 또한 남북한 관계에서 그들의 약세를 보완하기 위한 목적에 기초하고 있으므로 그와 같이 앞뒤가 맞지 않는 태도를 어느정도 이해해 볼수도 있습니다.

7

0272

그러나 남북한의 유엔회원국시대를 맞아 북한은 구태의연한 대남전략적 차원의 정책에 더이상 안주할 수 없을 것입니다. 즉 북한은 그들이 원하든, 원치 않든 이제 유엔이라는 보편적인 범세계적 기구의 회원국이 된 만큼 국제사회로부터 국제규범을 존중하는 가운데 합리적 사고와 행동을 할 것을 요구받게 되었습니다.

이와 관련, 비록 그것이 대외관계에 국한되는 것이기는 하지만 북한측에 다소나마의 변화조짐이 보이는듯 하여 그나마 다행으로 생각합니다. 이 자리에서 유엔가입문제에 관한 북한측의 태도변경 사유를 새삼 따져볼 생각은 없습니다. 다만 북한이 작년 5월 김일성의 조국통일 5대 방침중 하나로서 제시한 유엔가입에 관한 오랜 입장을 바꾸었다는 사실은 결코 가볍게 볼 일은 아닙니다.

반목과 갈등, 대결과 불신으로 점철된 반세기 분단의 역사중 북한이 우리와 완전히 상반된 정책을 바꾼것은 아마도 이번이 처음이 아닌가 생각됩니다. 북한의 지난 5.28. 유엔가입 결정 발표는 비록 그렇게 할수 밖에 없는 상황에서 취한 조치이기는 하지만, 새로운 국제조류에 대한 그들 나름대로의 수용의지의 표현이라고도 생각됩니다.

이에 따라 북한은 지금 도리어 딜렘마에 빠져있습니다. 엄청난 변혁의 흐름속에서도 대남전략은 지켜야 하겠고, 일본과는 관계개선 교섭을 계속하여야 하겠으며, 또 유엔이라는 새로운 국제무대에서 나름대로의 합리적인 역할은 하여야 하겠으나 대남차원에서 유엔사라든지 비핵지대화를 계속 문제화해야 하겠다는 생각도 할 것입니다.

이러한 점에 비추어 북한의 금후 태도는 상당기간 그 어느때보다도 이중적 성격을 띨 것으로 예상됩니다. 이러지도 저러지도 못한 상황하에서 평화와 긴장, 통일과 분열, 화합과 반목이라는 상호 모순적 양태를 보일 수 밖에 없지 않을까 생각됩니다.

우리가 유엔을 대화의 장으로서 국제정세에 대한 올바른 인식을 갖게 하고 상호 신뢰를 심화시키는 장소로 해야 하겠다는 이유가 바로 여기 있습니다. 북한의 긍정적인 태도를 유도.확대하고, 부정적인 부분에 대하여는 단호한 입장을 취할 것이 우리에게 더욱 요구되는 것도 바로 그러한 까닭입니다. 따라서 우리로서는 북한측에게 세계사의 흐름을 분명히 인식시키고, 최종 목적지에 도달할때까지 그들의 탈선행위에 대하여 분명히 바로잡아 주는 자세를 가져야 한다고 믿습니다.

9

0274

우리의 이와같은 노력에 대한 언론의 변함없는 성원과 조언, 그리고 때로는 현명한 방향제시를 기대합니다.

(동북아정세 전망 및 대응)

관훈클럽 및 언론학회 회원여러분,

한반도를 중심으로 주변강국 세력이 교차하는 동북아지역은 역사적으로 항시 특수한 상황에 처해 왔습니다.

무엇보다도 페레스트로이카와 글라스노스트로 대변되는 소련의 변화가 동구권의 개방과 개혁을 낳고, 이는 다시 소련에 파급되어, 급기야는 보수 세력의 일시적 반동을 "피봇"으로 하여 엄청난 변혁의 물결로 바뀌어 세계를 흔들고 있습니다. 세기적 변혁에 세계사가 다시 쓰여지고 있습니다.

근본 축의 변화 양태가 쉽게 전망될 수 없는 이시점에서 성급한 판단이나 기대는 금물입니다. 다만 우리로서는 상대적으로 매우 제한적인 범위 내에서 나마 남북한의 유엔가입이 이지역 정세에 가지고 올 변화를 예상해 보는 것은 나름대로 의미가 있다고 생각합니다.

냉전체제이후 형성되어온 화해와 협력의 새로운 국제질서는 동북아지역에도 서서히 영향을 미쳐왔고, 근년에 들어와 더욱 빈번해진 역내 각국수뇌간의 회담은 이지역의 변화를 염두에 둔 것이 아니었나 하는 생각도 하게 합니다.

빈번한 역내 지도자간의 만남에서 확인된 공통인식은 아마도 우선 한반도에서 긴장이 완화되고 안정이 확보되는 것이 필수적이며, 이를 바탕으로 동북아지역 전체의 평화구조가 정착되어야 한다는데 있다고 봅니다.

과거 냉전시대의 대결구조가 와해된지 오래이긴 하지만, 이지역 세력의 한 지주이었던 소련의 근본적 변화는 앞으로 우리에게 엄청난 대응과 결단을 요구할 것으로 생각합니다.

미국은 우리와의 전통적인 우방관계를 더욱 강화하고 북한의 개방과 개혁을 유도하기 위하여 우리와 긴밀히 협의해 나가고 있습니다.

작년 9월 우리와 수교이후 이 지역에서 가장 눈에 띈 역할을 했다고 하여도 과언이 아닌 소련은 현재 자체문제 때문에 주춤한 상태이지만, 기본적으로 그들은 극동지역의 협력과 번영에 남다른 열의를 가지고 있다고 생각합니다.

중국은 북한과의 전통적인 우호관계를 중시하면서도 금년초 무역대표부 상호교환 설치이후 우리와의 인적.물적 교류증대를 통하여 실질협력 관계를 강화시키고 있습니다. 남북한의 유엔가입 문제와 관련 중국이 보인 현실직시 태도는 금후 양국관계 발전에 있어서 새로운 가능성을 보여주고 있습니다. 우리는 결코 서두르지 않고 그들과 실질 호혜관계를 증진해 가면서, 이지역 전체의 안전과 번영에 한.중 수교가 필수 불가결이며, 이는 중국에게도 이롭다는 점을 계속 강조해 나가고자 합니다.

우리는 일.북한 수교가 한반도의 평화와 안전에 기여하는 방향에서 추진되도록 일측과 긴밀히 협의하고 있습니다.

이 지역에서의 평화와 안전 유지에 있어서 북한이 국제원자력기구(IAEA)와의 핵안전협정을 지체없이 체결하고, 이를 성실히 이행하여, 핵무기 개발에 관한 국제사회의 우려를 해소시키는 것이 급선무입니다. 북한은 그렇게 함으로써 이 지역의 모든 관련국의 기대에 부응할 수 있으며, 또한 그들이 추진하고 있는 일본 및 미국과의 관계개선을 가능케 할 것입니다.

모든 관계국이 한반도문제가 남북한 당사자간에 직접 해결되어야 한다는데 동의하고 있으나, 현실적으로 남북한간의 교섭, 또는 대화마저도 지지부진할 경우, 문제당사자는 주체로서가 아니라 객체로서의 지위밖에 갖지 못할 것입니다.

이러한 점에 비추어 우리가 소련과의 관계정상화는 물론, 이제 멀지 않아 중국과의 정상적 대화유지 가능성은 이지역에 있어서 우리의 주도적 역할을 더욱 강화시키고 있습니다. 따라서 유엔회원국이 되는 북한역시 자기 몫을 하기 위해서라도 국제사회의 책임있는 일원으로서 지켜야 할 의무는 반드시 지킴으로써 대화 상대로서 주위로부터 신뢰를 받을 수 있어야 합니다.

이지역 정세가 어떻게 발전하는가가 우리에게 더욱 중요한 것은 그것이 남북한 관계발전에 직접적인 영향을 주고 있기 때문입니다. 또한 그것은 금후 한반도 통일여건 조성에도 중대한 영향을 끼칠 것이 틀림 없습니다.

소련 내부체제의 급격한 변화는 일시적이나마 중국이나 북한지도자들로 하여금 현실과 유리된 경직된 사고를 하게 할른지 모릅니다. 또한 그들의 동병상린적 연대의식은 이미 새로운 질서하의 현실을 의도적이라도 무시하고 싶은 마음을 불러일으킬지 모릅니다. 그러나 역사는 순리에 따라 진행되고 있음은 어제 오늘의 실례를 봄으로써 더욱 명확해 집니다. 태양을 가리려는 두손의 움직임은 결국 자기눈 밖에 가리지 못합니다.

따라서 북한당국자들은 더 늦기전에 개방과 개혁의 전세계적 조류에 순응하고, 무엇보다도 국민의 자유와 기본권을 존중하는 민주사회를 건설해 나감으로써 7,000만 한민족의 염원인 평화적이고 민주적인 통일을 앞당겨 실현하는데 동참해야 할 것입니다.

도저히 일어날 수 없을 것으로 생각하였던 많은 일들이 일어나고 있습니다. 이런때일수록 말에 앞서, 행동에 앞서, 깊은 사고의 시간이 더욱 필요합니다. 수많은 가능성속에 올바른 선택을 위하여 우리 모두의 중지를 모을 때입니다.

(금후 외교추진 방향)

존경하는 언론계 중진여러분,

매년 9월 세번째 화요일 오후에 개막되는 유엔총회는 첫주에 총회의장단 선출과 의제배정에 시간을 보내고, 두번째주부터 약 2주간 각국의 기조연설을 듣습니다. 우리나라도 이번 총회부터 유엔의 정회원국으로서 기조연설을 하게 됩니다. 이미 발표를 통하여 아시겠습니다마는 노태우 대통령께서 역사적인 첫번째 기조연설을 하실 예정입니다.

각국은 기조연설을 통하여 세계 주요문제에 대한 자국의 입장을 밝히고, 또한 다소 지엽적인 문제라 할지라도 세계평화와 안전에 직결되는 것에 시간을 많이 할애하고 있습니다.

우리의 경우도 주조는 비슷할 것으로 생각합니다. 신규회원국으로서 감사와 포부, 그리고 평화에 대한 오랜 희구, 군축.환경.개발.인권문제등등에 대한 우리의 입장을 밝힐 것이고, 특히 한반도분단을 평화적으로 해소하기 위한 우리의 노력을 진솔하게 표명할 것으로 생각합니다.

15

0280

이제 유엔회원국시대를 맞는 남북한은 경쟁적, 소모적 외교를 마감할 수 있어야 합니다.

우리로서는 그동안 적지않은 외교적 부담과 제약을 과감히 청산하고, 새로운 외교지평을 열고자 합니다. 특히 오늘날 국제사회가 화합과 협조의 기본질서하에서 자유와 정의, 그리고 인권이라는 인류의 보편적 가치를 구현하는데 그 어느때 보다도 힘찬 발걸음을 내딛고 있다는 점을 고려할때, 우리 앞에 놓인 새로운 활동영역은 무한한 가능성을 약속하고 있습니다.

이러한 견지에서 우리외교가 새롭게 추진해 나갈 방향에 대하여 몇가지 말씀드리면,

첫째, 양자외교와 다자외교를 균형있게 추진해 나감으로써 우리의 국제적 지위와 국익을 더욱 증진시켜 나가고자 합니다.

우리가 앞으로 더욱 강화해야 할 다자외교는 그 영역이 매우 광범위하고 또한 고도의 전문성이 요구됩니다. 오늘날 다자외교의 대상은 국제사회가 안고있는 제반문제를 망라하고 있습니다. 따라서 유엔가입이후 이와 같은

주요 국제문제 논의와 해결에 적극적으로 참여하여 수년내 국제사회에서 우리의 국력에 걸맞는 역할과 기여를 다해 나갈 예정입니다.

둘째, 남북한 유엔가입을 계기로 한반도에서의 긴장완화, 남북간의 상호 신뢰를 바탕으로 공존공영 관계를 구축해 나감으로써 한반도의 평화적 통일 여건을 가일층 조성해 나가고자 합니다.

이를 위하여 한.미간의 안보협력 체제를 공고히 하는 가운데, 북한의 개방과 개혁을 유도, 그들의 대남정책 노선이 변화될 수 있도록 다각적인 외교노력을 전개해 나갈 예정이며, 이는 특히 최근 소련사태에 따라 우리가 역사적인 전환기에 처해 있다는 인식을 바탕으로 적극 추진하고자 합니다.

세째, 가까운 시일내에 우리나라가 선진국대열에 진입할 수 있도록 실리위주의 경제외교를 더욱 강화해 나가고자 합니다

우리는 북한과 대결차원의 외교에서 벗어남으로써 세계적 추세인 경제적 실익증진을 위한 외교활동에 더욱 치중할 수 있게 되었습니다. 우리는 세계 자유무역체제의 발전을 위한 다자간 협력에 적극 참여하는

17

0282

한편, APEC (아.태 경제협력)을 통한 아시아.태평양지역 협력 발전에 주도적인 역할을 다할 것입니다. 이러한 과정을 통하여 90년대 후반에는 OECD에도 가입하여야 겠습니다.

끝으로 이미 말씀드린 내용입니다마는 멀지않은 장래에 중국을 포함한 여타 미수교국들과의 관계개선을 이룩, 우리외교의 활동영역을 명실공히 전세계로 확대시킬 것입니다.

(끝맺음말 : 국민적 합의에 기초한 외교정책)

지금까지 유엔과 우리나라와의 관계, 유엔가입이후 남북한관계 및 동북아 지역정세 전망, 그리고 유엔가입이후 우리외교의 추진방향에 대하여 말씀드렸습니다.

우리의 유엔가입은 1948년 정부수립이래 43년동안의 외교숙원과제를 해결한 것으로서, 우리 외교사에 큰 획을 긋는 역사적 사건입니다. 이러한 역사적 사건을 다루어 오면서 저는 국민의 지지와 이해에 바탕을 둔 외교정책이 얼마나 중요한가 하는 평범한 진리를 다시한번 인식하였습니다.

년초 북한은 유엔가입을 극구 반대하면서 우리가 먼저 유엔가입을 신청할 경우 한반도내에 중대한 사태가 발생할 수 있다고 위협적인 언사를 서슴치 않았습니다. 그럼에도 우리 언론은 정부가 지난 4월 정부각서를 통하여 금년내 유엔가입 실현의지를 분명히 밝혔을때, 사설, 해설기사, 논평등을 통하여 저희들 입장을 강력히 지지해 주었습니다. 우리 언론을 통하여 결집된 국민여론은 북한이 그들의 태도를 바꾸게 한 큰 요인중의 하나라고 믿어 의심치 않습니다.

이와같이 남북한의 유엔가입 실현은 언론의 강력한 지지를 뒷받침으로하여 주도면밀하게 추진한 올바른 외교정책의 좋은 결실이라고 생각하며, 우리의 대북한 정책추진에 있어서도 좋은 교훈을 남겼다고 봅니다.

그간 정부의 유엔가입 추진노력에 대해 언론인 여러분들께서 아낌없는 이해와 성원을 보여주신데 대해 다시한번 이 자리를 빌어 깊이 감사드립니다. 앞으로도 많은 격려와 조언이 있으시기를 부탁드리면서 이만 주제발표를 마치고자 합니다.

감사합니다.

KBS 아침 7시 뉴스 질문사항

ㅇ 일시 및 장소 : 8.8(목) 06:30 KBS 별관 IBC 건물 3층

ㅇ 담당 앵커 : 김준석

오늘밤이면 우리 외교의 40여년 숙원인 유엔가입이 사실상 실현됩니다.
남.북한 유엔가입은 한반도 평화정착이라는 우리 외교목표의 중간 단계인 동시에 외교다변화를 위한 새로운 출발점이라고도 볼 수 있습니다.
남.북한 유엔가입 이후 외교정책의 방향과 남.북한 관계 변화등을 장만순 외무부 제1차관보와 알아봅니다.

1. 남.북한 유엔가입안이 오늘 안전보장이사회를 통과하는데 외교적으로 어떤 의미가 있는가 ?

2. 아직 총회 절차가 남아 있지만 남.북한 유엔가입은 실현된 셈이고 이에 따라 우리의 외교정책도 새로운 방향 전환이 예상된다.
유엔가입 이후 우리의 외교정책기조는 무엇인가 ?

3. 남.북한 유엔가입은 무엇보다 남.북한 관계 자체에 큰 영향을 미칠 것 같다. 특히, 현재 휴전체제의 기반이 되고 있는 휴전협정과 유엔 사령부의 존속 여부가 최대관심사라고 생각된다.
남.북한이 모두 유엔회원국이 되었고 교전도 없는 상황에서 남한에만 유엔군 사령부가 있다는 것은 논리적 모순인데, 과연 이에 대한 정부의 대책은 무엇인가 ?

0285

미국국 4. 정부는 남.북한 유엔가입 이후 한.미 안보협력 문제 전반에 걸치 협의하기 위하여 하와이에서 미국과 고위정책협의회를 열었다고 발표했다. 이 회의에서 핵문제가 중점 논의되고 있는 것으로 알려졌는데 사실인가 ? 사실이라면 한.미 양국이 협의하고 있는 내용을 공개 할 수 있나 ?

UN 5. 정부는 오는 9월 노태우 대통령의 유엔총회 연설에 획기적인 한반도 군축 방안을 제시할 것으로 알려지고 있는데 과연 어떤 방향인가 ?

UN 6. 남.북한 유엔가입은 한.중 관계 정상화와 일.북한 수교교섭을 촉진시켜서 한반도 주변정세를 변화시키리라는 것이 일반적인 관측이다. 남.북한 유엔가입이 한반도 주변정세에 미칠 영향에 대해 어떻게 보고 있나 ?

UN 7. 유엔가입 이후 우리 외교도 양자 중심에서 다자외교쪽으로 중심이 옮겨질 것으로 보이는데 이에 대한 대책은 ?

0286

유엔 安保理의 役割에 대한 우리의 評價

91. 8. 5.(월)
1차관보 KBS TV 회견자료

o 유엔헌장은 國際平和와 安全維持의 책임을 1차적으로 安全保障理事會에서 지도록 하고 있기 때문에 安保理는 유엔내에서도 가장 重要한 機關이라고 할 수 있음.

o 우리나라와 유엔 安保理와는 오랜 因緣을 가지고 있음. 여러분도 잘 아시다시피 6.25 전쟁발발 직후 安保理는 3個의 決議를 채택해서, 북한의 侵略行爲를 비난하고 북한의 즉각적인 撤軍을 요청하는 동시에 한반도의 평화와 안전을 회복할 수 있도록 회원국들이 모든 必要한 援助를 우리나라에 提供하도록 권고한 바 있음. 또한 유엔 安保理는 우리의 유엔 加入問題를 49年이래 여러차례 審議한 바 있으며, 83년 KAL기 被擊事件, 87년 KAL기 爆破事件을 다루기도 하였음.

o 한편, 安保理에서는 常任理事國 5개국이 拒否權을 가지고 있으므로 東.西間에 대립이 첨예했던 冷戰時代에서는 安保理가 國際紛爭을 平和的으로 解決하는데 있어서 限界를 보여왔던 것도 사실임.

0287

o 그러나 80년대말 소련, 동구의 변화와 이에 따른 冷戰體制 終熄으로 새로운 國際秩序가 형성되어 가고 있으며, 이같은 새로운 國際環境下에서 지난번 걸프事態 처리에서 잘 나타난 바 있듯이 유엔 安保理의 國際平和와 安全維持 役割은 앞으로 더욱 중요해질 것으로 전망됨.

o 우리는 이제 유엔에 가입함으로써 安保理의 活動에도 적극적으로 참가할 수 있게 될 것이며, 이를 통하여 東北아시아 뿐만 아니라 세계의 平和 增進을 위해서 우리가 할 수 있는 役割을 다해 나가고자 함.

0288

※ 제1차관 KBS TV
기자회견 요지
(91.8.07:00)
04인 : 비공개

1. 유엔가입의 외교적 의미 ?

o 먼저 KBS에서 이러한 자리를 마련해 주어 국민여러분께 유엔가입과 관련하여 몇 말씀 드릴수 있게 된것을 기쁘게 생각함.

o 사회자께서 말씀하셨듯이, 뉴욕시각으로 8.5. 오후 제출된 우리의 유엔가입신청서는 어제 가입심사위를 통과하였고, 이제 우리시간으로 오늘밤 늦게 안보리에서 남북한 가입권고 결의안이 채택됨으로써 안보리에서의 절차를 다 마칠 예정임.

o 물론 오는 9.17. 총회에서의 최종 승인절차가 남아있지만, 안보리에서의 처리완료는 정부가 1949.1. 최초로 유엔가입을 신청한 이래 실로 43년간의 외교숙원과제가 실질적으로 해결되는 것을 의미함. 이와같은 우리의 유엔가입이 가능할 수 있도록 국민여러분께서 아낌없이 지지해주신데 대하여 깊이 감사드림.

o 남북한의 유엔가입이 가능할 수 있었던 배경으로는 여러가지 들수 있겠으나, 무엇보다도 제6공화국 출범이후 정부가 적극적으로 추진한 북방외교의 구체적인 성과라고 하지 않을 수 없음.

0283

소련 및 동구권 국가와의 수교, 중국과의 실질적인 협력관계 증진은 바로 40여년을 끌고 온 우리의 유엔가입문제 해결에 결정적인 역할을 하였다고 봄.

o 이제 남북한은 유엔에 가입함으로써 국제사회에서 각기능력에 맞는 역할을 유감없이 발휘할 수 있게 됨. 즉, 유엔가입의 대표적인 외교적 의미는 무엇보다도 우리나라가 모든 유엔회원국과 똑같이 세계평화와 안전, 인류의 번영과 발전에 기여할 수 있게 되었다는 것이라고 말씀드리고 싶음.

0290

2. 남북한 유엔가입이후 외교정책 기조는?

o 우리는 유엔에 가입함으로써 남북한이 유엔체제내에서 상호 교류와 협력을 증진하여, 남북한간 상호 신뢰를 조성하게 되기를 기대하며, 이를 바탕으로 궁극적인 조국의 평화적 통일을 촉진할 수 있게 되기를 바라고 있음.

o 이와 같이 정부는 남북한의 유엔가입이 남북관계 개선에 새로운 전기가 되는 기본틀을 마련한 것으로 인식하면서, 앞으로 이러한 기본틀을 더욱 발전시키는데 노력하고자 하며, 또한 남북한간의 실질문제가 화해와 협조차원에서 해결될 수 있도록 적극 노력해 나가고자 함.

o 한편 우리는 유엔가입을 계기로 그동안의 양자관계 중심 외교에서 벗어나 이제는 명실상부한 총체적 외교활동을 할 수 있게 되었다고 말씀드릴 수 있음. 따라서 앞으로는 보다 객관적인 입장에서 통일을 앞당기는 노력을 계속함과 동시에, 안보.통상등 순수한 국익증진에 더욱 중점을 두게 될 것임.

0291

3. 유엔가입후 유엔사와 휴전협정의 지위변경 문제

o 남북한의 유엔가입은 휴전협정 및 유엔사의 지위문제에 직접적인 영향을 주는 것은 아님.

o 잘 아시다시피 휴전협정과 유엔사는 남북한간에 평화협정이나 기본 관계 협정과 같은 합의가 이루어져 한반도에 항구적인 평화체제가 구축될 때까지 존속되어야 함. 휴전협정 자체도 제62항에서 "평화적 해결을 위한 적절한 협정의 규정에 의하여 명백히 대체될 때까지" 계속 효력을 보유한다고 규정하고 있으며, 유엔사는 유엔 안전보장 이사회의 결의에 따라 1950.7.7. 설치된 이래 40년을 넘게 휴전 협정의 운영.유지를 보장하는 기능을 수행해오고 있음.

o 다만, 유엔회원국은 유엔헌장상의 무력 불사용 및 분쟁의 평화적 해결의무를 수락하고 이를 이행하여야 하므로 남북한은 유엔에 가입함으로써 휴전체제의 항구적 평화체제로의 대체문제를 협의할수 있는 여건을 조성하게 된다고는 말씀드릴 수 있음.

0292

5. 노대통령의 기조연설내용 ?

o 금년 9월 개최되는 제46차 유엔총회에서는 9.23-10.11간 회원국의 국가원수, 정부수반 또는 외무장관이 기조연설을 하게되어 있음. 각국은 기조연설에서 자국의 외교정책을 밝히고 주요국제문제에 관한 입장을 폭넓게 언급하고 있음.

o 우리나라도 총회 개막일에 유엔회원국이 될 전망입에 따라 그간 신규회원국의 관례를 고려, 노대통령께서 기조연설을 하실 것을 적극 검토중임.

o 따라서 현재 기조연설을 하시게 되면 어떠한 내용이 가장 적합할 것인가를 검토하고 있는 것은 사실이지만 구체적으로 무슨 무슨 내용이라고 말씀드릴 수 있는 단계는 아님을 양해하여 주시기 바람.

0293

6. 유엔가입이 한반도 주변정세에 미치게 될 영향 ?

o 남북한이 유엔에 가입하면 유엔회원국으로서 무력 불사용과 분쟁의 평화적 해결의무를 지게되며, 이는 결과적으로 한반도 및 동북아지역에서의 긴장완화와 평화유지에 유리한 여건을 조성하게 될것으로 봄.

o 또한, 남북한이 유엔가입을 계기로 서로돕고 도움을 받는 공존공영 관계를 발전시킬 수 있게 될것으로 기대하며, 이와같은 남북관계의 정상적인 발전은 한반도 주변정세의 안정화에도 크게 도움을 줄것으로 예상됨.

o 그리고 남북한은 앞으로 동북아지역내 새로운 질서형성과정에서 각기 국력과 국제적 위상에 걸맞는 역할을 하게 될것이며, 주변 국가들과의 관계도 동북아지역의 평화와 안정을 증진시킬 수 있는 방향으로 재정립해 나갈 수 있을 것으로 전망됨.

0294

7. 다자외교 정책

o 앞에서 말씀드린대로 우리의 유엔가입은 이제 우리로 하여금 총체적 외교 역량을 발휘할 수 있는 계기를 마련할 것임.

o 잘 아시는 바와 같이 유엔에서는 세계평화 유지와 인류복지 증진을 위한 군축, 환경, 경제개발등 제반 주요 국제문제에 관해 광범위한 논의가 진행되어 왔으며, 앞으로 더욱 더 실질적인 논의가 확대될 것으로 예상됨.

o 우리로서도 이에 대한 만반의 준비를 갖추어 나아가야 할 것이며, 이를 위하여 외무부는 이미 작년에 국제환경 대사를 임명하였고, 또한 군축등 주요분야에 관한 전담대사제를 설치하는 문제를 적극 검토하고 있음.

o 이와 함께 조직면에서도 유엔관련 업무를 전담하는 국제기구국을 분리, 독립시킬 예정이며, 또한 유엔 및 제네바대표부도 보강해 나가고자 함. 따라서 저희들은 이러한 조직개편을 바탕으로 다자외교관련 업무의 효율화를 계속 추진해 나감으로써 국제사회의 발전에 대한 우리의 실질적 기여와 공헌을 높여나갈 방침임.

0295

서울시 중구 회현동3가 1-12

코리아헤럴드 · 內外經濟新聞

Tel: 756-7711 FAX: 755-4894, 753-0640
Telex: HERALD K26543 C.P.O.: 6479 Seoul

헤럴드광 제355호 1991. 8

수 신

제 목 남북한 유엔동시가입에 따른 특집발행 협조 의뢰

특집부
구차장

1. 귀사의 번영과 무궁한 발전을 기원합니다.

2. 오는 8월8일 남북한은 유엔안전보장 이사회에서 남북한 유엔가입권고 결의안이 만장일치로 처리되어 9월17일 유엔의 신규회원국이 확실시 되고 있습니다. 이에따라 세계150개국에 널리배포되고 있는 저희코리아헤럴드는 오는8월8일 남북한 유엔동시가입 특집판 발행을 기획하였습니다.

3. 이는 남북한의 유엔동시가입이 화해,협력관계 구축을 통해 남북통일을 앞당기는 중요한 계기가 될것으로 기대되므로 남북한 동시가입의 의의와 경제,과학, 문화,스포츠 교류협력의 확대방안등을 소상히 특집으로 엮어 대내외에 널리 홍보코저 합니다.

이 특집이 소기의 성과를 거두어 국익에 도움이 될 수 있도록 특집제작에 필요한 기사자료 및 광고면에 적극 협조 바랍니다.

" 기 "

가. 발 행 일 자 : 8월8일
나. 발 행 면 수 : 칼라4면
다. 광 고 규 격 : 전면,1/2면
라. 광 고 요 금 : 전면 :₩9,000,000
1/2면 :₩4,500,000

코 리 아 헤 럴 드
내 외 경 제 신 문

대표이사 사 장 최

0296

Korea Herald 참고자료 8.8.제출

1. 유엔가입 신청서 제출

2. 아국의 유엔가입 추진 배경 및 실익

3. 북한의 유엔가입 결정 배경

4. 유엔가입이후 남북한 관계전망

5. 유엔에서의 한국의 역할 전망

0297

1. 유엔가입 신청서 제출

o Ambassador Chang Hee ROE in the United Nations had a meeting with Secretary-General of the UN, Mr. Perez de Cuellar at 15:30 on 5 August local time (at 04:30 on 6 August Seoul time) and submitted directly to him our application for UN membership and declaration to accept all the obligations set forth in the UN Charter.

o Our application was referred to the Security Council on 6 August. The Security Council has examined it together with North Korea's application which was submitted on 8 July and adopted a resolution on 8 August recommending North and South Korea's admission to the United Nations.

o Based on the recommendation of the Security Council, the General Assembly is expected to pass a resolution to approve both Koreas' admission on 17 September, the opening day of the 46th General Assembly of the United Nations.

0298

o We are prepared to make our due contribution to the work of the UN as a full-fledged member. We also believe that both Koreas' UN membership will facilitate mutual contacts and cooperation and therefore contribute to strengthening a durable peace in the Korean peninsula and in the Northeast Asian region as well.

0299

2. 유엔가입 추진배경 및 실익

(유엔가입 추진배경)

o The UN is a universal organization whose main purpose is to maintain international peace and security. The principle of universality set forth in the UN Charter should allow all the peace-loving states to be admitted into UN membership.

o It is an anomaly that my country, fully eligible for UN membership, has remained outside the UN against its desire to become a member. Such an anomaly should not be continued. We have strengthened our efforts to join the UN in recent months particularly because the UN today assumes increasingly vital roles and responsibilities with the emergence of a new international order.

(유엔가입시 실익)

o We are willing to assume our legitimate roles in the world community in commensurate with our standing in the world community.

0300

o When my country is admitted to UN membership,

- We will enjoy the full rights of a UN member such as the rights of voting and presenting our views in the relevant forums of the UN, and of being elected as a member of major UN organs and so forth.
- My country will also have the chance to actively participate in the work of the UN as a member of the governing bodies of major UN organs and other specialized agencies under the UN umbrella.
- We also expect to see our people assume posts in many organizations within the UN system.

o We expect that both Koreas' UN membership will provide a favorable international environment for easing tension and consolidating peace in the Korean peninsula. We also hope that it will enhance mutual confidence by promoting contacts and cooperation between the North and the South within the UN system, and further facilitate the process of peaceful unification.

0301

3. 북한의 유엔가입 결정배경

o The statement of the North Korean Foreign Ministry dated on May 28 said that they had decided to apply for UN membership in order to cope with temporary difficulties imposed by the South Korean Government and that all Korean people, rather than those from the southern half, should be represented at the United Nations.

o In fact, North Korea had long been against the entry into the UN, contending that it would perpetuate national division. On the contrary, the unification of Germany and Yemen clearly demonstrated that separate UN membership of the divided countries may facilitate the process of peaceful unification.

o As their contention failed to attract any significant back-up from the world, North Korea proposed last year both Koreas' entry into the UN under a "single-seat" formula. But it was also dismissed by all members of the UN as unrealistic and incompatible with the UN Charter.

0302

o On the other hand, the successful drive of our "Northern Policy" together with our diplomatic initiative of "July 7 Declaration" and the success of the Seoul Olympics immensely contributed to widening the basis of international support for our external policies in general.

o Over the past two years, we have established diplomatic relations with the Soviet Union and all other Eastern European countries except Albania and have also developed substantial relations with China. In particular, President Gorbachev's visit to Cheju Island last April for the third-round summit with President Roh Tae-Woo seems to have shocked Pyongyang since no Soviet top leader has visited North Korea thus far.

o To Pyongyang's disappointment, even China was reported to give no assurance to North Korea that they would oppose our bid for UN membership. We believe China certainly considered the evolution of bilateral relations between my country and China as well as the international climate in favor of our admission to the United Nations.

0303

o We didn't apply for UN membership last year in consideration among other things, of the Chinese position. This year, however, President Roh made clear our determination to attain UN membership on several occasions. North Korea confirmed through various channels our resolve in this regard and recognized the firm support for our UN membership throughout the world.

o In addition, they became increasingly uneasy about the possibility of our unilateral entry into the UN for fear that it might deepen their diplomatic and economic isolation from the international community.

0304

4. 유엔가입이후 남북한관계 전망

o Although it is too early to conclude that North Korea's decision to join the UN is a genuine prelude to a fundamental shift in their external and inter-Korean policies, we believe that better conditions are now made for abating the rigidity of inter-Korean hostility and strengthening a durable peace in the Korean peninsula. Since the United Nations is an excellent forum for political dialogue, both Koreas' UN membership will help them to develop more stable and conciliatory bilateral relationship. We hope that increased contacts between North and South Korea will help build up mutual trust and eventually accelerate the process of peaceful reunification of our homeland.

o Further, North Korea, like all other UN member states, will have an obligation to uphold the principles of the UN Charter, which I believe would induce North Korea to act as a responsible member of the world

0305

community. On our part, we will try as best as we can to carry forward this newly developed momentum in the Korean peninsula in a way to enhance peace and stability not only in the peninsula but throughout the Northeast Asian region as well.

0306

5. 유엔에서의 한국의 역할전망

o Thr Republic of Korea is ready to make its due contribution to the work of the United Nations as a full-fledged member and in a manner commensurate with its standing in the international community. In particular, it is more meaningful that it will be able to take part in the UN process of decision-making on major world issues, at this important time when the United Nations assumes an increasingly vital role for world peace and security in the aftermath of the Gulf war.

o Besides the growing relevance of the UN in a post-Cold War world, a new category of issues has emerged to grip the attention of the international community. These are so-called global issues such as environmental degradation, the drug threat, poverty and debt and so on. Recognizing that the common characteristics of these issues require an unprecedentedly intense international effort, we wish to play our part in hammering out consensus in the UN on how to deal with these global issues.

0307

o My country has created a dynamic economic system in the past few decades. What we would like to do is to share our experience of national development with other developing countries for the sake of world prosperity through active participation in a wide range of activities of the United Nations.

0308

3. 盧大統領 유엔總會 基調演說內容

o 금년 9월 개최되는 제46차 유엔總會에서는 9.23-10.11간 會員國의 國家元首, 政府首班 또는 外務長官이 基調演說을 하게되어 있음. 각국은 基調演說에서 自國의 外交政策을 밝히고 主要國際問題에 관한 立場을 폭넓게 言及하고 있음.

o 우리나라도 총회 개막일에 유엔會員國이 될 展望임에 따라 그간 新規會員國의 慣例를 考慮, 노대통령께서 基調演說을 하실 것을 적극 檢討中임.

o 따라서 현재 基調演說을 하시게 되면 어떠한 내용이 가장 適合할 것인가를 檢討中에 있으므로 구체적인 內容을 말씀드리기는 어려움. 다만, 南北 分斷狀況과 東北亞地域에서의 國際秩序 재편상황에 비추어 볼때 基調演說에 韓半島 및 東北亞地域에서의 平和와 安定을 추구하는 大統領의 平和철학을 천명하는 內容이 包含될 것으로 봄.

앙고재	91년 8월 8일	담당	과장	국장

0303

4. 南.北韓 유엔加入이 南北關係 및 韓半島 周邊情勢에 미칠 影響

o 南北韓이 유엔에 加入하면 유엔會員國으로서 武力 不使用과 紛爭의 평화적 解決義務를 지게되며, 이는 결과적으로 韓半島 및 東北亞地域에서의 緊張緩和와 平和維持에 유리한 與件을 造成하게 될것으로 봄.

o 또한, 南北韓이 유엔加入을 契機로 서로돕고 도움을 받는 共存共榮關係를 發展시킬 수 있게 될것으로 기대하며, 이와같은 南北關係의 정상적인 發展은 한반도 주변정세의 安定化에도 크게 도움을 줄것으로 豫想됨.

o 그리고 南北韓은 앞으로 東北亞地域內 새로운 秩序形成過程에서 각기 國力과 국제적 位相에 걸맞는 役割을 하게 될것이며, 周邊國家들과의 관계도 東北亞地域의 平和와 安定을 增進시킬 수 있는 方向으로 再定立해 나갈 수 있을 것으로 展望됨.

0310

공보관실

91. 8.8(목)

장관님 정례 기자회견 자료 요청

(8.9 (금) 15:00시 817호실)

I. 주요 예상질의

1. 한.미 고위정책 협의회가 황급히 개최된 배경 및 주요 협의 사항

2. 평양개최 77그룹 아시아 지역 각료회의 참가 계획 (필요시 비보도조건)

3. 노태우 대통령 유엔총회 기조연설 내용

   한반도 비핵화 등 군축방안, 남.북 평화협정제의 등의 포함 여부

4. 남.북 유엔가입이 남.북관계 및 한반도 주변정세에 미칠 영향

5. 일.북한 수교교섭 일정 문제

※ A4 용지에 고려명필로 국한문 혼용 확대체로 작성

8.8 (목) 15:00까지 디스켓과 함께 당실로 제출해 주시기 바랍니다.

0311

738-5761

이상옥 외무 CGT

남북한의 유엔가입은
향후 한국외교에 변화의 준비를 요구하고 있습니다.

우리 외교의 이 의미심장한 시간에 정부가 갖고 있는 구상을
이상옥장관에게 직접 들어 봅니다.

1) 우리의 유엔가입을 바라보는 국민의 관심은 역시
유엔가입으로 마련된 남북공존의 바탕위에
남북간이 어떻게 문제를 풀어갈지에 쏠려 있는듯 합니다.
남북한 유엔 외교시대를 맞이하는
장관의 구상은 어떤겁니까?

2) 남북한의 유엔가입이 공존체제의 정착을 의미한다면
그것은 한.중관계와 북한.일본관계에도 일정한 여파를
가져올텐데, 어떻게 전망하십니까?

3) 이제 유엔대표부를 확대하고
회의 전문외교관을 양성하는 등
다자간 외교에 대한 대비책을 서둘러야 할텐데
계획을 밝혀 주십시요.

4) 오는 9월 17일 장관께서 유엔총회 연설을 통해
전세계에 밝힐 메시지는 어떤 것입니까?

5) 오늘 새벽 안보리가 남북한의 가입안을 통과시키는
장면을 보면서 느꼈던 심경은 어떘습니까?

1

0312

10:30

長官님 8.9. MBC 會見資料

1. 南北韓 유엔加入 時代의 外交政策 基調

2. 유엔加入이후 韓.中關係 및 日.北韓 關係에 미칠 影響

3. 多者外交 政策

4. 유엔 加入에 따른 演說

5. 加入 通過 장면시 느낌

0313

1. 南北韓 유엔加入 時代의 外交政策 基調

o 우리는 유엔에 加入함으로써 南北韓이 유엔體制內에서 相互 交流와 協力을 增進하여, 南北韓間 相互 信頼를 造成하게 되기를 期待하며, 이를 바탕으로 窮極的인 祖國의 平和的 統一을 促進할 수 있게 되기를 바라고 있음.

o 이와 같이 政府는 南北韓의 유엔加入이 南北關係 改善에 새로운 전기가 되는 틀을 마련한 것으로 認識하고, 앞으로 이러한 기본 틀을 더욱 發展시키는데 努力하고자 하며, 또한 南北韓間의 實質問題가 和解와 協調次元에서 解決될 수 있도록 積極 努力해 나가고자 함.

o 한편 우리는 유엔加入을 契機로 그동안의 兩者關係 중심 外交에서 벗어나 이제는 名實相符한 總體的 外交活動을 할 수 있게 되었다고 말씀드릴 수 있음. 따라서 앞으로는 보다 客觀的인 立場에서 統一을 앞당기는 努力을 繼續함과 同時에, 安保.通商等 순수한 國益增進 努力에 더욱 중점을 두게 될 것임.

0314

2. 유엔加入이후 韓.中關係 및 日.北韓 關係에 미칠 影響

o 이제 南北韓은 유엔會員國으로서 武力 不使用과 紛爭의 平和的 解決 義務를 지게되며, 이는 韓半島 및 東北亞 地域에서의 緊張緩和와 平和維持에 유리한 與件을 造成하게 될 것임.

o 우리가 유엔에 加入하게 되면 자연히 유엔내외에서 제반국제문제에 대한 의견교환등 中國과 접촉하는 機會가 빈번해 질 것이며, 이는 장기적으로 韓.中關係 改善에도 기여할 것임.

o 中國側으로서도 기존 韓.中間의 共同繁榮을 위한 경제교류 활성화 뿐만 아니라 韓半島의 平和와 安全을 鞏固히 하는데에도 많은 관심을 둘 것으로 봄. 우리는 앞으로도 건전한 兩國關係 발전을 위해 서두르지 않고 차분히 노력해 나갈 것임.

o 한편, 앞으로 北韓이 유엔會員國으로서 유엔헌장상의 諸般原則과 規定을 성실히 지켜 國際社會에서 責任있는 一員으로서 그 責任과 義務를 다하고, 또한 南.北韓 關係에 있어서도 진지하고 建設的인 姿勢로 응해온다면, 일.북한 관계도 상당한 진전이 있을 것으로 예상됨.

0315

3. 多者外交 政策

o 우리의 유엔加入은 이제 우리로 하여금 總體的 外交 力量을 發揮할 수 있는 契機를 마련할 것임.

o 잘 아시는바와 같이 유엔에서는 世界平和 維持와 人類福祉 增進을 위한 軍縮, 環境, 經濟開發等 諸般 主要 國際問題에 관해 廣範圍한 論議가 進行되어 왔으며, 앞으로 더욱 더 實質的인 論議가 擴大될 것으로 豫想됨.

o 우리로서도 이에 대한 만반의 準備를 갖추어 나아가야 할 것이며, 이를 위하여 外務部는 이미 昨年에 國際環境 大使를 任命하였고, 또한 軍縮等 主要分野에 관한 전담대사제를 설치하는 問題를 積極 檢討하고 있음.

o 이와 함께 組織面에서도 유엔관련 業務를 전담하는 國際機構局을 분리, 獨立시킬 豫定이며, 또한 유엔 및 제네바代表部도 補强해 나가고자 함. 따라서 저희들은 이러한 組織改編을 바탕으로 多者外交關聯 業務의 效率化를 繼續 推進해 나감으로써 國際社會에 대한 우리의 實質的 寄與와 貢獻을 높여나갈 方針임.

0316

4. 유엔加入에 따른 演說

o 유엔엔 新規會員國이 加入하게 되면 먼저 이를 祝賀하는 各地域 代表의 演說이 있게되고, 연이어 新規會員國의 代表가 加入을 承認해 주어 고맙다는 뜻을 전하는 演說을 하는 것이 慣例임.

o 이에 따라 今年 9.17. 加入이 되면 제가 政府代表로서 4-5분정도 그와 같은 演說을 하게 되겠습니다마는, 感謝를 表明하는 演說의 性格上 특별히 全世界에 전할 메세지 같은 것은 있을수가 없겠지요.

o 다만, 그와같은 메세지는 각국이 基調演說을 통하여 하고 있느니 만큼, 저희들도 大統領께서 하시게 될 基調演說에 담게 될 것으로 豫想함.

0317

5. 加入通過 場面時 느낌

o 먼저 서울에서 직접 歷史的인 現場을 볼수있게 해주신 MBC에 感謝드림. (웃음)

o 아시다시피, 1948년 8월 15일 정부수립에 따라 그 이듬해인 1949년 1월 처음 유엔에 加入申請한 以來 40여년이 經過하였고, "이제 그동안 수많은 선배.동료들이 애써왔던 宿願課題가 解決되고 있구나"하는 느낌은 참으로 남다른 感懷를 불러 일으켰음. 어떻게 보면 이 시점에 이자리를 맡아 그와 같은 感激을 여러 國民들과 함께 나눌 수 있는 것이 참으로 큰 榮光이라고 생각함.

o 이제 南北韓이 유엔에 加入함으로써 대한민국 外交史에 하나의 큰 획을 긋게 되었음. 우리는 앞으로 남북한간의 共存共榮 關係를 수립해 나가, 궁극적인 平和的 統一을 이룩하기 위하여 더욱 분발할 것이고, 또한 國際社會에서 우리의 국력에 상응하는 합당한 役割을 다할 수 있도록 最善의 努力을 다할 것임. 국민 여러분의 변함없는 支持와 聲援을 부탁드림.

0318

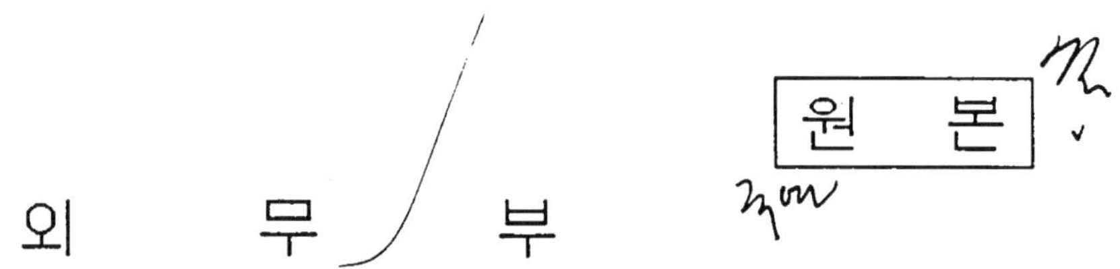

외 무 부

종 별 :

번 호 : THW-1643 일 시 : 91 0809 1700

수 신 : 장관(국연)

발 신 : 주 태국 대사

제 목 : 외무장관 성명

대 : AM-0168

대호 아국 유엔가입신청에 대한 안보리에서의 가입권고 결의안 채택에 관한 외무장관의 성명서는 주재국 외무장관을 비롯한 외무성 고위실무진,당지 주재 외교단장을 비롯한 각국 외교사절과 국제기구대표 및 주요언론에 배포하였음

(대사 정주년-국장)

국기국 아주국 1차보

PAGE 1

91.08.09 20:54 ED

외신 1과 통제관

0313

주 국 련 대 표 부

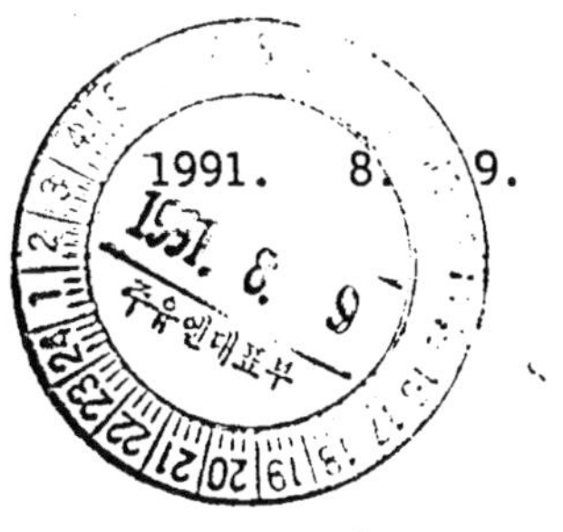

주국련 (공) 35260-635　　　　1991. 8. 9.

수신 장 관

참조 해외공보관장, 국제기구조약국장, 문화협력국장

제목 유엔가입 홍보

1. UNW-2029, 2051, 2052, 2085의 관련입니다.

2. 연호관련 91.8.5 아국 유엔가입 신청서 제출 및 8.8 후속 안보리 심의 처리 과정에서 실시한 홍보활동 상황을 다음과 같이 보고합니다.

가. 취재진 규모

- 유엔 상주외신 (80여 매체)
- 본국 파견 KBS, MBC, CBS 등 62명
- 워싱턴 특파원 12명
- 뉴욕 특파원 및 뉴욕 한국일보등 교포언론 20여명등 90여명

나. 관련 홍보활동 상황 (별첨 참조)

첨부 : 1. 유엔출입증 신청 현황
2. 유엔출입기자단 (UNCA) 과의 회견
3. 유엔 프레스릴리스
4. 안보리 심의 관련 자료
5. 프레스릴리스(2회) 및 논평. 끝.
6. 참고자료

주 국 련 대 사

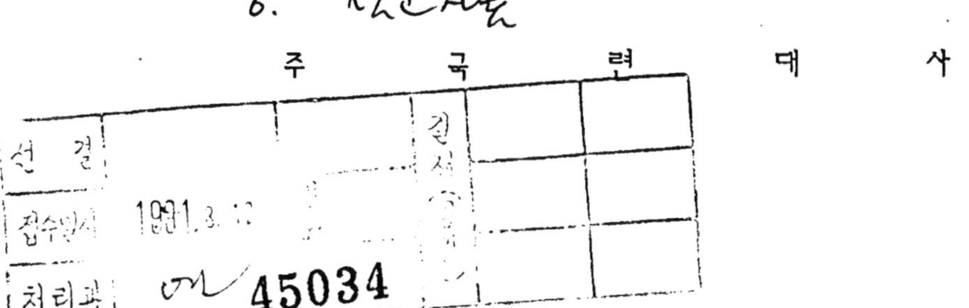

선 결			결재		
접수일시	1991. 8. 10				
처리과	45034				

0320

3차 / 여지

① 유엔가입 시기는 앞으로 변화 가능 (우리 외교, 주변 여건)

(남북) ② 고위회담 에서 올해 이산가족, 상호방문 실현가능성.

③ 한반도 주변 강대국의 역학관계 → 예상되는 변화 (남북 정상회담 예견한 대비 등.)

④ 우리 88후의 외교정책 변화 방향.

0321

KBS1 Radio
국가뉴스 출연
(8.9. 17:30)

第1次官補 8.9. KBS 會見資料

1. 南北韓 유엔加入以後 우리 外交與件 變化展望

2. 南北交流次元에서의 離散家族 相互訪問 實現 可能性

3. 유엔加入이 韓半島 周邊强大國의 力學關係에 미칠 影響

4. 政府의 外交政策 推進方向

0322

1. 南北韓 유엔加入以後 우리 外交與件 變化展望

o 잘 아시는바와 같이 오늘새벽 일찍(서울시각 8.9. 00:30) 유엔 安全保障理事會는 남북한의 유엔가입을 총회에 勸告키로 결정함에 따라 오는 9.17. 제46차 유엔總會가 개막되면 南北韓이 同時에 유엔에 加入하게 될것임.

o 이제 南北韓은 유엔에 가입함으로써 國際社會에서 각기 능력에 맞는 役割과 寄與를 다할 수 있게 됨. 우리로서는 남북한 관계가 相互信賴와 協力을 증진시켜 나감으로써 보다 正常的인 關係로 발전되어 나가길 기대함.

o 유엔가입을 계기로 南北韓 關係가 개선되어 나간다면 우리는 그동안 국제사회에서 감수해야만 했던 남북한간의 경쟁적.소모적 외교에 따른 많은 有形.無形의 負擔에서 벗어날 수 있을 것임.

o 앞으로 우리는 한반도의 긴장완화와 평화정착 노력과 함께 안보, 통상등 순수한 國益增進을 圖謀할 수 있는 外交與件을 조성해 나가고자 함.

0323

2. 南北交流次元에서의 離散家族 相互訪問 實現 可能性

- 우리는 유엔加入을 契機로 남북한이 相互交流와 協力을 增進시켜, 서로 돕고 도움을 받는 共存共榮 關係를 발전시켜 나갈 수 있는 귀중한 토대를 마련할 것을 기대함.

- 또한 우리는 지난 2월 연기된 바 있는 제4차 南北 高位級會談이 오는 8월말에 평양에서 개최될 예정이므로, 이번 회담을 통하여 남북간의 여러 懸案問題들이 폭넓게 論議될 것을 기대함.

- 이와같이 政府로서는 앞으로 남북한 관계가 보다 正常的인 關係로 發展해 나가도록 진지하게 努力해 나갈 것이지만, 北韓도 유엔가입을 계기로 남북한 關係改善을 위한 우리의 노력에 적극 呼應해 오길 期待함.

- 앞으로 이러한 과정을 통하여 남북한 관계가 점차 正常化되고, 그에따라 남북한간의 제반교류도 활발해지면 그동안 중단되어 온 離散家族 相互訪問도 실현될 수 있는 여건이 조성될 것으로 봄.

0324

3. 유엔加入이 韓半島 周邊强大國의 力學關係에 미칠 影響

o 국제적으로 형성되고 있는 脫冷戰氣流는 최근 東北亞地域에도 서서히 그 影響을 미치고 있다고 생각함. 즉, 금년초 한.일 정상회담을 필두로 4월의 일.소 정상회담과 한.소 정상회담, 5월의 중국수뇌의 북한 및 소련방문 그리고 7월의 한.미 정상회담과 미.일 정상회담등 連鎖的인 頂上間의 만남은 한반도 주변국가와 南北韓間의 關係 再定立을 위한 조짐이라고도 할 수 있음.

o 유엔가입을 계기로 南北韓間의 緊張이 緩和되고 한반도 및 동북아 지역에서의 平和와 安全이 增進될 것으로 보며, 이는 미.일.중.소등 한반도 주변국가들간의 상호관계가 동북아지역 전체의 平和構造를 보다 공고히 하는데에도 긍정적인 영향을 미칠 것으로 봄.

o 앞으로 北韓이 유엔가입을 계기로 유엔會員國으로서 그리고 국제 사회에서 責任있는 일원으로서 의무와 역할을 다하고, 또한 남북한 관계에 있어서도 진지하고 建設的인 姿勢로 응해온다면 일.북한 그리고 미.북한 관계에 있어서도 진전이 있을 것으로 예상됨.

0325

4. 政府의 外交政策 推進方向

o 우리는 유엔에 가입함으로써 남북한이 유엔체제내에서 相互交流와 協力을 增進하여, 남북한간 相互信賴를 조성하게 되기를 기대하며, 이를 바탕으로 궁극적인 조국의 平和的 統一을 촉진할 수 있게 되기를 바라고 있음.

o 이와 같이 정부는 남북한의 유엔가입이 南北關係 改善에 새로운 전기가 되는 틀을 마련한 것으로 인식하면서, 앞으로 이러한 기본틀을 더욱 발전시키는데 노력하고자 하며, 또한 남북한간의 實質問題가 화해와 협조차원에서 解決될 수 있도록 적극 努力해 나가고자 함.

o 한편 우리는 유엔가입을 계기로 그동안의 양자관계 중심 외교에서 벗어나 이제는 명실상부한 總體的 外交活動을 할 수 있게 되었다고 말씀드릴 수 있음. 따라서 앞으로는 南北韓 關係의 正常化를 앞당기기 위한 노력과 함께, 유엔회원국으로서 유엔내에서 다루어지고 있는 제반 主要國際問題에 대해서 積極的으로 參與함으로써 우리의 국익을 보다 증진시킬 수 있는 外交努力을 强化해 나갈 것임.

0326

관리 번호	91 -913

외 무 부

종 별 :

번 호 : USW-4008 일 시 : 91 0813 1202

수 신 : 장 관 (해기,문홍)

발 신 : 주 미국 대사

제 목 : 유엔홍보(1)

연: USW-3899, 3901

대: WUS-3437

연호 홍보계획의 81.8.12. 현재 추진 상황을 아래 보고함.

1. 언론인및 주요 인사 접촉

- 오찬 면담: 11 명(7.30-8.30)
- 서한발송: WSJ 의 P. KANN 등 15 명
- 본직 면담요청 : 11 명(8.30-9.10 실시예정)

가. 오찬 접촉 언론인(8 명)

- THOMAS FRIEDMAN(NYT, 7.30)
- STROBE TALBOTT(TIME, 7.31)
- STEPHEN ROSENFELD(WP, 8.1)
- WILLIAM HEADLINE(CNN, 8.13 예정)
- MARGARET LEHRMAN, ELIZABETH STEWART(NBC, 8.16 예정)
- ALBERT R. HUNT(WSJ, 8. 하순 예정)
- ROBERT D. NOVAK(컬럼니스트, 8. 하순 예정)

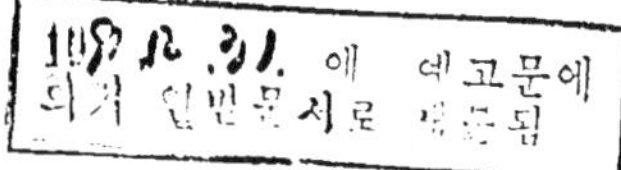

나. 주요인사 오찬(3 명)

- WILLIAM WATTS(POTOMAC ASSOCIATES, 7.24)
- HELMUT SONNENFELDT(BROOKINGS INST., 7.26)
- ALAN ROMBERG(CFR, 8.7)

다. 서한발송(15 명)

0 서한요지(사본 정파편 보고)

- 우리의 다년간 유엔가입 노력의 결실로 남. 북한이 다음달 개최되는 UN 총회에서

공보처 문협국

PAGE 1

91.08.14 07:04

외신 2과 통제관 BS

0327

정식 회원국이 됨.

- 한반도는 냉전시대의 마지막 HOTSPOT 로서 남. 북한이 UN 회원국으로 가입함에 따라 남. 북한 대립으로 인한 세계 평화의 위협을 종식시키고 한반도 통일을 이룩하는데 기여하게 될것임.

- 이번 남. 북한의 유엔가입은 아시아지역에 있어서 정치.경제. 안보측면에서 매우 중요함.

- UN 가입계기 노대통령은 오는 9 월 유엔총회에 참석, 북한과의 관계개선에 있어 중요한 제의를 하게 될 것이며, 세계 주요 지도자와 회담을 가질 예정임.

0 공관장 명의 서한 발송(8.6-8.9)

- LESLIE H. GELB(NYT, 8.5)
- PETER R. KANN(WSJ 발행인, 8.6)
- KAREN E. HOUSE(WSJ 부사장, 8.6)
- TED KOPPEL(ABC NIGHTLINE, 8.8)
- PETER JENNINGS(ABC ANCHOR, 8.8)
- MORTIMER B. ZUCKERMAN(U.S. NEWS 회장, 8.8)
- JASON MCMANUS(TIME 의 EDITOR IN CHIEF, 8.8)
- RICHARD SMITH(NEWSWEEK 의 EDITOR IN CHIEF)
- DAVID UNGER(NYT 논설위원, 8.8)
- BERNARD GWERTZMAN(NYT 외신부장, 8.8)
- GERALD CURTIS(COLUMBIA 대 교수, 8.6)

0 기타 서한 발송

- BONNIE ANGELO(TIME 유엔출입, 8.8)
- LEE LESCAZE(WSJ 외신부장, 8.8)
- JEAN LOUIS PANY(AFP, 8.9)
- DAVID JACKSON(TIME-LIFE 홍콩 특파원, 8.12)

라. 분야별 분담접촉

0 NETWORK TV: ABC TV 의 WORLD NEWS TONIGHT(PETER JENNINGS)과 NIGHTLINE(TED KOPPEL)의 담당 PD 를 공보관과 AEA 소속 BARRY ZORTHIAN 이 분담 접촉중임.

0 TIME 의 COVER STORY 를 위해 JASON MACNAMUS 주필과 면담요청

0 NEWSWEEK 의 국제판 담당 편집국장 KENNETH AUCHINCLOSS 유엔대사

PAGE 2

0328

면담예정(8.20)

0 WP 의 DON OBERDORFER 기자, ROSENFELD 논설위원을 접촉하여 배경설명을 했으며, NYT 외신부장및 논설위원 면담 요청중

0 특히 3 대 NETWORK 와 CNN 의 INTERNATIONAL HOUR 및 PBS 계열의 뉴스아워(MCNEIL-LEHRLER SHOW) 담당자의 반응 수시 보고 위계임.

2. 참고사항

0 안보리 권고 결의안(8.8) 관련 기사는 시기적으로 미국이 전반적으로 뉴스 하한기에 들어 있어 보도량은 미흡했음.

0 사전 분위기 조성을 위해 지금부터 9 월 UN 총회시까지 기고기사및 배경해설 기사 유도를 위한 미디아 접촉강화

3. 결의안 보도현황(워싱톤 중심, 기타지역 별도 보고)

0 CNN(8.8. 24:00)

- UN MEMBERSHIP FOR THE KOREA

0 NYT(8.9 A3 면)

- KOREAS CLOSER TO JOINING U.N.

0 WT(8.9. A9 면)

- COUNCIL VOTES TO ADMIT KOREAS

0 LTA(8.9. A22 면)

- NORTH, SOUTH KOREA TO BECOME MEMBERS

0 WP(8.8. A28 면)

- U.S., SEOUL SEEK TO UPDATE POLICY TOWARD NORTH KOREA

4. PRESS RELEASE 및 BACKGROUNDER 제작배포(2 회)

0 ROK APPLIES FOR FULL UN MEMBERSHIP(8.5)

- 유엔 가입안 제출 계기

- FAX 송부처 56 처및 우송처 90 처에 배포

0 SOUTH KOREA'S APPLICATION FOR U.N. MEMBERSHIP: CULMINATION OF 40-YEARS EFFORT TO JOIN WORLD BODY(8.7)

- 안보리 의결 계기 배경자료

- 우송처 90 처에 배포

5. 건의사항

- 본 행사관련 WSJ 간부 면담을 조찬으로 NYT 간부진과는 특별회견 추진을 건의함.

- ASIA SOCIETY 는 별전 서한(USW(F)-3234)에서 오찬 또는 만찬 행사 주관을 건의하고 있는바, 지침 회시바람.

6. 예산지원

0 공보관 NY 출장: 소요예산 지원을 건의함.

- 일시: 8.8., 8.26, 9.17 및 9.24(4 회)

- 활동 : 사전 홍보활동및 미디어 접촉

- 비용: 미불 1,500 X 4 회 EQU 미불 6,000(234). 끝.

(대사 현홍주-해공관장)

예고: 91.12.31. 까지

USW(F)-3234 첨부바람.

PAGE 4

0330

08/13/91 16:03 202 797 0595 EMBASSY OF KOREA

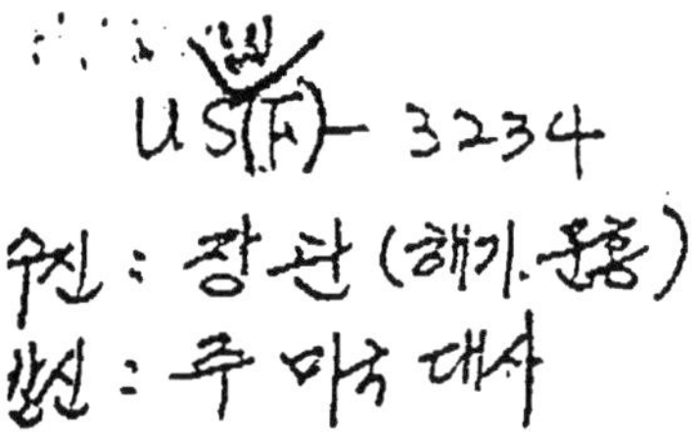

US(F)-3234
수신 : 장관 (해기.공홍)
발신 : 주 미국 대사

(청부문)

THE ASIA SOCIETY

725 PARK AVENUE, NEW YORK, NY 10021-5088

July 29, 1991

By Facsimile

His Excellency Hyun Hong Choo
Embassy of Korea
2370 Massachusetts Avenue, N.W.
Washington, DC 20008

Dear Ambassador Hyun:

Park Shinil has just reported to me the exciting news of the success of the fundraising efforts made on our behalf for the Robert A. Scalapino Program for Education on Korea. We are encouraged by this news and grateful to Minister Choi and you for your leadership in making it possible. I am in the process of writing to Minister Choi to propose how we might best complete this fundraising project. You will receive a copy of my letter shortly.

On an equally important matter, we are aware that President Roh will be in New York for the UN General Assembly on the occasion of South Korea's entrance to the United Nations. As Bob Oxnam mentioned to you this spring, The Asia Society would be delighted to honor the President at an event to which we would invite several hundred influential business and media executives, political leaders and diplomats from New York and Washington. The event would be held in a hotel ballroom. Alternatively, we could arrange a program at The Asia Society to which we would invite a more select group of individuals. We are prepared to arrange a forum of the President's choice.

In view of the wide publicity that will be given to President Roh and South Korea's acceptance of full membership in the United Nations, we thought it most appropriate for The Asia Society to host such an event. Because of the shortness of time, I would appreciate your guidance on how best to proceed with this invitation.

I thank you in advance for your help. I look forward to hearing from you soon.

Sincerely,

Marshall M. Bouton
Executive Vice President

MMB:cf

TELEPHONE: 212-288-6400 FACSIMILE: 212-517-8315 TELEX: 224953 ASIA UR CABLE ADDRESS: ASIAHOUSE NEWYORK

0331

관리번호	91-916

OIL √가

외 무 부

종 별 :

번 호 : SVW-2874 일 시 : 91 0813 2030

수 신 : 장 관(해기,문홍)

발 신 : 주 쏘 대사

제 목 : UN 가입 계기 홍보 계획및 추진상황

대 : 기획 35260-86-1883

대호관련 홍보계획및 추진상황을 아래와같이 보고함.

- 아래 -

1. 홍보계획

가. 사전홍보

1) 사설게재

0 매체 : NOVOYE VREMYA

시기 : 1991.9 첫째주호

집필 : L. MLECHIN 편집국장

주제 : 한. 소 수교 1 주년과 한국의 UN 가입 의의

0 매체 : PREVDA

시기 : 1991.9 첫째주

집필 : G.VASILYEV 정치 칼럼니스트

주제 : 한국의 UN 가입 의의

나. 기간중 홍보

1) 방송 매체 활용

0 GOSTELERADIO, RUSSIA TV, LENINGRAD TV 의 대통령 UN 연설 녹화 방영

다. 사후 홍보

1) 사설 게재

0 매체 : KOMSOMOLSKAYA PRAVDA

시기 : 1991.9 말

집필 : YADVIGA YUFEROVA 편집국장

공보처 문협국 최기

PAGE 1

91.08.14 05:12

외신 2과 통제관 DO

0332

제제 : 한국의 UN 가입과 통일 전망

2) 국제학술 포럼 개최

주관 : 소련 과학원, 고려대 아세아문제연구소(미정)

협찬 : KOMSOMOLSKAYA PRAVDA 또는 NEZAVISIMAYA GAZETA

시기 : 1991 년 10 월말

주제 : 한반도 평화 통일을 위한 소련의 역할

2. 추진상황

가. NOVOYE VREMYA 지 L.MLECHIN 편집국장은 본인 집필의 사설 게재를 약속

나. PRAVDA 의 VASILYEV 는 가능한한 1 면 사설 게재를 약속

다. GOSTELERADIO, LENINGRAD TVRUSSIA TV 와는 8.25-27 사이에 접촉 면담 예정

라. 국제학술 포럼 개최 현찬에대해 NEZAVISIMAYA GAZETA 편집장 ILYA BARANIKAS 와 협의중

3. 지원요청

가. 집필자들이 관련 자료를 요청하고 있으니 지급 송부바람.

나. 국제학술 포럼에 참가할 한국측 연구 단체를 조속 결정 바람. 끝

(대사공로명-해공관장)

주 포 트 부 갈 대 사 관

주폴(정) 700-209 1991. 8. 13.

수 신 : 장 관

참 조 : 국제기구조약국장, 구주국장

제 목 : 유엔가입신청서 안보리통과

대 : AM-0167, 0168

당관은 대호 외무부장관 성명을 주재국 외무성 (국제기구국장, 아주국장)에게 송부하고, 참고토록 하였는바, 별첨과 같이 보고합니다.

첨 부 : 동 외무성앞 서한 및 성명문 사본 1부. 끝.

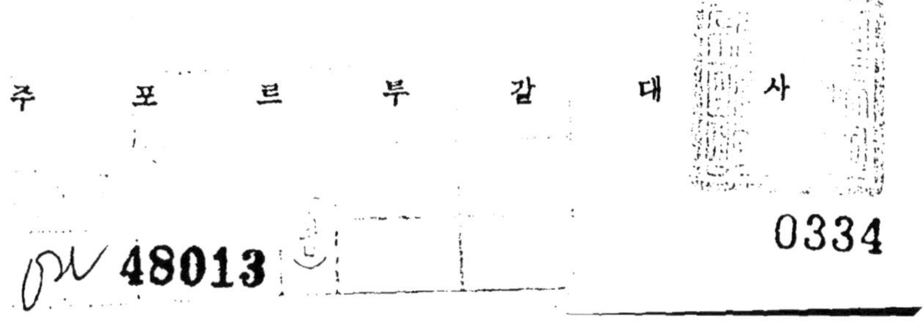

주 포 트 부 갈 대 사

0334

EMBASSY OF THE REPUBLIC OF KOREA

Lisbon, 9 August 1991

Dear Colleague,

The Security Council of the United Nations adopted a resolution on 8 August 1991 recommending the Republic of Korea's admission to the United Nations.

This historic decision of the U.N. Security Council, long overdue, has been made possible through the support of the international community, including the Portuguese Republic.

The Foreign Minister of the Republic of Korea issued a statement on the occasion of the Security Council's decision, of wnich I hereby enclose a copy for your reference.

Once again, we renew our appreciation for the continued support and understanding of your Government.

Sincerely yours,

Chul Ki Ju
Counsellor

To
Dr. António Santana Carlos
Director of Multilateral Affairs Department
Ministry of Foreign Affairs
LISBON

0335

FOREIGN MINISTER'S STATEMENT ON THE OCCASION OF THE SECURITY COUNCIL'S ADOPTION OF A RESOLUTION FOR THE REPUBLIC OF KOREA'S U.N. MEMBERSHIP

9 August 1991

The Government of the Republic of Korea is pleased to note that the Security Council unanimously adopted a resolution recommending the Republic of Korea's admission to the United Nations at 11:33 A.M. on 8 August local time (at 00:33 A.M. on 9 August Seoul time). In particular, the Government of the Republic of Korea attaches great significance to the fact that both North and South Korea's applications for U.N. membership were settled under a single resolution by the Security Council.

The Government of the Republic of Korea considers its eventual entry into the U.N., a long-cherished wish of the Korean people, the result of northern diplomacy that the Republic of Korea has pursued unremittingly. As the Republic of Korea joins the U.N., we intend to contribute as much as we can towards the United Nations' lofty ideals of international peace and security as well as human development and prosperity. We also intend to redouble our efforts to enhance cooperation with North Korea within the United Nations system so that both Koreas can improve inter-Korean relations and accelerate the process towards peaceful reunification of our homeland.

The Government of the Republic of Korea, together with all Korean people, looks forward to becoming a full-fledged member of the United Nations at the beginning of the 46th General Assembly with the blessings of the whole international community. We are deeply grateful to all peace-loving countries in the world for the staunch support and assistance they gave to our campaign for U.N. membersbip.

0336

제 1차관보 질의 답변자료

(8.14. MBC 회견)

1. 우리정부가 추진하고 있는 북한 개방의 의미는?

   o 7.7 대통령선언에서 밝힌바와 같이 우리는 그동안 북한이 국제사회의 책임있는 일원으로서 그 역할을 다하길 바라고 있으며, 이를 위해서는 먼저 그들이 자초하고 있는 고립주의에서 벗어나게 되기를 기대해 왔음.

   o 따라서 금번 북한의 유엔가입은 그들로 하여금 싫던 좋던 국제사회에 대한 폭넓은 참여를 하게끔 함으로써, 결과적으로 그들의 폐쇄적 체제의 개방과 개혁을 촉진하는 계기가 될 것으로 생각함.

2. 금후 북한개방을 어떻게 유도해 나갈 것인지?

   o 유엔가입이후 우리는 유엔테두리내에서 남북한간의 접촉과 교류를 증진시키고자 함. 이러한 과정을 통하여 북한도 우리와 함께 유엔 회원국으로서 모든 활동을 할 수 있도록 가능한 한의 지원과 협력을 하고자 함.

0337

o 앞으로 북한이 유엔 참여활동등을 통하여 국제정세의 변화를 보다 정확히 인식하게 되면, 대외.대남관계에 있어서도 보다 더 현실적인 정책을 취하게 될 것으로 기대함. 이것은 결국 점진적이라도 북한체제의 개방과 개혁으로 연결될 것으로 봄.

0338

관리번호	91-927

분류번호	보존기간

발 신 전 보

번 호 : WUN-2222 910819 1449 FO 종별 :

수 신 : 주 유엔 대사.총영사

발 신 : 장 관 (국연)

제 목 : 유엔소재 VCR Tape 송부

총리실은 금추 유엔가입을 계기로 유엔을 소개하는 전국적인 대국민 홍보계획을 수립, 실시계획이라 하는 바, 동 홍보를 위한 VCR Tape(유엔소개내용)을 구득, 송부바람. 끝.

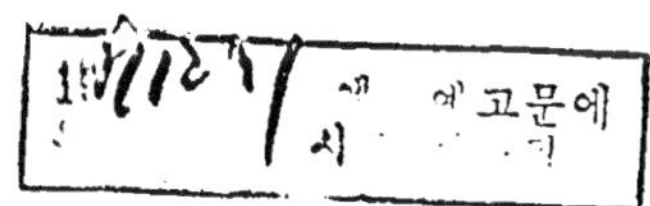

(국제기구조약국장 문동석)

보안통제	

앙 고 재	91년 8월 19일	유엔과	기안자 성명		과 장	심의관	국 장		차 관	장 관

외신과통제

0339

외 무 부

종 별 :

번 호 : FRW-1848 일 시 : 91 0819 1700

수 신 : 장관(해공, 문홍, 국연, 구일)

발 신 : 주불 대사

제 목 : 유엔 가입 계기 홍보 실시

1. 당관은 주재국 RADIO CLASSIQUE 와 접촉,다음과 같이 인터뷰를 통한 유엔 가입 계기 홍보를 실시하였음을 보고함.

방송 내용:

- 노태우 대통령은 광복절 기념사를 통해 북한에 대화를 제의 했음과 남북한은 현재 정치적으로 가까워지고 있으며 한달후 유엔에 가입할 전망이라고 보도한후, 유엔가입의의 및 남북 경제 교류등에 관해 당관 박재선 참사관의 설명 내용을 보도(8.16일 07:00-07:30 뉴스 시간중 5분)

- 남북 통일의 가능성에 대해 친한 기고가 PIERRE RIGOULOT 는 '' 남북 접촉 증진,노태우 대통령의 북방정책 성공, 한국의 경제 발전과 첨단 산업의 높은 수준을 설명한후 독일식의 통일 조건을 갖추고 있다고'' 설명 (8.16 일 08:00 - 08:30 뉴스시간 중 5분). 끝

(대사 노영찬- 해공관장)

공보처 구주국 국기국 문협국

PAGE 1 91.08.20 01:23 DQ

외신 1과 통제관

0340

외 무 부

종 별 :

번 호 : GEW-1671 일 시 : 91 0823 1500

수 신 : 장 관(해신,구일,문홍,의전)

발 신 : 주 독 대사

제 목 : UN 가입계기 DIW WELT 특집추진

1. 당관은 역사적인 남북한의 UN 가입을 계기로 6 공화국의 민주화 업적과 북방정책,남북통일정책, 경제발전, 문화,관광등 아국전반을 홍보하기 위해 그동안 주재국의유력권위지인 DIE WELT 와 제휴,아국특집 발간을 추진해 왔음

2.이에따라 당관은 동특집(6-8면)을 남북한의 UN 가입과 동 계기 대통령 각하의유엔총회 기조연설 싯점에 맞춰 오는 9.26(목)자로 발간키로 8.22. DIE WELT 측과 잠정 합의하였음

3.당관은 동 특집이 동사측의 독자적인 취재보다는 아국의 정책내용이 최대한 올바르게 반영되도록 하기위해 정치,외교,통일,경제,문화등 각분야에 걸쳐 아국의 고위정책 결정자와 학자.경제.문화게 인사들과의 현지 인터뷰와 취재를 통해 제작키로 동사 특집부장 HEINZ HORRMANN 및 취재담당 NINAGERSTENBERG 기자와 협의를 하였음

4. DIE WELT 측은 특집기사 취재를 위해 현재로서는 우선 동경주재 특파원인 FRED DE LATROBE 기자를 아측에서 마련하는 취재일정에 맞춰 파한키로 하였는바, 주요인사의 유엔총회 참석일정등을 감안, 9월 초순경 아래인사들과 인터뷰및 취재가 가능토록 일정을 주선을 건의함.

0 민주화 업적 민자당 대표 최고위원등 관계인사, 청와대 정치담당특보, 정치학자등

0 유엔및 북방외교- 외무부장관

0 통일정책- 부총리겸 통일원장관, 남북대화 사무국장등

0 경제정책-경제기획원장관, 경제수석, KDI원, 전경련(상의)회장, 한독경제협회장등

0 문화.관광-추후별도 보고

5.동 특집발간을 위해 당관은 그동안 당지 주재 아국기업의 광고협찬을 유도,

공보처 1차보 의전장 구주국 문협국 안기부 미주국 국기국

PAGE 1 91.08.27 15:12 FN

외신 1과 통제관

0341

현재까지 KAL, 삼성, 현대, 대우, 금성, 금융단, KNTC 등이광고를 게재키로 확정됐으나, DIE WELT측 으로서는 롯데, 신라, 하얏트, 인터콘, 프라자등 국제수준급 호텔등의광고 협찬을 추가로 요청해왔는바, 동건이 실현될수 있도록 본부에서 적극 조치해 주시고 동결과를 통보해 주시기 건의함

0 광고 단가는 FAX 로 보고할것임

6.본부지원 요청사항

0 각하 유엔총회 연설문 사전지원

0 카버용 사진칼라필름 - 서울전경, 경복궁, 비원,기타 적절한 사진등

0 91년도판 PRESS KIT(독 또는 영)

(대사-관장)

0342

관리번호	91-1013

외 무 부

종 별 :

번 호 : NYW-1283 일 시 : 91 0830 1840

수 신 : 장 관(해기,문홍,국연), 사본:주유엔대사-중계필

발 신 : 주 뉴욕 총영사

제 목 : 유엔가입 홍보대책

1. 남북한 유엔 동시 가입은 한국인에게는 통일이라는 민족 염원의 한가닥이 풀린 사실로 경축할만한 사건이지만 유엔 본부가 있는 뉴욕시민들은 무관심할수 밖에 없음. 더구나 최근 격동하는 소련 사태에 관심을 쏟고있는 이곳 메디아들도 한국의 유엔 가입 문제는 다만 북한과 관계 진전의 한 과정으로 이해되고 있을뿐임.그러나 뉴욕 ETHNIC GROUP 중 무시하지 못할 정도로 성장한 한인사회는유엔가입 문제에 관한한 한국 국민들과 같은 인식을 보이므로 뉴욕 시당국과 뉴욕의 여론지도층 등은 대통령 유엔총회 연설, 경축사절단 방문 및 경축 공연등 일간의 한국 정부 활동과 교민 경축 퍼레이드및 청과상조회 추석제등 교민 활동에 상당한 관심을 보이고있음

2. 현지 메디아의 관심은 남북한 유엔 동시 가입과 대통령의 유엔 총회 연설 내용에 집중될 것인바, NYT 등 주요 신문들은 9.17 일 총회 처리와 9.24 대통령 연설을 보도할 것이 예상되며, 연설 내용의 뉴스성에 따라 사설등 논평도 기대되고 있음. NEWSWEEK 는 현재 뉴욕 방문전 회견을 요청중인바, 실현되는 경우 회견 특집 또는 커버 스토리로 취급될 것임.그밖에 유엔에서 부쉬 대통령과의 정상 회담등이 TV 뉴스의 스포트를 받을수 있고 신문에 단신으로 취급될수 있음

3. 동 행사기간중 당지에서 관심을 가져야할 또다른 문제는 대통령과 경축사절단 방문을 전후한 약 2 백명의 국내 보도진들의 취재 활동인바 사실상 17 일총회 처리와 23 일 한미 정상회다,24 일 대통령 연설및 등을 제외하면 보도 이벤트가 많지 않다는 것임.더구나 경축 사절단을 수행하는 정당 출입기자들의 경우 별도의 대책이 필요하다고 판단됨

4. 당관은 그동안 뉴욕 시청측과 협의, 청과상조회 추석제,46 차 유엔총회 개막, 한국 유엔 가입통과의 국기게양식, 교민 경축 퍼레이드, 대통령 유엔 방문및 경축공연등 정부와 교민의 경축활동이 집중되는 9.15-25 기간중 9.15-21 일 주간을

공보처 국기국 문협국 중계

PAGE 1 91.08.31 07:51

외신 2과 통제관 BS

0343

뉴욕 시장이 KOREA WEEK 로 선포하여 시민들의 관심을 환기시키는 일을 추진, 시당국의 확정을 받았음. 특히 퍼레이드와 함께 뉴욕시 번화가에 태극기 유엔기및 미국기를 게양하는 사업과 퍼레이드 행렬중 25 일 경축공연을 소개하는꽃차와 BANNER 장식사업등을 추진하고 있음. 끝

(문화원장 김준길-관장)

예고:91.12.31 까지

PAGE 2

0344

관리 번호	91 -4504

	분류번호	보존기간

발 신 전 보

번 호 : WUN-2442 910830 1952 FN 종별 :

수 신 : 주 유엔 대사.

발 신 : 장 관 (국연)

제 목 : 남북한 유엔가입총회처리 방안(홍보)

표제관련, 국기국장은 금 8.30(금). 15:00 외무부 출입 기자단에게 하기 요지로 구두 설명하였음을 참고바람.

o 공동제안국들이 남북한의 가입결의안을 총회에 제출토록 하기로 남북한간에 합의

o 동 가입 결의안의 발의국으로 남북한이 공동선정한 인도와 8.29. 협의를 가짐.

o 인도는 동 발의국을 수락하고 공동제안국 서명부를 9.2.부터 주유엔 인도대표부에 그리고 9.9.부터는 유엔 사무국에 비치키로 합의. 끝.

(국제기구조약국장 문동석)

19 예고: 91.12.31. 일반

	보안 통제	

앙 고 재	91년 8월 30일	과	기안자 성명		과 장		국 장		차 관	장 관

외신과통제

0345

국제기구조약국장 브리핑

(8.30.금, 15:00-15:10)

91. 8. 30.
공 보 관 실

o 안보리에서의 남.북한 가입권고 결의안 채택후 총회까지의 절차

- 안보리는 총회에다 가입결의안을 제출토록 되어 있으며 형태는 남.북한간 협의에 따라 결정

- 8.26. 양측대표부 대사 회동, 다음 원칙에 합의

  . 공동제안국들이 남북한의 유엔가입 결의안을 제출토록 함.

  . 남.북한간 관계된 일을 할 수 있는 발의국으로 남북한 동시 수교국이며 안보리이사국인 회원국을 대상, 인도가 이런 역할로 적합하다고 보고 인도대사에 요청키로 합의

- 9.29. "자락한" 인도대사, 남.북한대사 회동

  . 8.26. 협의내용을 확인, 인도대사가 그렇게 하기로 수락함.

  . 인도대사는 남북한의 요청에 따라서 총회에 제출할 남북한 유엔가입 결의안의 공동제안국이 되기를 희망하는 유엔회원국가는 9.2.부터 주유엔 인도대표부에 비치할 서명부에 서명토록 회람

  . 서명부는 9.9.부터는 유엔사무국에 비치되며, 9.13. 가입결의안을 서명국 전체 명의로 제출하기로 합의함.

0346

남북한, 유엔가입신청 총회처리방안에 관해 합의

91. 8. 30. 15:00시보,
局長 一款長團·
[illegible]

o 남북한은 유엔총회에 제출할 남북한가입 결의안의 제출방식에 합의하였음.

합의내용

o 남북한은 공동제안국의 제안방식으로 남북한의 유엔가입 결의안을 총회에 발의

o 동 결의안 공동제안국 규합을 위해 남북한이 함께 노력

o 총회결의안 제출과 관련, 제반절차 문제에 관한 Coordinator국가로 인도를 선정

(경 위)

- 지난 8.8. 남북한의 유엔가입 권고결의안이 안보리에서 만장일치로 채택된 후
- 그동안 남북한의 유엔가입을 위한 총회결의안 제출방식에 대해 남북한간 협의 필요성이 대두되었고,
- 이러한 필요에 따라 남북한 대표부간에 그동안 몇차례에 걸친 비공식 협의를 가져온 바, 지난 8.26. 남북한대사간 협의에서 원칙합의에 이름.

(금후 처리방향)

- 유엔에서 남북한대사 및 인도대사간 세부 추진절차(시나리오)에 관해 협의 예정

(의 의)

- 금번 남북한 유엔가입의 총회 결의안 제출방식에 관한 합의는 유엔내에서 상호 관련된 문제를 서로 협의, 처리하는 하나의 선례

0347

RADIO KOREA

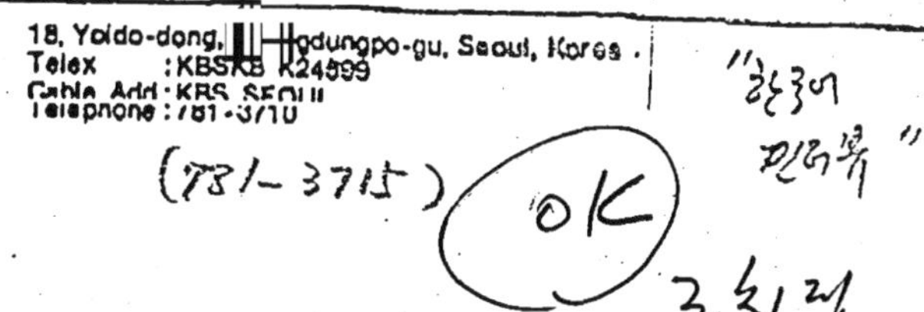

(781-3715) OK "한국어 편집부" 김치력

방송협조 요청서

****

방송일시 : 1991. 9. 18 ~ 20 (3 일간) 19:45 ~ 20:00

방송제목 : 특집방송 "바오본 남북한 UN시대"

제 1편 한반도, 평화공존의 디딤돌을 놓다

제 2편 UN가입 이후의 한국외교

제 3편 남북한 UN가입과 국제정세

제작자 : KBS 국제방송 미 희우 PD

KBS 국제방송에서는 위 프로그램을 제작, 방송하기위해 협조를 요청합니다.

(질문당 2분)

** 인터뷰 내용 ; 9.10(화) 16:00

* 남북한 동시가입 의의 국기국장

2분 * 남북한 동시가입이 있기까지의 과정 유엔1과장

* UN가입으로 UN 외교무대에서 한국의 위상은 어떻게 달라질것인가 국기국장

2분 * UN 가입에 따른 의무와 역할 유엔1과장

* UN 회원국으로서의 외교력 대처방안 국기국장

~~* 미, 일, 중, 소등 4 강국의 남북한 교차승인 전망은? 아주국~~

* 남북한은 UN동시가입을 계기로 어떻게 나아가야 할것인가? 외정실(과장)

<문화교류, 인적교류, 물적교류등>

· 녹음일시 : 9 월9 일 (월), 또는 10일 (화) ✓14:00

· 요청대상자 : 제1차관보, 혹은 국제기구국장

※ 외교안보연구원은 별도 interview 예정

공보관 국제기구국장 :

공람	홍보과	91년 9월 일	담 당	과 장	심의관	국 장	차관보	차 관	장 관
			박진헌	[signature]	[signature]	[signature]			

0348

RADIO KOREA

18, Yoido-dong, Yeungdungpo-gu, Seoul, Korea
Telex : KBSK 599
Cable Add : KBS SEOUL
Telephone : 781-3710

(781-3715) "한국어 편성부"

방송협조 요청서

****

방송일시 : 1991. 9. 18 ~ 20 (3 일간) 19:45 ~ 20:00

방송제목 : 특집방송 "바로본 남북한 UN시대"
제 1 편 한반도, 평화공존의 디딤돌을 놓다
제 2 편 UN가입 이후의 한국외교
제 3 편 남북한 UN가입과 국제정세

제작자 : KBS 국제방송 미 희우 PD

KBS 국제방송에서는 위 프로그램을 제작, 방송하기위해 협조를 요청합니다.

(질문당 2분)

** 인터뷰 내용 ;
* 남북한 동시가입 의의 국기국장
* 남북한 동시가입이 있기까지의 비화 유엔1과장
* UN가입으로 UN 외교무대에서 한국의 위상은 어떻게 달라질것인가 국기국장
* UN 가입에 따른 의무와 역할 유엔1과장
* UN 회원국으로서의 외교력 대처방안 국기국장
* ~~미, 일, 중, 소등 4 강국의 남북한 교차승인 전망은?~~
* 남북한은 UN동시가입을 계기로 어떻게 나아가야 할것인가? 외정실 (과장)
<문화교류, 인적교류, 물적교류등>

· 녹음일시 : 9 월9 일 (월), 또는 10일 (화) ✓ 14:00

· 요청대상자 : 제1차관보 혹은 국제기구국장

※ 외교안보연구원은 별도 interview 예정

공람	홍보과	91년9월	담당	과장	심의관	국장	차관보	차관	장관
			박진현	(서명)	(서명)	(서명)			

0343

(참고용)

노창희 유엔대사 인터뷰1991.9.17 백정국
지금 장관은 데마르코의장 만났니 대표부는 가입편결절차 노대통령 총회연설계기로 외무장관 대표단 활동 세가지 일 하고 있다.
두서도 없고 영일도 없다 취재시 편의 충분제공못하고 부주해도 양해해달라.
:가입하는데 총회절차 북한과 만난적 있나?
북한대사와 만난것 서울에 대체보도 동시가입 결정직전에 공식적으로 약속하고 만난것이 그것 포함 네번째이다 최근에는 동시가입을 위해 공동제안국결정한다음에 만났다 될수 있으면 많은 나라가 공동가입에 분담 노력하자 설명하고 이에대해 논의했다

상설적인 정례적인 모임을 갖자고 제의했는데 북한대표부는 거절한 것은 아니고 동의한 것 아니고 필요하면 만나지는게 북한측 입장이다.

원칙적으로 반대한 것 없다 앞으로 상당히 중요한 문제다 계속해 노력하겠지만 우리가 생각한 방식.한달 이주 고집할 생각없다
시작이 중요하고 만나 얘기를 하는 과정에서 상호이해생길수 있다
대표부간의 접촉 북한 약간 왔다 갔다하는점 있지만 발전은 있지 않겠나 외무장관 접촉은 지나가는 얘기로 대응했고 본격적 제의하거나 공식반응 본적없다
북한도 반대한 다는 것고 없고 강석주 석국 호의적보여왔기 때문에 남북외상간의 접촉을 완전배제할 수 없다 회담 형식의 만남은 어려울 것이다
단순조우아닌 어느정도의 만남 전혀 배제할 수 없다
북한대사 만나면 정식제의해올 생각이지만 아직 말씀드릴 게재아니나
장관과 강석주 상호격도 다르고 기간비슷하지만 저쪽 오며압는한 인사정도
외무장관 다시오면 김영남외교오면 그때가서 가능성 있다
현재로서는 내용 깊은 내용아니더라도 상견례 있을 수 있다
가능성 전망 이렇다 저렇다 할 수 없다
10월 2일 연총리 3국 정해질때 PM으로 석고 갔다 김영남
연형묵오는것 거의 확실 한 것 같다
연총리 리더를 신청했다,스위트두개하는 것 봤을때 김영남
김영남오래있고 연형묵은 스테이트하고 갈것 같다
김영남 북한정부 차지하는 것 보통의 위치 아니다 플러스 연형묵같이 온다니까 북한 이러니 저러니해도 유엔가입을 활용하려는 의도가 보인다.
외상회담 충분히 짐작하고 있다.
구체약속확인 않됐지만 동남아 서구 많이 접촉 외상회담 제의한 것으로 알고 있다.
상당히 보람느낀다-직업 외교관으로 기쁘게 느낀다.
서양사람들 왜 유엔가입이 대단한 거냐 한국쪽 필링 모르겠다
한국 근대국가된 이후 한번도 제대로 국제적으로 모습갖춰 남한테 나서본 적 없다.
백년전부터 시작된후 어려움 수모 겪다가 일제하 식민지 남의 힘에 의해 해방 남의 의해 명맥이어나가고 완전한 주권국가 된 다는 것 특수한 상황 바람 보람이 있었다
유엔 가입 유독 강조했다.
91년이전 이후 다른 위치에 있는 것으로 본다.
행사 끝나고 46차 끝나고 본격적으로 참여 한두가지 부족한 것 아니다
공부도 모자라고 대표부 전체 인재 세계 20위 드는 기능은 해야하지 않겠느냐 그만한 준비 있겠느냐 그렇게 하기 위해서 뒤따라 오는 재정적 뒷받침,사무실 관저,뒷바침해야 운영비 대폭증원 관저 사무실 명년 내후년 해결해야 한다.46차는 배우는 총회고 47차는 본격적으로 해볼란다,미처 준비없어서 소위원회 체어가 없다.
한국계 직원도 진출 말로만 가지고 않되고 상당한 지식도 필요 전체 예산의 0.7%
돈 낼때마다 조건부로 내고,인식은 차츰 형성될 것이다 성실한 노력으로 그과정을 겪어나가는 것 중요하다,상호비방원칙,그게 오히려 남북한 관계로 봐서 타당한 것이다.
정부간의 대화 좀더 고차적이고 유엔이 주가 될거고 양 채널이 잘 가동되면 메션저역할 되겠지만 교섭한다는것
유엔문제,하나의 의사전달 수단이 될 것이다
현재로서는 가능하도록 노력하는 것이 중요하다.
의례적인사 안나오리라 본다 그만한 양식도 있는데 뒤통수 맞을지 몰라도
0.69% 본부 경상경비 10억불 7백만불 PEACE KEEPING 오퍼레이션 상당한 압력 3-4백만불 결국 천만불,방식 결론 너무 급격한 증가아닌가 0.22 상식이하의 일이다.한국은 계속해서 업저버라고 본격적인 계산하자는 것이다 전례없는 일이지만 한국은 특수하게 보자 한국이 회원국이라면 얼마나 낼수 있나는 커미티에서 결정
다른나라와 같이 연간 올릴수 있는것 과정 없었다는데 대해 섭섭하다.여러번 애기 국력상응한 것 같다.

0350

SEP-16-1991 19:55 FROM TO 9011822273857761 P.01

(UN pool 기사)

No. 1

CBS 뉴스	제목	이 외무장관 5개 대사와 접촉																		
작성일자	9/17		송고자	백경학					데스크											
방송시간	4	5	6	7	8	9	10	11	12	13	14	15	16	17	18	19	20	21	22	23

이상옥 외무장관은 오늘, 미국과 영국등 핵심우방국대사들을 만나 우리의 유엔가입을 적극 지원해 준데 대해 감사의 뜻을 전달하고, 앞으로 유엔을 남북화해의 장으로 적극 활용해 나가겠다고 밝혔습니다. (아나운서 Ment)

유엔총회에 참석차 뉴욕을 방문하고 있는 이상옥 외무장관은 오늘, 피커링 유엔주재 미국대사와 하네이 영국대사, 메레이 프랑스대사와 일본, 벨기에 대사등 모두 5개 우방국대사들을 아스토리아 호텔로 초청해 오찬을 함께하며, "유엔가입 과정에서 우방국들이 남북한의 유엔동시가입을 위해 보여준 지지와 관심에 감사한다"고 말했습니다

.

이상옥 장관은 이자리에서
"한국은 앞으로 한반도의 긴장완화와 남북통일을 위해 더욱 →

CBS - HLKY (837 KHz)

기독교방송

0351

TOTAL P.04

SEP-16-1991 19:55 FROM 82118227385761 P.02

No. 2

CBS 뉴스	제목																			
작성일자		송고자			데스크															
방송시간	4	5	6	7	8	9	10	11	12	13	14	15	16	17	18	19	20	21	22	23

→ 노력하겠으며, 그리고 더 나아가서는 세계 평화에 기여하기 위해, 유엔을 남북 협력과 화합의 장으로 활용해 나가겠다"고 말하고, 우방국들이 계속해서 한국을 지원해 줄 것을 요청했습니다

이에 대해 (모리노 주도 일본 유엔대사 등) 각개 우방국 대사들은 모두, "남북한이 유엔 가입을 계기로 화해와 통일을 위한 협의를 계속해 나가길 바란다"는 입장을 밝혔습니다 →

특히 피커링 유엔주재 미국대사는 이상옥장관에게, "지난 8월 서울에 왔을때, 소련 사태를 맞았는데, 한국측이 소련사태에 대해, 신중하고 사려깊은 조치를 취해 준데 대해 감사한다"는 뜻을 전달했습니다

→ 0352

CBS-HLKY (837 KHz) 기독교방송

TOTAL P.04

No. 3

CBS 뉴스	제목			
작성일자		송고자		데스크

방송시간 4 | 5 | 6 | 7 | 8 | 9 | 10 | 11 | 12 | 13 | 14 | 15 | 16 | 17 | 18 | 19 | 20 | 21 | 22 | 23

→ 이에 앞서 이상옥장관은 오늘 새벽, 숙소인 플라자호텔에서
한국 특파원단과 기자 간담회를 갖고 한국은 유엔에서
남북한 대결외교를 지양하고
화해와 협력분위기를 조성하기 위해
한국문제의 불상정과 불토의 원칙을 지켜 나갈 생각이라고
강조했습니다

이장관은 또 우리정부는 북한측이 비합리적인
문제를 제기할 경우에는 단호히 이에 대처할 것이나
반대로 남북한 대화의 기회가 마련되면
언제든지 이에 응할 용의가 있다고 밝혔습니다

한편 남북한의 유엔동시가입을 지지하는 115개국 대표단이
서명한 결의안은 오늘 총회문서로서 전 회원국들에게
오늘 배포됐습니다

0353

CBS - HLKY (837 KHz) 기독교방송

SEP-16-1991 19:55 FROM   TO   901182273855?1   P.04

No. 4

CBS 뉴스	제목			
작성일자		송고자	데스크	

방송시간	4	5	6	7	8	9	10	11	12	13	14	15	16	17	18	19	20	21	22	23

노창희 (유엔주재) 대사도 오늘 기자 회견을 갖고,

"저는 최근 박길연 유엔주재 북한 대사를 만나

남북 대유엔 관련 회의를 제의 했으나

아직까지 공식 회답은 받지 못했다"고 말했습니다

노대사는 그러나 남북 대유엔관계의 협조 가능성도

전혀 배제 할수 없다고 말해,

회의 가능성을 강력히 시사했습니다.

노대사는 또 다음달 2일 북한측 기조연설도

남한측 참석을 허락하게 될지 확실치 않다고

말했습니다

0354

CBS - HLKY (837 KHz)   기독교방송

TOTAL P.04

예고

보 도 자 료
외 무 부

제 호 문의전화 : 720-2408-10 보도일시 : 1991. 9.17. 14:00

제 목 : 남북한 외무장관회담 제의 보도에 관한 외무부 논평 대변인

o 정부는 "최근 노창희 주유엔대사가 북한의 박길연 주유엔대사를 만나 남북한 외무장관회담을 제의했으나, 아직까지 공식회답을 받지 못했다"라는 내용의 일부 언론보도가 사실과 다름을 밝힌다.

o 노창희 대사는 남북한의 유엔동시가입을 위한 공동제안국 확보문제 협의등 가입 세부절차문제 협의를 위하여 북한대사를 만난 바 있으나, 북한대사에게 남북한 외무장관회담을 공식 제의하거나 북측 반응을 타진한 바 없다.

o 다만, 노창희 대사는 9.16(월) 기자회견에서 남북한 외무장관이 비슷한 시기에 제46차 유엔총회에 참석하게 될 전망이므로 단순 조우 또는 행사참석시 상호 인사교환의 가능성은 배제할 수 없다고 언급하였다. 끝.

0355

SEP 17 '91 18:13 T   P.1 2

공 보 처

홍보 35210-16   736-3823   1991. 9. 17

수신 수신처 참조

제목 남북 UN동시가입 홍보표어 및 캐치프레이즈 활용

1. 당처에서는 남북한 UN동시가입의 역사적 의의를 되새기고 범국민적 경축분위기 조성을 위해 전국민대상 표어 및 캐치프레이즈를 공모, 8편을 선정하였습니다.

2. 동 표어(및 캐치프레이즈)들이 널리 활용되어, 남북한 UN동시가입의 역사적 쾌거가 범 국민적 경축분위기로 확산될 수 있도록 소속기관 및 산하단체에서 활용토록 협조하여 주시기 바랍니다.

o 활용방법

- 각급 행정기관, 국.공기업체, 주요단체등에서 현판.프레카드 제작시 활용
- 시.도에서 자체인쇄 은행.터미널등 다중이용장소 게시
- 정부 및 국공기업체 간행물에 게재

첨부 : 활용대상 표어문안 1부. 끝.

1991. 9. 17 공보처

공 보 처 장

수신처 : 가(제외1,2,16), 나, 다

0356

남북한 UN동시가입계기 표어공모 입상작

구분	문 안
최우수작 (1편)	o 겨레여 함께가자 유엔에서 통일까지
우 수 작 (2편)	o 분단에서 유엔으로 유엔에서 통일로 o 유엔은 평화마당 한반도는 통일마당
입 선 작 (5편)	o 남북한 유엔가입 통일로 꽃피우자 o 맞이하자 유엔시대 준비하자 통일시대 o 손잡고 세계로 뜻모아 통일로 o 할아버지 오래사세요 통일의 날이 다가옵니다 o 활짝핀 북방외교 익어가는 통일열매

0357

관리번호	91-1101

외 무 부

종 별 :

번 호 : GEW-1888 　　　　일 시 : 91 0917 1530

수 신 : 장관(해신,문홍,국연,구일,기정동문)

발 신 : 주 독 대사

제 목 : UN 가입홍보

대:AO-26

1. 당관은 남북한 유엔가입을 계기로 당주재지 MBC-TV 아국 특파원과 동서독 유엔가입시 독일행정수반이던 브란트 전수상, 당시 외무장관이던 WALTER SCHEEL 전 독일대통령과의 면담을 주선한바 있음

2. MBC-TV 는 91.9.17. 2100 시에 브란트 전수상과의 인터뷰를, 9.18. 2100에 쉘 전대통령과의 인터뷰를 각각 3 분씩 방영예정인바 인터뷰 요지 아래보고함

가. 빌리 브란트 발언요지

독일은 유엔의 권한이 강화되고 개편되기를 바람. 이 필요성은 걸프전에 교훈, 동서냉전의 종식등 국제정세가 변화된데 기인함. 독일은 유엔의 권한 강화를위해 노력할 것이며 EC 국가들과 공동협력을 도모할 것임

0 이런 맥락에서 한국이 추진중인 UN 가입을 진심으로 환영하고 빨리 회원국이 되기를 바람

0 한반도의 통일은 독일처럼 급박하게 강요된 통일행보보다는 아래로 부터 위로 한걸음씩 추진하면서 우선 분단의 장애물을 제거하는 것이 바람직하다고 봄.

0 인접국이 아닌 독일이 한반도 통일에 직접기여를 할수는 없지만, 선의의 차원에서 한반도의 주변여건을 전환시키기 위해 독일은 최선을 다할것임

나. 발터 쉘 발언요지

0 유엔가입이란 회원국들과의 관계를 정상화는 것을 의미하기 때문에 남북한의 유엔가입은 남북한관계및 한반도 통일에 매우 긍정적인 영향을 줄것임

0 동.서독이 유엔에 가입할 당시와 남북한이 유엔에 가입하는 현재의 상황은 약간 차이가 있음. 동서독은 유엔가입 이전에 양국간 정상화 측 상호관계 개선을 했었음.

0 비록 남북한관계나 동서독 관계가 수준은 다르나 남북한은 이제부터 많은노력을

공보처 장관 차관 1차보 2차보 구주국 국기국 문협국 분석관
청와대 안기부

PAGE 1 　　　　91.09.18 01:22
외신 2과 통제관 CH
0358

기울여야 함. 80 년대에 들어와서 남북한이 접촉을 하고 있으나 아직 결실을 맺지 못하고 있는데, 지금부터라도 남북한은 새로운 국제정치 여건속에서매래지향적인 기반확립을 위해서 노력해야 할것임

0 최근 소련의 정국변화가 한반도 통일에 긍정적으로 작용할 것이 확실함. 소련의 변화는 남북한간의 이념대립을 약화시킬 것임

0 북한은 엄격한 스탈린 식 사회주의를 지향했고 이로 인해 구조적으로 더욱 고립상태에 빠저 있음. 북한이 매달려온 외교이념은 더이상 지탱하기 힘들어 졌으며 머지않아 소멸되거나 약화될 것임

0 따라서 북한은 이를 인식해서 한국과의 진정한 협력을 구하고 이를 통해 한반도 통일이 결실이 맺어지도록 협조해야 된다고 생각함. 끝

(대사-해공관장)

예고:91.12.31.까지

PAGE 2

0359

	분류번호	보존기간

발 신 전 보

번 호 : WUN-2903 . 910917 1641 FO 종별 : 암호송신

수 신 : 주 장 관 ~~(…)~~ (주유엔대사 경유)

발 신 : 장 관 ~~장관대리~~ 차관

제 목 : 유엔가입에 제한 정부대변인 발표문

9.18(수) 새벽(서울시각) 유엔가입결정 직후에 정부대변인 발표문을 별첨과 같이 발표할 예정임을 보고드림.

첨부 : 표제 발표문 1부. 끝.

(차 관 유종하)

보안통제	

앙고재	91년 9월 17일	유엔과	기안자 성명		과 장	심의관	국 장	1차관보	차 관	장 관
			김성민							

외신과통제

0360

유엔加入에 즈음한 政府代籍人 發表文(案)

1991.9.18. 새벽

o 91.9.17(火) 15:XX時 (뉴욕時刻 : 서울時刻은 9.18. 04:XX時) 제46차 유엔總會가 南北韓의 유엔加入을 만장일치로 決議하므로서 우리나라가 161번째 유엔 正會員國이 된데 대하여 政府는 온국민과 함께 慶賀하는 바이다.

o 政府는 그간 많은 국가들이 우리의 유엔加入을 적극 支持해주고 성원해준데 대해 감사하며, 앞으로 우리나라가 유엔 正會員國으로서 유엔의 目的과 原則에 따라 憲章上의 責任과 義務를 充實히 履行해 나갈 것임을 다시한번 宣言하는 바 이다.

o 금번 우리의 유엔加入實現은 국민의 성원속에 추진해 온 6共和國의 成功的인 北方外交의 가장 큰 可視的 成果이다. 이제 우리는 유엔을 舞臺로 한 多者外交의 영역에서도 國際平和와 繁榮을 위하여 應分의 寄與를 하는 동시에 國益增進을 위하여 倍前의 努力을 傾注하고자 한다.

0361

o 오늘날 유엔은 和解와 協力의 새로운 國際秩序下에서 國際平和와 安全 유지, 특히 主要 地域紛爭問題 解決에 있어서 더욱 중요한 役割을 하고 있다. 이와같이 유엔의 位相과 役割이 제고되고 있는 시점에 우리나라가 북한과 함께 유엔에 加入할수 있게 된 것은 앞으로 韓半島問題의 平和的 解決을 위해서나, 國際社會에 대한 韓民族의 寄與를 위해서도 매우 의미있는 일이라 할것이다.

o 특히, 政府는 北韓의 유엔加入을 歡迎하면서, 금번 남북한이 共히 유엔에 加入한 것이 統一時까지의 暫定措置임을 다시한번 분명히 밝히고자 한다. 政府는 南北韓이 유엔회원국으로서 유엔테두리내에서 交流와 接觸을 통하여 相互信賴를 造成하고 相互協力으로 民族의 利益을 圖謀하며, 平和統一을 促進할 수 있도록 함께 努力해 나갈수 있기를 기대한다. 끝.

0362

유엔加入에 즈음한 政府代辯人 發表文(案)

1991.9.18. 새벽

1 o 91.9.17(火) 15:[illegible]時 (뉴욕時刻 : 서울時刻은 9.18. 04:[illegible]時) 제46차 유엔總會가 南北韓의 유엔加入을 만장일치로 決議하므로서 우리나라는 161번째 유엔 正會員國이 되었다.

2 o 政府는 그간 많은 국가들이 우리의 유엔加入을 적극 支持해주고 성원해준데 대해 감사하며, 앞으로 우리나라가 유엔 正會員國으로서 우리의 國力에 합당한 責任과 義務를 다해 나갈 것임을 다시한번 宣言하는 바 이다.

4 o 오늘날 유엔은 和解와 協力의 새로운 國際秩序下에서 國際平和와 安全 유지 및 人類繁榮과 福祉增進에 있어 많은 成果를 擧揚하고 있으며, 특히 主要國際問題 解決에 있어서 중요한 役割을 하고 있다. 이와같이 유엔의 位相과 役割이 제고되고 있는 시점에 우리나라가 북한과 함께 유엔에 加入할수 있게 된 것은 한민족 전체를 위해서도 매우 의미있는 일이다.

앙고재	국제연합과	91년 월 일	담 당	과 장	국 장	차관보	차 관	장 관
			김선2	(signature)		강	(signature)	

0363

o 금번 우리의 유엔加入實現은 국민의 성원속에 추진해 온 정부의 成功的인 北方外交의 가장 큰 可視的 成果이다. 이제 우리는 그간 兩者外交 중심에서 多者外交의 영역에까지 우리의 外交地平을 擴大하여 國益增進 圖謀에 더한층 매진해 나갈 수 있게 되었다.

o 한편, 政府는 北韓의 유엔加入을 歡迎하면서, 금번 남북한의 유엔加入이 統一時까지의 暫定措置임을 다시한번 분명히 밝히고자 한다. 政府는 南北韓이 유엔회원국으로서 유엔테두리내에서 交流와 接觸을 增進시켜 相互信賴를 造成하며 平和統一을 促進할 수 있도록 함께 努力해 나갈수 있기를 기대한다.

o 政府는 온 國民과 함께 다시한번 우리의 유엔加入을 慶賀하면서, 금번 남북한의 유엔가입을 계기로 남북한간의 긴장완화와 나아가 평화적 平和的 統一을 앞당기기 위한 진지한 努力을 배가해 나갈 것이다. 끝.

0364

SEP 17 '90 18:19 T P.1

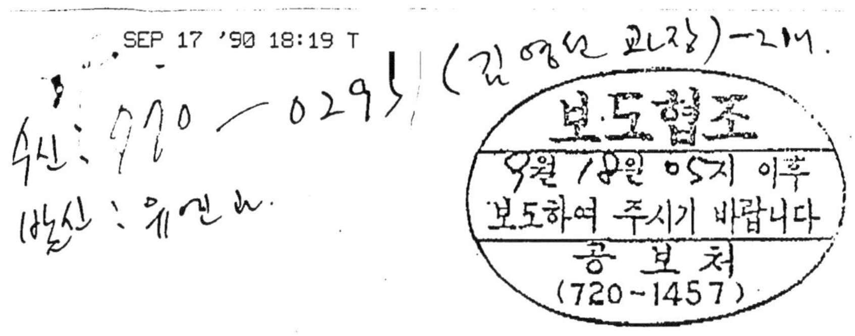

유엔가입에 즈음한 정부대변인 성명

1991. 9.18

○ 오늘 제46차 유엔총회가 남북한의 유엔가입을 만장일치로 결의하므로서 우리나라가 161번째 유엔 정회원국이 된데 대하여 정부는 온국민과 함께 경하하는 바입니다.

○ 정부는 많은 국가들이 우리의 유엔가입을 적극 지지해주고 성원해준데 대해 감사하며, 이제 우리나라는 유엔 정회원국으로서 유엔의 목적과 원칙에 따라 헌장상의 책임과 의무를 충실히 이행해 나갈 것임을 다시한번 선언하는 바입니다.

○ 금번 우리의 유엔가입실현은 온 국민의 성원속에 추진해온 북방외교의 가장 큰 성과라고 하겠습니다. 이제 우리는 유엔을 무대로한 다자외교의 영역에서도 국제평화와 번영을 위하여 응분의 역할과 기여를 하고 아울러 국익증진을 위하여 모든 노력을 기울이고저 합니다.

0365

ㅇ 오늘날 유엔은 화해와 협력의 새로운 국제질서 하에서 세계평화와 안전유지, 특히 주요 지역 분쟁의 해결에 있어서 더욱 중요한 역할을 하고 있습니다.
이와같이 유엔의 위상과 역할이 날로 높아지고 있는 시점에 우리나라가 북한과 함께 유엔에 가입할 수 있게 된 것은 앞으로 한반도문제의 평화적 해결을 위해서나, 국제사회에 대한 한민족의 기여를 위해서도 매우 의미있는 일이 아닐수 없습니다.

ㅇ 특히, 정부는 북한의 유엔가입을 환영하면서 이번에 남북한이 함께 유엔에 가입한 것은 통일될 때까지의 잠정조치임을 다시한번 분명히 하고저 합니다.
정부는 남북한이 유엔회원국으로서 유엔의 테두리내에서 교류와 접촉을 통해 상호신뢰와 협력으로 민족의 이익을 도모하고 평화통일을 위해 함께 노력해 나갈수있게 되기를 진심으로 기대합니다.

0366

분류번호	보존기간

발 신 전 보

번 호 : AM-0199 910918 0631 DU 종별 :

수 신 : 주 AM 대사. ♣♣♣♣

발 신 : 장 관 (연일)

제 목 : 유엔가입에 즈음한 정부대변인 성명

연 : AM- 0198

연호, 유엔가입에 즈음한 정부대변인 성명(9.18)을 아래 타전하니 귀업무에 참고바람.

o 오늘 제46차 유엔총회가 남북한의 유엔가입을 만장일치로 결의하므로써 우리나라가 161번째 유엔 정회원국이 된데 대하여 정부는 온국민과 함께 경하하는 바입니다.

o 정부는 많은 국가들이 우리의 유엔가입을 적극 지지해주고 성원해준데 대해 감사하며, 이제 우리나라는 유엔 정회원국으로서 유엔의 목적과 원칙에 따라 헌장상의 책임과 의무를 충실히 이행해 나갈 것임을 다시한번 선언하는 바입니다.

o 금번 우리의 유엔가입실현은 온 국민의 성원속에 추진해온 북방외교의 가장 큰 성과라고 하겠습니다. 이제 우리는

/계속/

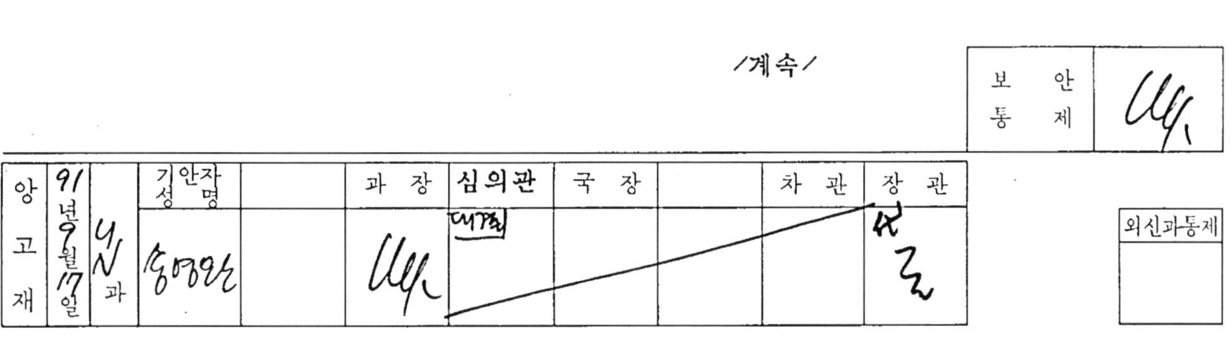

보 안 통 제	

앙 고 재	91년 9월 17일	UN 과	기안자 성명		과 장	심의관	국 장		차 관	장 관
						대결				

외신과통제

0367

유엔을 무대로한 다자외교의 영역에서도 국제평화와 번영을 위하여 응분의 역할과 기여를 하고 아울러 국익증진을 위하여 모든 노력을 기울이고자 합니다.

o 오늘날 유엔은 화해와 협력의 새로운 국제질서하에서 세계평화와 안전유지, 특히 주요 지역분쟁의 해결에 있어서 더욱 중요한 역할을 하고 있습니다. 이와같이 유엔의 위상과 역할이 날로 높아지고 있는 시점에 우리나라가 북한과 함께 유엔에 가입할수 있게 된것은 앞으로 한반도문제의 평화적 해결을 위해서나, 국제사회에 대한 한민족의 기여를 위해서도 매우 의미있는 일이 아닐수 없습니다.

o 특히, 정부는 북한의 유엔가입을 환영하면서 이번에 남북한이 함께 유엔에 가입한 것은 통일될때까지의 잠정조치임을 다시한번 분명히 하고자 합니다. 정부는 남북한이 유엔회원국으로서 유엔의 테두리내에서 교류와 접촉을 통해 상호신뢰와 협력으로 민족의 이익을 도모하고 평화통일을 위해 함께 노력해 나갈수 있게 되기를 진심으로 기대합니다. 끝.

(국기국장대리 금정호)

0368

KBS 제1라디오 차관님 회견

o 일시 및 방법 :

- 9.18 06:20 뉴욕 전화 인터뷰
아침뉴스 생방송

o 질문사항 (답변은 약 5분내외)

- 유엔 회원국으로서의 우리의 역할과 책임

0363

질문 : 유엔회원국으로서의 우리의 역할과 책임

※ 9.18(수) 06:20 전후, KBS 제1라디오 전화인터뷰(생방송)
※ 답변 5분 내외

(인사 말씀)

o 이미 보도된 바와 같이 오늘새벽 04:xx (뉴욕시각 : 9.17(화) 오후 3시:xx) 제46차 유엔총회에서 남북한의 유엔가입 결의안이 만장일치로 통과됨에 따라 우리나라는 161번째 유엔회원국이 되었음.

o 이틀후인 9.20. 대통령께서 유엔총회에 참석하시기 위해 출국하실 예정인데, 유엔회원국이 된 우리나라 국가원수로서는 최초로 기조연설을 하시게 되어 매우 뜻깊게 생각함. 대통령께서는 이번 유엔총회 기조연설을 통하여 주요국제문제에 대한 우리나라의 기본입장과 남북한간의 평화적 통일을 향한 구상을 밝히실 예정임을 우선 말씀드리고 싶음.

o 이자리를 빌어 우리의 유엔가입 실현이 있기까지 그동안 국민 여러분께서 보내주신 아낌없는 지지와 성원에 대해 깊은 감사를 드리는 바임.

0370

(유엔회원국으로서의 역할)

o 이제 우리나라는 유엔 정회원국으로서 국제사회에서 우리의 국력과 국제적 위상에 합당한 역할과 기여를 다할 수 있게 되었음. 즉,

- 우리나라는 군축, 인권, 환경등 국제사회가 안고 있는 주요 국제문제 해결을 위한 유엔의 제반활동에 적극 참여할 것이며,

- 특히, 선발개도국으로서 유엔체제내에서 선진국과 개도국을 잇는 가교국으로서의 역할을 수행코자 하며, 우리의 발전경험을 여타 개도국들과 공유해 나가고자 함.

o 또한 앞으로 우리나라도 여타 회원국과 마찬가지로 안보리, 경제사회 이사회등 유엔의 주요기관과 유엔산하의 많은 전문기구의 이사국으로 더욱 많이 진출할 수 있도록 노력해 나갈 것임.

(유엔회원국으로서의 책임)

o 물론 유엔에 가입함에 따라 유엔회원국으로서 유엔헌장에 규정된 책임과 의무를 부담하게 됨. 즉, 회원국은

- 무력불사용의 의무, 분쟁의 평화적 해결의무 그리고 국제평화와 안전의 유지 및 분쟁의 악화방지를 위하여 유엔이 취하는 제반 조치에 협력할 의무등을 지게되고,

0371

- 유엔의 운영경비중 일정비율의 회원국 분담금을 납부하는 의무도 지게됨. 우리가 부담해야 할 분담금은 추후 확정되겠지만, 현재 대략 1,000만불을 유엔의 직접 경비로 내어야 할 것으로 봄.

(맺는 말씀)

o 정부는 금번 남북한의 유엔가입을 계기로 남북한이 유엔 테두리내에서 교류와 접촉을 증진시키고 상호 신뢰를 축적함으로써 서로돕고 도움을 받는 공존공영의 관계를 이루어 나갈 수 있기를 기대하며, 또한 이를 위해 적극 노력할 것임.

o 결론적으로 우리의 유엔가입은 대외지향적인 우리의 경제구조와 남북 분단의 특수한 안보상황등을 고려할 때, 우리의 국익을 한차원 높게 증진시켜 나갈 수 있는 중요한 계기가 될 것임. 또한 다가오는 21세기에 우리가 세계 중심국가의 하나로 발전하는데에도 튼튼한 기틀을 마련해 줄것으로 믿고 또한 기대하고 있음.

o 그동안 정부의 유엔가입 정책에 대해 많은 관심을 갖고 아낌없는 성원을 보내주신 국민여러분께 다시한번 깊은 감사를 드리는 바임. 끝.

0372

유엔에서의 南北韓 協調維持와 向後 유엔政策

- 第1次官補, 自由新聞 對談 -

(南北韓 協調維持)

o 9.18. 南北韓은 유엔에 加入하였음. 앞으로 南.北韓이 유엔내에서 서로 協力하여 關係를 改善하고, 韓半島 平和와 統一을 위해서 좋은 方向으로 努力해 갈 수 있을지 與否는 基本的으로 南.北韓의 姿勢에 달려 있다고 봄.

o 우리 政府는 南北韓이 유엔에 加入함으로써 1975년 이전과 같은 유엔에서의 南北對決 狀況이 再現되는 것을 결코 원하지 않음. 우리는 南北韓이 유엔무대에서 서로 誹謗 攻擊하거나 政治宣傳을 하지 않고, 유엔에서 論議되는 重要한 議題에 관해 서로 相議해 나가면서 가능한한 協調를 하게 되기를 바람.

o 이러한 趣旨에서 우리는 지난 5월말 北韓側에게 유엔駐在 南北大使間 協議를 定例的으로 갖을 것을 提議한 바 있음.

o 앞으로 北韓도 유엔에서 協調的 姿勢를 보임으로써 南北韓 유엔加入이 南.北韓 關係發展을 위한 劃期的인 契機가 되도록 努力해야 함.

0373

(今後 유엔政策)

o 오늘날 유엔은 和合과 協力의 새로운 國際秩序下에서 軍縮, 人權, 環境等 國際社會가 안고 있는 主要國際問題 解決에 있어서 重要한 役割을 하고 있음.

o 우리나라는 유엔 正會員國으로서 이러한 유엔의 諸般活動에 적극 參與하여 國際社會에서 우리의 國力에 상응한 寄與와 役割을 다하고자 함. 특히 先發開途國으로서 우리는 유엔내에서 先進國과 開途國을 잇는 架橋國家로서 役割을 遂行하고, 우리의 發展經驗을 여타 開途國들과 共有하는 努力을 傾注해 나가고자 함.

o 유엔加入을 계기로 우리外交는 이제 南北韓間의 對決外交를 淸算하고 7千万 韓民族의 共同利益 增進과 國際的 位相提高를 위한 活動을 더욱 强化해 나갈 수 있게 되었음.

0374

유엔에서의 南北韓 協調維持와 向後 유엔政策

- 第1次官補, 自由新聞 對談 -

(南北韓 協調維持)

o 9.18. 南北韓은 유엔에 加入하였음. 앞으로 南.北韓이 유엔내에서 서로 協力하여 關係를 改善하고, 韓半島 平和와 統一을 위해서 좋은 方向으로 努力해 갈 수 있을지 與否는 基本的으로 南.北韓의 姿勢에 달려 있다고 봄.

o 우리 政府는 南北韓이 유엔에 加入함으로써 1975년 이전과 같은 유엔에서의 南北對決 狀況이 再現되는 것을 결코 원하지 않음. 우리는 南北韓이 유엔무대에서 서로 誹謗 攻擊하거나 政治宣傳을 하지 않고, 유엔에서 論議되는 重要한 議題에 관해 서로 相議해 나가면서 가능한한 協調를 하게 되기를 바람.

o 이러한 趣旨에서 우리는 지난 5월말 北韓側에게 유엔駐在 南北大使間 協議를 定例的으로 갖을 것을 提議한 바 있음.

o 앞으로 北韓도 유엔에서 協調的 姿勢를 보임으로써 南北韓 유엔加入이 南.北韓 關係發展을 위한 劃期的인 契機가 되도록 노력해야 함.

양 고 재	91년 9월 19일	담 당	과 장	국 장
		김성(signature)	(signature)	(signature)

0375

(今後 유엔政策)

o 오늘날 유엔은 和合과 協力의 새로운 國際秩序下에서 軍縮, 人權, 環境等 國際社會가 안고 있는 主要國際問題 解決에 있어서 重要한 役割을 하고 있음.

o 우리나라는 유엔 正會員國으로서 이러한 유엔의 諸般活動에 적극 參與하여 國際社會에서 우리의 國力에 상응한 寄與와 役割을 다하고자 함. 특히 先發開途國으로서 우리는 유엔내에서 先進國과 開途國을 잇는 架橋國家로서 役割을 遂行하고, 우리의 發展經驗을 여타 開途國들과 共有하는 努力을 傾注해 나가고자 함.

o 유엔加入을 계기로 우리外交는 이제 南北韓間의 對決外交를 清算하고 7千万 韓民族의 共同利益 增進과 國際的 位相提高를 위한 活動을 더욱 強化해 나갈 수 있게 되었음.

0376

유엔과

제출: 9.19 오전까지

공보관실

'91.9.17.

第1次관보 회견 질문서

(자유신문과의 대담형식)

1. 공산주의 급낙에 따라 예상되는 북한의 대내외정책과 우리의 대응

2. 유엔에서의 남.북한 협조 유지와 향후 유엔 정책

3. 중.소.북의 삼각관계 정세분석과 통일에 미치는 영향

4. 북한의 핵정책과 우리의 대비

5. 한반도에서의 2국가를 승인한 일본의 저의와 한반도 통일에 대한 일본의 기본적 견해

6. 북방정책이 마무리 단계에 이른 것 같은데 이에 대한 2단계 정책은 무엇인지

7. 기타 특별히 하시고 싶은 말씀

0377

주 센 다 이 총 영 사 관

센다이 20501-482　　　　　　　　　　　　　　　1991.9.19.

수신　장관

참조　아주국장,국제기구국장,문화협력국장(사본:주일대사)

제목　UN가입홍보

대 : AM-0198

당관은 아국의 UN가입을 홍보하기 위한 가든파티를 아래와 같이 개최하였으며, 동 파티에 관한 신문기사와, 지방신문에 게재된 아국의 UN가입에 관한 사설 및 기사를 별첨과 같이 크리핑하여 송부합니다.

-아　　　래-

1. 일한친선 센다이시의회의원연맹 회원 초청 가든파티

가. 일시 : 1991.9.5. 18:00

나. 장소 : 공관정원

다. 참석자 : 石井亨 센다이시장 등 96명

라. 성과 : 아국의 UN가입을 홍보하고, 일한친선 센다이시의 회의원연맹의 재발족을 축하함. 특히 사상 최초로 사회당및 공산당등 야당위원이 회원으로 가입하여, 상기 파티에 참석하였음.

2. 일한친선 미야기현의회의원연맹회원 초청 가든파티

가. 일시 : 1991.9.18. 18:00

나. 장소 : 공관정원

다. 참석자 : 小野寺信雄 미야기현의회 의장 등 71명

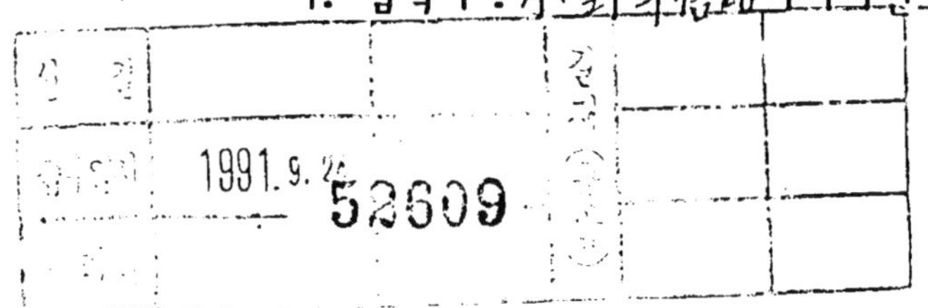

0378

라. 성과 : 아국의 UN가입이 승인된 날 저녁에 가든파티를 개최함으로써, 아국의 UN가입을 축하하고, 사상 처음으로 공산당을 제외한 야당의원 전원이 일한 친선 미야기현의회 의원연맹에 가입한 것을 축하하였음.

첨부 : 신문사설 및 기사 6부. 끝.

주 센 다 이 총 영

0379

河北新報　'91. 9. 19　조간 24면

ニュースファイル NEWS FILE

＜超党派で親ぼく＞

県議会の日韓親善議員連盟（佐々木久寿会長）と駐仙台大韓民国総領事館との親ぼく会が十八日、仙台市青葉区上杉の総領事館で開かれた＝写真＝。

これまで自民党会派のメンバーで構成されていた日韓親善議員連盟が、四月の統一地方選を機に、超党派の六十一人が加盟し、再編成されたことから、今後の交流拡大を目的に開かれた。

会では、李京求総領事が「日本と韓国との間には歴史上、今以上に親しい時代はなかった。今後も両国の発展に尽くそう」とあいさつ。佐々木会長は、議員連盟が韓国・江原道の地方議会と友好関係を結ぶ計画を進めていることを紹介、「両国間の友好関係を今後も深めたい」と述べた。

0380

統　一　日　報　1991年9月11日（水曜日）조간3면

仙台市日韓議連

全会派全議員で

共産も加わり、全国初

【宮城】このほど再建された「日韓親善仙台市議会議員連盟」（仙台日韓議連）に社会党、共産党を含む全会派、全議員六十四人が参加、同議連は全国で初の超党派、全議員加盟の日韓議連となり、関心を集めている。

さる五日には仙台総領事館で、市議四十余人と在日同胞各機関役員三十余人の集うガーデンパーティーが李京求総領事、金培振民団宮城本部団長の共催で開かれ、参会者は総領事館員夫人や婦人会員の手づくりの韓国料理を楽しみながらいっそうの韓日親善を誓った。

この席で、石井仙台市長は「政党政派を越えての参加は仙台の誇り」、大泉市議会議長は「全市議加盟は全国で例がない」と強調、歴代同議連会長も「韓国でも地方自治制がスタートした。自治体間の交流も活発化させよう」と呼びかけた。

全議員参加の再発足を祝うガーデンパーティー（仙台総領事館）

同議連副会長でもある日本共産党の神谷市議は「韓国の国政運営の民主化を評価する」と述べ、日本社会党の橋本市議は「『北』とだけでなく韓国とも正しく交流することが世界平和に貢献する」と語り、加盟の理由を明らかにするとともに、対韓交流に積極的な姿勢を見せた。

今月十八日には県の日韓議連加盟議員を招いて同様のパーティーが開かれる。同議連は共産党の加盟を時間の問題と見ており、韓国・江原道議会との交流を推進するなど対韓交流には意欲的である。

0381

河北新報 '91. 9. 19 조간 5면

社説

対決の舞台から対話の場へ

十七日に開幕した第四十六回国連総会で、韓国と朝鮮民主主義人民共和国（北朝鮮）の国連同時加盟が、満場一致で承認された。分断国家のさまざまな困難を乗り越え百六十番目と百六十一番目の加盟国となった両国に、アジアの隣人としてまず敬意を表したい。

今回の総会ではほかに、ソ連から独立したばかりのバルト三国（エストニア、ラトビア、リトアニア）と、長い信託統治の歴史にピリオドを打ったマーシャル諸島共和国、ミクロネシア連邦が、新たに国連の仲間入りをした。特に、統一への助走とも言うべき南北朝鮮の同時加盟、ソ連共産主義国家体制の解体に伴うバルト三国の国際社会への復帰は、冷戦構造終結のうねりを象徴する歴史的な承認決議と言える。これにより、湾岸戦争の経験を踏まえて新しい秩序づくりへと向かう国際社会の中で、国連はさらにその役割を高めていくことになろう。

アジアの視点から見れば、南北朝鮮と国連とのかかわり合いは深い。太平洋戦争の終結後、米ソ両国が分断管理する形になっていた朝鮮半島に統一政府を作るため、国連が臨時朝鮮委員会を設置したのは一九四七年のことである。しかし、統一選挙の実施という国連提案は北朝鮮が拒否、南北それぞれが独自の選挙を実施したことにより、結果的に「二つの国家」が誕生してしまった。

以後、両国は再三にわたり国連への加盟を申請するが、いずれも安全保障理事会の壁を突破できず、加盟を果たせずにきた。米ソ両大国による東西対立のはざまで、国連は少なくとも朝鮮半島の歩みに関する限り、対話の場として機能することはなく、韓国、北朝鮮両国の相入れない主張がぶつかり合う「対決の舞台」となってきた。韓国政府を唯一の合法政府と認めた一九四八年の決議、朝鮮戦争のぼっ発（一九五〇年）に伴う国連軍の韓国への派遣など、当時の情勢判断の正否はともかくとして、国連の介在が戦争状態を抑止する一方で南北の対話を阻む壁となってきたこともまた、現実である。

十七日の総会で加盟承認後の受諾演説に立った韓国の李相玉外相は「（同時加盟は）南北関係に新しい章を開く重要な契機」として「分断克服の努力における重要なきっかけとなることを確信する」と述べ、北朝鮮の姜錫柱第一外務次官も「今回の加盟はわれわれと国連の関係の新しい出発であり、過去の不正常な関係が解消されるための措置が取られることを期待する」と演説を締めくくった。

韓国からは二十二日に盧泰愚大統領がニューヨーク入りし、北朝鮮側は延亨默首相、金永南副首相兼外相をそろって総会に送って国連演説を行うほか各国要人との会談を予定するなど、早くも活発な国連外交に取り組む構えを見せている。当然のことながら、この間に南北直接対話の機会が生まれることも期待される。

両国の立場や思惑には依然としてズレがあるとはいえ、今回の国連加盟によって韓国の目指す北方外交の拡大、北朝鮮側が期待する日朝・米朝関係の正常化など、いわゆるクロス外交が新しい局面に向かうことは確実である。そうした多極交流の中で、二つの国家の固定化を懸念するよりも、まず両国が「開かれた国家」としての地位を国際社会に確立していくことが先決であろう。

国連への加盟によって、両国は冷戦終結以後の平和共存という国際社会の枠組みに自ら参加することになった。国連を舞台として、両国の統一を阻んできた障壁が一つ一つ取り除かれ、対話を深めることができれば、国連を中心とする新しい秩序づくりを模索する国際社会は、また新しい経験を積み重ねることになろう。そうあってほしいと願っている。

0382

国連に南北朝鮮国旗

全会一致で加盟承認

両国代表が受諾演説　統一への決意強調

【ニューヨーク17日共同】第四十六回国連総会は開幕日の十七日午後（日本時間十八日午前）東西冷戦構造の崩壊、ソ連の激動などを受けた新しい国際情勢の中で、韓国、朝鮮民主主義人民共和国（北朝鮮）とエストニア、ラトビア、リトアニアのバルト三国、マーシャル諸島共和国、ミクロネシア連邦の計七カ国の加盟を承認する決議をそれぞれ全会一致で採択した。

（2・10面に関連記事）

17日、ニューヨークの国連本部前に翻る韓国国旗（右から2番目）と朝鮮民主主義人民共和国（北朝鮮）国旗（同3番目）を見上げる各国代表（AP＝共同）

バルト3国元首　早期ソ連撤兵訴え

朝鮮戦争（一九五〇－五三年）などの厳しい対立を続けてきた南北朝鮮と、ソ連のくびきを脱し、半世紀にわたる独立の悲願を達成したバルト三国の国連加盟を実現した今総会は、冷戦後の新国際秩序づくりに向けた転機となった。国連加盟国は七カ国の新加盟で百六十六カ国となり、冷戦体制の雪解けが新メンバーの加盟という形で国連総会に反映された。

シハビ新総会議長（サウジアラビア）が七カ国の加盟承認決議を受けて加盟を宣言した。この後七カ国代表は次々に総会内の新議席に案内され、議場全体から拍手が送られた。

加盟受諾演説で北朝鮮の姜錫柱第一外務次官は、北朝鮮が主体思想による社会主義体制を堅持することを国連の場で明らかにし、将来的には南北が一つの議席になることを主張した。

韓国の李相玉外相は「きょうは韓（朝鮮）半島の平和統一を必ず達成するという韓（朝鮮）民族の固い決意をさらに新しくする日にならなければならない」と、南北同時加盟が平和統一への重要な出発点であることを強調した。

ランズベルギス・リトアニア最高会議議長らバルト三国元首はそれぞれ、ソ連との友好関係を強調しながらも、駐留ソ連軍の存在に強い懸念を表明、早期撤退に向けて国際社会の支援を要請した。

緊張緩和の進展を期待

坂本官房長官談話

政府は十八日未明、国連総会で韓国と朝鮮民主主義人民共和国（北朝鮮）の同時加盟が正式承認されたことについて「国連の普遍性を高めるものであり、誠に喜ばしい」と歓迎する坂本官房長官談話を発表した。

談話は同時加盟が朝鮮半島情勢に及ぼす影響について「これを契機として、今後南北対話を通じ朝鮮半島における緊張緩和が一層進み、その平和的統一の促進につながることを強く希望する」と、統一の道筋になることへの期待を表明している。

0383

河北新報　'91.9.19　조간 6면

国連加盟受諾演説（要旨）

【ニューヨーク17日共同】十七日の国連総会で行った韓国の李相玉外相と朝鮮民主主義人民共和国（北朝鮮）の姜錫柱第一外務次官の加盟受諾演説の要旨は次の通り。

韓国

【李相玉韓国外相】

一、韓国が国連の支援の下に誕生して四十三年ぶりに国連の正式加盟国として新しい出発をするきょうは、われわれ韓国民にとって大変意義深い日である。

一、これまでの国連加盟への努力は東西冷戦体制下で度々挫折し、国連は南北対決の舞台となってきた。韓国の国連加盟は世界的な和解をさらに促進し、われわれも加盟国として応分の役割を果たす。

一、さらに意義深いのは朝鮮民主主義人民共和国（北朝鮮）とわれわれが同時に国連に加盟することであり、南北関係においても新しい章を開く重要な契機となる。

一、きょうは韓（朝鮮）半島の平和統一を必ず達成するという韓民族の固い決意を新たにする日でなければならない。

一、韓半島では戦争でも平和でもない不安な休戦状態の中で鋭い対決状態が続いてきたが、戦争再発を防止し恒久的な平和体制を確立することが、わが政府の最も優先的な目標である。

一、南北は国連で相互対話と協力を通して信頼を構築していき、韓半島での平和定着と究極的な統一を促進しなければならない。韓国政府は、南北の国連加盟が分断克服の努力における重要なきっかけとなることを確信する。

北朝鮮

【姜錫柱第一外務次官】

一、われわれの国連加盟が投票なしの全会一致で承認されたことは、朝鮮半島に対する国際共同体の深い関心の表れであり、世界のすべての地域と国々の間の親善と和ぼくを図る加盟国の願いであると同時に、われわれに対する期待の表れでもある。

一、私は、北朝鮮が国連加盟国として国連憲章に盛られた目的と原則に忠実であり、国連の活動に積極的に参加し、応分の寄与をすることを確言する。

一、われわれはチュチェ（主体）思想を国家活動の指導的指針とし、われわれが建設した社会主義は、社会全体が人民のために奉仕する人間中心の社会主義であることを確言する。

一、国連加盟国がわが国の国連加盟を全会一致で支持したことは、わが人民の社会主義の選択に対する尊重の表れであると考える。

一、きょうは北と南が別々に国連に加盟したが、わが人民の団結した努力と加盟国の協力によって一つの議席を占める日が必ず到来することを確信する。

一、今回の加盟はわれわれと国連の関係の新しい出発であり、過去の不正常な関係が解消されるための措置が取られることを期待する。

0384

韓国、交流促進に全力

経済困難 北朝鮮も現実政策重視

18日午前、国連加盟を祝い、ソウル近郊の果川市の大通りに掲げられた国連旗と韓国旗

【ニューヨーク17日時事】韓国と朝鮮民主主義人民共和国（北朝鮮）の国連加盟実現は、南北朝鮮が「対決」から「共存」に大きく踏み出した歴史的な出来事だ。韓国は今後、国連での協調、南北対話・交流を基に、北朝鮮との共存体制の確立を目指す。一方の北朝鮮は、原則は堅持しながらも、さらに現実路線を強めていくものとみられる。

両国の共存は韓国が主張する形での統一へ向けての準備段階となる可能性もあるが、北朝鮮が非難するように、分断を固定化する恐れもある。共存体制が真の統一に至るまでには、まだ相当の時間とともに、南北自身、さらに周辺国家の多くの外交努力が必要だ。

韓国は「南北国連加盟の最大の意義は『二つの朝鮮』という北側の論理が崩れたこと」（政府筋）と認識、(1)国家認定(2)交流と協力による信頼醸成(3)国家連合(4)統一―と続く韓国側統一案（韓民族共同体統一案）の第一段階を達成したと評価している。

このため、韓国は次のステップの交流・協力促進に全力を挙げる構えだ。二十四日の盧泰愚大統領の国連演説、十月の第四回南北首相会談でも、北側のアキレスけんである経済困難に焦点を合わせ、交流・協力のための提案をしていくとみられる。

これに対し、北朝鮮は自らの国連加盟を「一時的難局を打開するための措置」（外務省声明）と説明。「韓国を国家として認めたのではない」として、北側統一案（高麗民主連邦共和国統一案）を堅持する姿勢をみせている。

ソ連共産党の実質的解体を受けて思想引き締めを強める北朝鮮は、八月に予定されていた南北首相会談の十月延期、国際原子力機関（ＩＡＥＡ）の保障措置（核査察）協定の調印拒否など、強硬路線に立ち返った印象も与える。

しかし、北朝鮮が原則を堅持しても、それによって、急増している韓国との貿易、北部地域への「経済特区」設立計画、対日国交正常化交渉など漸進的な開放政策をご破算にすることはあるまい。北朝鮮が現在、経済困難からの脱却を最も重視しているからだ。

0385

讀賣新聞　1991年（平成3年）9月9日（月曜日）

仙台圏讀賣

社会、共産議員団も加盟

主要5党そろう

全国初の超党派　南北対話前進で実現

仙台市会の日韓親善連盟

仙台市議が超党派で構成する「日韓親善仙台市議会議員連盟」（鳳代光一会長）にこのほど、社会、共産市議団が加盟した。国会議員による日韓議員連盟には両党とも不参加で、地方議会でも同様の議員連盟に自・社・公・共・民の主要五党がそろって加盟するのは「全国でも初めて」（李宗求・駐仙台韓国総領事）のケースとなる。

同連盟は、日韓両国の友好親善促進を目的に昭和六十三年一月に設立。市議らが韓国の国会議員やソウル市長を訪問して交流を続けてきた。しかし、社共両党所属の議員は、北朝鮮（朝鮮民主主義人民共和国）との兼ね合いもあって参加を見合わせてきた。

しかし、南北朝鮮の対話の前進に伴い、日本も北朝鮮の国交正常化交渉に入るなど国際情勢の変化を受けて「友好団体にはぜひ超党派で」との機運が盛り上がり、会則を全会一致とすることや党派による差別はしないなどを申し合わせ、八月、加盟が実現したもの。

また、本県では昨年四月、仙台空港から韓国への直行便が就航、韓国との交流も急速に活発化してきていることも、今回の加盟の一因となっているとみられる。

国レベルの同議員連盟は、二年前の山口書記長の訪韓以来、社会党は加盟意思を表明しているものの、現在は調整がつかず未加盟。日本共産党も不参加のままとなっている。

今回加盟したのは社会十人、共産五人の計十五人。これで、仙台市議六十四人全員の加盟が実現したことになる。加盟の理由について共産党県委員会では「朝鮮半島の二つの国家を認めたわけではないが、現状を踏まえ、韓国側も党派による対応の区別はしないとしていることから党本部と相談の上、加盟を決めた」（共産党県委員会）としている。

0386

駐 칠 레 大 使 館

칠레(정) 20312 - 309 1991. 9. 20.

수 신 : 장 관

참 조 : 국제기구국장, 미주국장, 문화협력국장

제 목 : 아국의 유엔가입 관련 홍보

아국의 유엔가입에 즈음하여, 당관은 9.17. 별첨과 같은 홍보자료를 작성, 주재국 각계 요로 130여개처에 배포하였음을 보고합니다.

첨 부 : 상기 홍보자료 각 1부. 끝.

駐 칠 레 大 使

선 결			결재 (공람)		
접수일시	1991. 9. 25				
처리과	53342				

0387

Noticias de Corea

EMBAJADA DE LA REPUBLICA DE COREA
Casilla 1301 — Correo Central
Santiago de Chile

17 de septiembre de 1991

INGRESO DE LA REPUBLICA DE COREA A LA ORGANIZACION DE LAS NACIONES UNIDAS

En la Cuadragésima Sexta Asamblea General de Naciones Unidas celebrada en el día de hoy, la República de Corea, conjuntamente con otras seis naciones, será aceptada como miembro de este Organismo Mundial. Figurarán entre las aceptadas la República Democrática del Pueblo de Corea (Corea del Norte) y las tres Repúblicas Bálticas recientemente independizadas.

Con relación a este magno acontecimiento, damos a conocer una reseña sobre la evolución y desarrollo de relaciones entre Naciones Unidas y la República de Corea.

Antecedentes

Datos esenciales sobre las relaciones entre Corea y las Naciones Unidas.

1. Constitución del Gobierno de Corea

En la segunda sesión de la Asamblea General de Naciones Unidas, celebrada el 14 de noviembre de 1947, dicho Organismo resolvió llamar a elecciones generales libres a fin de constituír un gobierno unificado en la Península de Corea y crear una Comisión de Naciones Unidas con carácter temporal, que efectuase labores de supervisión.

En la tercera sesión de la Asamblea General de Naciones Unidas, celebrada el 12 de diciembre de 1948, dicho Organismo resolvió reconocer al Gobierno de la República de Corea como

0388

el único gobierno legítimamente electo en la Península y establecer en Corea una Comisión de Naciones Unidas que reemplazase a la anterior.

2. El respaldo de Naciones Unidas otorgado a la República de Corea durante la Guerra Coreana.

El 25 de junio de 1950, el Consejo de Seguridad de Naciones Unidas, convocado para discutir la invasión de Corea del Norte a Corea del Sur, adoptó una resolución, definiendo el ataque del norte como una ruptura de la paz y llamó a un cese immediato de hostilidades y al retiro de las fuerzas norcoreanas.

El 27 de junio de 1950, el Consejo de Seguridad de Naciones Unidas, instó a todos los Estados Miembros a "suministrar a la República de Corea cuanta ayuda fuese necesaria a objeto de repeler el ataque armado y reestablecer la paz internacional y seguridad en dicha zona". Fue éste el primer paso dado por Naciones Unidas para rechazar la agresión por el uso de fuerza militar.

En la quinta Sesión de la Asamblea General, efectuada el 7 de octubre de 1950, Naciones Unidas resolvió propugnar elecciones generales en Corea para constituír un gobierno unificado y establecer una Comisión de dicho Organismo en pro de la unificación y reivindicación de Corea.

Durante la Séptima Sesión de la Asamblea General de Naciones Unidas, celebrada el 28 de agosto de 1953, dicho Organismo resolvió aceptar el acuerdo de armisticio coreano.

3. Aspiraciones por un ingreso a Naciones Unidas

El Gobierno de la República de Corea postuló en cinco oportunidades a fin de obtener su ingreso a Naciones Unidas: En enero de 1949, diciembre de 1951, abril de 1961, julio de 1975 y septiembre de 1975. Ninguna de aquellas postulaciones prosperó por el veto de un miembro permanente del Consejo de Seguridad. Naciones amigas presentaron resoluciones a favor de Corea en tres oportunidades: En diciembre de 1955, septiembre de 1957 y diciembre de 1958, pero todas fracasaron debido al veto de un miembro permanente del Consejo de Seguridad.

Corea del Norte postuló en forma directa a Naciones Unidas en dos ocasiones: Febrero de 1949 y enero de 1952, pero o bien fue rechazado o ignorado por el Consejo de Seguridad.

0389

Entretanto, estimulado por la exitosa implementación de su política del norte y por el apoyo abrumador de la comunidad internacional para obtener su asiento en Naciones Unidas, el Gobierno de Corea decidió ingresar este año, en un abierto desafío al apego intransigente de Corea del Norte por mantener una política poco realista e impracticable, cual es un ingreso al Organismo Mundial con asiento único. Bajo esta sustentación, el Gobierno de la República de Corea emprendió una campaña diplomática. El 5 de abril de 1991, el Gobierno presentó un Memorándum al Consejo de Seguridad de Naciones Unidas dejando en claro su intención de incorporarse en el lapso de un año como miembro plenamente integrado a la Organización Mundial.

Aparentemente influenciado por la firme determinación del Gobierno de la República de Corea y su despliegue diplomático, el 28 de mayo de 1991 Corea del Norte anunció su decisión de no continuar aferrándose a la fórmula "de incorporación con asiento único", sino postularía su ingreso dentro del año. El anuncio fue seguido por una declaración del Ministerio de Relaciones Exteriores de la República de Corea, manifestando su complacencia por el cambio de postura.

En vista de la decisión de Corea del Norte de incorporarse a Naciones Unidas en forma independiente, la incorporación de ambas Coreas se realizará sin obstáculo en la apertura de la Cuadragésima Sexta Sesión de la Asamblea General, a celebrarse en el día de hoy.

4. Estado de afiliaciones con organizaciones de Naciones Unidas.

Hasta junio de 1991, la República de Corea se había asociado con dos organismos de Naciones Unidas, la Comisión Económica y Social para Asia y el Pacífico (ESCAP) y la Conferencia de Naciones Unidas para el Comercio y Desarrollo (UNCTAD). El norte sólo se había afiliado con UNCTAD. En lo relativo a organismos especializados de Naciones Unidas, la República de Corea se incorporó a quince de ellos, incluyendo a la Organización Mundial de la Salud (WHO), la Organización para la Agricultura y la Alimentación (FAO), el Fondo Monetario Internacional (IMF) y la Organización Meteorológica Mundial (WMO). Por otra parte, el norte está presente en once organizaciones especializadas, incluyendo a WHO y FAO.

5. El Comando de Naciones Unidas en Corea

El Comando de Naciones Unidas en Corea se estableció de acuerdo a la Resolución 84 del Consejo de Seguridad adoptado el 7 de julio de 1950. Previamente, el 25 de junio de 1950, el Consejo de Seguridad asumió la Resolución 82 que definía el ataque armado de Corea del Norte como un rompimiento de paz, urgiéndolo a suspender las hostilidades a la mayor brevedad y a retirar las fuerzas norcoreanas del paralelo 38. El 27 de junio de 1950, el Consejo de Seguridad acogió la Resolución 83, solicitando a los Estados Miembros de Naciones Unidas suministrar a la República de Corea toda la ayuda necesaria a objeto de restaurar y mantener la paz y seguridad en el área. El 7 de julio de 1950, el Consejo de Seguridad exhortó a los países miembros al suministro de fuerzas militares y ayuda en general para un Comando Conjunto bajo la dirección de los Estados Unidos. Asimismo, dicha Resolución le permitía al Comando usar la bandera de las Naciones Unidas y le imponía a Estados Unidos presentar informes al Consejo de Seguridad relativos a las actividades del Comando de Naciones Unidas en Corea.

En consecuencia, dieciseis Naciones Miembros -Estados Unidos, Inglaterra, Australia, Bélgica, Canadá, Colombia, Etiopía, Francia. Grecia, Luxemburgo, los Países Bajos, Nueva Zelandia, Filipinas, Tailandia, Turquía y Africa del Sur- despacharon fuerzas militares a la República de Corea, mientras cinco restantes -Dinamarca, India, Italia, Noruega y Suecia- enviaron equipos médicos.

El Comando de Naciones Unidas fue partícipe de un acuerdo de armisticio que concluyó el 27 de julio de 1953, ha participado en el Comité de armisticio militar y ha ejercido su autoridad para designar a los miembros del Comité supervisor de naciones neutrales en representación de Naciones Unidas. Diez países -la República de Corea, Estados Unidos, Inglaterra, Francia, Australia. Canadá, Tailandia, Filipinas, Colombia y Nueva Zelandia- aún mantienen representantes en el Comando de Naciones Unidas.

6. Otras contribuciones

La República de Corea ha contribuído anualmente con 31

organizaciones de Naciones Unidas, con un total ascendente a 7 millones de dólares, incluyendo 1 millón de dólares que van en beneficio del Programa de Desarrollo de Naciones Unidas (UNDP), US$ 600,000 al Fondo de la Infancia (UNICEF), US$ 723,000 a la Organización para la Agricultura y la Alimentación (FAO), US$ 625,000 a la Organización Cultural, Científica y Educacional (UNESCO), US$ 254,000 a la Organización Internacional de la Aviación Civil (ICAO) y US$ 652,000 a la Organización Mundial de la Salud (WHO).

Hacia fines de 1990, un total de 163 ciudadanos coreanos estaban trabajando en 20 organismos dependientes de Naciones Unidas, incluyendo 5 en UNICEF, 8 en WHO, 25 en IMF y 87 en el Banco Mundial.

En fecha reciente, Corea también colaboró con Naciones Unidas en un esfuerzo por contener la infundada agresión de Iraq a Kuwait. El Gobierno aseguró un total de US$ 500 millones en dinero en efectivo, mercaderías y servicios de transporte, en pro de los objetivos de las fuerzas de coalición, suministrando ayuda económica y alivio a aquellos países vecinos a Iraq. Además, cinco aviones C-30 que ayudaron a labores de retaguardia de transporte militar, como también equipo médico militar, fueron despachadas hacia Arabia Saudita.

0392

UN

분석관

주 가 봉 대 사 관

가봉(정)20312-247 1991.9.24

수 신 : 장관

참 조 : 국제기구국장, 중동아프리카국장, 문화협력국장

제 목 : 남북한 유엔가입 관련 회견기사

연 : GAW-0144

연호, 본직이 남북한 유엔가입과 관련 주재국 일간지 L'UNION 지의MOUKETOU 외신부장과 회견을 가졌는 바, 동 지 9.18자에 보도된 동 회견 기사를 별첨 송부합니다.

첨 부 : 상기 회견 기사 1부.끝

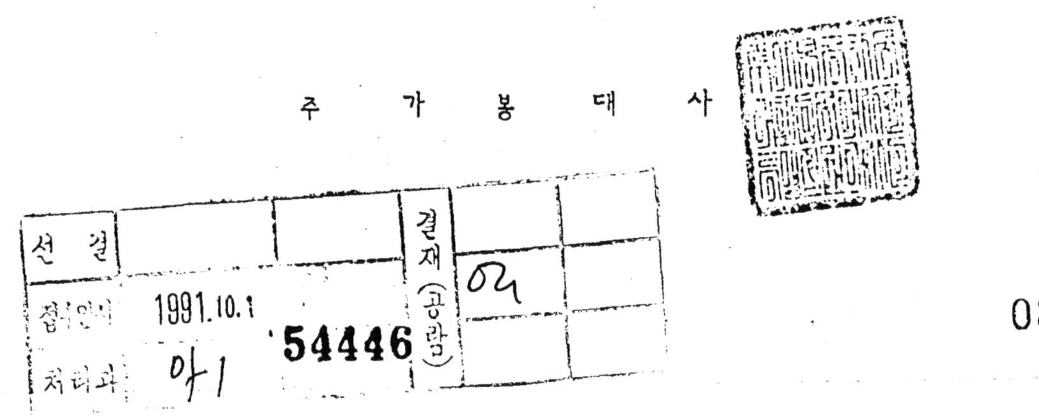

주 가 봉 대 사

선 결			결재 (공람)		
접수일시	1991.10.1				
처리과	아1	54446			

0393

Nations unies — *Admission des deux Corées*

Le fruit d'une longue amitié

A l'instar des trois pays baltes (Estonie, Lettonie, Lituanie) et des deux archipels du Pacifique anciennement sous tutelle américaine (la Micranésie et les îles Marshall), la Corée du Sud et sa voisine du Nord ont fait hier leur entrée officielle dans le cercle des Nations unies. Ces admissions portent ainsi de 159 à 166 le nombre de pays membres de l'ONU. A cette occasion nous avons rencontré le chef de la mission diplomatique sud-coréenne au Gabon S. E. Chang Il Parl (La Corée du Nord n'ayant plus de représentation diplomatique sur place). Notre interlocuteur s'est félicité de cette admission qui se présente comme le fruit d'une longue amitié avec l'ONU et pense, entre autres que l'arrivée aux Nations unies des deux Corées pourra faciliter l'entente entre Séoul et Pyongyang.

En 1949 déjà la République de Corée du Sud s'était adressée à l'ONU pour solliciter son adhésion. Depuis lors, Séoul a souvent manifesté la volonté de rejoindre la grande famille des Nations unies, sans parvenir à y accéder. Pour S. E. Chang Il Park, les démarches effectuées par son pays rencontraient toujours des blocages liés à la guerre froide entre l'Est et l'Ouest.

Pourtant cela n'a pas découragé les autorités sud-coréennes, qui ont toujours entretenu de bonnes relations avec cette instance mondiale. Pour la petite histoire, on rappelle que le premier gouvernement de Corée du Sud a été formé en août 1948 après des élections supervisées par une mission de l'ONU. En décembre de la même année ce gouvernement était reconnu par les Nations unies comme le seul légitime sur la péninsule coréenne.

La présence de l'ONU en Corée du Sud s'accentue en 1950 avec le déclenchement de la guerre de Corée. L'ONU y envoie un premier contingent de ses forces pour repousser ce que S. E. Chang Il Park a appelé les «Communistes».

Aujourd'hui la situation internationale a connu de profonds bouleversements. Séoul qui n'est pas resté en marge de ces mutations s'est attelé de son côté à élargir son cercle de relations avec les pays de l'Europe de l'Est. Septembre 1990, la Corée du Sud rétablit ses relations diplomatiques avec l'Etat-phare du communisme : l'Union soviétique. Quelques mois après Séoul améliore ses rapports avec Pékin.

Commentant l'intérêt de leur adhésion aux Nations unies, le diplomate sud-coréen estime que sur le plan politique, cet acte devrait contribuer à apaiser les tensions sur la péninsule et donc, de faciliter le dialogue pacifique entre les deux pays. L'année dernière déjà, les autorités des deux Etats avaient inauguré une série de rencontres au niveau des Premiers ministres. Trois réunions se sont ainsi tenues respectivement a Séoul et Pyongyang. Une quatrième rencontre devait avoir lieu dernièrement dans la capitale nord-coréenne, mais elle a été reportée à une date ultérieure à cause de la situation politique en URSS. Tous ces premiers contacts officiels depuis la guerre de Corée, affirme M. Chang Il Park, visent à baliser davantage le terrain afin de voir comment parvenir à une réunification pacifique.

Cette année, on pouvait d'ailleurs noter quelques échanges directs de produits, résultats des premiers pourparlers entre les deux chefs de gouvernement. La Corée du Sud a ainsi délivré en juillet 5 000 tonnes de riz à sa voisine du nord, tandis que Pyongyang doit livrer très prochainement du ciment à Séoul.

Fort de ce début de compréhension mutuelle, le diplomate sud-coréen pense que le problème de siège à l'ONU ne devrait pas se poser. Loin de creuser le fossé existant entre eux, la double présence des coréens aux Nations unies devrait plutôt favoriser le débat intellectuel, l'amitié entre Séoul et Pyongyang, soutient Chang Il Park. Et notre interlocuteur de souligner *comme ce qui s'est passé entre les deux Allemagne et les deux Yémen, si jamais nous parvenons à nous réunir le pays aura un seul siège à l'ONU. Cela ne posera aucun problème.*

S.E. Chang Il Park: la double adhésion de la Corée facilitera l'entente entre les deux pays.

Propos recueillis par : Olivier Moukétou ■

0394

유엔加入의 意義와 展望

o 이자리를 빌어 우리의 유엔加入 實現이 있기까지 그동안 國民여러분께서 보내주신 아낌없는 支持와 聲援에 대해 깊은 感謝를 드리는바임.

o 엇그제(9.20) 노大統領께서 유엔會員國이된 우리나라 國家元首로서는 처음으로 유엔總會에 參席하시기 위하여 出國하셨으며, 9.24(火)에는 유엔總會에서 基調演說을 행할 예정임.

o 우리는 1948年 政府樹立以來 43年이란 오랜 期間동안 유엔 加入을 위하여 努力해왔고, 그동안 우리의 높아진 國力이나 國際的 位相에도 不拘, 國際社會에서 有形.無形의 不利益과 制約을 甘受해야만 했던 事實에 비추어볼때 今番 유엔加入은 매우 特別한 意味가 있음.

o 이제 우리나라는 유엔會員國으로서 國際社會에서 우리의 國力과 國際的 位相에 合當한 役割과 寄與를 다할수 있게 되었음. 또한 南北韓이 각각 유엔에 加入하게 됨으로써 유엔 테두리내에서 北韓과의 交流와 協力을 增進시켜 南北韓 關係改善에도 유리한 與件을 마련하게 되었음.

0395

유엔加入 이후 우리의 外交政策方向

o 오늘날 유엔은 和合과 協力의 새로운 國際秩序下에서 軍縮, 人權, 環境등 國際社會가 안고 있는 主要國際問題 解決에 있어서 重要한 役割을 하고 있음.

o 우리나라는 유엔 正會員國으로서 이러한 유엔의 諸般活動에 積極 參與하여 國際社會에서 우리의 國力에 상응한 寄與와 役割을 다하고자 함. 특히 先發開途國으로서 우리는 유엔내에서 先進國과 開途國을 잇는 架橋國家로서의 役割을 遂行하고, 우리의 發展經驗을 여타 開途國들과 共有하는 努力을 傾注해 나가고자 함.

o 유엔加入을 계기로 우리外交는 이제 南北韓間의 對決外交를 清算하고 7千萬 韓民族의 共同利益 增進과 國際的 位相提高를 위한 活動을 더욱 强化해 나가게 될것임.

0396

南北韓 同時加入이 東北亞 情勢에 미치는 影響

o 유엔 會員國으로서 南北韓은 유엔 헌장상의 武力 不使用과 紛爭의 平和的 解決義務를 지게되며, 이는 結果的으로 韓半島 및 東北亞地域에서의 緊張緩和와 平和定着에 유리한 與件을 造成하게 될것으로 봄.

o 또한, 南北韓이 유엔加入을 契機로 서로돕고 도움을 받는 共存共榮 關係를 發展시킬 수 있게 될것으로 期待하며, 이와같은 南北關係의 改善, 發展은 東北亞地域 情勢의 安定化에도 크게 도움을 줄것으로 豫想됨.

o 이에따라 南北韓은 앞으로 東北亞地域內 새로운 秩序形成過程에서 각기 國力과 國際的 位相에 맞는 役割을 하게 될것이며, 周邊國家 들과의 關係도 東北亞地域의 平和와 安定을 增進시킬 수 있는 方向으로 再定立해 나갈 수 있을 것으로 展望됨.

0397

남북한의 유엔가입으로 유엔을 비롯한 국제사회에서 한국의 역할이 증대될 것으로 전망되고 있는데, 유엔가입에 따른 정부의 대외정책은 앞으로 어떤 방향으로 전개될 것인지 설명해 주십시요.(PBS회견, 3분이내)

o 오늘 자정(뉴욕현지시각 9.24. 10:55-11:20) 노대통령께서 유엔총회에서 역사적인 기조연설을 하셨음. 이는 유엔회원국이 된 우리나라 국가원수로서는 최초의 기조연설이라는 점에서 의의가 큼.

o 오늘날 유엔은 화합과 협력의 새로운 국제질서하에서 군축, 인권, 환경등 국제사회가 안고 있는 주요국제문제 해결에 있어서 그 중심적 역할을 더욱 강화하고 있음.

o 우리나라는 유엔정회원국으로 이러한 유엔의 제반활동에 적극 참여하여 국제사회에서 우리의 국력에 상응한 기여와 역할을 다하고자 함.

o 이번 유엔총회에 회원국으로서는 처음 참가하는 만큼, 우리로서는 주요의제 토의에 있어 주요 우방국들과 긴밀히 협의하여 임할것임. 특히 선발개도국으로서 우리는 유엔내에서 선진국과 개도국을 잇는 가교국가로서 역할을 수행하고, 우리의 발전경험을 여타 개도국들과 공유하는 노력을 경주해 나가고자 함.

o 또한 금번 유엔가입을 계기로 우리의 외교는 남북한간의 대결외교를 종식하고 국익증진과 국제적 위상제고를 위한 외교활동을 보다 강화해 나갈 것임.

o 특히 우리는 유엔이라는 "대화의 장"을 통하여 남북한 관계의 개선. 발전과 7천만 한민족의 염원인 한반도의 평화적 통일에 유리한 여건을 조성하기 위하여 더욱 적극적인 노력을 경주해 나갈 예정임.

0398

* PBC (평화방송) -- 이상옥 외무부장관 인터뷰

9 월 25 일 (수) 오후 2시 ~ 2 시 30 분

「노태우 대통령 유엔기조연설 특집방송」

질 문》 남북한의 유엔가입으로 유엔을 비롯한 국제사회에서 한국의 역할이 증대될 것으로 전망되고 있는데,

유엔가입에 따른 정부의 대외정책은 앞으로 어떤방향으로 전개될 것인지 설명해 주십시오. (3 분이내)

0393

남북한의 유엔 가입으로 유엔을 비롯한 국제사회에서 한국의 역할이 증대될 것으로 전망되고 있는데, 유엔가입에 따른 정부의 대외정책은 앞으로 어떤 방향으로 전개될 것인지 설명해 주십시요.(PBS회견, 3분이내)

o 어제 자정(뉴욕 현지시각 9.24. 10:55-11:20) 노태우 대통령께서 유엔 총회에서 역사적인 기조연설을 하셨읍니다. 이는 유엔회원국 자격으로는 우리나라 국가원수가 최초로 유엔총회에서 기조연설을 하셨다는 점에서 의의가 크다고 하겠습니다.

o 오늘날 유엔은 화합과 협력의 새로운 국제질서하에서 군축, 인권, 환경등 국제사회가 안고 있는 주요 문제 해결에 있어서 그 중심적 역할을 더욱 강화하고 있읍니다.

o 우리나라는 이제 이러한 유엔의 제반 활동에 유엔 정회원국으로서 적극 참여함으로써 국제사회에서 우리의 국력에 상응하는 기여와 역할을 다하고자 합니다.

o 이번 유엔총회에는 회원국으로서 처음 참가하는 만큼, 주요 의제 토의에 있어 주요 우방국들과 긴밀히 협의하여 임할 것입니다. 특히 우리는 선발개도국으로서 유엔내부에서 선진국가와 개도국가를 잇는 가교역할을 수행하고, 우리의 발전 경험을 여타 개도국들과 공유하는 노력을 경주해 나가는데 중점을 두고자 합니다.

0400

o 또한 이번에 유엔에 가입하는 것을 계기로 우리의 외교가 종래의 남북한간에 있어왔던 대결외교를 끝내고 국익을 증진하고 우리나라의 국제사회에서의 위상을 높히기 위한 활동을 보다 강화해 나갈 것입니다.

o 특히 우리는 유엔이라는 "대화의 장"을 통하여 남북한 관계의 개선, 발전과 7천만 한민족의 염원인 한반도의 평화적 통일에 유리한 여건을 조성하기 위하여 더욱 적극적인 노력을 경주해 나갈 예정입니다.

0401

* PBC-(평화방송) -- 차관 인터뷰

9 월 25 일 (수) 오후 2시 ~ 2 시 30 분

「노태우 대통령 유엔기조연설 특집방송」

질 문》 남북한의 유엔가입으로 유엔을 비롯한

국제사회에서 한국의 역할이 증대될

것으로 전망되고 있는데,

유엔가입에 따른 정부의 대외정책은

앞으로 어떤방향으로 전개될 것인지

설명해 주십시오. (3 분이내)

0402

서울방송 차관님 기자회견 질문서

질문 1) 유엔가입을 성사시킨 주무부처로서 이제 본격적인 유엔 외교시대를
맞는 감회는 남다르다고 생각되는데 먼저 소감부터 말씀해 주시죠.

질문 2) 노태우 대통령은 이번 유엔 방문기간에 미국과 호주, 뉴질랜드와
정상회담을 염으로써 본격적인 유엔 외교시대의 첫발을 디뎠습니다.
이로써 유엔 외교의 큰 테두리는 설정됐다고 보여지는데 외무부는
이를 어떻게 구체화할 생각이신가요?

질문 3) 유엔 외교시대를 맞아 무엇보다도 남북관계가 어떻게 변화돼 나갈것
인가가 무척 궁금합니다.
남북관계 변화를 주도하기 위해 외무부 나름대로 복안을 갖고 있는
것으로 아는데 이기회에 밝혀 주시겠습니까?

질문 4) 노태우 대통령의 정상외교에 이어서 이상옥 외무장관은 내일부터
적어도 15개 나라와 외무장관 회담을 열 예정인데, 특히 남북관계에
마지막 남은 장애요인으로 지적되고 있는 중국과의 관계개선을 위해
어떤 복안을 갖고 계신지요?

* 답변 : 질문당 약 1½ 분

0403

Cancel - 실시하지 않음 (UNI 협조)

서울방송 차관님 기자회견자료

(9. 28 17:30)

- 국제연합1과 -

질문 1) 유엔가입을 성사시킨 주무부처로서 이제 본격적인 유엔 외교시대를 맞는 감회는 남다르다고 생각되는데 먼저 소감부터 말씀해 주시죠.

o 이자리를 빌어 우리의 유엔가입 실현이 있기까지 그동안 국민여러분들께서 보내주신 지지와 성원에 대해 깊은 감사를 드림.

o 지난 9.24. 노태우 대통령께서 유엔회원국이 된 우리나라 국가원수로서는 처음으로 유엔총회에 참석하시어 기조연설을 하셨음.

o 잘 아시는 바와 같이 우리나라는 1948년 정부수립이래 43년이란 오랜 기간동안 유엔에 가입하기 위하여 노력해 왔고, 대통령께서도 기조연설에서 말씀하신대로 우리가 인내로 기다려온 그 오랜 세월을 돌이켜 볼때 우리 국민모두의 감회는 남다를 수 밖에 없다고 봄.

o 그동안 우리나라는 우리의 국력이나 국제적 위상에도 불구하고 국제사회에서 유형.무형의 불이익과 제약을 감수해야만 했음. 이제 우리는 유엔의 정회원국으로서 국제사회에서 우리의 국력과 국제적 위상에 합당한 역할과 기여를 할 수 있는 중요한 기초를 마련했다고 봄.

o 그러나 아직도 우리가 해결해야 할 수많은 외교문제가 산적해 있음을 생각할때, 외교를 담당하고 있는 우리 외무부로서는 유엔가입을 성사시켰다는데 결코 자만할 수도 또는 감회에 젖어있을 수만도 없음.
앞으로 우리는 우리의 외교역량을 십분 발휘하여 우리나라의 국익증진을 위해 더욱 노력할 것을 다짐하는 계기로 삼고자 함.

0404

질문 2) 노태우 대통령은 이번 유엔 방문기간에 미국과 말련, 뉴질랜드와 정상회담을 가짐으로써 본격적인 유엔 외교시대에 첫발을 디뎠습니다. 이로써 유엔외교의 큰 테두리는 설정됐다고 보여지는데 외무부는 이를 어떻게 구체화할 생각이신지요?

o 오늘날 유엔은 화합과 협력의 새로운 국제질서하에서 군축, 인권, 환경등 국제사회가 안고있는 주요국제문제 해결에 있어서 그 중심적 역할을 더욱 강화하고 있으며, 우리나라는 유엔 정회원국으로서 이러한 유엔의 제반활동에 적극 참여할 의무와 권한을 갖게 되었음.

o 이번 유엔총회에는 회원국으로서는 처음 참가하는 만큼, 우리로서는 주요의제 토의에 있어 우방국과 긴밀히 협의하여 임하고자 함. 사회자께서 말씀하신 바와 같이 대통령께서는 유엔방문기간중 미국 부쉬 대통령을 비롯 말련, 뉴질랜드 수상과의 정상회담을 통하여 유엔에서의 협력방안에 관한 큰 테두리를 정하신 바 있으며, 9.30-10.5간 이상옥 외무장관은 뉴욕을 재방문하여 유엔내에서 중심적 역할을 하고 있는 17-8개국 외무장관과 회담을 통하여 우리의 대유엔외교정책을 바탕으로 우방국과의 협조방안을 더욱 구체화하고 발전시켜 나갈 예정임.

o 유엔내에서의 우리의 역할과 대유엔 외교의 주안점을 말씀드리자면,
  - 우리는 선발개도국으로서 유엔내에서 선진국과 개도국을 잇는 가교 국가로서의 역할을 수행하여, 제반 국제문제해결 특히 남북문제해결을 위해 우리의 능력에 합당한 역할과 노력을 강화해 나가고자 하며,
  - 또한 금번 유엔가입을 계기로 남북한간의 대결적 소모외교를 지양하고 실질적 국익증진과 국제적 위상제고를 위한 외교활동을 보다 강화해 나갈 것임.

0405

- 특히 우리는 유엔이라는 "대화의 장"을 통하여 남북한 관계의 개선과 발전, 그리고 7천만 한민족의 염원인 한반도의 평화적 통일에 유리한 여건을 조성하기 위하여 더욱 적극적인 노력을 경주해 나갈 예정임.

0406

질문 3) 유엔 외교시대를 맞아 무엇보다도 남북관계가 어떻게 변화돼 나갈 것인가가 무척 궁금합니다. 남북관계 변화를 주도하기 위해 외무부 나름대로 복안을 갖고 있는 것으로 아는데 이기회에 밝혀 주시겠습니까?

o 남북한의 유엔가입은 남북한간의 기본관계를 대결구조에서 평화적 공존체제로 전환시키는 계기를 제공한 것으로 남.북한은 앞으로 유엔헌장의 정신에 따라 상호 실체를 인정하고 평화통일을 추구해 나가야 할 의무를 지게 되었다고 봄.

o 대통령께서 금번 유엔총회 기조연설에서 밝히신 남북한 관계개선 3원칙은 금후 남북한관계의 발전방향에 관해 우리의 기본입장을 밝히신 것으로 매우 중요한 의미를 갖는 것임.

o 우리로서는 금후 남북한관계의 발전을 위해 우선 현재의 휴전체제를 평화체제로 전환키 위한 외교적 노력을 강화해 나갈 것이며, 사람과 물자 그리고 정보의 자유로운 교류확대 및 상호 신뢰구축을 통한 실질적 군비감축을 달성할 수 있도록 외교적 여건을 성숙시키기 위한 노력을 배가해 나갈 것임.

0407

질문 4) 노태우 대통령의 정상외교에 이어서 이상옥 외무장관은 내일부터 적어도 15개 나라와 외무장관 회담을 열 예정인데, 특히 남북 관계에 마지막 남은 장애요인으로 지적되고 있는 중국과의 관계 개선을 위해 어떤 복안을 갖고 계신지요 ?

o 아시는 바와 같이 그동안 우리는 韓半島의 安定維持와 平和統一 基盤 造成을 위하여 인근 사회주의국가인 중국과의 관계를 개선하기 위해 꾸준히 노력해 왔음. 그 결과로 작년기준으로 양국간 왕복 교역액이 38억미불을 넘어섰고 상호 방문자수도 6만명에 가까와 졌으며, 금년에는 이를 훨씬 上廻할 것으로 예상되고 있음.

o 특히 올해 초 양국의 首都에 각각 貿易代表部가 개설되어 비자발급 등 일부 政府 機能을 遂行하게 된 것은 한.중관계 진전에 커다란 劃을 그은 것으로 보며, 현재 협의중인 貿易協定 등 경제관계협정이 체결되면 양국간 經濟協力이 더욱 活性化 될 것으로 기대됨.

o 현재 중국은 北韓과의 전통적 紐帶關係를 의식, 우리와의 급속한 관계진전이 北韓을 고립시켜 韓半島의 不安定을 招來하게 될 것을 憂慮함과 아울러 최근의 소련사태 영향으로 社會主義體制 連帶强化를 과시하기 위해 우리와의 정치관계 발전에 다소 소극적인 것으로 보여지고 있음.

o 그러나 우리는 금번 남.북한의 유엔 동시가입을 계기로 UN 뿐만 아니라 APEC 즉, 아시아 태평양 경제협력 회의와 ESCAP 즉, 유엔 아시아 태평양 경제사회 이사회 등 國際舞臺의 틀안에서 對中接觸을 活性化시킬 예정이며, 또한 우리의 對北政策이 독일식 吸收統一을 指向하는 것이 아니라는 점을 중국측에 인식시켜 한.중관계 개선이 북한의 고립을 심화시킨다든가 한반도 안정에 저해요인이 될지도 모른다는 中國側의 憂慮를 拂拭해 나갈 작정임.

0408

o 이와같이 양국간의 經濟協力의 꾸준한 增加와 국제적 和解時代에 있어서 인근 국가간의 협력관계를 함께 모색해 가는 과정에서 韓.中 修交라는 北方外交의 마지막 課題는 머지않아 해결될 것으로 봄.

0409

< 야당측의 예상 對政府質問 > 총리실

- 자치단체장선거에 대한 정부입장과 기초단체장선거 연기설의 진위

- 지방자치단체장 선거의 동시 실시 주장에 대한 정부 입장

- 지방자치단체의 부단체장 지위를 어떻게 정할 것인지

o UN 동시가입 관련 사항

- 대통령의 통일3원칙 발표에 앞서 북한과 사전 교감이 있었는지 여부

UN課 ⑨ 대규모 UN 공식 경축사절단 및 경축공연단 파견은 과소비의 표본이 아닌가

北美1課 在外國民1課 ⑥ 김대중 대표의 컬럼비아대 강연 취소 압력이나, 현지교민들에 대한 김대중 대표 초청만찬 불참 압력 등은 통합야당에 대한 견제로 보는데 이에 대한 견해

東3외課 6 김대표의 방소시 소련 주요인사 면담 추진에서 공관이 보여준 비협조적이고 무성의한 태도는 정부의 지시에서 비롯된 것으로 보는데 이에 대한 견해

- 한미 정상회담장에서 대통령이 김영삼 민자당 대표를 미대통령에게 소개한 것을 두고 의미를 부여하는 것은 사대주의적 발상으로 보는데 이에 대한 견해

0410

박실의원

<질 문>

노대통령의 유엔 참석 관련 예산 규모는?
과소비 억제차원에서 유엔 가입 대통령 수행 사절단의 대폭 축소를 청와대에 건의할 용의?
또 문화사절단 파견 백지화 용의는?

<답 변>

o 노태우 대통령 내외분의 금번 유엔 및 멕시코 합중국 공식방문과 관련한 예산 규모는 정상외교의 성격상 현재로서는 밝히기 어려운 실정임을 양해해 주시기 바람.

미국, 소련, 일본등 세계 주요국도 정상의 해외방문 외교 관련 경비를 공개하지 않는 것이 관례로 알고 있으며, 특히 북한과의 관계에 아직 괄목할 진전이 없는 우리의 특수상황도 고려 되어야함.

o 금번 우리의 유엔 가입 실현은 정부수립 이래 43년 동안의 오랜 외교 숙원 과제를 해결한 것으로서 우리 역사에 새로운 큰 획을 긋는 역사적 사건이고, 국민 모두가 함께 경하해 마지 않고 있음.

특히 남북한의 유엔가입은 남북한의 유엔 회원국시대를 열고, 우리의 외교 지평을 전세계로 확대하는 실로 그 의미가 큰것임.

이러한 역사적인 유엔가입을 계기로 각계각층의 인사 30명으로 구성된 유엔 가입 경축사절단이 유엔총회에 참석하여 우리 국민의 단합된 모습을 전세계에 보이는 것이 나름대로 의의가 크다고 봄.

0411

(國會 豫想質疑 答辯資料)

(質問) 大規模 유엔 公式 慶祝使節團 및 慶祝公演團 派遣은 過消費의 標本이 아닌가?

(答 辯)

o 今番 우리의 유엔加入實現은 政府樹立以來 43年 동안의 오랜 外交宿願課題를 解決한 것으로서 우리 歷史에 새로운 큰 획을 긋는 歷史的 事件이고, 國民 모두가 함께 慶賀해 마지 않고 있음.

o 특히 南北韓의 유엔加入은 南北韓의 유엔會員國時代를 열고, 우리의 外交 地平을 全世界로 擴大하는 실로 그 意味가 큰것임.

o 이러한 歷史的인 유엔加入을 계기로 김영삼 民自黨 代表最高委員과 김대중 民主黨 總裁와 함께 各界各層의 人士 30名으로 構成된 유엔加入 慶祝 使節團이 유엔總會에 參席하여 우리 國民의 團合된 모습을 全世界에 보인 것은 나름대로 意義가 컸다고 봄.

앙 고 재	91년 9월 30일	담 당	과 장	국 장
		김승천	(서명)	(서명)

0412

o 그동안 政府에서는 定期的으로 우리 傳統文化의 海外弘報次元에서 文化使節團을 各國에 派遣해 왔음. 특히 今番 歷史的인 유엔加入은 우리나라의 國際的 이미지를 드높이고, 優秀한 傳統文化를 紹介할 수 있는 좋은 계기가 될것으로 判斷, 總 159名의 頂上級 國樂人들로 構成된 文化使節團을 美國에 派遣한 것임. 同 使節團은 9.21. 로스엔젤레스 및 9.25. 뉴욕(카네기홀)에서 두차례의 公演을 成功的으로 마쳤는 바, 이를 통하여 國際社會에서 우리의 傳統文化를 널리 紹介하고 國威를 宣揚하였다고 評價함.

0413

(質問) 韓國은 北韓과 함께 이제 막 유엔에 加入했는데, 大統領께서는 여기에 어떤 重要性을 賦與하고 계십니까? UN韓國代表들의 優先順位는 무엇이 되겠읍니까? (프랑스 Politique International 誌)

o 우리나라가 지난 9.17 北韓과 함께 유엔에 加入한 것은 참으로 큰 意義가 있다고 생각함.

o 금번 南北韓의 유엔加入은 韓半島의 緊張緩和와 平和的 統一促進 그리고 東北亞地域 전체의 平和構造定着에 유리한 與件을 마련할 것으로 기대함.

o 앞으로 南北韓이 유엔테두리내에서 交流와 協力을 증진시켜 相互信賴를 構築해 나간다면, 이는 바로 南北韓 關係改善. 發展과 나아가 平和的 統一을 促進시키는 土臺를 마련하게 될 것임. 南北韓은 이제까지의 비생산적인 對立關係를 청산하고 韓民族 共同繁榮을 위한 和合과 協調의 새로운 關係를 만들어 나가는데 힘을 합쳐야 함.

o 이러한 見地에서 본인은 지난 9.24 유엔總會에서 행한 基調演說에서 韓半島問題 解決을 위한 3大 原則을 밝힌바 있음. 또한 우리는 南北韓 주유엔대표부간의 協議가 定例化되는 것이 必要하다고 봄. 우리는 유엔내에서 다루어지고 있는 主要問題 가운데 韓民族 共同關心事에 관하여 南北韓 유엔代表部間의 相互協議 및 意見調整을 통한 建設的 協調關係 構築을 위해 努力하고자 함.

심의관: [signature]

공람	담당	과장	국장
91년 10월 26일	[signature]	[signature]	[signature]

0414

o 물론 우리는 이러한 南北韓關係 차원과는 별도로 世界平和와 繁榮 發展을 위한 유엔의 고귀한 이상을 達成하기 위한 유엔의 諸般 活動에 적극 參與할 것임. 특히 우리가 先發開途國으로서 蓄積해 놓은 발전경험을 여타 開途國들과 공유해 나가는 노력을 强化함으로써 國際社會의 發展에 우리의 國力에 합당한 기여를 다하고자 함.

0415

(이용준)

주[illegible] 송영방 서기관 ___ 가 1과

재[illegible] 기자회견 자료 (대통령 시정연설)

1. 질문내용

가) 유엔의 기능에 대해 향후 변화가 있어야 한다고 생각하시는지요? (멕시코 Vision 誌)

나) 한국은 북한과 함께 이제 각 유엔에 가입했는데, 대통령께서는 여기에 어떤 중요성을 부여하고 계십니까? UN 한국 대표들의 우선순위는 무엇이 되겠읍니까? (프랑스 Politique International 雜誌)

2. 학생운동

○ 10.23 모임등 회시

○ A4 1페이지 분량 (가능한)

※ 10.25 10:25 드리겠음 (Fax 송부 : 이용준)

0416

RECEIVED FROM 1991.10.22 18:37 P.1

(質問) 韓國은 北韓과 함께 이제 막 유엔에 加入했는데, 大統領께서는 여기에 어떤 重要性을 賦與하고 계십니까?
UN韓國代表들의 優先順位는 무엇이 되겠읍니까?
(프랑스 Politique International 誌)

o 우리나라가 지난 9.17 北韓과 함께 유엔에 加入한 것은 참으로 큰 意義가 있다고 생각함.

o 금번 南北韓의 유엔加入은 韓半島의 緊張緩和와 平和的 統一促進 그리고 東北亞地域 전체의 平和構造定着에 유리한 與件을 마련할 것으로 기대함.

o 앞으로 南北韓이 유엔테두리내에서 交流와 協力을 증진시켜 相互信賴를 構築해 나간다면, 이는 바로 南北韓 關係改善. 發展과 나아가 平和的 統一을 促進시키는 土臺를 마련하게 될 것임. 南北韓은 이제까지의 비생산적인 對立關係를 청산하고 韓民族 共同繁榮을 위한 和合과 協調의 새로운 關係를 만들어 나가는데 힘을 합쳐야 함.

o 이러한 見地에서 본인은 지난 9.24 유엔總會에서 행한 基調演說에서 韓半島問題 解決을 위한 3大 原則을 밝힌바 있음. 또한 우리는 南北韓 주유엔대표부간의 協議가 定例化되는 것이 必要하다고 봄. 우리는 유엔내에서 다루어지고 있는 主要問題 가운데 韓民族 共同關心事에 관하여 南北韓 유엔代表部間의 相互協議 및 意見調整을 통한 建設的 協調關係 構築을 위해 努力하고자 함.

o 물론 우리는 이러한 南北韓關係 차원과는 별도로 世界平和와 繁榮發展을 위한 유엔의 고귀한 이상을 達成하기 위한 유엔의 諸般活動에 적극 參與할 것임. 특히 우리가 先發開途國으로서 蓄積해 놓은 발전경험을 여타 開途國들과 공유해 나가는 노력을 强化함으로써 國際社會의 發展에 우리의 國力에 합당한 기여를 다하고자 함. (끝)

(質問) 유엔의 機能에 대해 향후 變化가 있어야 한다고 생각하시는지요? (멕시코 Vision 誌)

o 오늘날 國際社會에는 과거 40餘年間 持續되어온 동.서간 冷戰構造가 瓦解되고 和合과 協力의 정신위에 새로운 國際秩序가 形成되고 있음.

o 이러한 新國際秩序의 到來는 主要國際問題 解決에 있어서 유엔의 權能과 役割을 그 어느때 보다 强化시키고 있다고 봄.

o 실로 유엔은 國際平和維持와 安定이라는 제1차적 任務와 함께 開途國의 經濟.社會開發, 人權伸張, 環境保護, 痲藥퇴치등 범세계적 問題의 解決에 있어서 主導的 役割을 수행하고 있으며, 이러한 유엔의 役割에 대한 國際社會의 기대도 매우높음.

o 앞으로 유엔이 46년전 유엔 創設者들이 염두에 두었던 國際平和維持와 인류복지증진이라는 숭고한 이상을 實現하는 普遍的 國際機構로서 더욱 발전해 나가길 기대함. 특히 和解와 協調의 새로운 國際秩序下에서도 地域 紛爭發生의 위협성이 常存하고 있는것이 엄연한 현실임에 비추어, 유엔이 紛爭 豫防活動 및 解決努力을 통하여 國際平和 및 安保維持機能을 더욱 强化해 나갈수 있어야 함. (끝)

질문 : 장관께서는 한국외교 43년의 숙제였던 유엔가입을 실현하셨는데 앞으로 대유엔외교 전략은 무엇입니까? 또 유엔사무국이 한국인 직원을 모집할 계획인데 유엔내에서 한국인이 보다 많이 진출할 수 있도록 하는 지원책은 서 있습니까?

답변 :

o 현재 진행되고 있는 제46차 총회에서는 세계의 정치 · 군사 · 경제 · 사회 · 문화 분야의 각종 문제가 논의되고 있고, 우리는 각문제에 대한 우리입장을 [illegible] 밝힘으로써 세계여론의 형성과정에 적극 참여, 새로운 국제질서의 구축에 기여해 나가고 있습니다.

o 물론 우리가 신규회원국으로서 그간 유엔이 다루어왔던 제반 주요 현안에 대한 지식이나 경험이 일천한 것이 사실이지만, 가급적 빠른 시일내 유엔에서 우리의 국력에 상응하는 역할을 수행하기 위하여 최선의 노력을 다하고자 합니다.

o 그밖에 우리는 우리의 국익과 직결되어 있는 문제가 유엔에서 토의되고 또한 결정될 때에는 더욱 더 우리의 외교역량을 십분 발휘하여 효율적으로 대처하고자 합니다.

o 우리나라 사람들의 유엔사무국등 국제기구 진출에 대해서는, 새로운 국제질서하에서 유엔등 국제기구의 역할이 더욱 제고되고 있는만큼 우리 국민들이 그러한 기구에 진출하여 적극적으로 활동할 수 있도록 가능한 지원을 아끼지 않으려고 합니다. 이와관련 이미 보도를 통하여 알려진 내용입니다마는 우리는 유엔과의 협의를 통해 우선 내년 4월에 유엔사무국 전문직 채용시험을 서울에서 치룰 예정입니다.

공람 91년 11월 21일	담당	과장	국장
고재	(서명)	(서명)	(서명)

0420

o 한편 국제기구 진출은 각기구의 인원수급 사정이 있으므로 우리가 원한다고해서 단기간에 성과를 올릴 수 있는 것은 아니며, 또한 유엔등 국제기구가 요구하고 있는 어학력 및 전문성등면에서 유자격자를 우리가 얼마나 확보하고 있느냐와 관련되는 문제입니다.

o 금후 우리는 유엔사무국을 비롯한 주요 국제기구와의 교섭을 통하여 한국인의 진출확대를 위해 더욱 노력하는 한편, 체계적인 국제기구 전문인력 양성 및 인사관리를 위해 필요한 대내적 제도마련을 병행해 나가고자 합니다.

질문 : 유엔평화유지군 파견과 관련해 유엔의 요청도 없었고 우리는 아직 검토한바가 없다고 말씀하셨는데 이는 유엔의 요청이 있으면 적극 검토하겠다는 의미입니까?

답변 :

o 우리는 유엔의 평화유지활동과 관련 우리가 유엔의 회원국으로서 유엔의 평화유지활동에 응분의 기여를 해야한●, 실제 어떠한 분야와 방법이 가능할 것인가는 ~~점차적으로~~ 검토~~해 나간다는 기본입장을 가지고 있습니다~~.

o 따라서 앞으로 우리정부가 유엔으로부터 실질적인 평화유지활동 참여를 요청받는 경우, 우리는 동 참여대상, 구체적인 참여방안 및 우리가 처한 당시 여건등●을 종합적으로 검토하여 우리의 참여 가능성 및 그 범위를 최종 결정하게 될 것입니다.

o 다만, 유엔의 평화유지활동은 반드시 군대를 파견하는 것만을 전제로 하지 않고 있으며, 실제 그 수행업무 내용에 있어서도 민간 또는 비전투요원에 의한 총선감시, 난민보호등●의 역할이 점차 커지고 있음을 참고로 말씀드립니다.

0421

지급
URGENT

〈李相玉 외무장관 기자회견 질문서〉

- 서울신문사.
UN

▲ APEC 관련

① 지난 12일부터 14일까지 서울에서 개최된 APEC 제3차 회의의 성과는 무엇이었다고 생각하십니까? (정홍)

② APEC 서울회의가 中國·台灣·홍콩등의 가입을 성사시켜 우리의 외교역량을 충분히 발휘한 성공작이었다는 것이 일반적인 평가인데 UK의 선전장으로 변질, 남을 위한 잔치였다는 지적도 있습니다. 장관께서는 이문제에 대해 어떻게 생각하십니까. (정홍)

③ 외무부가 APEC 참가 회원국 수석대표들에게 「금단추」를 선물한 것으로 알려져 있습니다. 이번 일은 어떻게 된 것입니까? (정홍)

▲ 북한 核관련

④ 북한의 핵무기 개발 저지및 핵재처리 시설 폐기를 위한 정치적·외교적 압력이 가중되고 있는 상황에서 美國의 학계등에서는 경제 제재조치를 비롯해 최악의 경우 군사적 대응 주장도 나오고 있습니다. 외교적 압력에도 불구, 북한이 끝내 핵무기 개발 포기를 거부할 경우 취할수 있는 방안은 무엇입니까? (북미2)

⑤ 장관께서는 최근 한 연설에서 북한의 핵무기개발 포기는 개방을 향한 첫 신호가 될 것이라고 말씀하셨습니다. 그렇다면 북한이 핵무기 개발 의사를 포기할 경우 북한의 개방을 지원하기 위해 서방국가들과의 관계 개선을 적극 지원할 용의는 없습니까? (북미2)

0422

⑥ 베이커美국무장관이 6者회담을 제의했고 최근엔 북한군축연구소 부소장도 이를 반대하지 않는다고 밝혔습니다. 북한의 핵무기개발 포기를 위한 대규모 압력과 함께 적당한 시점에서 북한의 체제 보존을 보장해주는 등의 방식으로 타협할 수 있는 가능성은 없습니까? (북미)

⑦ 우리는 북한의 핵무기개발이 저지되지 않는한 북일간의 관계개선을 자제해줄 것을 美·日등에 요구하고 있습니다. 그런데 최근 남북고위급회담등 직접적인 대화채널을 통해 강력히 핵사찰등을 요구하지 않느냐는 지적이 나오고 있는 것으로 알고 있습니다. 고위급회담등에서 북한 핵문제를 강력히 거론할 의향은 없으십니까? (정홍, 이실)

■ 아주국 관련

⑧ 캄보디아·베트남등 우리와 미수교국이 최근 美國·아세안등의 나라들과 관계개선을 본격화하고 있습니다. 우리는 이들 국가와 언제쯤 수교할수 있을 것으로 보십니까? (아동)

⑨ 韓日 양국은 지난해 11월 각료회의에서 교포3세에 대한 법적 차별 대우 철폐를 약속했습니다. 그런데 日측이 그 시행 과정에서 얼마나 충실히 이 문제를 이행하고 있다고 보십니까. 예를 들면 범죄한 교포들의 경우에서 말입니다. (아일)

⑩ APEC 회의 과정에서 장관께서는 錢其琛 中國 외교부장과 회담을 갖고 접촉을 확대해 나가기로 합의하셨습니다. 이는 무역대표부가 앞으로 수교문제로 논의할수 있다는 것으로 해석해도 괜찮습니까. (아이)

0423

⑪ 노載源 駐韓中 무역대표부 대표가 현재 미국을 방문중인데 노대표는 무슨 일때문에 미국을 방문했으며 미국서 만난 인사들은 누구입니까? (아이)

▲ 구주국

⑫ 지난 4월 제주 韓蘇 정상회담 이후 소련의 비중이 우리 대외에서 상대적으로 낮아졌다는 느낌입니다. 우리는 앞으로 소련과의 관계를 어떤 식으로 전개해 나갈 계획이며 소련의 대한반도 정책은 무엇이라고 보십니까? (동구1)

▲ 국제기구국

⑬ 장관께서는 한국 외교 43년의 숙제였던 유엔 가입을 실현하셨는데 앞으로 대유엔 외교 전략은 무엇입니까. 또 유엔 사무국이 한국인 직원을 모집할 계획인데 유엔내에서 한국인이 보다 많이 진출할 수 있도록 하는 지원책은 서 있습니까? (UN)

⑭ 유엔 평화유지군 파견과 관련해 유엔의 요청도 없었고 우리는 아직 검토한 바가 없다고 말씀하셨는데 이는 유엔의 요청이 있으면 적극 검토하겠다는 의미입니까? (UN)

▲ 미주국

⑮ 부시美 대통령의 해외의 전술핵 폐기 선언이 한반도에서 단행되고 난뒤 재래식 무기의 보강을 위해 패트리어트 미사일 구입등을 검토하고 계십니까? (북미2)

0424

기자회견 자료(안)

질문 : 지난 9.17. 제46차 유엔총회 개막일에 회원국이 된이래 그간 노대통령께서 기조연설도 하셨고, 그 이후 총회 각위원회에 우리도 적극 참여하고 있는 것으로 알고 있습니다. 2개월정도 진행된 금차 총회의 전반적인 분위기에 대하여 말씀해 주시고 특히 남북한의 유엔 참여에 있어 특징적인 것은 없었는지요.

답변 :

- o 금차 총회는 동서화해에 따른 협조분위기가 고조된 가운데 개최되어 우리대통령을 포함 국가원수 24명, 수상 10명등 고위급인사가 대거 참여한 바, 이는 각국이 유엔에 부여하고있는 중요성을 반영한 것으로서 범세계적인 중심기구로서 역할이 고양되고 있는 유엔의 위상을 재확인한 것이라고 말씀드릴 수 있습니다.

- o 각국은 냉전이후의 신국제질서 형성과정에서 유엔이 보다 중심적인 역할을 수행할 것을 기대하고, 특히 걸프사태 해결에서 보여준 바와 같이 유엔을 중심으로한 집단 안보체제의 효율적 운용을 강조하였습니다.

- o 세계적 화해추세에 따라 지역분쟁 해결에 대한 낙관적인 기대가 표명되고, 특히 정치, 군축, 안보문제를 다루는 제1위원회 같은데에서는 미·소의 새로운 핵정책 선언에 힘입어 회원국 전체가 대화와 이해를 통해 문제를 해결하자는 진지한 자세를 보임으로써 무기이전등록 결의안 채택등 주요 현안 해결에 진일보할 수 있었다고 봅니다.

양 91년 고 11월 재 21일	담 당	과 장	국 장
	(서명)	(서명)	(서명)

0425

o 우리는 금차 총회가 유엔에 가입한이래 최초의 회원국 활동임을 감안, 주요의제를 중심으로 실질문제 토의참여와 주요회원국과의 활발한 접촉을 통해 정회원국으로서의 입지정립 및 향후 활동에 필요한 정보 축적에 주력하고 있습니다.

o 이러한 기본방침하에 11.20.현재까지 우리는 제1위(정치), 제2위(경제), 제3위(사회 · 문화) 제5위(행정 · 예산)의 일반토의 연설을 비롯, 20여회에 걸친 연설을 통하여 군축, 환경, 인권, 아동문제등 국제사회의 주요현안에 대한 우리정부의 입장을 밝혔으며, 주요 회원국과의 긴밀한 협의하에 우리의 정책과 부합하는 주요결의안에 공동제안국으로 참여(9회)하였고, 각종 결의안에 대한 표결을 통하여 우리의 입장을 밝혀 나가고 있습니다.

o 우리는 신규회원국으로서 그간 유엔이 다루어왔던 제반 주요현안에 대한 지식이나 경험의 축적면에서 타회원국보다 불리한 위치에 있는 것은 사실이지만, 가급적 빠른 시일내 유엔에서 우리의 국력에 상응하는 역할을 수행하기 위하여 유엔대표부 전직원이 합심하여 노력하고 있습니다.

o 한편, 북한은 정치.군축분야이외에는 별반 관심을 보이지 않고 있으며 제1위(정치)에서도 발언권행사를 거의 않는등 소극적 태도를 보이는 것으로 평가됩니다.

o ~~그러나~~ 우리의 한반도 비핵화 선언 및 미 · 소의 새로운 핵군축 정책에도 불구, IAEA와의 안전협정 체결문제에 관해 종래의 비합리적인 주장을 반복하고 있어 국제사회의 우려를 자아내고 있습니다.

0426

o 북한의 핵개발 저지문제는 이락의 핵사찰 결과에 대한 금차 총회의 심도있는 논의에 따라 더욱 주목을 받고 있으며 유엔을 포함하여 국제적으로 공동으로 대처해야 할 사안이라는 인식이 더욱 깊어지고 있다고 봅니다.

0427

南北韓 유엔加入을 實現한 소감

- 91.12.31. KBS 라디오 송년특집 "가는해 오는해" -

국 제 기 구 국

안 91 12 07	담 당	과 장	국 장

0428

안녕하십니까. 辛未年을 마감하면서 여러분들께 몇말씀 드리게된 것을 기쁘게 생각합니다.

지난 1년간의 세계정세와 또 그속에서의 우리외교를 돌이켜보면 참으로 중요한 일들이 많이 있었습니다. 최근 소련이 ~~해체되~~는 것을 ~~보~~면서, 우리는 ~~세계가 우리가 상상하는 것보다 더 빠르게 변모해가고 있다는 것을 다시한번 실감할 수 있었습니다~~. 이와같이 역동적인 국제환경속에서 우리나라는 한마디로 이제는 세계의 변화를 받아들이기만하는 방관자적 위치에 있는 국가가 아니라, 이 국제사회의 변화속에서 같이 움직이면서 세계의 새로운 모습을 만들어가는 과정에 한 몫을 하고 있다는 점을 우선 말씀드리고 싶습니다.

지난 한해동안 있었던 외교사안중에서 특히 뜻깊은 일은 유엔가입이라고 생각하는데, 특히 그것이 우리가 당초 바라던대로 북한도 함께 유엔에 가입하게 됨으로써 더욱 의미가 크다고 생각합니다.

돌이켜보건데 남북한 동시 유엔가입에 대한 북한의 반대는 상당히 완강했었고 또한 중국의 거부권행사 가능성도 배제할 수 없었습니다. 그러한 상황하에서 우리는 그동안 꾸준히 추진해온 북방외교의 성과를 바탕으로해서, 또한 유엔가입에 대한 국가원수의 확고한 신념을 받들어서 우리의 외교역량을 총동원

1

0429

하였습니다. 우리 우방국들도 전폭적으로 지지해 주었고, 내부적으로는 우리 국민들의 성원과 특히 언론에서 깊은 이해와 지지를 아끼지 않았던 것이 인상 깊습니다.

잘 아시다시피 우리나라는 2차대전후 세계냉전의 급류속에서 우리의 의사에 반하여 국토가 분단되었습니다. 이같이 왜곡된 민족의 역사가 국제 무대에 투영되어 나타난 것중의 하나가 유엔에 가입하고 싶어도 가입할 수 없었던 것이었습니다. 우리는 불행한 역사의 질곡으로부터 벗어나기 위해서 노력했으며 드디어 지난 9월 17일 비정상적인 모습을 허물고 우리의 온당한 제자리를 찾게 되었습니다.

오늘날 우리는 냉전체제가 와해되어 새로운 국제질서가 형성되어가는 역사의 전환점에 서 있습니다. 이 중대한 전환기에 한반도문제의 질적변화를 능동적으로 모색해야 하는 우리의 입장에서 볼때, 남북한의 유엔 동시가입은 더큰 의미를 가진다고 생각합니다. 남북한의 유엔가입을 시발로해서 한반도의 기류에 중대한 변화를 감지하게 됩니다. 꽁꽁 얼어붙어 요지부동으로 느껴졌던 남북한관계가 해빙기를 맞이하는 듯한 느낌을 주고 있는 것은 참으로 다행한 일입니다.

2

0430

이제 우리는 유엔회원국이 됨으로해서 세계평화와 인류의 공동번영을 위해 보다 건설적인 역할을 할 수 있는 기반을 갖게 되었습니다. 지난 걸프전쟁에서 보았듯이 세계평화를 유지하는데 있어 유엔의 역할은 더욱 중요해지고 있습니다.

또한 작금의 지구상에는 많은 나라가 공동으로 노력해야만 극복할 수 있는 여러가지 문제들이 있습니다. 환경보호, 테러방지, 마약, 빈곤문제등 공동관심사를 해결하는데 유엔은 중심적인 역할을 하고 있습니다. 우리는 이 방면 에도 우리가 할 수 있는 최선의 기여를 다하고자 합니다.

우리 외교사에 큰 획을 그은 1991년, 이해를 보내면서 그동안 유엔가입을 성원해 주신 국민 여러분들에게 다시한번 감사드립니다. 어떠한 외교정책도 국민의 지지와 성원없이는 소기의 성과를 기대하기가 어렵다는 것은 재론할 필요도 없습니다. 앞으로 정부는 주요외교사안에 대하여 여러분들의 이해를 구하고 또한 광범위하게 지혜를 모으는 노력을 아끼지 않을 것입니다.

새해에도 국민여러분들께서 우리의 외교에 대해 계속 많은 관심을 가져 주시기 바라며, 모든분들께 건강한 또 한해가 되시기를 바라는 바입니다.

감사합니다.

(長官)

南北韓 유엔加入을 實現한 소감

- 91.12.31. KBS 라디오 송년특집 "가는해 오는해" -

국 제 기 구 국

0432

안녕하십니까. 辛未年을 마감하면서 여러분들께 몇말씀 드리게된 것을 기쁘게 생각합니다.

지난 1년간의 세계정세와 또 그속에서의 우리외교를 돌이켜보면 참으로 중요한 일들이 많이 있었습니다. 최근 소련이 소멸되는 것을 목도하면서, 우리는 엄청난 역사의 변화를 실감하고 있습니다. 이와같이 역동적인 국제 환경속에서 우리나라는 한마디로 이제는 세계의 변화를 받아들이기만하는 방관자적 위치에 있는 국가는 아니라, 이 국제사회의 변화속에서 같이 움직이면서 세계의 새로운 모습을 만들어가는 과정에 한 몫을 하고 있다는 점을 우선 말씀드리고 싶습니다.

지난 한해동안 있었던 외교사안중에서 특히 뜻깊은 일은 유엔가입이라고 생각하는데, 특히 그것이 우리가 당초 바라던대로 북한도 함께 유엔에 가입하게 됨으로써 더욱 의미가 크다고 생각합니다.

돌이켜보건데 남북한 동시 유엔가입에 대한 북한의 반대는 상당히 완강했었고 또한 중국의 거부권행사 가능성도 배제할 수 없었습니다. 그러한 상황하에서 우리는 그동안 꾸준히 추진해온 북방외교의 성과를 바탕으로해서, 또한 유엔가입에 대한 국가원수의 확고한 신념을 받들어서 우리의 외교역량을 총동원하였습니다. 우리 우방국들도 전폭적으로 지지해 주었고, 내부적으로는 우리 국민들의 성원과 특히 언론에서 깊은 이해와 지지를 아끼지 않았던 것이 인상 깊습니다.

잘 아시다시피 우리나라는 2차대전후 세계냉전의 급류속에서 우리의 의사에 반하여 국토가 분단되었습니다. 이같이 왜곡된 민족의 역사가 국제 무대에 투영되어 나타난 것중의 하나가 유엔에 가입하고 싶어도 가입할 수 없었던 것이었습니다. 우리는 불행한 역사의 질곡으로부터 벗어나기 위해서 노력했으며 드디어 지난 9월 17일 비정상적인 모습을 허물고 우리의 온당한 제자리를 찾게 되었습니다.

오늘날 우리는 냉전체제가 와해되고 새로운 국제질서가 형성되어가는 역사의 전환점에 서 있습니다. 이 중대한 전환기에 한반도문제의 질적변화를 능동적으로 모색해야 하는 우리의 입장에서 볼때, 남북한의 유엔 동시가입은 더큰 의미를 가진다고 생각합니다. 남북한의 유엔가입을 시발로해서 한반도의 기류에 중대한 변화를 감지하게 됩니다. 꽁꽁 얼어붙어 요지부동으로 느껴졌던 남북한관계가 해빙을 맞이하는 듯한 느낌을 주고 있는 것은 참으로 다행한 일입니다.

이제 우리는 유엔회원국이 됨으로해서 세계평화와 인류의 공동번영을 위해 보다 건설적인 역할을 할 수 있는 기반을 갖게 되었습니다. 지난 걸프전쟁에서 보았듯이 세계평화를 유지하는데 있어 유엔의 역할은 더욱 중요해지고 있습니다.

또한 작금의 지구상에는 많은 나라가 공동으로 노력해야만 극복할 수 있는 여러가지 문제들이 있습니다. 환경보호, 테러방지, 마약, 빈곤문제등 공동관심사를 해결하는데 유엔은 중심적인 역할을 하고 있습니다. 우리는 이 방면 에도 우리가 할 수 있는 최선의 기여를 다하고자 합니다.

우리 외교사에 큰 획을 그은 1991년, 이해를 보내면서 그동안 유엔가입을 성원해 주신 국민 여러분들에게 다시한번 감사드립니다. 어떠한 외교정책도 국민의 지지와 성원없이는 소기의 성과를 기대하기가 어렵다는 것은 재론할 필요도 없습니다. 앞으로 정부는 주요외교사안에 대하여 여러분들의 이해를 구하고 또한 광범위하게 지혜를 모으는 노력을 아끼지 않을 것입니다.

새해에도 국민여러분들께서 우리의 외교에 대해 계속 많은 관심을 가져 주시기 바라며, 모든분들께 건강한 또 한해가 되시기를 바라는 바입니다.

감사합니다.

(Diplomacy 기자회견자료)

Korea's policy on and roles in the United Nations.

In the midst of ~~unprecedented~~ fundamental changes in the international society, States are prone to get into internal and regional turbulances which may endanger international peace and security. It is however fortunate that the United Nations is there and plays increasingly important roles and functions to maintain world peace and security and promote cooperations among nations.

As a full-fledged member of the United Nations, we will do our best to contribute to attaining the foremost objectives of the august world body through active participation in the work of the Organization, such as peace-keeping ~~and peace-making~~ activities. ~~in particular, in its effort to translate preventive diplomacy from a phrase into a working reality.~~

To achieve the common ends of humankind, we believe that the United Nations should be further strengthened. We will work in concert with other Member States to make the Organization more effective and efficient to cope with many challenges successfully.

상 고 재	92 년 1 월 15 일	담 당	과 장	국 장
		(서명)	(서명)	(서명)

0436

(유엔!)

장관님 Diplomacy 지와의 회견자료 요청

공보관실

92.1.9(목)

아래 질문서에 대한 답변 자료를 영문으로 작성, 1.14(화)까지 당실로 원본 1부와 디스켓을 함께 제출해 주시기 바랍니다.

- 답변 내용은 가급적 반페이지 내외로 하고, 고려명필에 작성

(디스켓은 복사후 반환)

이상옥 외무장관님과 단독회견 질문서

1. '92년도 우리나라의 중요한 외교정책은 무었입니까?
2. 유엔가입후 한국의 대유엔 정책 과 한국의역활을 어떻게 전망하시는지요?
3. 남북 외무장관회담과 정상회담은 언제쯤 가능하겠습니까?
4. 한.중 외무장관회담의 전망과 그시기를 어떻게 보시는지요?
5. 한.중 외교수립은 언제쯤 가능하다고 전망하십니까?
6. 미국과북한, 일본과북한 등 이들국교정상화가 언제쯤가능하다고 전망하시며 한국의 입장은 어떻게 생각하시는지요?
7. 북방외교의 종합적인 성과를 어떻게 보십니까?
8. 장관님께서는 개인적으로 한반도 통일방안을 어떻게 해야된다고 보시며 통일시기를 언제쯤 될것으로 예측 하십니까?
9. 미국, 일본, 소련과 중국이 과연 한반도 통일을 원한다고 보십니까?
10. 경험을 통하여 보실때 장관님께서는 외교의 개념을 무엇이라고 정립하십니까?
11. 오늘날까지 장관님께서 행하신 외교업무중 가장 괴로웠던때와 보람있었던 한두가지 예를들어 말씀하여 주십시요?
12. UR 협상전망을 어떻게 보시며 그 대책은 무엇입니까?
13. 21세기 국제사회에서의 한국의 위치와 역활을 어떻게 전망하십니까?
14. 21세기의 아시아에 있어서의 일본의 역활을 어떻게 전망하십니까? 특히 일본의 평화유지군의 해외파병에 관해서 어떻게 생각하십니까?
15. 아세아 국들간의 경제협력과 평화창조에 APEC 의 역활을 어떻게 평가하십니까?
16. 외교관을 지망하는 젊은이들에게 당부하고싶으신 말씀은?

0437

외교문서 비밀해제: 남북한 유엔 가입 14

남북한 유엔 가입 홍보 및 언론 보도 1

초판인쇄 2024년 03월 15일
초판발행 2024년 03월 15일

지은이 한국학술정보(주)
펴낸이 채종준
펴낸곳 한국학술정보(주)
주 소 경기도 파주시 회동길 230(문발동)
전 화 031-908-3181(대표)
팩 스 031-908-3189
홈페이지 http://ebook.kstudy.com
E-mail 출판사업부 publish@kstudy.com
등 록 제일산-115호(2000. 6. 19)

ISBN 979-11-6983-957-0 94340
979-11-6983-945-7 94340 (set)

책에 대한 더 나은 생각, 끊임없는 고민, 독자를 생각하는 마음으로 보다 좋은 책을 만들어갑니다.